RALPH ELLISON • Görünmeyen Adam

Literatür Yayıncılık, 2004 (1 baskı)

Invisible Man
© 1947, 1948, 1952 Ralph Ellison
© 1980 Ralph Ellison
Bu kitabın yayın hakları The Wylie Agency aracılığıyla alınmıştır.

İletişim Yayınları 1941 • Dünya Edebiyatı 217
ISBN-13: 978-975-05-1359-6
© 2013 İletişim Yayıncılık A. Ş.
1. BASKI 2013, İstanbul

DİZİ YAYIN YÖNETMENİ Murat Belge
EDİTÖR Bahar Siber
KAPAK Suat Aysu
KAPAK RESMİ Archibald J. Motley, "The Jockey Club"
UYGULAMA Hüsnü Abbas
DÜZELTİ Ayla Karadağ
BASKI ve CİLT Sena Ofset · SERTİFİKA NO. 12064
Litros Yolu 2. Matbaacılar Sitesi B Blok 6. Kat No. 4NB 7-9-11
Topkapı 34010 İstanbul Tel: 212.613 03 21

İletişim Yayınları · SERTİFİKA NO. 10721
Binbirdirek Meydanı Sokak İletişim Han No. 7 Cağaloğlu 34122 İstanbul
Tel: 212.516 22 60-61-62 • Faks: 212.516 12 58
e-mail: iletisim@iletisim.com.tr • web: www.iletisim.com.tr

RALPH ELLISON

Görülmeyen Adam

Invisible Man

ÇEVİREN *Mehmet H. Doğan*

iletişim

RALPH WALDO ELLISON 1 Mart 1914'te Oklahoma City'de doğdu. Küçük bir işyeri sahibi olan inşaatçı babası Lewis Alfred Ellison'ı bir kaza sonucu üç yaşındayken kaybetti. Erkek kardeşi ile yazarın bakımını, annesi Ida Millsap tek başına üstlendi. Ellison küçük yaştan itibaren müzikle ilgilendi. 1933'te kazandığı bir bursla Alabama'daki Tuskegee Üniversitesi'nde müzik eğitimine başladı. 1936'da Alabama'dan ayrılıp New York'a taşındı. Burada heykel ve fotoğraf eğitimi aldı. Aynı dönem Richard Wright'la tanışması hayatında bir dönüm noktası oldu. Hikâye ve denemelerini dergilerde yayımlatması bu döneme rastlar. İkinci Dünya Savaşı sonunda, Amerikan toplumunda Siyahilere yönelik ayrımcılığı işleyen *Görülmeyen Adam*'ı yazmaya başladı. Roman 1952'de yayımlandı ve ertesi yıl National Book Award'a değer görüldü. Yazmaya ve New York Üniversitesi başta olmak üzere birçok üniversitede ders vermeye devam etti. 1969'da Presidential Medal of Freedom nişanına layık görüldü. 16 Nisan 1994'te pankreas kanserine bağlı olarak hayatını kaybetti. *Shadow And Act* (1964), *Going To The Territory* (1986), *Flying Home And Other Stories* (1996) ve *Juneteenth* (1999) adlı eserlerinde Amerikan toplumunda gözlemlediği sorunlardan müziğe kadar birçok konuya değinmiştir.

Ida'ya...

Kaptan Delano, her an biraz daha şaşkın ve acı içinde, "Kurtuldunuz" diye bağırdı; "Kurtuldunuz: Neydi üstünüze böyle gölge eden?"
— Herman Melville, *Benito Cereno*

HARRY: Size söylüyorum, baktığınız ben değilim,
Sırıttığınız ben değil, ben değilim güvenilir bakış-
larınızın
Suçladığı, bir başkası; düşündüğünüz
Bensem eğer: Ölü seviciliğiniz
Beslensin dursun o Leş üzerinde
— T. S. Eliot, *The Family Reunion*

Giriş

Görülmeyen bir adamım ben. Yo, Edgar Allan Poe'nun peşini bırakmamış olan o hayaletlerden biri değilim; ne de o sizin Hollywood filmlerindeki dış plazmalardan biri. Ben, maddesi, eti-kemiği, lifleri, sıvıları olan bir insanın; hatta bir aklım olduğu da söylenebilir. Görülmezim, anlıyor musunuz, sırf insanlar beni görmek istemedikleri için görülmezim. Tıpkı sirklerde gördüğünüz bedensiz başlar gibi, sert, çarpıtıcı camdan yapılmış aynalar çevirmiş sanki etrafımı. Bana yaklaştıklarında yalnızca çevremdekileri, yani kendilerini, ya da hayallerinde uydurdukları şeyi görürler; her şeyi, en küçük şeyi görürler de beni görmezler.

Benim görülmezliğim, erimin biyokimyasal bir bozukluğu sorunu da değildir tam olarak. Sözünü ettiğim görülmezlik, karşılaştığım insanların gözlerindeki acayip bir durumdan dolayıdır. Onların *gönül* gözlerinin, fiziksel gözleri arasından gerçekliğe baktıkları o gözlerin yapılışı sorunudur bu. Yakınmıyorum, karşı geldiğim de yok. Çoğu zaman sinirleri yıpratıcı bir şey de olsa, görülmemek yararlı bir şeydir bazen. O zaman da, zayıf görüşlü kimseler çarpıp durur size. Ya da çok kere siz kuşkuya düşersiniz gerçekten var olup olmadığınızdan. Öteki insanların kafalarında bir hayal olup olmadığınızı düşünürsünüz. Hani bir karabasanda, uykuda olanın bütün gücüyle yok etmeye çalıştığı bir çehre. İşte böyle hissettiğiniz zaman bu kez siz başlarsınız öfkeyle ona buna çarpmaya. Ve ne yalan söyleyeyim sık sık da kapılırsınız bu duyguya. Kendinizi gerçek dünyada yaşadığınıza, bütün o etrafınızdaki gürültünün ve acının bir parçası olduğunuza inandırmak ihtiyacı içinde kıvranırsınız; sizi görmeleri, tanımaları için sağı solu yumruklarsınız, lanetler yağdırırsınız, küfredersiniz. Ama ne yazık ki, pek başarılı olmaz bu.

Bir gece kazayla bir adama tosladım. Belki de alacakaranlıkta gördü de beni, bir küfür savurdu; üzerine atıldım, yakasına yapıştım ve özür dilemesini istedim. Uzun boylu kumral bir adamdı; yüzümü yüzüne yaklaştırınca mavi gözleriyle küstahça baktı, küfretti. Çabaladıkça sıcak nefesini duyuyordum yüzümde. Çenesini sertçe tepeme doğru çektim, Kızılderililerden gördüğüm gibi bir kafa attım; etinin yarıldığını, kanın fışkırdığını hissettim. "Özür dile! Özür dile" diye bağırıyordum. Ama o, küfretmeye devam ediyor, kurtulmak için çabalıyordu bir yandan da. Çuval gibi, yere, dizlerinin üstüne yıkılıncaya kadar kafa attım, kan oluk gibi akıyordu. Ağzı köpük köpük kan içinde kaldığı halde hâlâ küfrediyordu; deli gibi tekmeledim, tekmeledim. Evet, tekmeledim! O kızgınlıkla bıçağımı çektim, gırtlağını kesecek oldum. Orada, inin cinin top oynadığı caddede lambanın altında bir elimle yakasından tutmuşum, dişlerimle bıçağı açmaya çalışıyordum ki adamın beni gerçekten görmemiş olabileceği geldi aklıma; belki de kendini bir karabasan içinde yürüyor görüyordu şimdi! Bıçağım öylece kalakaldı; havayı biçerek ittim onu, tekrar caddeye kapaklandı. Gözümü dikmiş öfkeyle bakıyordum ona; bir arabanın farları karanlığı delerek bize kadar geldi. İnleyerek uzanmış yatıyordu asfaltta; bir hayaletin neredeyse öldürdüğü bir adam. Sinirlerimi bozdu bu. Hem nefret ediyor hem utanıyordum. Ben de, tutmayan bacakları üzerinde ileri geri sallanan bir sarhoş gibiydim şimdi. Sonra hoşuma gitti bu. Bu adamın kalın kafasından bir şey dışarı fırlamış ve öldüresiye dövmüştü onu. Bu delice buluşa gülmeye başladım. Tam ölmek üzereyken aklı başına gelir miydi? Ölümün kendisi, onu gözü açık yaşama götürecek bir kurtuluş olur muydu? Ama daha fazla sallanmadım orada. Koşarak karanlığa daldım, öyle gülüyordum ki karnım yırtılacak sandım. Ertesi gün *Daily News* gazetesinde "saldırıya uğramış ve soyulmuş" başlığı altında resmini gördüm. Zavallı budalalar, zavallı kör budalalar, diye düşündüm içten gelen bir acımayla; görülmeyen bir adam tarafından soyulmuş ha!

Çoğu kez (bir zamanlar yaptığım gibi, ne çetin günler yaşadığımı görmezlikten gelip inkâr etme yolunu tutmasam da) göze görünür şekilde sert bir insan değilimdir. Görülmez olduğumu hatırlarım da, uyuyanları uyandırmamak için yavaş yavaş yürürüm. Bazen en iyisi onları uyandırmamak; uykuda gezenler kadar tehlikeli az şey vardır dünyada. Ama yine de, onlara karşı hiç fark ettirmeden bir kavgayı sürdürmenin mümkün olduğunu zamanla öğrendim. Örneğin, Elektrik Şirketi ile bir süredir böyle bir kavga içindeyim. Elektriklerini kullanıyorum ve bir kuruş para ödemiyorum; üstelik bilmiyorlar da bunu. Ha, enerjilerinin bir yerde çalındığından kuşkulanıyorlar; ama nerede olduğunu bilmiyorlar. Bütün bildikleri, enerji istasyonlarındaki ana saatlerine göre, Harlem cangılı içinde bir yerde dünya kadar bedava elektrik harcandığı. İşin matrak yanı, benim Harlem'de değil tam sınır bölgede yaşıyor olmam. Yıllarca önce (görülmez olmanın yararlarını keşfetmeden önce) ben de herkes gibi elektriklerini tüketir, dünyanın parasını öderdim onlara. Ama yok artık. Bıraktım bütün bunları, oturduğum daireyle, eski yaşayış tarzımla birlikte hepsini. Benim de öteki insanlar gibi görülür olduğum yanlış sanısına dayanıyordu bu yaşayış tarzı. Şimdi görülmezliğimin farkında, yalnızca beyazlara kiralanan bir evin bodrum katının on dokuzuncu yüzyılda kapatılmış ve unutulmuş bir bölümünde kira vermeden oturuyorum; Yıkıcı Ras'tan kaçmaya çalıştığım gece keşfettim burasını. Ama hikâyenin çok ilerisinde, hemen hemen sonunda anlatacağım bunları; son, başta da olsa, çok ilerde de yatsa.

Şimdi önemli olan nokta, bir ev bulmuş olmam; yeraltında bir in deyin isterseniz buna. Evime, "in" diyorum diye onun bir mezar kadar rutubetli ve soğuk olduğu sonucunu çıkarmayın hemen; soğuk inler vardır, sıcak inler vardır. Benimkisi sıcak bir in. Hem unutmayın, ayı, kışın deliğine çekilir, ilkbahara kadar bütün kışı orada geçirir; sonra kabuğunu kırıp çıkan Paskalya civcivi gibi ağır ağır dışarı çıkar. Bütün bunları, görülmüyorum ve bir inde yaşıyorum diye benim ölü olduğumu düşünmenin yanlış olduğuna sizi inandırmak için söylüyorum. Ne ölüyüm ne de yarı ölü. Bir kış uykusuna benzediği için benim bu halim, Ayı Jack deyin bana.

İnim sıcak ve aydınlık. Evet, apaydınlık. Bütün bu Newyork'ta benim inimden daha aydınlık bir yer var diyorsanız beri gelin, Broadway de buna dahil. Ya da bir fotoğrafçının düşlerine giren haliyle Empire State Binası bile. Ama sizin zayıf tarafınızdan faydalanmak olur bu. Bu iki yer, tüm uygarlığımızın –özür dilerim, tüm *kültürümüzün* (işittim ki önemli bir ayrımmış bu)– en karanlık yerlerindendir; bir aldatmaca ya da bir çelişme gibi gelebilir bu; ama dünya böyle (yani çelişmeyle dolu demek istiyorum) yürüyor: Bir ok gibi değil, atılınca insanın kendisine dönen bir bumerang gibi. (Tarihin *spiral* hareketlerinden söz edenlere karşı dikkatli olun, böyle bir bumerang hazırlıyorlardır. Elinizin altında bir çelik başlık bulundurun.) Biliyorum; bu sopalardan kafama o kadar yedim ki, aydınlığın karanlığını görebiliyorum artık. Ve ışığı çok seviyorum. Görülmeyen bir adamın ışığa ihtiyacı olmasını, ışık arzu etmesini, ışığa aşık olmasını garip bulacaksınız belki de. Ama kim bilir, belki de görülmez olduğum için böyledir bu. Işık, gerçekliğimi doğruluyor benim, biçimimi ortaya çıkarıyor. Bir zamanlar bir kız, boyuna gördüğü bir karabasandan söz etmişti bana: Büyük, karanlık bir odanın ortasında uzanmış; yüzü bütün odayı dolduracak, biçimsiz bir kütle olacak kadar genişliyor, gözleri safradan pelteler gibi bacadan dışarı fırlıyormuş. Aynı şey benim de başımda. Işıksızken yalnızca görülmez değil, şekilsiz de oluyorum ve insanın kendi şeklinin farkında olmaması, ölümü yaşaması gibi bir şey. Bense, yirmi yıl kadar bir süre var olduktan sonra bu dünyada, görülmezliğimi fark edinceye kadar canlı değildim sanki.

Elektrik Şirketi'yle bunun için savaş içindeyim işte. Yani daha derindeki neden, benim hayali canlılığımı hissetmemi sağlamasıdır. Onlarla, kendimi korumayı öğreninceye kadar onca paramı aldıkları için de mücadele ediyorum aynı zamanda. Bodrum katındaki inimde tam 1369 lamba var. Bütün tavanı, her santimetre karesine varıncaya kadar telle döşedim. Hem öyle floresan lambalarıyla değil, kullanması daha pahalıya mal olan eski filament tipi lambalarla. Bir çeşit baltalama bu, anlıyorsunuz. Bugünlerde duvarları da döşemeye başladım. Bir hurdacı tanıyorum, ileri görüşlü bir adam; ondan aldım teli ve soketleri. Hiçbir şey, ister fırtına, ister sel, bizim ışık ihtiyacımızı, önlememelidir. Hakikat ışıktır, ışıksa hakikat. Dört duvarı döşemeyi bitirince tabana başlayacağım. Nasıl olacağını tam olarak bilmiyorum şimdi. Ama benim kadar uzun süre görülmeden yaşayınca belli bir ustalık kazanıyor insan. Sorunu çözeceğim, belki de ben yatakta uzanırken kahve cezvemi ateşin üzerine koyacak bir alet, hatta yatağımı ısıtacak bir başka alet icat edeceğim; tıpkı resimli dergilerin birinde gördüğüm, ayakkabılarını ısıtmak için bir alet icat etmiş olan adam gibi! Görülmüyor da olsam, Amerika'nın o büyük tamircilik geleneğine uyuyorum. Beni Ford'la, Edison'la ve Franklin'le akraba yapıyor bu. Bir kuramım ve de bir kavramım olduğuna göre bana "düşünür-tamirci" deyin. Evet, ayakkabılarını ısıtacağım; gerekli bu onlar için, delik deşikler çünkü çoğu kez. Hem daha neler neler yapağım, bakın görün.

Şimdi bir radyo-pikabım var; dört tane daha almayı düşünüyorum. İnimde akustik bakımdan bir sağırlık var; müzik çaldığım zaman onun titreşimlerini *hissetmek* istiyorum, yalnızca kulaklarımla değil, bütün vücudumla aynı zamanda. Louis Armstrong'un çalıp söylediği, *"Böyle Kara ve Hüzünlü Olmak İçin Ne Yaptım Ben?"* şarkısının beş ayrı kaydını duymak isterdim; ama hepsini aynı anda. Bugünlerde ara sıra üzerine çakal erikli cin döktüğüm vanilyalı dondurmayı yerken dinliyorum Louis'i. Louis, o askerî çalgıyı lirik sesler çıkaran ince bir flüte döndürürken, bembeyaz dondurma topağı üzerine kırmızı içkiyi döküyor, parıltısını, buharların duman duman çıkışını seyrediyorum. Belki de Louis'i, görülmezlikten şiir çıkardığı için seviyorum. Muhakkak böyle; çünkü görülmediğinin farkında değil o. Benim görülmezliği kavrayışım ise onun müziğini anlamamda yardım ediyor bana. Bir kez bir sigara istemiştim birisinden de, bazı şakacı kimseler esrarlı bir sigara vermişti bana. Eve gelip pikabı dinlemeye başladığımda yaktım sigarayı. Garip bir akşamdı. Görülmezlik: Şöyle açıklayayım, insana farklı bir zaman hissi veriyor, tempoya uyamıyorsunuz hiç. Bazen öne geçiyorsunuz, bazen geride kalıyorsunuz. Zamanın hızlı ve algılanmayan akışına kapılacağınız yerde onun düğüm noktalarını, hareketsiz kaldığı ya da ileri doğru sıçradığı noktaları fark ediyorsunuz. Ve o kırılma yerlerine düşüyor, etrafınıza bakıyorsunuz. Louis'in müziğinde belli belirsiz işittiğiniz şey bu.

Bir kere de profesyonel bir boksörle kaba saba bir köylünün dövüşünü görmüştüm. Boksör hızlı ve şaşılacak derecede bilimseldi. Vücudu, hızlı ritmik hareketin, önünde durulmaz bir akışıydı. Köylü, şaşkınlıktan donup kalmış, kollarını kaldırana kadar yüz yumruk yemişti belki. Ama birden, boks eldivenlerinin fırtınası içinde sağa sola yuvarlanırken, bir vurdu; bilimdi, hızdı, ayak oyunlarıydı, hepsi kıçüstü oturdu. Bahisler altüst oldu. Hiç umut etmeyenler on ikiden vurdu. Köylünün yaptığı şey hasmının zaman duygusu içine bir adım atmaktan başka bir şey değildi. Yani esrarlı sigaranın büyüsü içinde, müzik dinlemenin yeni bir çözümsel yolunu buldum ben. Duyulmamış sesler ortaya çıkıyor, her ezgi kendi başına, ötekilerden tamamen ayrı beliriyor, söyleyeceğini söyledikten sonra diğer seslerin konuşmasını bekliyordu sabırla. O gece kendimi yalnızca zaman içinde değil aynı zamanda mekân içinde de işitiyor buldum. Yalnızca müziğin içine girmedim, Dante gibi onun derinliklerine de indim. *Ve ateşli temponun hızı altında daha yavaş bir tempo ve bir mağara vardı; içine girdim, etrafıma baktım ve flamenko kadar hüzünlü ve kötümserlik dolu dinsel bir şarkı söyleyen yaşlı bir kadın sesi duydum ve bunun altında daha da derinde fildişi renginde güzel bir kız gördüm, anamın, çıplak vücuduna pey süren bir grup köle sahibinin önünde otururkenki sesine ben-*

zer bir sesle yalvarıyordu; onun da altında daha alçak bir düzey, daha hızlı bir tempo buldum ve birinin bağırdığını işittim:

"Kardeşler, Kız Kardeşler, bu sabah size 'Karanlığın Krallığı'nı okuyacağım."

Ve sesler hep bir ağızdan cevap verdiler: "O karanlıktan karası yok Kardeş, yok..."

"Önce..."

"Her şeyden önce" diye bağırdılar.

"...karanlık vardı..."

"Onu söyle..."

"...ve güneş"

"Güneş, Tanrım..."

"...kan kırmızıydı..."

"Kırmızı..."

"Şimdi kara..." diye bağırdı vaiz.

"Kan kırmızısı..."

"Şimdi kara, dedim..."

"Onu anlat, Kardeş..."

"...ve kara değil..."

"Kırmızı, Tanrım, kırmızı: Kırmızıdır dedi o!"

"Amin, Kardeşler..."

"Kara, yenecek sizi..."

"Doğru, yenecek..."

"...ama kara..."

"Hayır, o yenmeyecek!"

"O yapar..."

"O yapar, Tanrım..."

"...ve o yapmaz."

"Haleluyah..."

"...Size mutluluk verecek, Ey Tanrım, WHALE'S BELLY'de."

"Onu anlat, Aziz Kardeş..."

"...ve sizi sınayacak..."

"Büyük Tanrım!"

"Yaşlı Nelly Hala!"

"Kara sizi yaratacak..."

"Kara..."

"...ya da kara sizi yok edecek."

Ve bu noktada bir trombon sesi haykırdı yüzüme, "Defol buradan, çılgın! İhanet etmeye hazır mısın?"

Ve ben, ilahiler söyleyen yaşlı kadının feryadı kulaklarımda zar zor ayrıldım oradan: "Allah belanı versin oğul, geberesin." Durdum ve sordum ona, sordum ne olduğunu:

"Efendimi çok sevdim ben oğul" dedi.

"Nefret etmeliydin ondan" dedim.

"Birçok oğul verdi bana" dedi, "ve oğullarımı sevdiğim için, nefret ediyor olsam da, babalarını sevmeyi öğrendim."

"Bu ikilemi ben de bilirim" dedim.

"O yüzden buradayım."

"Nedir o?"

"Hiçbir şey, bir sözcük o kadar. Neden ağlıyorsunuz?"

"O öldü diye ağlıyorum böyle" dedi.

"Peki söylesenize, kim şu yukarıda gülen?"

"Oğullarım. Seviniyorlar."

"Evet, şimdi anlayabiliyorum" dedim.

"Ben de gülerim; ama ağlarım da. Bizi özgür bırakacağına söz verdi; ama bir türlü eli varmadı buna. Onu yine de seviyordum..."

"Seviyor muydunuz onu? Yani..."

"Evet, evet; ama bir şeyi ondan da çok seviyordum."

"Neyi?"

"Özgürlüğü."

"Özgürlüğü" diye tekrarladım. *"Belki de özgürlük nefretin içinde."*

"Hayır oğul, sevginin içinde; onu seviyorum ve zehir verdim ona ve o don vurmuş bir elma gibi kuruyuverdi. Şu oğlanlar, ev işi bıçaklarıyla parça parça doğrayacaklardı onu."

"Bir yerde bir yanlışlık var" dedim. *"Karıştırdım."*

Başka şeyler de söylemek istedim; ama yukarı kattaki gülüşler o kadar yükseldi ve feryada döndü gibime geldi ki, bastırmaya çalıştım sesimle ama yapamadım. Tam oradan ayrılırken ona özgürlüğün ne olduğunu sormak gibi dayanılmaz bir isteğe kapıldım ve geriye döndüm. Başı ellerinin arasında hafifçe inleyerek oturuyordu; deri kahverengiliğindeki yüzünü üzüntü kaplamıştı.

"Anacığım, nedir şu senin o kadar sevdiğin özgürlük?" diye bir soru çıktı kafamın bir köşesinden.

Önce şaşırmış, sonra düşünceli, daha sonra ise aklı karışmış gibi baktı. "Unuttum oğul. Hepsi birbirine karıştı. Önce şudur diye düşünüyorum, sonra bir bakıyorum o değil buymuş. Başım dönüyor. Ama şimdi sanıyorum ki ne o, ne de bu aklıma gelen şeyi nasıl söyleyeceğimi bilmektir. Ama kolay değil, oğul. Çok kısa zaman içinde çok şey geldi başıma. Ateşim var sanki. Ne zaman ayağa kalkıp yürümeye çalışsam başım dönmeye başlıyor ve düşüyorum. Böyle olmasa bile oğlanlar çıkıyor bu sefer; gülmeye başlıyorlar ve beyazları öldürmek istiyorlar. Onlar daha sert, böyle işte onlar..."

"Özgürlüğü anlatıyordunuz?"

"Beni yalnız bırak, oğul, başım ağrıyor."

Ayrıldım yanından, bu kez ben sersemlemiş gibiydim. Fazla uzaklaşamadım.

Birden oğullardan biri, bir doksan boyunda iri bir oğlan bir yerlerden çıktı karşıma ve bana bir yumruk attı.

"Ne oluyor, lan?" diye bağırdım.

"Anamı ağlattın sen!"

Bir başka yumruğu savuştururken, "Ben mi, nasıl?" dedim.

"Sorular sordun ona, öyle işte. Defol buradan şimdi, bir daha da böyle soruların olursa kendi kendine sor!"

Taş gibi soğuk elleriyle boğazımı sıkıyordu, parmakları gittikçe sıkışıyordu gırtlağımda; boğulacağımı sandım, en sonunda gitmeme izin verdi. Sersemlemiş halde sendeleye sendeleye çıktım dışarı, müzik çılgınca vuruyordu kulaklarımda. Ortalık karanlıktı. Kafam aydınlandı; karanlık, dar bir geçitten yürüdüm, arkamdan koşan ayak seslerini duyuyor gibiydim. Kırılmıştım, derin bir rahatlık, huzur ve sessizlik isteği kaplamıştı bütün vücudumu; bugüne kadar hiç ulaşamamıştım buna. Yalnız, trompetin sesi çok tiz, ritim çok hızlıydı. Tamtamlara benzer bir yürek atışı doldurarak kulaklarımı, trompetin sesini bastırdı. Su içmek istiyordu canım, el yordamıyla yolumu bulmaya çalışırken parmaklarımla dokunduğum soğuk boruların içinden suyun aktığını işittim; ama araştırmak için duramadım, ayak sesleri hâlâ peşimdeydi.

"Hey, Ras" diye bağırdım. "Sen misin, Yıkıcı? Rinehart?"

Cevap yok, yalnızca düzenli ayak sesleri peşimde hep. Yolun
öteki tarafına geçmeye çalıştım bir kez; hızla giden bir makine
çarptı bana, gürültü ile geçip giderken yanımdan, bacağımın deri-
sini de sıyırıp geçti.

Neden sonra nasılsa çıktım dışarı, Louis Armstrong'un ma-
sum masum:

Ne yaptım ben
Bu kadar kara
Ve bu kadar hüzünlü olmak için?

diye soran sesini duymak için karanlık yeraltı ses dünyasından
aceleyle yukarı çıktım.

Önce korktum; bu tanıdık müzik hareket istemişti, benim
beceremeyeceğim ama boğucu yeraltında biraz daha kalabil-
seydim yapmaya kalkışabileceğim bir hareket. Ne olursa olsun
şimdi biliyorum ki, pek az kişi gerçekten dinliyor bu müziği.
Terden sırılsıklam, sanki 1369 lambamdan her biri, Ras ve Ri-
nehart'ın önünde sorguya çekilirken tepeme dikilmiş kim bi-
lir kaç voltluk işkence lambalarıymış gibi sandalyenin kenarına
oturdum. Boğucu bir hava vardı; şiddetli açlık günlerinden ge-
len korkunç sessizlik içinde bir saat süreyle soluğumu tutmuş-
tum sanki. Ama ne de olsa, sesin sessizliğini işitmek, görülme-
yen bir insan için garip şekilde doyurucu bir yaşantıydı. Varlı-
ğımın bilinmeyen zorunluluklarını keşfetmiştim; onların zor-
lamalarına "evet" diyememiş olsam bile. Ama o zamandan be-
ri de esaslı sigara içmedim; yasak olduğu için değil, köşe buca-
ğı görmek yettiği için (görülmez iseniz olağandışı değildir bu).
Ama onların dört bir yanını işitmek ise fazladır; eylemi, hareke-
ti yasaklar. Jack Kardeş'e, bütün o hüzünlü, kaybolmuş Kardeş-
lik dönemine rağmen eyleme inanmıyorsam, başka hiçbir şeye
de inanmıyorum demektir.

Şu tanımlamayı dinler misiniz: Bir kış uykusu, daha açık bir
eylem için gizli bir hazırlıktır.

Ayrıca, uyuşturucu maddeler insanın zaman duygusunu kö-
künden yok ediyor. Böyle olunca da, aydınlık bir sabah vakti,

bir kenara çekilmeyi unuturum da, budalanın biri turuncu ve sarı renkli bir tramvay ya da safra yeşili bir otobüsle tepeler geçer beni! Ya da eylem anı kendini gösterdiğinde inimi terk etmeyi unutabilirim. Bu aralar Elektrik Şirketi sayesinde halimden memnunum. Burnunuzun dibine kadar geldiğim halde beni tanımadığınıza göre, hatta hiç kuşkusuz benim var olduğuma inanmadığınıza göre, binaya, benim yeraltındaki inime bir elektrik hattı çektiğimi bilseniz bile bir önemi yok benim için. Önceleri, sürülmüş olduğum karanlıkta yaşıyordum; ama şimdi görüyorum. Görülmezliğimin karanlığını aydınlattım; ya da tersi. Böylece yalıtılmışlığımın görülmeyen müziğini çalıyorum. Son cümle pek doğru gelmedi size de, değil mi? Ama doğru; siz bu müziği, müzisyenler hariç, işitildiği ve ender olarak görüldüğü için işitiyorsunuz. Görülmezliği siyaha ve beyaza indirmek zorunluluğu, görülmezliğin müziğini yapma dürtüsü olabilir miydi? Ama bir konuşmacıyım ben, kara halk yığınlarını uyandırırım. Öyle miyim? Bir zamanlar *öyleydim*, belki de yine öyle olacağım. Kim bilir? Bütün hastalıklar ölüme götürmez insanı, görülmezlik de öyle.

"Ne korkunç, ne sorumsuz bir piç!" dediğinizi duyar gibiyim. Haklısınız da. Sizinle aynı fikirde olmak için can atıyorum. Gelmiş geçmiş en sorumsuz insanlardan biriyim ben. Sorumsuzluk, görülmezliğimin bir parçasıdır benim; ne yandan bakarsanız bakın, bir yadsımadır o. Ama siz beni görmek istemediğinize göre kime karşı sorumlu olabilirim, hem ne diye olayım? Ne derece sorumsuz olduğumu ortaya koyuncaya kadar bekleyin biraz. Sorumluluk, tanınmaya dayanır; tanınma ise anlaşmanın bir biçimidir. Şu neredeyse öldürdüğüm adamı ele alın: Kimdi sorumlusu o öldüresiye dayağın, ben mi? Sanmıyorum, kabul etmem bunu. Reddederim. Bana yükleyemezsiniz bunu. Bana çarpan o, beni aşağılayan o. Kendi kişisel güvenliği için benim isterimi, bendeki "tehlike gücünü" tanıması gerekmez miydi? Diyelim ki, bir düş dünyasında kaybolmuştu. Ama bu düş dünyasını kontrol etmiyor muydu –ne yazık ki çok gerçek bir dünyaydı bu!– ve beni sürüp çıkarmamış mıydı o dünyanın içinden? Ve bağırıp bir polis çağırmış olsaydı suçlu kabul edilmeyecek miydim? Evet, evet, evet! Sizinle aynı fikirdeyim, ben sorumluydum; çünkü, toplumun daha yüksek çıkarlarını korumak için bıçağımı kullanmalıydım. Bir gün böylesi bir çılgınlık, çok acı dertler açacak başımıza. Bütün düş görenler ve uykuda yürüyenler bunun bedelini ödemeliler, hatta görülmez bir kurban hepsinin kaderinden sorumlu olsa bile. Ama ben sıyrıldım o sorumluluktan; beynimin içinde vızıldayıp duran birbirinin tersi kavramlar içinde fazla dolaştım durdum, karıştırdım her şeyi. Korkağın biriydim ben...

Ama bu kadar hüzünlü olmak için *ben* ne yapmıştım? Ne olur, sonuna kadar dinleyin beni.

Bir

Çok gerilere, yirmi yıl kadar öncesine gidiyor. Bütün yaşamım boyunca bir şey aramıştım ve nerede bunun ne olduğunu söylemeye çalışan biri varsa ona dönmüştüm. Onların cevaplarını da kabul etmiştim; çoğu kez benimkiyle ve hatta kendi içlerinde de kendileriyle zıtlık içinde olsalar bile. Safdildim ben. Kendimi arıyordum da, kendim hariç herkese benim, yalnızca benim cevaplandıracağım sorular soruyordum. Benden başka herkesin sanki doğuştan bildikleri şu gerçeği kafama sokabilmem çok uzun zaman aldı ve bana çok pahalıya mal oldu: Ben, hiç kimse değil kendimdim. Ama önce görülmeyen bir adam olduğumu keşfetmem gerekmişti.

Ama yine söylüyorum, bir doğa ya da tarih garibesi değilim ben. Beklenilmeyen bir şey olmadıkça (ya da beklenilenden başka bir şey olmadıkça) kaderim seksen beş yıl önce çizilmişti benim. Dedelerimin, ninelerimin köle oluşundan utanmıyorum. Yalnız bir zamanlar utanmış olduğum için utanıyorum. Seksen beş yıl kadar önce, özgür oldukları, kamu yararını ilgilendiren her şeyde, toplumsal olan her şeyde ülkemizin öteki insanlarıyla ortak oldukları, bir elin parmakları kadar ayrı oldukları söylendi onlara. Onlar da inandılar buna. Çok sevindiler. Yerlerinden kıpırdamadılar, sıkı çalıştılar ve aynı şeyleri yapsın diye babamı büyüttüler. Ama büyükbabam başkasına benzemeyen bir insandır. Garip bir ihtiyardı büyükbabam; benim de ona çektiğimi söylerler. Belayı başlatan da oydu. Ölüm döşeğinde babamı yanına çağırdı, "Oğul, ben bu dünyadan göçtükten sonra savaşı sonuna kadar götürmeni, hiç bırakmamanı istiyorum. Bugüne kadar söylemedim sana ama; bizim hayatımız bir savaştır, bense ta doğduğum günden beri bir haindim. Yeniden Kuruluş döneminde tüfeğimi elimden bıraktığım günden beri düşman ülkesinde bir casustum. Başın aslanın ağzında yaşa. Onları 'evet'lerle yen, sırıtışlarla kuyularını kaz, ölüme ve yıkıma kadar onlarla uyum içinde ol, kusuncaya kadar seni yutmalarına ses çıkarma" dedi. İhtiyarın aklını kaybettiğini sandılar. İnsanların en yumuşak başlısıydı. Daha küçük çocuklar odadan dışarıya çıkarıldı, perdeler indirildi, lambanın alevi öyle kısıldı ki, fitilin üzerinde ihtiyarın nefes alışı gibi çıtırtılar başladı. "Bunu çocuklara da öğret," diye fısıldadı öfkeyle, sonra öldü.

Ama bizimkiler onun ölümünden çok, son sözlerinden dehşete düştüler. Hiç ölmemiş gibiydi sanki; sözleri o kadar endişelendirmişti onları. Söylediklerini unutmam konusunda kesin dille uyardılar beni; gerçekten de, aile ortamının dışında ilk kez ağzıma alıyorum bunları. Ama çok büyük bir etki yapmıştı benim üzerimde. Ne demek istediğini hiçbir zaman kesin olarak anlayamadım. Büyükbabam, hiçbir zaman ortalığı karıştırmamış, kendi halinde sessiz bir ihtiyardı; ama gel gör ki, ölüm döşeğinde kendisinin bir hain, bir casus olduğunu söylemiş ve bu sessizliğinden tehlikeli bir hareketmiş gibi söz etmişti. Bu, aklımın gerisinde, cevaplandırılmamış halde yatan bir soru olarak kaldı hep. Ve ne zaman işlerim iyi gitse, büyükbabamı hatırlar, kendimi suçlu, rahatsız hissederdim. Kendime rağmen onun nasihatini yerine getiriyormuşum gibi bir şeydi bu. İşin daha da kötü yanı, herkes bunun için seviyordu beni. Kasabanın bembeyaz, kar gibi adamları övüyorlardı beni. İyi huylu, örnek bir kişi olarak kabul ediyorlardı beni, tıpkı büyükbabam gibi. Benim çözemediğim şeyse, ihtiyarın bunu bir *ihanet* olarak tanımlamış olmasıydı. Ne zaman davranışımdan dolayı beni övseler, şu ya da bu şekilde beyazların arzularına gerçekten karşı bir şey yapıyormuşum; anlamış olsalar tam tersine hareket etmemi isteyeceklermiş; ters ve rezil bir adam olmam gerekirmiş; aldatılmış olmalarına, kendilerinin istedikleri gibi hareket ettiğimi sanmalarına rağmen bu –ters ve rezil bir insan olmam yani– tam da kendilerinin istediği bir şeymiş gibi bir suçluluk hissederdim. Bir gün bana bir hain gibi bakacaklar ve ben de mahvolacakmışım korkusu veriyordu bana bu. Başka türlü hareket etmekten daha çok korkuyordum; çünkü hiç sevmezlerdi. İhtiyarın sözleri bir lanetti sanki. Okulu bitirdiğim gün, alçakgönüllülüğün gelişimin sırrı, hatta ondan da öte özü olduğunu anlatan bir konuşma yaptım. (İnandığımdan filan değil –büyükbabam güzümün önünde öylece dururken nasıl inanabilirdim buna?– işe yaradığına inandığım için böyle dedim.) Çok beğenildi. Herkes beni göklere çıkarıyordu, aynı konuşmayı kasabanın önde gelen beyazlarının toplantısında da yapmaya çağırdılar. Bizimkiler için bir zaferdi bu.

Toplantı, kasabanın en iyi otelinin balo salonundaydı. Oraya vardığımda toplantının benim için olmadığını öğrendim, sıradan bir eğlenceymiş; nasıl olsa orada bulunduğuma göre, o geceki eğlencenin bir bölümü olan bazı okul arkadaşlarım arasında düzenlenen çoklu dövüşe katılabileceğimi söylediler. Dövüş en baştaydı.

Kasabanın bütün kodamanları smokinlerini giymiş oradaydılar; büfedeki yiyeceklere aç kurtlar gibi saldırıyorlar, bira, viski içip koyu renkli purolar tüttürüyorlardı. Yüksek tavanlı geniş bir salondu. Sandalyeler hemen oracıkta kurulan bir boks ringinin üç yanına düzgün sıralar halinde dizilmişti. Dördüncü yan boştu; döşemesi cilalanmış, pırıl pırıl yanıyordu o tarafın. Yeri gelmişken söyleyeyim, bu dövüş içime bir korku düşürmüştü. Dövüşmekten hoşlanmadığımdan değil, dövüşe katılacak öteki arkadaşları fazla umursamadığımdan. Kafalarını karıştıracak büyükbaba lanetleri yokmuş gibi gözüken kuvvetli oğlanlardı. Güçlerini kuvvetlerini kimse yadsıyamazdı. Ayrıca, böyle bir dövüşe katılmanın benim konuşmamın değerini düşüreceğinden de korkuyordum. Görülmezlik öncesi o günlerde kendimi, içinde neler neler yatan bir Booker T. Washington olarak görüyordum. Ama *öbür* arkadaşlar da bana pek aldırmıyorlardı; dokuz kişiydiler. Kendi hesabıma, onlardan üstün görüyordum kendimi, hepimizin bir arada hizmetçi asansörüne tıkılmış olmamızdan hiç de hoşlanmamıştım. Onlar da benim orada bulunmamdan hoşlanmamışlardı. Gerçekten de, asansörle, yumuşak ışıkların aydınlattığı katları birer birer yukarı çıkarken, oyuna katılmakla kendi arkadaşlarından birini o geceki işinden ettiğimi söylediler.

Asansörden, rokoko tarzında döşeli bir hole çıktık, oradan da bir bekleme odasına götürüldük; bize dövüş elbiselerimizi giymemizi söylediler. Her birimize birer boks eldiveni verildi, büyük aynalı bir salona götürüldük; etrafımıza dikkatle bakarak, odanın o gürültüsü içinde ne olur ne olmaz işitiliriz diye birbirimizle fısıldaşarak içeriye girdik. Puro dumanı sis gibi kaplamıştı ortalığı. Viski daha şimdiden tutmuştu kafaları. Kasabanın en önemli kişilerinden bazılarını çakırkeyif görmek şaşırttı beni. Hepsi oradaydı; bankerler, avukatlar, yargıçlar, doktorlar, itfaiye şefleri, öğretmenler, tüccarlar. Gözde papazlardan biri bile oradaydı. Ön tarafta bizim göremediğimiz bir şey devam ediyordu. Bir klarnet sesi duygulu duygulu titriyordu; adamlar ayaktaydı, heyecanla öne doğru eğilmişlerdi. Sıkışık, küçük bir gruptuk biz: Bir araya toplanmış, vücutlarının çıplak üst kısımları birbirine dokunan ve daha şimdiden terden parıl parıl; öndeki kodamanlar gördükleri şeyden gittikçe daha çok heyecanlanırken, biz hâlâ bir şey göremiyorduk. Birden, benden oraya gelmemi isteyen okul müdürünün, "Gündüz fenerleri geldi, baylar! Küçük gündüz fenerleri geldi!" diye bağırdığını işittim.

Balo salonunun daha da kuvvetle tütün ve viski koktuğu ön tarafına doğru koşturdular bizi. Sonra da ortaya sürüldük. Donumu ıslatmıştım neredeyse. Kimisi düşmanca, kimisi keyifli yüzlerden oluşan bir orman çevirmişti etrafımızı; ortada, tam karşımızda harika bir sarışın duruyordu, çırılçıplak. Ölüm sessizliği kaplamıştı ortalığı. Soğuk bir yelin geçtiğini hissettim sırtımdan. Geri dönüp kaçmak istedim; ama arkamı, etrafımı hep insanlar sarmıştı. Oğlanlardan kimisi başlarını öne eğmiş, titreyerek duruyorlardı öylece. Saçma bir suçluluk ve korku dalgasına kapıldım. Dişlerim takırdıyordu; tüylerim diken dikendi; dizlerimin bağı çözülmüştü. Ama kendime rağmen gözlerimi ayıramıyordum ve bakıyordum kadına. Kör olacağımı bilsem de bakardım. Saçlar, tombul, küçük sirk bebeklerininki kadar sarı; yüz, sanki soyut bir maske olmak istermiş gibi kat kat pudralı, allıklı; gözler, çukur ve maymun kıçı renginde soğuk bir maviye boyalı. Gözlerim kadının vücudu üzerinde ağır ağır dolaştıkça, içimden, yüzüne tükürmek geldi. Göğüsleri sımsıkı, East Indian tapınaklarının kubbeleri gibi yuvarlaktı; incecik derisini ve pembe, dimdik göğüs uçlarının etrafında çiğ taneleri gibi parlayan, inciye benzeyen ter tomurcuklarını görecek kadar yakınında duruyordum. Bir, odadan kaçayım, yer yarılsın da içine gireyim, bir, gideyim vücudumla örtüp onu kendi gözlerimden de, başkalarının gözlerinden de saklayayım istiyordum; kadife gibi kalçalarına dokunayım, okşayayım, yok edeyim, seveyim ve öldüreyim onu, saklanayım ondan; ama yine de, göbeğinin üzerinde küçük Amerikan bayrağının boyandığı yerin altını, kalçalarının bir büyük V harfi yaptığı yeri okşayayım istiyordum. Odada, onca kalabalığın içinde, duygusuz, donuk gözleriyle yalnızca beni gördüğü düşüncesine kapıldım.

Sonra, iç gıcıklayıcı ağır bir hareketle dans etmeye başladı; yüzlerce purodan çıkan duman, tüllerin en incesiyle sarıyordu vücudunu. Gri ve korkunç bir denizin azgın yüzünden bana seslenen, tüller içinde çok güzel bir peri kızına benziyordu. Kendimden geçmiştim. Sonra klarnetin çaldığını ve kodamanların bize bağırdıklarını fark ettim. Kimisi bakıyoruz, kimisi de bakmıyoruz diye bağırıyordu. Sağımda bir oğlanın bayıldığını gördüm. Aynı anda bir adam masanın birinden gümüş bir sürahi kaptı, düşen oğlana yaklaşıp buzlu suyu boşalttı üstüne, ayağa kaldırarak içimizden iki kişiyi destek olmaya zorladı ona; oğlanın başı öne düşmüştü, kalın mavimsi dudaklarından iniltiler geliyordu. Bir başka çocuk eve gideyim diye yalvarmaya başladı. Klarnetin insanı baştan çıkaran hafif iniltilerine cevapmış gibi vücudundan dışarı fırlamış kabarıklığı gizleyemeyecek kadar küçük, koyu kırmızı dövüş pantalonu giymiş grubun en iri çocuğuydu bu. Boks eldivenleriyle gizlemeye çalışıyordu kendini.

Bu arada sarışın kadın, bir yandan büyülenmiş gibi kendisini seyreden kodamanlara, diğer yandan korkumuza hafifçe gülümseyerek dans etmeye devam ediyordu. Kadını aç gözlerle izleyen, dudakları sarkmış, ağzından salyalar akan bir tüccar ilişti gözüme. Koca göbeğinin şişirdiği gömleğinin önünde elmas düğmeler görünen iri bir adamdı bu; sarışının kıvrılan kalçalarını her sağa sola atışında, eliyle kel kafasındaki seyrek saçları tarıyordu; yukarı kalkmış kolları, sarhoş bir Himalaya ayısınınkine benzer hantal gövdesiyle göbeğini ağır ve iğrenç bir şekilde döndürüyordu. Tamamen büyülenmişti bu yaratık. Müzik hızlanmıştı. Dans eden kadın, yüzünde hareketleriyle ilgisiz bir ifade, kendini oradan oraya attıkça adamlar ona dokunmak için uzanmaya başladılar. İri, etli parmaklarının yumuşak bedene gömüldüğünü görebiliyordum. Bazılarıysa engel olmaya çalışıyordu bunlara; kadın, onlar kendini kovaladıkça, cilalanmış döşeme üzerinde kayarak, kaçarak, ustalıklı, ince daireler çiziyordu ortalıkta. Herkes çıldırmıştı. Onlar kadının arkasından gülerek, uluyarak koştukça sandalyeler parçalanıyor, etrafa içkiler saçılıyordu. Tam bir kapıya vardığı sırada yakaladılar onu, yukarı kaldırdılar, kolejlerde oğlanların birbiriyle şakalaşırken yaptıkları gibi havaya fırlattılar. Hiç bozmadığı gülümsemesiyle kırmızı dudaklarında, gözlerinde korkuyu ve nefreti gördüm; kendimde, bazı çocuklarda gördüğüm korkuyu ve dehşeti. Ben seyrederken onu iki kez daha fırlattılar havaya, yumuşak göğüsleri havada yassılmış gibi geldi bana; bacakları dehşetle sağa sola fırlıyordu dönerken. Biraz daha aklı başında olanlar kaçmasına yardım ettiler. Bense, kalan çocuklarla birlikte bekleme odasına yönelerek ayrıldım oradan.

Bazıları hâlâ bağırıyordu, isteri içindeydiler. Fakat tam biz salondan ayrılırken durdurdular, ringe girmemizi emrettiler. Söyleneni yapmaktan başka ne gelirdi elimizden! Onumuz da, gerilmiş iplerin altından ringe çıktık; geniş, beyaz kumaşlarla gözlerimizi bağlattık ister istemez. Adamlardan biri bize karşı biraz daha sevgi duyuyor olmalı ki, sırtımızı iplere vermiş ayakta dururken neşelendirmeye çalışıyordu bizi. Birkaçımız sırıtmaya çalıştı. Birisi, "Şuradaki oğlanı görüyor musun?" dedi, "Çıngırak çalınca doğru ona koşup midesi budur diye yükleneceksin. Beceremezsen ben senin hesabını görürüm sonra. Bakışlarını hiç beğenmiyorum o oğlanın." Her birimize aynı şey söyleniyordu. Gözlerimizin bağlanması bitti. O sırada bile söylevimi kendi kendime tekrarlamaktaydım. Her sözcük alev gibi parlaktı kafamda. Kumaşın gözümü sıktığını hissettim; gevşetirim umuduyla kaşlarımı, alnımı gerdim.

Ama aniden kör bir korku nöbetine yakalandım. Karanlığa alışkın değildim. Sanki, içerisi zehirli yılanlarla dolu, zifiri karanlık bir odadaydım. Dövüşün başlaması için durmadan bağıran, bağırmaktan kısılmış sesleri duyuyordum.

"Hey! Haydi başlasanıza!"

"Bırakın şu koca Zenci'yi geberteyim!"

Biraz olsun tanıdık olan bir ses duyup güven kazanmak ister gibi okul müdürünün sesini yakalamak için kulaklarımı diktim.

Birisi, "Bırakın şu kara orospu çocuklarını bana!" diye bağırdı.

"Hayır, Jackson, dur!" diye haykırdı bir başka ses. "Hey, yardım edin bana da Jack'i tutayım."

Birinci ses, "Şu zencefil karası Zenci'yi bir elime geçireyim, kolunu bacağını ayıracağım," diye bağırıyordu.

Ringin iplerine yaslanmış, titriyordum. Çünkü o günlerde zencefil karası dedikleri renkteydim ben de; bir yakalarsa, beni dişlerinin arasında gevrek bir zencefil şekeri gibi çatur çutur yiyecekmiş gibi geldi bana.

Bir kavgadır sürüp gidiyordu ortalıkta. Sandalyeler tekmeleniyordu; korkunç bir çabayla hırıldadığını işitiyordum etrafımda seslerin. Görmek; bugüne kadar duymadığım bir istekle, görmek istiyordum yanımı yöremi. Ama gözlerimdeki bağ, deriyi buruşturan kalın bir yara kabuğu kadar sıkıydı; onu birazcık aralamak için eldivenli ellerimi kaldırınca bir ses bağırdı, "Yo, yo, olmaz kara piç! Dokunma ona!"

"Çıngırağı çal; yoksa Jackson gebertecek Zenci'yi" diye o ani sessizlikte top gibi patladı bir ses. Ve çıngırağın çaldığını, ayak seslerinin sürünerek ilerlediğini duydum.

Bir eldiven kafamda şapladı. Yanımdan geçen birisiyle sertçe çarpıştık, olduğum yerde döndüm; kolum, parmak uçlarımdan omuzlarıma kadar elektriğe tutulmuş gibi sarsıldı. Sonra, öteki dokuz çocuğun hepsi derhal bana dönmüş gibi geldi. Ben elimden geldiği kadar geriye çekilmeye, kendimi korumaya çalışırken dört bir yandan yumruklar yağıyordu. O kadar çok yumruk yiyordum ki, acaba ringde gözü bağlı tek dövüşçü ben miyim dedim kendi kendime; yoksa Jackson denilen herif sonunda yakalamış mıydı beni.

Gözlerim bağlı, artık hareketlerimi kontrol edemiyordum. Rezil olmuştum. Bir bebek gibi, sarhoş bir insan gibi yuvarlanıp duruyordum ortada. Duman daha da koyulaşmıştı etrafta; her vuruşta ciğerlerim kuruyor, birbirine yapışıyormuş gibi oluyordu. Tükürüğüm acı, kızgın bir zamk olmuştu. Başıma bir eldiven yedim; ağzım sıcak kanla doldu. Her yer kandı. Vücudumda hissettiğim ıslaklığın kan mı, ter mi olduğunu bilemiyordum. Ense köküme sert bir darbe indi. Dengemi yitirdim, başım yere çarptı. Göz bağının arkasındaki kapkara dünyayı mavi şimşekler doldurdu. Yenilmiş, kendimden geçmiş gibi yaparak yüzükoyun uzandım; ama bazı ellerin beni yakaladığını ve ayağa kaldırdığını hissettim. "Devam et, Araboğlu! Dövüşe devam!" Kollarım kurşun gibi ağırlaşmıştı; başım çatlıyordu darbelerin altında. İplere doğru yolu zor buldum ve tutundum soluk almaya çalışarak. Vücudumun tam ortasına bir yumruk indi, tekrar kaybettim kendimi; karnıma sokulmuş bir bıçaktı sanki duman. Etrafımda dönüp duran bacaklarla bir o yana bir bu yana itile kakıla nihayet ayağa kalkabildim ve birden terden ıpıslak kara vücutların duman mavisi bir hava içinde sarhoş dansörler gibi, darbelerin hızlı, davul gibi seslerine uyarak sallandıklarını gördüğümü fark ettim.

Herkes delicesine dövüşüyordu. Tam bir kargaşaydı. Herkes herkesle dövüşüyordu. Hiçbir grup uzun süre birbiriyle dövüşmüyordu. İki, üç, dört kişi bir kişiyi dövüyor, sonra onlar da birbirlerine dönüp, saldırıyorlardı. Darbeler belden aşağıya, böbreklere iniyordu; eldivenli ellerin kimi açık, kimi sıkılıydı. Şimdi gözlerim kısmen açık olduğu için o kadar korku duymuyordum. Dikkatle hareket ediyordum, yumruklardan sakınmaya çalışıyor ama dikkati çekmemek için ara sıra da yumruk yiyerek gruptan gruba dövüşerek gidiyordum. Çocuklar, başlarını omuzlarının içine çekmiş, kollarını sinirli sinirli germiş; yumrukları, üstün duyarlıklı sümüklüböceklerin düğme şeklindeki duyargaları gibi dumanla dolu havayı yoklayarak, en yumuşak yerlerini korumak için çömelen, kör, ihtiyatlı yengeçler gibi eğilerek yürüyorlardı. Bir köşede çılgın gibi havayı yumruklayan bir oğlan çarptı gözüme; yumruğunu ring demirlerinden birine hızla vurunca acıyla bağırdığını işittim. Bir an, elini tutarak yere eğildiğini, sonra savunmasız kafasına bir yumruk yiyince yere yıkıldığını gördüm. Bir gruptan ötekine, içlerine kayıp bir yumruk attıktan sonra körü körüne bana sallanmış yumrukları karşılamak için başkalarını o kargaşanın içine iterek dışarı kaçıyordum. Duman bir işkenceydi; ne raund, ne soluk almak için üç dakikalık ara çanları vardı. Oda etrafımda dönüyordu; etrafı gergin beyaz yüzlerle çevrili ışıklardan, dumandan ve terli vücutlardan bir girdap. Ağzımdan burnumdan kan akıyordu, kan içinde kalmıştı göğsüm.

Adamlar boyuna bağırıyorlardı, "Vur karaoğlan! Bağırsaklarını dök onun!"

"Çenesine! Öldür onu! Öldür o koca oğlanı!"

Yalandan yere düşerken, sanki ikimiz de bir yumrukla yere düşmüşüz gibi yanıma boylu boyunca yıkılan bir çocuk gördüm; onu yere yıkan iki kişi üzerine atıldı çocuğun; altı lastik, üstü bez bir pabucun kasıklarına indiğini gördüm. Bir mide bulantısı içinde yuvarlanıp uzaklaştım oradan.

Biz ne kadar sert dövüştüysek adamlar o kadar korkutucu oluyorlardı. Bir de konuşmamı düşünmeye başlamaz mıyım yeniden? Nasıl gidecekti acaba? Yeteneğimin farkına varacaklar mıydı? Ne vereceklerdi bana?

Çocukların birbiri ardınca ringi terk ettiklerini fark ettiğim sırada makine gibi dövüşüyordum; meçhul bir tehlikeyle tek başıma karşı karşıya bırakılmış gibi paniğe kapıldım. O zaman anladım. Çocuklar kendi aralarında anlaşmışlardı. Ringde son kalan iki kişinin ödülü kazanmak için sonuna kadar dövüşmesi âdetmiş. Çok geç anladım bunu. Çan çalınca smokinli iki adam ringe sıçradı, göz bağlarını çözdü. Kendimi Tatlock'ın, grubun en iri çocuğunun karşısında buldum. Mideme bir ağrı girdi. Çanın sesi daha kulaklarımdan gitmemişken yeniden çaldı ve onu hızla üzerime yürürken gördüm. Başka hiçbir şey düşünmeden tam burnunun ortasına yapıştırdım yumruğu. O, dayanılmaz ter kokusuyla gittikçe yaklaşıyordu. Kara bir boşluktu yüzü, sadece gözleri canlıydı; bana karşı nefretle doluydu, hepimizin başına gelen şeyin dehşetinden parıl parıldı. Korkmaya başladım. Konuşmamı yapmak istiyordum ben; o ise döverek bu fırsatı elimden almak ister gibi üstüme üstüme geliyordu. Darbelerini geldikçe karşılayarak vurdum, vurdum, vurdum. Birden ani bir içgüdüyle hafif bir darbe indirdim ve birbirimize girdiğimiz sırada fısıldadım. "Yere yıkılmış gibi yap, ödül senin olsun."

Boğuk, boğuk, "Kıçını kıracağım senin" diye fısıldadı.

"*Onlar* için mi?"

"*Kendim* için, orospu çocuğu!"

Birbirimizden ayrılmamız için bağırıyorlardı. Tatlock, bir darbeyle yana doğru savurdu beni ve sarsılan bir film makinesinin dönen bir sahneyi tarayışı gibi mavi gri duman bulutu arkasında dehşetle çömelmiş bağıran kırmızı yüzleri gördüm. Bir an dünya dalgalandı, aktı, sonra kafam açıldı; Tatlock önümde sıçrıyordu. Gözlerimin önünde sallanan gölge, hızlı hızlı çalışan sol eliydi. Öne doğru düşerken, başım ıslak omzunda, fısıldadım.

"Beş dolar da fazlası var."

"Has'tir!"

Ama kasları birazcık yumuşar gibi oldu ben yüklenince. "Yedi?" dedim soluk soluğa.

"Anana ver onu" dedi, ciğerimi sökercesine bir yumruk savurarak.

Hâlâ tutuyordum onu, bir tos vurdum ve uzaklaştım. Yumruk bombardımanına tutuldum birden. Umutsuz bir korku içinde dövüşmeye çalışıyordum. Konuşmamı yapmaktan başka istediğim bir şey yoktu dünyada; çünkü şunu hissetmiştim: Ancak bu adamlar doğru olarak ölçebilirlerdi benim yeteneğimi. Oysa bu budala soytarı tutmuş bu fırsatın içine ediyordu şimdi. Daha dikkatli dövüşmeye başlamıştım artık, yumruk atmak için sokuluyor, son hızla geriye çekiliyordum. Çenesine güzel bir yumruk vurdum, bu kez o sendeledi; ta, yüksek perdeden bir sesin, "İyi ki koca oğlana oynamışım," dediğini duyana kadar.

Bunu duyar duymaz kendime olan güvenimi yitirir gibi oldum. Aklım karıştı: Dışarıdan gelen bu sese karşı, yenmek için çalışmalı mıydım? Konuşmamın aleyhine olmaz mıydı bu, alçakgönüllülüğün, direnmemenin zamanı değil miydi şimdi? Sağa sola sıçrayıp dururken başıma yediğim bir yumrukla sağ gözüm, kutudan fırlayan zemberekli kuklalar gibi dışarı uğradı ve ikilem çözüldü kafamda. Yere düşerken oda kıpkırmızı bir renk aldı. Düşlerdeki düşüşler gibiydi; döşeme beni karşılamak için sabırsızlanıp yarılırken, vücudum zayıf bir halde ve nereye konacağını bilemeyerek kararsız uçtu. Bir an sonra ulaştım ona. Uykuda gibiydim; biri BEŞ diyordu yüksek sesle. Kendi kanımdan koyu kırmızı bir noktanın parıldayan ve minderin kirli gri dünyasına dalan bir kelebek şekline girişini bir bulanıklık içinde seyrederek uzanıyordum yerde.

Ses ağır ağır sayarak ON'a vardığında yerden kaldırıldım, bir sandalyeye sürüklendim. Korku ve şaşkınlık içinde oturuyordum. Gözüm acıyor, yüreğimin her atışında şişip şişip iniyordu; ben hâlâ, konuşmama izin verirler mi bundan sonra, diye düşünüyordum. Terden sırılsıklamdım, ağzım hâlâ kanıyordu. Duvar boyunca sıralanmıştık şimdi. Öteki çocuklar Tatlock'ı kutlarlarken beni görmezden geliyorlar, ne kadar para alacakları üzerinde fikir yürütüyorlardı. Bir oğlan ezilmiş elini tutarak ağlıyordu. İleriye bakınca, beyaz ceketli uşakların portatif ringi kaldırdıklarını ve sandalyelerin ortasındaki boşluğa kare şeklinde bir halı serdiklerini gördüm. Belki de konuşmamı yapmam için bir yer hazırlıyorlardır, diye düşündüm.

Sonra T.Y. (tören yöneticisi) bizi çağırdı, "Buraya gelin çocuklar, paralarınızı alın."

Adamların, sandalyelerinde güle konuşa bekledikleri yere doğru koştuk. Hepsi dost görünüyordu şimdi.

"Orda, halının üzerinde," dedi adam. Halının, çeşitli irilikte bozuk paralarla kaplı olduğunu gördüm; birkaç tane de buruşturulmuş kağıt para vardı. Fakat beni asıl heyecanlandıran, oraya buraya serpilmiş altınlar oldu.

"Çocuklar, hepsi sizin," dedi adam. "Ne kaparsanız sizin."

Kumral birisi, gizlice göz kırparak bana, "Doğru, Sambo," dedi.

Acımı unutup heyecanla titredim. Altınları ve kağıt paraları alırım diye düşündüm. İki elimi de kullanırım. Altınları almalarını önlemek için yanıma yaklaşanı iter kakarım.

Adam emretti, "Halının etrafında yere çömelin şimdi! Ben işaret verinceye kadar kimse dokunmayacak halıya."

"Bu iyi," dendiğini işittim bir yerden.

Adamın dediği gibi kare şeklindeki halının etrafına diz çöktük. Adam çilli elini ağır ağır kaldırdı; gözlerimizle elini izliyorduk.

"Şu zencilere bakın, sanki dua edecekler," dendiğini duydum.

Adam, "Hazır... Çık!" dedi. Halının mavi deseni üzerinde duran sarı bir paraya saldırdım, dokundum paraya ve çevremdeki diğer çocuklar gibi ben de çığlığı bastım şaşkınlıktan. Çılgınca elimi geri çekmeye çalışıyor fakat kurtulamıyordum bir türlü. Kızgın, zorlu bir güç vücudumda delicesine koşuyor, ıslak bir fare gibi sarsıyordu beni. Halı elektrikliydi. Kendimi zorla kurtardığımda başımdaki saçlarım dimdikti. Kaslarım boyuna oynuyor, sinirlerime hakim olamıyordum. Ama bunun öteki çocukları durdurmadığını gördüm. Bazıları, korku ve utanç içinde gülerek geride duruyorlar, öbürlerinin acıyla kıvranmaları, bükülmeleri sırasında dışarı fırlayan paraları kapıyorlardı. Biz uğraşıp dururken adamlar kahkahalar atıyorlardı etrafımızda.

"Kap, Allah'ın belası, kapsana!" diye bağırıyordu bas sesli, papağan gibi biri. "Haydi, kapsana!"

Hızla halının etrafında emekliyor, bakırları es geçip yeşil dolarları ve altınları toplamaya çalışıyordum. Madeni paraları çabuk çabuk dışarı savururken, gülerek elektrikten korkmuyormuş gibi yaparken vücuduma elektrik alabileceğimi fark ettim; bir çelişki ama pek yanlış değil. Sonra adamlar bizi halının üzerine itmeye başladılar. Utanç içinde, gülerek ellerinden kurtulmaya çalışıyor, bir yandan da paraları toplamaya devam ediyorduk. Hepimiz sırılsıklamdık, vücutlarımız kayıyordu, tutmakta güçlük çekiyorlardı. Birden, bir çocuğun, sirkteki ayı balıkları gibi terli vücudu parlayarak havaya fırladığını gördüm; sonra yere düştü, elektrikli halının üzerine, ıslak kıçının üstüne; bağırıyor, kıçının üzerinde dans ediyordu sanki; dirsekleri çılgınca döşemeyi dövüyor, kasları, üzerine binlerce sinek konmuş bir at vücudu gibi seğiriyordu. Nihayet yuvarlana yuvarlana dışarı çıktığında yüzü kireç gibiydi; kopan kahkaha fırtınası içinde koşup kaçarken onu kimse durdurmaya çalışmadı.

T.Y., "Parayı al!" diye bağırıyordu. "Peşin para, sağlam Amerikan parası!"

Kaptık, yakaladık, kaptık, yakaladık. Artık halıya fazla yaklaşmamaya dikkat ediyordum. Sıcak, viski kokan bir soluğun pis bir hava dalgası gibi üzerime indiğini hisseder hissetmez uzandım ve bir sandalyenin ayağını yakaladım. Üzerinde oturan vardı, umutsuzca tutundum sandalyeye.

"Bırak, Arap! Bırak!"

Koca bir yüz, üstüme doğru sendeledi, tutunduğum yerden koparmaya çalışıyordu beni. Fakat benim vücudum kaygandı, o ise çok sarhoştu. Bir sürü sinemaları ve "eğlence yerleri" olan Bay Colcord'du bu; her yakalayışında kayıyordum avuçlarından. Gerçek bir mücadeleydi bu. Adama yaptığımdan çok halıdan korkuyordum, bunun için de devam ediyordum mücadeleye. Bir ara *onu* halının üzerine yuvarlamaya çalıştığımı fark ettim şaşkınlıkla. Öyle müthiş bir fikirdi ki bu, neden gerçekten yapmayayım, dedim kendi kendime. Bir yandan da açıkça görülmeye çalışıyordum; ama bacağını yakalayıp da sandalyesinden yuvarlamaya çalışırken kahkaha atarak ayağa kalktı, ölü gibi soğuk ve ayılmış gözlerle bakarak hayvanca bir tekme attı göğsüme. Sandalyenin ayağı elimden uçtu ve kendimi yerde yuvarlanır buldum. Sıcak kömür közlerinin bulunduğu bir yatakta yuvarlanıyordum sanki. Yuvarlana yuvarlana halıdan kurtuluncaya kadar tam yüz yıl geçmiş gibi geldi bana; vücudumun en derin yerlerinden içimdeki korku dolu soluğa varıncaya kadar yanıp kavrulduğum, soluğumun kuruduğu, patlayacak gibi ısındığı bir yüz yıl. Kendimi halının dışına atarken, bir an sonra tamam, diye düşünüyordum. Göz açıp kapayıncaya kadar bitecek bu da.

Ama hayır, öteki taraftaki adamlar bekliyorlardı bu kez; sandalyelerinde öne doğru eğilmişler, kırmızı yüzleri sanki damar tıkanıklığından şişmişti. Parmaklarının bana doğru uzandığını görünce, iyi yakalanmamış bir futbol topunun kalecinin ellerinden kayışı gibi ellerinden kurtuldum, kızgın közlerin üzerine yuvarlandım yeniden. Bu kez şanslıymışım, halıyı elektrikli yerden uzağa kaydırdım ve madeni paraların döşemede tıngırdadığını, çocukların paraları toplamak için itişip kakıştıklarını ve T.Y.'nin, "Tamam çocuklar, tamam artık. Gidin giyinin ve paralarınızı alın," diye bağırdığını duydum.

Paçavra gibiydi vücudum. Çelik tellerle dövülmüşçesine ağrıyordu sırtım.

Elbiselerimizi giyince T.Y. içeri girdi ve her birimize beşer dolar verdi; yalnız Tatlock, ringde en son kalan kişi olduğu için on dolar almıştı. Sonra artık gitmemizi söyledi bize. Konuşmamı yapma fırsatı bulamayacağım, diye düşündüm. Umutsuzluk içinde, yarı karanlık koridora doğru yürüyordum ki beni durdurdular, geriye dönmemi söylediler bana. Balo salonuna geri döndüm, adamlar sandalyelerini geriye çekiyorlar, aralarında konuşmak için toplanıp gruplar oluşturuyorlardı.

T.Y., onları susturmak için bir masanın üzerine vurdu eliyle. "Baylar" dedi. "Programın önemli bir kısmını neredeyse unutuyorduk. Bu çocuk, dün okulu bitirdiğinde yaptığı konuşmayı burada sizlere tekrarlaması için getirildi buraya..."

"Bravo!"

"Greenwood'da şimdiye kadar gördüğünüz en zeki çocukmuş, öyle dediler bana. Bir cep sözlüğünde bulabileceğinizden daha çok büyük laflar biliyormuş!"

Bir alkış ve kahkaha tufanı koptu.

"Şimdi, baylar, dikkatinizi buraya vermenizi rica ediyorum."

Ağzım kupkuru, gözüm zonklayarak karşılarına çıktığımda gülüşmeler hâlâ sürüyordu. Ağır ağır başladım; fakat onlar, "Yüksek sesle! Yüksek sesle" diye bağırmaya başlayınca gırtlağıma bir şey saplandı sanki.

"Biz genç kuşak, o büyük Önder'in ve ustanın aklı önünde saygıyla eğiliriz" diye bağırdım, "şu zekâ dolu, ateşli sözleri ilk kez söyleyen ustanın önünde saygıyla eğiliriz: 'Denizde günlerce kayıp dolaşan bir gemi birden dost bir tekne gördü. Talihsiz teknenin direğinden şu işaret verildi: *Su, su; susuzluktan ölüyoruz!* Dost tekneden şu cevap geldi: *Kovanızı olduğunuz yerde suya atın.* Felakete uğramış teknenin kaptanı, sonunda, verilen emre uyarak kovasını denize attı ve kova Amazon Nehri'nin ağzından çıkan tertemiz köpüklü sularla geri geldi. Ben de onun gibi, onun sözleriyle ırkımdan, yabancı bir ülkede hayat şartlarını iyileştirmek zorunda olanlara, ya da kapı komşusu Güneyli beyazlarla dostça ilişkiler kurmaya çalışmanın önemini küçümseyenlere diyorum ki, 'Kovanızı bulunduğunuz yere salın'; etrafımızı çeviren çeşitli ırklardan halklarla yiğitçe arkadaşlık kurmak için salın kovalarınızı..."

Kurulu makine gibi, öyle ateşli konuşuyordum ki, kupkuru ağzım parçalanmış yerlerinden sızan kanla dolup boğulacak gibi olduğum ana kadar, adamların hâlâ birbirleriyle konuşup gülüştüklerini fark etmedim. Durup, kül dolu, uzun pirinç tükürük kaplarına giderek ağzımdaki kanı boşaltmak için öksürdüm; fakat adamlardan birkaçı, özellikle okul müdürü dinliyordu, korktum bu yüzden. Yuttum, o kan ve tükrük karışımını ve devam ettim. Ne büyük dayanma gücüm varmış o günlerde! Ne heyecan! Her şeyin doğruluğuna ne inanç! Acıya rağmen daha da yüksek sesle konuşuyordum şimdi. Ama yine konuşuyorlar, yine gülüşüyorlardı, sanki pis kulaklarına pamuk tıkamışlardı. İşte öyle, gittikçe daha büyük bir heyecanla konuştum. Kulaklarımı tıkadım, midem bulanıncaya kadar yuttum kanı. Konuşma, daha öncekinin yüz katı uzun geldi bana; ama tek bir sözcüğünü bile atlamadım. Her şey söylenmeliydi, ezberlenen her ince nokta dikkate alınmalı, akıllara sokulmalıydı. Ama iş bu kadarla bitmiyordu. Ne zaman üç ya da daha çok heceli bir sözcük kullansam, bir grup insan tekrar etmem için bağırıyordu. "Toplumsal sorumluluk" demiştim, bağırdılar:

"Nedir o söylediğin kelime, oğlum?"

"Toplumsal sorumluluk" dedim.

"Ne?"

"Toplumsal..."

"Daha yüksek."

"...sorumluluk."

"Daha yüksek, daha yüksek!"

"Sorum"

"Tekrar et!"

"-luluk."

Odayı bir kahkaha tufanı doldurdu birden. Güldüler, güldüler, ta, ağzıma dolmuş olan kanı yutmak zorunda olduğum için şaşırıp, yanlışlıkla, gazetelerin köşe yazılarında cakayla kullanıldığını sık sık gördüğüm, tartışmalarda özel olarak işittiğim bir sözcük çıkıncaya kadar ağzımdan.

"Toplumsal..."

"Ne?" diye bağırdılar.

"...eşitlik."

Gülüşmeler aniden çöken sessizlikte bir duman gibi asılı kaldı havada. Şaşkın şaşkın gözlerimi açtım. Hoşnutsuzluk sesleri doldurdu odayı. T.Y. ileri fırladı. Düşmanca sözler söylüyorlardı bağırarak. Ama ne dediklerini anlamıyordum.

Ön sırada oturan ufacık, kupkuru, bıyıklı bir adam kükredi.

"Ağır ağır söyle, oğlum!"

"Neyi efendim?"

"Şimdi söylediğin şeyi!"

"Toplumsal sorumluluk, efendim" dedim.

Bu kez daha az kırıcı bir sesle, "Pek akıllıca bir şey değildi bu, değil mi oğlum?" dedi.

"Hayır, efendim!"

"Eşitlik sözü bir yanlışlıktı, eminsin, değil mi?"

"Evet, tabii, efendim," dedim. "O sırada ağzımdaki kanı yutmaya çalışıyordum."

"Güzel, daha ağır konuşsan iyi edersin. Anlayalım ne dediğini. Biz senin iyiliğini istiyoruz; ama sen de yerini bilmeli ve hiç unutmamalısın. Tamam, devam et şimdi konuşmana."

Korkmuştum. Gitmek istiyordum ama konuşmak da istiyordum; kapıp yere vurmalarından korkuyordum beni.

Bıraktığım yerden başlarken, önceki gibi kendimi onlara unutturarak, "Teşekkür ederim, efendim," dedim.

Fakat konuşmamı bitirince alkıştan yıkıldı ortalık. Müdürün, elinde, tuvalet kâğıdına benzer ince bir kâğıda sarılı bir paketle ileri doğru çıktığını, susmalarını bekleyerek durduğunu ve onlara seslendiğini görünce şaşırdım.

"Baylar, bu çocuğu fazla övmüş olmadığımı gözlerinizle gördünüz. İyi konuşur o, bir gün gelecek halkına önderlik edecek, onlara doğru yolu gösterecek. Ve bunun bugünlerde ne kadar önemli olduğunu size söylememe gerek yok. İyi, akıllı bir çocuktur o ve onu doğru yönde cesaretlendirmek için, Öğretim Kurulu adına, ona bir ödül vermek istiyorum..."

Durdu, ince kâğıdı açtı, parlak, dana derisinden bir el çantası çıktı içinden.

"...Shad Whitmore mağazasının en güzel mallarından bir çantayı ödül olarak vermek istiyorum."

Bana dönerek, "Oğlum," dedi, "al bu ödülü ve iyi sakla. Bir görev nişanı olarak kabul et bunu. Değerini bil. Bugün olduğun gibi devam et; bir gün halkının kaderine şekil vermeye yardım edecek önemli belgelerle dolacak içi, göreceksin."

O kadar etkilenmiştim ki, teşekkür bile edemiyordum. Ağzımdan kanlı bir tükürük uzantısı düştü deri çantanın üzerine, henüz bulunmamış bir kıta parçası şekline dönüşerek. Hemen sildim. Bugüne değin, düşte bile görmediğim kadar önemli hissettim kendimi.

"Aç da bak içine, ne var," dediler.

Parmaklarım titriyordu, taze deri kokusunu içime çekerek söyleneni yaptım; çantanın içinde resmi belgelere benzeyen bir kağıt buldum. Eyalet Zenci Koleji için bir burstu bu. Gözlerim yaşlarla doldu, beceriksizce kaçtım içeriye.

Çok sevinmiştim; hatta halının üzerinden kaptığım altın parçalarının bir otomobil markasının reklamı, sarı pirinç cep hatıraları olduğunu keşfettiğim zaman bile hiç aldırmadım.

Eve vardığımda herkes heyecanlıydı. Ertesi gün komşular beni kutlamaya geldiler. Hatta, ölüm döşeğindeki laneti çok kere zaferlerimi bozan büyükbabamdan bile kurtulduğumu hissediyordum. Çantam elimde, resminin altında durdum ve duygusuz, kara köylü yüzüne zafer kazanmış gibi gülümsedim. Bir zamanlar beni büyülemiş olan bir yüzdü bu. Gözleri, nereye gitsem beni izler gibiydi.

O gece, düşte onunla beraber bir sirkteydim; ne yapsalar bir türlü gülmüyordu soytarılara. Sonra, çantamı açmamı ve içindekini okumamı söyledi bana. Dediğini yaptım, eyalet mühürüyle damgalanmış resmi bir zarf buldum; zarfın içinde bir başka zarf daha, onun içinde bir tane, bir tane daha... Sonu gelmiyordu bir türlü, yorgunluktan düşecektim neredeyse. "Bunlar, yıllar" dedi. "Şimdi şunu aç." Açtım ve içinde, üzerine altın harflerle mesaj kazınmış bir belge buldum. "Oku," dedi büyükbabam, "Yüksek sesle oku."

"İlgiliye" diye başladım, sesime bir hava katarak. "Boyuna koşturun, boş bırakmayın bu Zenci çocuğunu."

Uyandım, ihtiyarın gülüşü kulaklarımda çınlıyordu.

(Daha sonra uzun yıllar anımsayacağım, tekrar tekrar göreceğim bir düştü bu. Ama o zamanlar bunun ne anlama geldiğini anlayacak kavrayış gücü yoktu bende. Önce koleje devam edecektim.)

İki

Güzel bir kolejdi. Binalar eskiydi ve sarmaşıklarla kaplıydı; aralarında, kenarları çitler ve yaz güneşinde insanın gözlerini kamaştıran güllerle çevrili yollar kıvrıla kıvrıla uzanırdı. Ağaçlardan hanımelleri ve mor salkımlar sarkar; beyaz manolyaların, arı sesleriyle dolu havada kokuları birbirine karışırdı. Burada, inimde çok kez anımsamışımdır: Çimenler bahar zamanı nasıl yeşerirdi, kuşlar nasıl kuyruklarını titreterek öterlerdi, ay nasıl parlardı binaların üzerinde, küçük kilisenin çanı o değerli kısa ömürlü saatleri nasıl çalardı; parlak yazlık elbiseleri içinde kızlar nasıl dolaşırlardı çimenlerde. Burada, geceleri çoğu kez gözlerimi kapamış ve kızlar yatakhanesinin, saat kulesiyle, sıcak ışıklı pencereleriyle büyük binanın yanından geçip aşağıda Ev Ekonomisi bölümünün ay ışığında daha da parlak, küçük beyaz pratik binasının oradan kıvrılarak giden yasak yolda dolaşmışımdır; yol oradan inerek, çıkarak, kıvrılarak karanlıkta yeri göğü sarsan tekdüze pat-patlı motorlarıyla, fırından çıkan alevlerin kızıla boyadığı pencereleriyle elektrik santralına paralel gider, sonra çalıların, sarmaşıkların kapladığı dere yatağından bir köprüye varırdı; kaba kütüklerden, buluşmalar için yapılmış fakat aşıklar tarafından hiç kullanılmamış kız oğlan kız bir köprüydü bu. Daha üst yanda, uzun, Güney tipi taraçalarıyla evlerin yanından geçip ani bir yol çatağına gelinirdi; binasız, kuşsuz, otsuz bu yerde yol, deliler hastanesine kıvrılırdı. Hep buraya kadar gelir, sonra gözlerimi açarım. Büyü bozulur; yeniden görmek isterim, çitlerin içinde hiç avlanmamış olmaktan ötürü o denli evcilleşmiş, yol boyunca oynayan tavşanları. Ve cam kırıkları, güneşten ateş gibi olmuş taşlar arasında büyüyen mor ve gümüş rengi devedikenlerini, birerli kola geçmiş karıncaları görürüm; dönerim ve ayak izlerimi bu kez gerisin geriye izleyerek hastanenin orda kıvrılan yola gelirim; geceleri koğuşlarda neşeli öğrenci hemşireler her şeyi bilen oğlanlara haplardan çok daha değerli şeyler dağıtır ve gelir küçük kilisede dururum. Birden kıştır ortalık, ay ta yükseklerdedir, çan kulesinde çanlar çalar, yüksek sesli trombonlar bir Noel şarkısı söyler; her şeyin üzerinde bir sessizlik, bir acı vardır, sanki dünya yalnızlıktan başka bir şey değilmiş gibi. Durur dinlerim, yüksekte asılı ayın altında dört trombonun sonra da orgun çaldığı, yumuşak "Tanrım Ne Güçlü Kaledir Bize" ilahisini. Ses, gece kadar parlak, su kadar berrak ve yapayalnız yüzer ortalıkta. Bir cevap bekler gibi dururum ve hayalimde, kırmızı çamurlu yolların ötesinde bomboş tarlaların çevirdiği kulübeleri, bir yolun ötesinde tembel, akıntısız yerleri, yeşilden çok sarı yosunlarla kaplı nehri görürüm; boş tarlaları daha da ileri geçince harb malûllerinin rayların üzerinde koltuk değnekleri ve bastonlarıyla topallıya topallıya orospulara taşındıkları demiryolu geçidindeki güneşten yanmış kavrulmuş kulübelere gelirim; bazen bacağı, baldırı kopmuş birini kırmızı tekerlekli iskemlede iterler. Bazen de müziğin buraya kadar gelip gelmediğini duymak için durur dinlerim; ama hep o kederli, üzgün, sarhoş orospuların gülüşlerini duyarım. Ve heykelin yanında, üç yolun birleştiği meydanda, pazarları dört kişinin düzgün asfalttan aşağı yan yana uygun adım yürüyüp dönerek, üniformalarımız ütülü, ayakkabılarımız boyalı, kafalar düzgün, yerinde, gözler bir robotun gözleri gibi ziyaretçilere ve aşağıdaki beyaz badanalı teftiş tribünündeki yöneticilere kapalı, kiliseye girdiğimiz o meydanda durup dikilirim.

Şimdi bu görülmezliğim içinde o kadar eski, o kadar uzak

ki bütün bunlar; yaşandı mı acaba diye soruyorum kendi kendime bazen. Sonra, Kolej Kurucusu'nun bronzdan heykeli, soğuk baba simgesi geliyor gözümün önüne: Elleri soluk kesici bir pozda ileriye doğru uzanmış, diz çökmüş bir kölenin yüzünde sert, madeni katlar halinde dalgalanan bir peçeyi kaldırıyor; peçe gerçekten kaldırılıyor mu yoksa daha aşağı mı indiriliyor bir türlü karar veremeden öylece şaşkın dikiliyorum heykelin önünde; gözler açılıyor mu yoksa daha da koyu bir karanlığa mı kapanıyor, bilemiyorum. Öyle bakıp dururken kanat çırpışları oluyor birden, önümden bir sığırcık sürüsünün uçup gittiğini görüyorum; tekrar dönüp baktığımda, boş gözleri benim hiç görmediğim bir dünyaya açık bronz yüzden, kirece, tebeşire benzer bir sıvının aktığını görüyorum; zaten karışık olan aklımı daha da karıştıran bir başka bilinmezlik yaratıyor bu: Kuşun kirlettiği bir heykel temiz bir heykelden daha mı emredicidir?

Ey, geniş yeşil düzlükleri kampusun; ey, alaca karanlığın hafif şarkıları; ey, kilisenin çan kulesini öperek kokulu geceleri saran ay ışığı; ey, sabahları bizi içeri çağıran boru sesi; ey, öyleyin, vuruşlarına uyarak askerce yürüdüğümüz davul; gerçek olan neydi, sağlam olan, zamanı durduran hoş bir düşten öte olan neydi? Bugün görünmeyen bir insansam, nasıl gerçek olabilirdi bütün bunlar? Eğer gerçek idiyseler, neden bütün o yeşillik cennetinden, çeşmelerin hiçbirini değil de kırık olanını, aşınmış kurumuş olanını anımsıyorum? Neden yağmur düşmüyor anılarıma, ses olmuyor anılarımda, o hâlâ dün gibi gelen geçmişin sert kabuğuna işlemiyor? Neden, baharda kabuğunu çatlatan tohumun kokusu yerine çayırlığın ölü otları üzerine yayılan sarı, pis suyunu anımsıyorum havuzun? Niçin? Ve nasıl? Nasıl ve niçin?

Otlar büyürdü, yeşil yapraklar görünürdü ağaçlarda. Ağaçlıklı yolları, caddeleri gölgeye boğarak; her bahar, Kurucular Günü'nde milyonerlerin Kuzey'den inişleri gibi, mutlak! Nasıl gelirlerdi? Gülümseyerek, teftiş ederek, yüreklendirerek, fısıldaşarak, kara yüzlerimizde duymak için açılmış kulaklarımıza konuşmalar yaparak gelirlerdi ve her biri yüklü bir çek bırakırdı giderken. Kurnazca bir büyünün, ay ışığı simyasının bir sonucuydu bu, eminim; çöl ortasında çiçeklerin süslediği bir okul; kayalar batmış, sam yelleri esmez olmuş, sarı kelebeklere vıcır vıcır seslenen çekirgeler kaybolmuş.

Ve ey, ey, ey, o milyonerler!

Bütün bunlar, artık ölmüş olan öteki yaşamın öyle bir parçasıydı ki, hiçbirini anımsamıyorum. (Zaman tıpkı bana benziyor; ama ne o zamanlar ne de o "ben" var artık.) Ama şunu anımsıyorum, bakın: Son sınıfa geçeceğim yılın sonuna doğru, kolejde bulunduğu sürece bir hafta şoförlüğünü yapmıştım onun. St. Nicholas'ınki gibi pembe bir yüz; tepesinde, dağınık, ipek gibi beyaz saçlar. Benimle birlikteyken bile rahat, teklifsiz bir davranış tarzı. Bir Bostonlu; puro tiryakisi, kibar zenci hikâyeleri anlatan, açıkgöz bir banker; usta bilim adamı, yönetici, hayır sahibi; beyaz adamın bu ağır yükünü kırk yıldır omuzlarında taşıyan bir adam; altmış yıldır da Büyük Gelenekler'in bir sembolü.

Arabadaydık, güçlü motor mırıldıyor ve içimi gururla, endişeyle dolduruyordu. Arabanın içi nane ve puro kokuyordu. Ağır ağır yanlarından geçerken öğrenciler bize bakıyorlar, tanıyınca gülümsüyorlardı. Yemekten yeni çıkmıştım, boğazıma kadar gelen bir geğirtiyi bastırmak için öne doğru eğilince, kazayla, direksiyon üzerindeki düğmeyi bastım; kulakları patlatan bir korna sesi yükseldi. Yoldan geçenler durdular, baktılar.

"Çok özür dilerim, efendim" dedim, beni Müdür Dr. Bledsoe'ya şikâyet eder de bir daha araba kullanmama izin vermezler korkusuyla.

"Zararı yok. Zararı yok."

"Nereye götüreyim sizi, efendim?"

"Dur bakayım..."

Dikiz aynasından, incecik bir saate baktığını görüyordum; saati damalı yeleğinin cebine koydu. Gömleği yumuşacık ipektendi, mavi-beyaz noktalı bir kelebek kravatı vardı. Aristokratça tavırları, çevik, tatlı hareketleri...

"İkinci oturuma gitmek için erken daha," dedi. "Haydi, sen nereye istersen oraya sür."

"Bütün kampusu gördünüz mü, efendim?"

"Evet. Sanırım. İlk kuruculardan biriydim ben, biliyorsun."

"Yaa! Bunu bilmiyordum, efendim. Öyleyse herhangi bir yola gireyim."

Kuruculardan biri olduğunu biliyordum tabii; ama zengin beyazları pohpohlamanın yararlarını da biliyordum. Kim bilir, yüklü bir bahşiş verirdi bana belki, ya da bir elbise, gelecek yıl için bir burs.

"Nereye istersen, kampus, yaşamımın bir parçasıdır benim, yaşamımı da iyi bilirim ben."

"Evet, efendim."

Yine gülümsüyordu.

Sarmaşık kaplı binalarıyla yeşil kampus bir anda geride kaldı. Araba sıçrıyarak gidiyordu yolda. Kampus nasıl olurdu da yaşamının bir parçası olurdu. Şaştım. Ve insan, nasıl "iyi" bilebilirdi yaşamını?

"Delikanlı, eşsiz bir kuruluşun üyesisin. Gerçekleşmiş büyük bir düştür bu..."

"Evet, efendim" dedim.

"Bu kuruluşla ben de ilgili olduğum için. Kuşkusuz senin de hissettiğin kadar şanslı hissediyorum kendimi. Yıllar önce gelmiştim buraya, bütün bu güzel kampusunuz çıplak bir tarlaydı. Ne ağaç, ne çiçek, ne de bu bereketli topraklar vardı. Belki de sen doğmamıştın daha o zaman..."

Düşüncelerimi geriye, onun sözünü ettiği zamana kaydırmaya çalışırken, gözlerim caddeyi ikiye ayıran beyaz çizgide, büyülenmiş gibi onu dinliyordum.

"Anan baban bile gençtiler belki. Kölelik henüz kalkmıştı. Senin halkın hangi yana döneceğini bilmiyordu ve saklamayayım, benimkilerin birçoğu da bilmiyordu ne yöne döneceklerini. Ama sizin büyük Kurucu'nuz biliyordu. Arkadaşımdı benim, görüşlerine inanırdım. O kadar ki, bazen şaşırırım, onun görüşleri miydi bunlar yoksa benim mi?.."

Hafifçe kıkırdadı, gözlerinin kenarlarında kırışıklıklar belirdi.

"Ama tabii onun görüşleriydi; ben yalnızca yardım ediyordum ona. Onunla birlikte bu çıplak araziyi görmeye geldim, ona yardım etmek için elimden geleni yaptım. Ve her bahar buraya dönüp yılların getirdiği değişikleri görmek kaderin hoş bir cilvesi olmuştur benim için. Kendi işimden daha sevindirici, doyurucu bir şeydir bu, benim için. Gerçekten de kaderin hoş bir cilvesi."

Sesi yumuşak ve benim kestirebildiğimden daha anlam yüklüydü. Arabayı sürdükçe, hayalimin perdesinde okulun, kitaplıkta sergilenen ilk günlerine ait rengi atmış resimleri aydınlandı, düzensiz, parça parça canlanmaya başladı. Bir çift katırın ya da öküzün çektiği arabalarda siyah, tozlu elbiseli erkek, kadın resimleri, neredeyse kişiliksiz denebilecek insanlar; bekliyor, boş yüzlerle bakıyor gibi duran bir kara kalabalık; aralarında gülümseyen temiz yüzlü, göz alıcı, kibar ve kendinden emin birkaç beyaz kadın ve erkek. İçlerinde Kurucu'yu ve Dr. Bledsoe'yu seçebilmiş olmama rağmen fotoğraflardaki yüzler, şu ana kadar gerçekten yaşamış ve yaşıyor görünmemişti bana; daha çok, bir sözlüğün son sayfalarında rastlanabilecek işaretler, simgelere benziyorlardı. Ama şimdi o büyük eserde benim de payım olduğunu hissediyordum, ayağımın altında araba tembel tembel sıçrarken; arka koltuktaki anılarına dalmış adamla bir tutuyordum kendimi...

"Kaderin hoş bir cilvesi," diye yineledi, "dilerim sen de böyle günler görürsün."

"Evet, efendim. Teşekkür ederim, efendim," dedim; benim için güzel bir şey dilediği için hoşnuttum.

Ama öte yandan kafam bir şeye takıldı: "Kader, nasıl olurdu da *hoş* cilveler hazırlardı insana? Bugüne kadar onu hep acı olarak düşünmüştüm ben. Tanıdığım insanlardan hiçbiri ondan hoş diye söz etmezdi; bize Eski Yunan oyunlarını okutan Woodridge bile.

Okula ait arazinin sınırını geçmiştik artık; birden anayoldan çıkıp hiç de tanıdık gelmeyen bir yola sapmaya karar verdim. Ağaç mağaç yoktu yolda, hava pırıl pırıldı. Yolun aşağısında güneş, bir ahırın duvarına çivilenmiş teneke bir işaretin üzerinde yanıyordu sanki. Tepenin orda, çapasına dayanmış yapayalnız bir insan yorgun argın doğruldu, el salladı; ufuk çizgisi üzerinde, bir insandan çok bir gölgeye benziyordu.

"Ne kadar yol aldık?" Omuzlarımın üzerinden bir soru duydum.

"Bir mil kadar, efendim."

"Buraları hatırlamıyorum."

Cevap vermedim. Benim yanımda kader filan gibi lafları ilk kez etmiş olan insanı, büyükbabamı düşünüyordum. Hoş denebilecek bir yanı da yoktu ve unutmaya çalışmıştım. Şu anda, kaderi dediği şeyden o kadar hoşnut şu beyaz adamla, güçlü bir arabanın içinde buralarda dolaşıyordum; korktum. Büyükbabam olsa buna ihanet derdi, bense bunun nasıl olup da ihanet olduğunu anlayamıyordum. Birden, beyaz adamın da böyle düşünebileceğini fark edince kendimi suçlu hissettim. Ne düşünebilirdi? Büyükbabam gibi zencilerin, kolejin kuruluşundan önceki o günlerde serbest bırakıldıklarını biliyor muydu?

Küçük bir yol ayrımına gelmiştik, kırılmış bir arabaya koşulu bir çift öküz gördüm; üstü başı dökülen arabacı arabayı bir ağaç kümesinin altına çekmiş, gölgede kestiriyordu.

Omzumdan geriye doğru, "Gördünüz mü, efendim?" diye sordum.

"Neydi o?"

"Öküzleri, efendim."

"Yo, hayır, ağaçlara bakıyordum, göremedim," dedi geriye doğru bakarken. "İyi kereste olur bu ağaçlardan."

"Özür dilerim, efendim. Geriye döneyim mi?"

"Hayır, daha vaktimiz var," dedi. "Devam et."

Uyuyan adamın ince, aç yüzünü anımsayarak devam ettim sürmeye. Korktuğum beyaz tiplerdendi. Kahverengi tarlalar ufka kadar uzanıyordu. Bir kuş sürüsü aşağı doğru daldı, bir daire çizdi; kuşlar görünmez iplerle birbirlerine bağlıymışlar gibi dağılıp birleştiler. Motorun kaportası üzerinde sıcak hava dalgaları dans ediyordu. Lastikler asfalt yolda ötüyordu. Nihayet sıkılganlığımı yendim ve sordum:

"Okulla neden ilgilendiniz, efendim?"

Sesini yükselterek düşünceli, düşünceli, "Sanırım," dedi, "henüz bir delikanlıyken bile sizin halkınızın benim kaderimle şöyle ya da böyle yakından ilgili olduğunu hissettiğim için. Anlıyor musun?"

Utana sıkıla, "Pek anlamadım, efendim," dedim.

"Emerson'u okudunuz, değil mi?"

"Emerson mu, efendim?"

"Ralph Woldo Emerson."

Okumamış olduğum için sıkıldım. "Daha okumadık, efendim. Ona gelmedik daha."

Şaşırmış gibi, "Okumadınız mı?" dedi. "Neyse zararı yok. Emerson gibi ben de bir New England'lıyım. Öğrenmelisin onu; çünkü sizin halkınız için önemli bir kişiydi o. Kaderinizin belirlenmesinde etkili olmuştur. Evet, söylemek istediğim de bu belki. Öyle hissediyorum ki, sizin halkınız şöyle ya da böyle benim kaderimle ilgiliydi. Sizin başınıza gelen şey, benim başıma gelecek şeyle ilgiliydi..."

Anlamaya çalışarak arabayı yavaşlattım. Aynadan, ince, manikürlü parmaklarıyla kibarca tuttuğu purosunun uzamış külüne uzun uzun baktığını gördüm.

"Evet, sen benim kaderimsin, delikanlı. Ama sen söyleyebilirsin onun gerçekten nasıl olduğunu. Anlıyor musun?"

"*Sanırım anlıyorum*, efendim."

"Demek istiyorum ki, okulunuza yardım etmekle geçirdiğim yılların sonucu sana bağlı. Hayatım boyunca yapmaya çalıştığım şey, bankerlik ya da araştırmalar değil, insan hayatını doğrudan doğruya düzenleme işidir."

Öne doğru eğilmiş, sesinde daha önce olmayan bir kesinlikle konuşuyor gördüm onu. Gözümü yoldan ayırıp yüzüne bakmamak elimde değildi.

"Bir başka neden daha var, diğerlerinden daha önemli, daha kuvvetli, evet, hatta daha kutsal bir neden daha var," dedi; sanki artık beni görmüyor, kendi kendine konuşuyordu. "Evet, hatta bütün ötekilerden daha kutsal. Bir kız, benim kızım. Bir şairin en çılgın düşüncelerinden daha eşsiz, daha güzel, daha saf, daha noksansız ve daha ince bir varlıktı o. Onun, benim etimden, benim kanımdan olduğuna hiç inanmazdım. Güzelliği, ölmezlik suyunun bir kaynağıydı; yüzüne bakmak bu sudan içmek, içmek ve içmek demekti... Eşsiz, noksansız bir yaratıktı, katkısız bir sanat eseriydi. Su gibi ay ışığında açmış nazik bir çiçekti. Bu dünyadan olmayan bir yaradılış, hani o İncil'deki melekler gibi, merhametli, kraliçelere yaraşır bir kişilik. İnanamıyordum bir türlü onun benim..."

Birden yelek cebini araştırdı ve arkamdan bir şey uzattı bana doğru. Şaşırdım.

"İşte, delikanlı, böyle bir okulda okumak gibi büyük şansın çoğunu ona borçlusun."

Platin çerçeve içine oturtulmuş, renkli küçük resme baktım. Neredeyse düşürüyordum elimden. Tatlı, düş gibi bir genç kadın bakıyordu yüzüme. Görür görmez, çok güzelmiş, diye düşündüm; o kadar güzel ki, hayranlığımı duyduğumca dile getireyim mi, yoksa kibar davranmakla mı yetineyim bilemedim. Ama onu bir yerden hatırlıyor gibiydim ya da ona benzer birini. Şimdi anlıyorum ki, o etkiyi yaratan şey, yumuşak, incecik kumaştan yapılmış, uçar gibi ya da dalgalanır gibi duran elbiseymiş; bugün, kadın dergilerinde gördüğünüz süslü, iyi dikilmiş, kalıp gibi, belirgin hiçbir özelliği olmayan, makineden çıkma, havalı, modern elbiseler giyinmiş olsaydı, makinede işlenmiş pahalı bir mücevher parçası kadar sıradan, onun kadar cansız görünürdü. Ama yine de coşkusunu paylaşmıştım o zaman.

"Bu yaşam için çok saftı, tertemizdi," dedi üzüntüyle; "fazla saf, fazla iyi, fazla güzel. İtalya'da hastalandığında, vapurla dünyayı dolaşıyorduk, yalnızca o ve ben. Pek önemsemedim o zaman, Alpler'in üzerinden gezimize devam ettik. Münih'e vardığımızda solmaya başlamıştı. Bir elçilik balosundaydık bayıldığında. Dünyanın en ileri tıp bilimi kurtaramadı onu. Yapayalnız, acı bir yolculuk oldu dönüş benim için. Hiçbir zaman silemedim o acıyı yüreğimden. Hiçbir zaman bağışlayamadım kendimi. Onun ölümünden sonra ne yaptıysam onun anısına bir anıt diye yapmışımdır."

Mavi gözleriyle, güneşte uzayıp giden tarlanın çok ötelerine bakarak sustu. Yüreğini bana açmasının nedeninin ne olduğunu düşünerek küçük resmi geri verdim. Hiç yapmadığım bir şeydi bu; tehlikeliydi. Önce, bir şey karşısında bu gibi duygulara kapılmanız tehlikeliydi; çünkü hiçbir zaman elde edemezdiniz onu, ya da birisi veya herhangi bir şey çekip alabilirdi onu sizden, elde etmiş olsanız bile; sonra, hiç kimse sizi anlamayacağı, size yalnızca gülecekleri ve deli olduğunuzu düşünecekleri için de tehlikeliydi ayrıca.

"Görüyorsun işte, delikanlı, beni daha önce görmemiş olsan bile, hayatımın ta içindeymişsin. Büyük bir düşe ve güzel bir anıta bağlıymışsın. İyi bir çiftçi, bir şef, bir papaz, doktor, şarkıcı, makinist; her neyse bir şey olursan, hatta hiçbir şey olmasan, benim kaderimsin sen. Sonucu bana yazıp bildirmelisin."

Aynadan gülümsediğini görünce rahatladım. Duygularım altüst oldu. Alay mı ediyordu benimle? Sırf, nasıl karşılayacağımı görmek için, kitaplardaki insanlar gibi mi konuşuyordu benimle? Yoksa, yoksa, düşünmeye korkuyordum; birazcık kafadan noksan mıydı bu zengin adam? *Onun* kaderini nasıl söyleyebilirdim ben? Başını kaldırdı, gözlerimiz bir an karşılaştı aynada, sonra asfalt yolu ikiye bölen beyaz çizgiye indirdim gözlerimi.

Yolun kenarındaki ağaçlar kalın ve yüksekti. Bir dönemeci aldık. Bıldırcın sürüleri, kahverengi tarlalar üzerinde yukarı doğru uçuyorlar, sonra birbirlerine karışarak aşağı iniyorlardı.

"Kaderimi bana söyleyeceğine söz veriyor musun?"

"Efendim?"

"Söz veriyor musun?"

"Hemen şimdi mi, efendim?" diye sordum sıkılarak.

"Sen bilirsin. İstersen şimdi."

Susuyordum. Sesi ciddi, emrediciydi. Hiçbir cevap düşünemiyordum. Motor mırıldıyordu. Bir böcek, sarı, balgam gibi leke bırakarak ön cama çarptı, ezildi.

"Bilmiyorum, efendim. Bu benim ilk yılım daha..."

"Ama öğrendiğin zaman söyleyeceksin?"

"Çalışırım, efendim."

"Güzel."

Aynaya şöyle bir göz attığımda, yine gülümsüyor gördüm onu. Zengin ve ünlü olmak, okulun bugünkü durumuna gelmesine yardım etmiş olmak yetmiyor muydu, sormak istedim ona; ama korktum.

"Benim bu düşüncemle ilgili senin fikrin nedir, delikanlı?" dedi.

"Bilmiyorum, efendim. Yalnız, sizin, aradığınız şeye sahip olduğunuzu düşünüyorum. Çünkü sınıfta kalırsam ya da okulu terk edersem, bunun sizin hatanız olmayacağını sanıyorum. Çünkü okulun bugünkü duruma gelmesine yardım ettiniz siz."

"Bu yeter mi sanıyorsun?"

"Evet, efendim. Müdür de aynı şeyi söylüyor bize. Siz amacınıza ulaştınız, kendiniz elde ettiniz bunu, bizler de aynı şekilde çalışıp bu ideali yükseltmeliyiz."

"Ama bu yapılanlar daha bir kısmı, delikanlı. Servetim, adım ve itibarım var; doğru bütün bunlar. Fakat sizin büyük Kurucu'nuz bundan da çok şeye sahipti; fikirlerine ve eylemlerine bağlı on binlerce can vardı. Yaptıkları bütün ırkınızı etkiledi. Bir bakıma bir kralın, hatta bir anlamda bir tanrının gücü vardı onda. Şimdi inanıyorum ki bu benim kendi işimden daha önemlidir; çünkü bugün daha çok şey size bağlı. *Sen* önemlisin; çünkü sen başarısızlığa uğrarsan, bir kişi yüzünden, bir çarkın bozuk bir dişlisi yüzünden ben başarısızlığa uğramış olurum. Daha önceleri o kadar önemli değildi; ama yaşlanıyorum artık, çok önemli bir şey oldu şimdi..."

Bütün bu olanlara şaşarak, ama daha adımı bile bilmiyorsunuz, diye düşündüm.

"...Bunun beni ne derece ilgilendirdiğini anlaman zordur, sanırım. Ama büyüdükçe, kaderimi öğrenmemin sana bağlı olduğunu hatırlamalısın. Sende ve senin öğrenci arkadaşlarının kişiliklerinde ben, diyelim, üç yüz öğretmen, yedi yüz usta makinist, sekiz yüz usta çiftçi filan olurum. Böylece, canlı kişiler üzerinde, paramın, zamanımın ve umutlarımın ne derece verimli bir yolda harcanmış olduğunu görebilirim. Aynı zamanda kızıma canlı bir anıt dikmiş olurum. Anlıyor musun? Büyük Kurucu'nuzun kıraç bir toprakken verimli bir arazi haline çevirdiği bu yerlerden alınan meyveleri görebilirim."

Birden sesi kesildi; aynadan açık mavi dumanların kıvrıla

kıvrıla yükseldiğini gördüm. Oturduğum koltuğun arkasında, arabanın elektrikli çakmağının geriye attığını işittim.

"Sanırım, sizi şimdi daha iyi anlıyorum, efendim," dedim.

"Çok iyi, oğlum."

"Bu yönde devam edeyim mi, efendim?"

Dışarıya, tarlalara bakarak, "Tabii," dedi. "Bu bölgeyi daha önce hiç görmemiştim. Benim için yeni bir arazi."

Söylediklerini düşünerek, arabayı sürerken ortadaki beyaz çizgiyi yarı bilinçli izliyordum gözlerimle. Bir tepeye çıktık, kavurucu bir yel yaladı arabayı, bir çöle yaklaşıyorduk sanki. Soluğum kesilir gibi oldu, eğildim, vantilatörü çalıştırdım; pervanenin sesi işitildi birden.

Hafif bir rüzgâr dolaştı arabanın içinde. "Teşekkür ederim," dedi.

Yağmurdan, rüzgârdan, güneşten rengi atmış, çarpılmış bir sürü odundan kulübenin, küçük küçük evlerin yanından geçiyorduk. Güneşin kavurduğu tahtalar, suda ıslandıktan sonra kurumaya bırakılmış iskambil kağıtları gibi örtüyordu çatıları. Evler, aralarındaki sundurmayla birbirine bitişen iki göz küçük odadan ibaretti. Önlerinden geçtikçe aradaki sundurmalardan gerideki tarlaları görebiliyorduk. Arkadan heyecanla emredince, ötekilerden ayrı bir evin önünde durdurdum arabayı.

"Odundan mı bu kulübe?"

Çatlakları kireç beyazlığında kille doldurulmuş, çatısı parlak, yeni tahta parçalarıyla yamalı eski bir kulübeydi bu. Birden, bu yola sapmakla hata ettiğimi anlayarak üzüldüm. Çarpık çurpuk bir çitin yanında oynayan, kalın kaba kumaştan pantalonlarıyla bir grup çocuğu görür görmez tanıdım burayı.

"Evet, efendim. Odundan," dedim.

Zenci topluluğunun yüz karası yarıcı Jim Trueblood'ın kulübesiydi bu. Aylarca önce, okulda büyük gürültü koparmıştı yaptıkları; şimdi adını herkes fısıltıyla anıyordu ancak. Ondan önce de pek yaklaşmazdı kampusa; ama çoluğuna çocuğuna iyi bakan çalışkan bir işçi, eski hikâyeleri yeniden canlandırarak matrak bir hava içinde anlatan bir insan olarak tanınır, sevilirdi. Aynı zamanda iyi bir tenordu, bazen okula özel, beyaz konuklar gelince, pazar akşamları kilisede toplandığımızda söylediğimiz, idarecilerimizin "onların ilkel dini şarkıları" dedikleri şarkıları söylemek üzere köy kuarteti ile birlikte okula getirtilirdi. Söyledikleri kaba şarkılardan sıkılırdık; ama konuklar huşu içinde dinledikleri için, Jim Trueblood'ın kuarteti yönetirken çıkardığı terbiye edilmemiş, yüksek perdeden, ağlar gibi hayvansı eslere gülmeye cesaret edemezdik. Çıkardığı rezaletle bütün bunlar geride kalmıştı şimdi; okul yöneticilerinin ilk başlardaki hoşgörüyle karışık nefret hissi, şimdi nefretle kesinleşmiş bir horgörüye dönüşmüştü. Görünmezlik öncesi o günlerde onların nefretlerinin ve de benim nefretimin korkuyla dolu olduğunu anlamıyordum daha. Kolejde hepimiz nasıl nefret ederdik o çarıklı zencilerden, "köylülerden" o günlerde! Biz onları kurtarmaya, yükseltmeye çalışıyorduk, onlarsa, Trueblood gibi, bizi yıkmak için her şeyi yapıyorlardı sanki.

Bay Norton, yeni, mavi beyaz damalı, alacalı kumaştan elbiseler giymiş iki kadının demir bir kazanda çamaşır yıkadıkları çıplak, toprak avlunun ötesine bakarken, "Oldukça eski görünüyor," dedi. Kazan isten simsiyahtı; matem ateşi gibi, kazanın kenarlarını soluk pembe, isli, zayıf alevler yalıyordu. Kadınlar, karnı burnunda gebelerin bezgin, yorgun haliyle hareket ediyorlardı.

"Öyle, efendim," dedim. "Şu ve öteki ikisi kölelik günlerinde yapılmışa benziyor."

"Deme! Onların bu kadar dayanacaklarını hiç sanmazdım! Kölelik günlerinde, ha!"

"Doğru, efendim. Buralar büyük bir çiftlikken arazinin sahibi olan beyaz aile hâlâ yaşıyor kasabada."

"Evet," dedi. "Eski ailelerin birçoğunun hâlâ yaşadığını biliyorum. İnsanların da öyle; gittikçe bozulsa da insan nesli devam ediyor. Ama bu kulübeler!" Şaşırmış ve bozulmuş görünüyordu.

"Şu kadınlar buranın geçmişi ve tarihi hakkında bir şeyler bilir mi dersin? Yaşlısı bilebilir gibime geliyor."

"Biraz şüpheli efendim. Fazla şey, yani zekiye benzemiyorlar."

Purosunu ağzından çekerek, "Zeki mi?" dedi.

"Benimle konuşmazlar mı demek istiyorsun?" diye sordu şüpheli şüpheli.

"Evet, efendim. Öyle."

"Ama niçin?"

Açıklamak istemiyordum. Utancımdan yerin dibine geçiyordum; ama o bir şeyler bildiğimi hissetti ve sıkıştırdı beni.

"Pek hoş bir şey değil, efendim. Ama bu kadınların bizimle konuşacaklarını sanmam."

"Bizim, okuldan olduğumuzu söylersin. O zaman muhakkak konuşurlar. Kim olduğumu söyleyebilirsin onlara."

"Doğru, efendim," dedim, "ama onlar okulda hepimizden nefret ederler. Hiç gelmezler oraya..."

"Nee!"

"Gelmezler, efendim."

"Şurada çitin yanındaki çocuklar, peki?"

"Onlar da, efendim."

"Ama neden?"

"Doğrusu bilmiyorum, efendim. Ama bu yolun ötesindeki çoğu kişi gelmez. Herhalde çok cahiller. İlgi duymuyorlar."

"Ama nasıl olur!"

Çocuklar oyunu bırakmış sessiz sedasız arabaya bakıyorlardı; kolları arkalarında, vücutlarına bol gelen yeni pantolonları ufak şişkin karınları üzerinde gerilmiş, sanki onlar da gebeymiş gibi.

"Bunların erkekleri, peki?"

Duraksadım. Niçin bu kadar garip bulmuştu bunu?

"Bizden nefret eder, efendim," dedim.

"Nefret eder, diyorsun; iki kadın da evli değil mi?"

Soluğumu tuttum. Bir yanlışlık yapmıştım. "Yaşlısı evli, efendim" dedim istemeye istemeye.

"Gencinin kocasına ne oldu?"

"Onun kocası yok; yani... şey..."

"Ne var, delikanlı? Bu insanları tanıyor musun sen?"

"Birazcık, efendim. Bir süre önce bunlar hakkında yukarıda, okulda bazı şeyler söyleniyordu."

"Ne söyleniyordu?"

"Şey, genç kadın yaşlısının kızıymış..."

"Ee, sonra?"

"Şey, efendim, diyorlar ki... hani... yani kızın kocasının olmadığını söylüyorlar demek istiyorum."

"Ha, anladım. Bunda acayip bir taraf yok ki. Anlıyorum ki sizinkiler... Neyse boş ver! Hepsi bu kadar mı?"

"Şey, efendim..."

"Evet, başka?"

"Diyorlar ki babası yapmış bunu."

"Neee!"

"Evet, efendim... Babası gebe bırakmış onu."

Oyuncak bir balon aniden sönmüş gibi keskin bir nefes alış duydum. Yüzü kızardı. İki kadın adına utanç duyuyordum, şaşırmıştım, çok konuştum ve onun duygularını yaraladım diye korkuyordum.

Sonunda, "Okuldan herhangi bir kimse soruşturdu mu durumu?" diye sordu.

"Evet, efendim" dedim.

"Ne öğrendiler?"

"Doğru olduğunu. Öyle söylüyorlar."

"Peki ne diyormuş böyle... böyle müthiş bir şeyi niçin yaptığı sorulduğunda?"

Elleriyle dizlerini yakalamış, geriye yaslanmış oturuyordu. Parmaklarının eklem yerlerinde kan çekilmişti. Dışarıya, sıcaktan kımıl kımıl olmuş asfalta bakıyordum. Beyaz çizginin öbür tarafında, kampusun sessiz, yemyeşil çimenliklerine doğru gidiyor olsaydık şimdi, diyordum içimden.

"Adamın hem karısını, hem de kızını becerdiği söyleniyor, öyle mi?"

"Evet, efendim."

"Her ikisinin de çocuklarının babasıymış, ha?"

"Öyle, efendim."

"Hayır, olmaz, olmaz!"

Büyük bir acı içindeymiş gibiydi. Endişeyle baktım yüzüne. Ne olmuştu? Ne söylemiştim?

Nefretle, iğrenerek, "Bu kadarı olmaz, hayır!" dedi.

Adam kulübenin köşesinden görününce, yeni, mavi iş pantalonunun üzerinde güneşin parladığını gördüm. Ayakkabıları siyah ve yeniydi. Yanan toprak üzerinde rahat rahat yürüyordu. Kısa boylu bir adamdı; avluyu o kadar rahat geçti ki en koyu karanlık gecede de aynı güvenle yürüyebilir sanırdı insan. Geldi ve renkli, büyük bir keten mendille yelpazelenirken kadınlara bir şey söyledi. Ama onlar ters davrandılar ona, hemen hiç konuşmadılar, ondan yana hiç bakmadılar yüzlerini çevirip.

Bay Norton, "Adam bu mu?" diye sordu.

"Evet, efendim. Sanırım" dedim.

"Dışarı çık!" diye bağırdı. "Onunla konuşmalıyım."

Taş kesilmiştim. Şaşırmış, korkmuştum, kızmıştım. Trueblood'a ne söyleyebilirdi, ne sorabilirdi? Neden kendi hallerine bırakmıyordu onları!

"Haydi!"

Arabadan indim ve arka kapıyı açtım. Yuvarlanır gibi çıktı arabadan ve avluya giden yolu neredeyse koşarak geçti, arkasından atlı kovalıyordu sanki. O zaman birden iki kadının döndüğünü ve deli gibi evin arkasına kaçtığını gördüm; hareketleri hantal ve ağırdı. Arkasından koştum, adamın ve çocukların yanına varınca durduğunu gördüm. Susuyorlardı, yüzleri asılmıştı; yumuşak ama olumsuz bir havaları vardı; bakışları tatlı ve aldatıcıydı. Onun konuşmasını beklerken bakışlarının gerisinde korkudan diz çöküyorlardı; bir de baktım ben de onlar gibi içten içe titremiyor muyum korkudan? Daha da yaklaşınca arabadan göremediğim bir şey gördüm: Adamın sağ yanağında, balyoz yemiş gibi bir yara vardı. Yara taze ve ıslaktı; ikide bir mendiliyle yanağına konan sinekleri kovalıyordu.

Bay Norton, "Sizinle konuşmam lazım!" diyerek kekeledi.

Jim Trueblood şaşırmaksızın, "Olur, efendi," dedi ve bekledi.

"Doğru mu... Yani şey... yaptınız mı demek istiyorum?"

Trueblood, "Ha?" diye sordu. Başımı çevirdim.

"Hayattasınız" diye bir söz çıktı ağzından. "Ama doğru mu...?"

"Ha?" dedi çiftçi, kaşı şaşkınlıkla titreyerek.

"Özür dilerim, efendim," dedim, "sizi anladığını sanmıyorum."

Beni duymazlıktan geldi; Trueblood'ın yüzüne dikmişti gözlerini, sanki orada benim göremediğim bir şeyler okur gibiydi. "Yaptın ve başına bir şey gelmedi," diye bağırdı, mavi gözleri kıskançlığa ve öfkeye benzer bir duyguyla siyah yüzde parlayarak. Trueblood umutsuzca yüzüme baktı. Ben yine kaçırdım bakışlarımı. Ben de ondan fazla bir şey anlamıyordum.

"Kaosu gözlerinle gördün ve yok olmadın!"

"Hayır, efendi! Bir şey yok, benim."

"Öyle mi? İçinde bir huzursuzluk, kargaşa hissetmiyor musun, suçlayıcı gözlerden kaçıp saklanmak filan?"

"Ha!"

"Cevap ver bana!"

Trueblood güçlükle, "Bir şey yok, efendi," dedi. "Gözlerimde de bir şey yok. Karnım ağrırsa biraz soda alır ben, bir şey kalmaz."

Heyecanlanmış gibi bir tavırla etrafına bakınarak, "Hayır, hayır, hayır. Şu gölgelik yere gidelim," dedi; sundurmanın gölgesinin uzadığı yere doğru hızla yürüdü. Arkasından gittik. Çiftçi elini omzuma koydu, bense silkindim; çünkü hiçbir şey anlatamayacağımı biliyordum ona. Sundurmanın altında bahçe iskemlelerine yarım daire şeklinde oturduk. Ben, yarıcı ile milyoner arasındaydım. Sundurmanın çevresindeki toprak, çok önce dökülmüş bulaşık sularından sertleşmiş, beyazlaşmıştı.

"İşler nasıl?"diye sordu Bay Norton. "Belki de bir yardımım dokunurdu."

"Pek fena gelmiyor, efendi. Bize burada neler oluyor deyi duyulana kadar hiç kimseden bi yardım alamadık. Şindi herkez meraklı, yardım etmek için. Orada, tepedeki okuldaki adamlar bile; yalnız bi numaralar döndü! Bizi buralardan bittamam göndermek isterler, yol paramızı ve de her şeyi verip, yüz dolar da verecekler yerleşmek için. Ama biz buraları çok severik; dedim hayır. O zaman bir herif gönderdiler bura, kocaman bi adam ve o dedi ki buradan ayrılmazsam beyazları üzerime salacaklarmış. Kızdım buna, hemi de korktum. Beyazlar, orada okuldakilerle sıkı fıkı, onların adamı, korktum. Ama düşündüm, onlar ilk zaman buraya geldiler ki, ta eskiden benim oraya gelişimden başkaydı; öğrenecek bir kitap aradım, buğda muğda ekecek el kadarcık yer aradım. Ben bu yeri bulduğumda böyleydi işte. Bana yardım etmeye çalışırlar sandım, aynı günlerde doğuracak iki karı var bende diye.

Ama dellendim, ne zaman öğrendim ki bizi buradan kovmaya çalışıyorlar; bir rezilmişik biz çünkü, dediler. Evet efendi, essahtan deliye döndüm. Gittim Bay Burchanan'ı görmeye, patronu ve ona böyle böyle dedim hali vaziyet ve o bana bir kağıt verdi, git dedi şerife ver bunu dedi. Dediği gibi yaptım, götürdüm verdim. Mapushaneye gittim, Şerif Barbour'a kâğıdı verdim ve o bana sordu, anlat dedi ne oldu ve ben anlattım ona. İçeriye başka adamlar çağırdı, gene anlattırdılar bana ne oldu diye. Gızı anlatmamı istiyorlardı kaç defa, yiyecek, içecek bi şeyler verdiler bana, tütün verdiler. Ben şaşırdım; çünkü korkuyordum, başka türlü şeyler beklediydim ben. Ya! Bu civarda sanmam bir başka zenci olsun beyazların bu kadar zamanını alacak. Sonra dediler ki bana, korkma, okula haber göndeririz dediler, yerinden kıpırdama sen dediler. O koca zenciler de korkutmuyordu beni. Bilirsiz siz, zenci ne kadar büyük olursa olsun beyaz halk yer onu. Beyazlar tutuyorlardı beni. Ve buraya gelmeye başladı beyazlar bizi görmeye, bizle konuşmaya. Bazıları da büyük adamlardı; eyaletin ta ötesindeki böyük okuldan. Sordular bana, bir sürü şey, işler hakkında, bizimkiler hakkında, ufaklıklar hakkında ve hepiciğini yazdılar bir kitaba. Ama efendi, en iyisi ne biliyon mu, işlerim bi düzeldi, bi düzeldi ki..."

İsteyerek konuşuyordu şimdi, bir cins boşalmaydı bu, çekingenlik ya da utanma yoktu halinde. Yaşlı adam, yanmamış bir puroyu elinde tutarken şaşkın şaşkın onu dinliyordu.

"İşler epiyce iyi şimdi," dedi köylü. "Ne zaman düşünsem ki bir zamanlar nasıl soğuk vardı, ne zor günler geçirdik, bir titremedir alır beni ki sorma."

Çiğneme tütününden bir parça kopardı. Sundurmaya zaman zaman bir şey çarpıyor, çıngırdıyordu; arada bir gözüm takılıyordu. Bir tenekeden kesilmiş kırmızı bir elma resmiydi bu.

"Anlıyorsun efendi, hava soğuk olurdu; bizde ateş mateş ne

gezer. Odundan başka hiçbir şey yok, kömür nerde. Koşardım ona buna; ama kimse bakmaz yüzümüze, ne iş vardı ne bi şey. Öyle soğuk olurdu, hepimiz bir yatakta yatardık, nedecen: Ben, böyük hanım ve de gız. Böyle başladı işler efendi."

Gözleri parlıyor, sesi, hikâyeyi birçok, birçok kez söylemiş gibi derin, büyülü bir nitelik kazanıyordu. Boğazını temizledi. Karasinekler, ufacık ufacık beyaz sivrisinekler yarasına üşüşüyordu.

"Aynen böyleydi işte" dedi. "Ben bi tarafta, böyük hanım öte yanda, gız da ortada. Karanlık nasıl, zifir gibi. Bir katran kazanındaymışın sanki, öyle karanlık. Veletler köşede kendi yataklarında koyun koyuna uyuyor. En son uyuyan bendim herhal; çünkü ertesi gün nereden yiyecek bi şeyler bulurum diye düşünürdüm, gızı düşünürdüm, ona askıntı olmaya başlayan delikanlıyı düşünürdüm. Sevmiyordum onu, boyuna takılıp duruyordu kafama; karar verdim ki gızdan uzak durmasını söyleyecem ona. Kapkaranlıktı ortalık, veletlerden birinin uykusunda ağladığını duydum; sobada son bir iki parça dal tutuşmuş çıtırdıyordu, çöküyordu ateş; şişman vücuttan çıkan ter kokusu havada katılaşmış duruyordu sanki, bir tabak soğuk pekmez kabının içine düşmüş yağlı bir et parçası gibi. Gızı ve de oğlanı düşünürdüm ve yanıma uzanmış kollarını hissediyordum, böyük hanımın öte yanda inler gibi ağlar gibi horladığını duyuyordum. Aileme canım sıkılıyordu, ne edeceklerdi; gızın küçükken, yeni tüfekler gibiyken köşede uyuduğu günleri düşündüm, nasıl böyük hanımdan çok bana düşkün olduğunu. İşte şimdi karanlıkta yan yana nefes alıyorduk. Bunları hep kafamda görüyordum, elimle komuş gibi biliyordum. Kafamda hepsine bakıyordum, birer birer. Gız tıpkı böyük hanımın gençliğine benzer, ilk rastladığımdaki haline, yalnız biraz daha güzel ondan. Bilirsin, bizim halk günden güne daha güzel insanlar oluyor...

Neyse, nefes alışlarını duyuyordum onların; ama uyku tutmuyordu beni bir türlü. Sonra gızın uykusunda hafifçe, alçaktan 'baba' dediğini duydum, hâlâ uyanık mı acaba diye baktım bir. Ama eğildim ki üzerine yalnız kokusunu duydum, bir de elime vuran nefesini. Öyle yavaş söylemişti ki, bir şey duydum mu acaba diye kuşkuya düştüm, onun için orada uzanmış onu dinliyordum. Bir çoban aldatan kuşu olmasın dedim ve de düşündüm kendi kendime. Git buradan, uzaklaş, hele bir gelsin aldatırız çobanı. Sonra tepede, okulda saat dört defa vurdu, işittim, gecenin içinde yalnız.

Sonra geçmiş günleri düşünmeye başladım, çiftliği bırakıp Mobile'de oturmaya gittiğim günleri ve de bir gız bulduğumu orada. Gençtik o zaman şu delikanlı gibi tam. Irmak kenarında iki katlı bir evimiz vardı. Geceleri yatakta uzanır konuşurduk; o uykuya dalar ben daha uyanık olurdum, suya vurmuş ışıkları seyrederdim, kayıkların seslerini dinlerdim ırmaktan gelip geçen. Şarkıcılar olurdu o kayıklarda; bazen onu da uyandırırdım dinlesin diye müziği, onlar nehir yukarı çıkarken. Orada uzanırdım, hiç ses olmazdı, ta uzaklardan bile gelirdi müzik. Hani bıldırcın avlarken hava kararır ya, anaç kuşu duyarsın sürüsünü toplamak için öter, öterekten gelir sana doğru ağır ağır; çünkü bilir ki elinde tüfeğin bir yerlerdesin sen. Ama o hep onları toplamaya çalışır, üzerine üzerine gelir onun için. İyi adamlara benzer o anaç kuşlar, ne yapması lazımsa *yapar* onu.

İşte öyle ses çıkarırdı kayıklar. Ta uzaklardan gelirdi insana doğru. İlki tam sen uykuya dalmışsın gelirdi ve sanki birisi kocaman sivri bir şeyle hafifçe dörtmüş seni, öyle olurdu. Sivri uç geliyor sana doğru, yavaşça geliyor, görürsün, kaçamazsın; ama tam dokunacak sana o sivri şey kalmaz ortada da uzakta birisi bi sürü renkten cam şişeleri kırıyor gibi olur. Boyuna sana gelir gibidir yine. Boyuna. Sonra bittiğini duyarsın, sanki kalktın da ikinci katın penceresinden aşağıya bi araba dolusu karpuza bakıyorsun; taze, sulu karpuzlar ortasından yarılmış da dağılmış her yana, öbür çizgili yeşil karpuzların üzerinde serin ve tatlı yatıyor, sanki seni bekliyor ki yiyesin. Sen görürsün, ne kırmızı, ne olgun ve de sulu, içindeki parlak çekirdekleri falan görürsün. Yandaki çarklar suya dalar, sanki hiç kimseyi uyandırmak istemez gibi ve biz; ben ve gız, kendimizi zengin kimseler sanırız, uzanırız orada; gemideki oğlanlar iyi cins şeftali şarabı gibi tatlı tatlı çalıp, söylerler. Sonra gemiler geçer, ışıklar kaybolur pencereden, müzik uzaklaşır. Hani iki yanı ağaçlıklı bir yoldan aşağıya inerken kırmızı elbiseli, geniş hasır şapkalı bir gız geçer ya yanından, tombul, lokum gibi; senin kendisini seyrettiğini bilir ya kıçını kıvıra kıvıra yürür, sen de *bilirsin* onun bunu bildiğini, orada durursun, seyredersin ta kırmızı şapkasının tepesinden başka bir şey görünmeyene kadar, sonra o da gider, bilirsin bir tepenin ardında kaybolmuştur; bir kere böyle bir gız görmüştüm. O zaman o Mobile'li gızdan –Margaret'ti adı– başka bi şey işitmez olurdum, yanı başımda soluğunu duyardım, herhal o zaman, "Baba, hâlâ uyanık mısın?" derdi, ben ağzımın içinde "I-ıh" derdim ve dalardım uykuya. Beyler," dedi Trueblood, "o Mobile günlerini hatırlamak çok hoş oluyor."

"İşte Matty Lou'nun 'baba' dediğini duyunca aynen öyleydi; söyleyişinden bildim ki birisini görüyor rüyada; o oğlanı mı acaba diye kızıyorum. Adamın adını söyler diye bir süre dinliyorum mırıltısını ama söylemiyor. O zaman hatırlıyorum ki uykuda konuşan bir insanın elini sıcak suya koyarsan her şeyi söylermiş; ama su çok soğuk, sıcak olsaydı da yapmazdım ya. Ama bakıyorum, bir kadın o, dönüyor, bana sokularak kıvrılıyor, kolunu boynuma, yorganın dışında kalmış yere atıyor. Bir şeyler söylüyor, anlamıyorum, hani bir kadın bir adama asılır durur ya o zaman söylediği gibi bi şeyler. O zaman anlıyorum, büyümüş, kaç kere yaptı acaba, o itoğluyla mı yaptı acaba, diye düşünüyorum. Kolunu kaldırdım, yumuşacık; ama uyandırmadı bu onu, seslendim, bu da uyandırmadı. Sonra sırtımı döndüm, uzaklaşmaya çalıştım; yer de yoktu ki uzaklaşacak ve bana dokunuşunu, daha da yaklaştığını hissediyordum yine. O zaman rüyaya dalmış olmalıyım. O rüyayı anlatayım size önce."

Bay Norton'a baktım, ayağa kalktım gitme zamanının geldiğini düşünerek; fakat o Trueblood'ı dinlemeye öyle dalmıştı ki beni görmedi. İçimden köylüye küfrederek tekrar oturdum yerime. Cehenneme kadar yolu vardı rüyasının!

"Hepsini tam hatırlamıyorum ama bir parçacık et arıyordum, iyi biliyorum. Şehirdeki beyazlara gittim, onlar Bay Broadnax'a git o verir, dediler. Evi tepenin üstünde; onu görmek için oraya tırmanıyorum. Sanki dünyanın en yüksek tepesi. Ne kadar tırmansan Bay Broadnax'ın evi o kadar uzağa gidiyor. Ama en sonunda ulaşıyorum oraya. O kadar yorgunum, o kadar görmek istiyorum ki adamı, ön kapıdan dalıyorum içeriye! Biliyorum yanlış ama tutamıyorum kendimi işte. İçeriye giriyorum ve yakılmış mumlarla parlak mobilyalarla dolu, duvarlarında resimler, tabanında yumuşacık halılar bulunan büyük bir odada duruyorum. Ama Allah'ın bir tek canlı kulu yok. Adını sesleniyorum; ama yine kimse gelmiyor, kimse cevap vermiyor. Bakıyorum bir kapı, dalıyorum içeriye ve bir keresinde ben ufacık bir oğlanken anamla gittiğimiz böyük evde gördüğümüze benzer böyük beyaz bir odadayım. Odada her şey beyaz; ben burada işim olmadığını bile bile dikilip duruyorum orada. Üstelik bir kadın odası. Dışarıya çıkayım diyorum ama kapıyı bulamıyorum; her yanımda kadın kokusu duyuyorum, hep artan bir kadın kokusu. Sonra bir köşeye bakıyorum, hani o yerden, ayaklı böyük saatler var ya ondan görüyorum, çalıştığını işitiyorum; cam kapısı açılıyor, bir beyaz hanım çıkıyor dışarıya. Üzerinde yumuşacık, ipekten bir gecelik var, başka hiçbir şey, doğru yüzüme bakıyor. Ne yapacağımı bilemiyorum. Kaçmak istiyorum ama gördüğüm tek kapı saatin kapısı, o da gelmiş önünde durmuş onun; neyse, kımıldayamıyorum, saat boyuna çalışıyor gürültülü gürültülü. Hızlanıyor, hızlanıyor. Bi şeyler söylemeye çalışıyorum ama söyleyemiyorum. Sonra başlıyor bağırmaya kadın ve ben ağzının açılıp kapandığını gördüğüm halde hiç bi şey *duyamadığım* için sağır oldum sanıyorum. Ama saati duyuyorum yine de, Bay Broadnax'ı aradığımı söylemeye çalışıyorum ama beni işitmiyor. Bana doğru koşuyor, boynumdan yakalıyor beni, sıkıyor, saatten uzak tutmaya çalışıyor. O zaman ne yapacağımı bilemiyorum tabii. Onunla konuşmaya çalışıyorum, ondan kurtulmaya çalışıyorum. Ama tutuyor o beni, bense beyaz olduğu için ona dokunmaya korkuyorum. Sonra o kadar korkuyorum ki yatağın üzerine atıyorum onu, boynumdan koparmaya çalışıyorum elini. Kadın gözden kayboluyor o sırada, yatak o kadar yumuşak ki. Öyle derine batıyor ki yatak ikimiz de boğulacakmışız gibi oluyoruz. Birden, faaşşş! Aniden bir sürü kaçak, beyaz ördek kalkıyor yatağın içinden, hani insan gömü çıkarırken olurmuş ya böyle. Alla'ım! Onlar gözden kaybolur olmaz bir kapının açıldığını, Bay Broadnax'ın sesini duyuyorum, 'Zencilermiş, bırakın yapsınlar.'

Nasıl söyleyebilir bunu beyazlara, diye düşündüm, bütün zencilerin böyle şeyler yaptığını söyleyeceklerini bilirken. Yere bakıyordum, gözlerimin önünde kıpkırmızı bir acı bulutu. Ortada yanlış bi şeyler döndüğünü bilir gibiyim; ama durduramıyorum. Şimdi kadından kurtulmuşum, saate doğru koşuyorum. Önce kapıyı açamıyorum; saatin yüzünde, çelik yumağı gibi kıvrık kıvrık bir şeyler oluyor. Ama açıyorum ve giriyorum içine; içerisi sıcak, karanlık. Yukarı doğru çıkan dar bir tünele dalıyorum, neredeyse makinenin, bütün o gürültünün ve sıcaklığın geldiği yere varacağım. O, okuldaki elektrik fabrikası gibi bi şey. Yanıyor orası, sanki ev tutuşmuş gibi; koşmaya başlıyorum, dışarı çıkmaya çalışarak. Koşuyorum, koşuyorum yorulana kadar; ama yorgun değilim, koştukça daha dinleniyorum sanki. O kadar güzel koşuyorum ki uçmak gibi bi şey, uçuyorum, yelkenlideymişim gibi, şehrin üzerinde yüzüyorum. Yalnız hâlâ *tünel*in içindeyim. Sonra ta yukarıda, bir mezarlığın üzerinde görülen yalaza benzer parlak bir ışık görüyorum. Gittikçe daha parlıyor, parlıyor ve ben ona yetişmeliyim, biliyorum; yoksa halim harap. Sonra birden yetişiyorum ona ve o kocaman bir elektrik lambası gibi gözlerimde patlıyor, haşlıyor her yanımı. Yalnız haşlanma olsa; üst tarafı kızgın su, altı soğuk su, uyuşuk uyuşuk akıyor bir göl ve ben boğuluyorum içinde. Sonra birden kurtuluyorum ondan, dışarıya çıkıyorum ve soğuk gün ışığındayım yine.

Uyanıyorum, deli rüyamı böyük hanıma anlatmak istiyorum. Sabah olmuş, neredeyse ortalık ışıyacak. Ben oradayım, dosdoğru Matty Lou'nun yüzüne bakıyorum ve o beni dövüyor, tırmıklıyor, titriyor, sallanıyor ve bağırıyor aynı zamanda, hepsi bir arada, sanki bir nöbete tutulmuş gibi. Öyle şaşırmışım ki ben kımıldayamıyorum. 'Baba, baba, ah baba' diye, işte böyle bağırıyor. Birden böyük hanım aklıma geliyor. Hemen yanımızda horluyor, bakıyorum ve ben kımıldayamıyorum; çünkü kımıldasam bunun bir günah olacağını düşünüyorum. Yine düşünüyorum ki, kımıldamazsam belki günah münah olmaz; çünkü ben uykudayken oldu bu iş. Bazen bir erkek uzun saç örgülü bir kıza bakar da bir orospu gibi görür ya onu, hepiniz bilirsiniz bunu. Neyse, anlıyorum, kımıldamazsam böyük hanım görecek beni. İstemiyorum bunu. Günahtan da *kötü* olur bu. Matty Lou'ya bi şeyler fısıldıyorum susturmaya çalışarak, bir yandan da günah işlemeden bu beladan nasıl kurtulurum diye düşünüyorum. Neredeyse boğacağım gızı susturmaya çalışırken. Ama bir erkek böyle bir belaya boynunu kaptırınca yapacağı fazla şey yoktur artık. Bi şey yoktur elinde artık. İşte ben de öyleydim, bütün gücümle uzaklaşmaya çalışıyorum; ama kımıldamaksızın kımıldamak zorunda kalıyorum. Koşa koşa gelmiştim, yürüyerek çıkacaktım dışarıya. O zamandan beri çok düşündüm, iyice düşünen siz de, başımın daima böyle belada olduğunu göreceksiniz. Bütün ömrümce hep böyle. Kurtulmak için düşünebildiğim tek yol vardı: Bir bıçak. Ama yok bıçağım, eğer sonbaharda o genç erkek domuzların iğdiş edilişlerini gördüyseniz, onları günah işlemekten menetmek için bu kadarının da fazla olduğunu bildiğimi anlarsınız. Bir dönüştür, bir kavgadır gidiyordu içimde. Başıma gelen belayı düşündükçe içime kızgın bir demir sokuluyor gibi oluyordu.

Sonra sanki bu yetmezmiş gibi Matty Lou daha fazla dayanamıyor ve kendini çekmeye başlıyor. Önce beni itmeye çalışıyor, bense günah işlemeyi önlemek için onu bastırıyorum. Sonra o bana sımsıkı sarılırken ben çekiyorum ve anasını uyandırmamak için şışşt diyorum ona. Benim gitmemi istemiyor o zaman ve Tanrı yalanı sevmez, bir de baktım ki ben de gitmek istemiyorum. O zamandan beri ne kadar üzüldüm, sanırım o sırada kendimi o Birmingham'daki adam gibi hissediyorum. Hani o, kendini evine kapayıp da, polisler evini ateşe verip de onu diri diri yakana kadar polislere ateş eden adama. Kendimi kaybetmişim. Birbirimizden uzaklaşmaya çalışırken kıvranıp büküldükçe kalmak istiyorduk. O zaman o adam gibi kaldım ben de, ta sonuna kadar dövüşecektim. Ölmüş olabilirdi; ama şimdi hissediyorum ki ölmeden önce yapacağını da yapmıştır. Başıma gelen şeyin çok acayip bi şey olduğunu biliyorum; ama nasıl oldu söyleyemem. Ayyaşın birinin sarhoş olması, ya da kendini Tanrı'ya adamış dindar bir kadının dini başına vurup elbiselerini parçalayıp çıkarışı gibi, ya da kaybederken bile kumar oynamaya devam eden tam bir kumarbaz gibi. Öyle yakalanmışım ki, istesen de ayrılamıyorsun."

"Bay Norton, efendim," dedim boğuk bir sesle, "kampusa dönme zamanı geldi. Randevularınızı kaçıracaksınız..."

Yüzüme bile bakmadı. Canı sıkılmış gibi elini sallayarak, "Lütfen," dedi.

Trueblood, beyaz adamdan bana çevirerek gözlerini, bakışlarının gerisinde bana gülümser gibi oldu ve devam etti.

"Kate çığlığı basıyor, duyuyorum da yine ayrılamıyorum; insanın kanını donduran bir bağırış. Bir sürü vahşi atın yavru bebeğe doğru koştuğunu görüp de yerinden kımıldayamayan bir kadının bağırışı. Sanki bir hayalet görmüş gibi saçları dimdik, geceliği açılmış, boynundaki damarlar koca koca şişmiş. Ve gözleri! Alla'ım, o gözleri. Matty Lou'yla birlikte yattığım ot şiltede uzanırken, yüzünü aşşağdan yukarı görüyorum ve kımıldayamayacak kadar halsizim. Bağırıyor ve eline ne gelirse kapıp fırlatıyor bana. Bazılarını tutturamıyor, bazıları çarpıyor bana. Ufak böyük bir sürü şey. Soğuk ve pis kokulu bi şey geliyor başıma, üstüme başıma dökülüyor. Bi şey çarpıyor duvara top mermisi sanırsın. Bamm! Bummm! Kafamı örtünün altına gizlemeye çalışıyorum. Kate vahşiler gibi acayip bir dille konuşuyor.

'Bi dakka, Kate,' diyorum. 'Dur!'

Sonra bi saniye durduğunu işitiyorum, odanın içinde konuştuğunu işitiyorum, dönüp bakıyorum. Alla'ım ne göreyim, benim çifteyi almamış mı!

Ağzı köpük içinde, tüfeği kaldırıyor ve konuşuyor.

'Kalk ayağa! Kalk ayağa!' diyor.

'HEY! YAPMA! KATE!' diyorum.

'Allah belanı versin senin! Kalk çocuğumun üstünden!'

'Bak kadın, Kate, dinle biraz...'

'Konuşma, KALK!'

'İndir onu aşağı, KATE!'

'Kim demiş? Ne indirmesi!'

'Tüfek dolu, kadın, SAÇMA DOLU!'

'Dolu tabii!'

'İndir aşağı diyorum sana!'

'Canını cehenneme göndereceğim senin!'

'Matty Lou'yu vuracan ama!'

'Matty Lou'yu değil, SENİ!'

'Saçma dağılır, Kate, Matty Lou!'

Bana nişan almış etrafımızda dönüyor

'Bak sana söylüyorum, Jim...'

'Kate, rüyaydı, dinle beni...'

'Dinleyecek olan ben değilim, sensin; KALK ORADAN!'

Tüfeği sallıyor ve ben gözlerimi yumuyorum.

Ama patlama ve ateş beklerken ben, Matty Lou'nun kulağımın dibinde bağırdığını işitiyorum.

'Ana! Oyy! ANAM!'

Yuvarlanır gibi yapıyorum, Kate duraksıyor. Tüfeğe bakıyor, bize bakıyor ve bir dakka titriyor, elinde ateş tutuyormuş gibi. Sonra birden tüfeği atıyor yere, ZIP! Bir kedi kadar çevik, dönüyor ve sobadan bi şey kapıyor. Birisi böğrümü keskin bir bıçakla deşiyor sanıyorum. Nefes alamıyorum. Hem konuşuyor, hem eline ne geçerse fırlatıyor üstüme.

Yattığım yerden yukarı bakınca bir de ne göreyim; ulan, ulan, elinde bir demir yok mu!

Bağırıyorum avazım çıktığı kadar, 'Kan akıtma, Kate. Kan dökme!'

'Seni aşağılık köpek' diyor. 'Rezil olmaktansa kanın aksın daha iyi!'

'Hayır, Kate, işler sandığın gibi değil! Bir rüya için kan döküp günah işleme!'

'Kapa çeneni, pis Zenci. Halt ettin, halt!'

Ama o sırada ona bi şey anlatmanın imkanı olmadığını görüyorum. Bana ne verirse onu almaya karar veriyorum. Tek yapacağım şey, cezama razı olmak, diyorum. Kendi kendime belki bunun acısını çekersen daha iyi olur, diyorum. Belki de Kate'in hakkı var, bırak dövsün. Suçlu değilsin ama o seni dövmek zorunda olduğunu düşünüyor. Ayağa kalkmak istiyorsun ama kımıldayamayacak kadar halsizsin.

Ben de öyleydim işte. Kışın soğukta dudakları bir tulumba sapına yapışmış bir ufaklık gibi donmuştum. Vücudumu, kıpırdayamayacak kadar eşek arıları sokmuş ama hâlâ gözleri canlı ve onların iğnelerini vücuduna ölümüne batırışlarını seyreden bir ala karga gibiydim.

Kafamda geçmiş günleri canlandırdı bu; sanki bir fırtınada, bir rüzgâr kıranın gerisinde ayakta duruyordum. Dışarı bakıyorum, Kate'i arkasında bi şey sürüyerek bana doğru koşuyor görüyorum. Ne olduğunu görmeye çalışıyorum, merak ediyorum; çünkü geceliğinin sobaya takıldığını görüyorum ve eli çıkıyor birden ortaya, bi şey tutuyor avcunda. Kendi kendime düşünüyorum, bir sap o ama ne sapı.

Ne diye tutuyor o sapı elinde? Sonra onu tepemde görüyorum, kocaman. Beş kiloluk varyozu sallayan bir adam gibi kollarını kaldırıyor, elinin eklem yerlerinin çürük içinde kaldığını, kanadığını görüyorum, varyozun geceliğine sarıldığını görüyorum, geceliğini o kadar yukarı kaldırıyor ki kalçalarını görüyorum, nasıl mosmor olmuş derisi soğuktan, eğilip kalkışını görüyorum, hırıltısını duyuyorum, sağa sola sallanıyor, ter kokusunu duyuyorum ve elinde bana fırlatmak için tuttuğu odun parlıyor. Aman Alla'ım! Bu sefer yorgana takılıyor, onu kaldırıyor havaya, yorgan düşüyor yere ve elindeki balta çıkıyor meydana! Keskin tarafı bir parlıyor, bir parlıyor ki baltanın, daha birkaç gün önce bilemiştim, kendi ellerimle; ta içimden, o siperin gerisinden, 'YAPMA! KATE - Alla'ım, Kate, YAPMA!' diyorum."

Sesi öyle tiz çıkıyordu ki irkildim birden. Trueblood, cam gibi gözleriyle Bay Norton'a bakıyor ama onu görmüyordu sanki. Çocuklar suçlu suçlu oyunlarını bırakmışlar, babalarına bakıyorlardı.

"Taşa toprağa konuşsam bundan iyiydi," diye devam etti. "Aşağı doğru indiğini görüyorum. Kate'in zalim yüzünü görüyorum ve omuzlarımı kısıyorum, başımı içeri çekiyorum, bekliyorum; on milyon yıl bekliyorum sanki, öyle korku içinde. O kadar uzun bekliyorum ki hayatım boyunca yaptığım bütün yanlış işler aklıma geliyor; o kadar uzun bekliyorum ki, gözlerimi açıyorum, kapıyorum, tekrar açıyorum ve baltanın üzerime indiğini görüyorum. Deve gibi bir öküz nasıl arkadan laaap diye dökerse, öyle iniyor; beklerken içimde bi şeyin koptuğunu ve suya döndüğünü hissediyorum. Görüyorum onu, Alla'ım, görüyorum ve göre göre başımı yana çeviriyorum korkudan. İşe yaramıyor, Kate iyi nişan almış. Kımıldıyorum. Öylece durmak istediğim halde kımıldıyorum! Hazreti İsa'dan başka kimse kımıldayamazdı bu durumda. Bütün yüzüm ezilmiş gibi geliyor bana. Sıcak bir kurşun gibi çarpıyor bana, o kadar sıcak ki yakacağı yerde uyuşturuyor beni. Orada yerde yatıyorum; fakat içimden, kıçı kırılmış bir köpek gibi olduğum yerde koşturup duruyorum daireler çizerek, kuyruğunu bacakları arasına sıkıştırmış, tekrar o uyuşukluğa düşüyorum. Yüzümde deri meri kalmamış, yalnızca kemik varmış gibi geliyor bana. İşte burasını anlamıyorum: Acıdan ve uyuşukluktan rahatlık duyuyorum. Evet, bu rahatlığı biraz daha duyabilmek için siperimden çıkıyorum, Kate'in elinde baltayla durduğu yere doğru gidiyorum sanki ve gözlerimi açıyorum, bekliyorum. Doğrusu bu. Biraz daha istiyorum vursun o baltayla ve bekliyorum. Onun, aşağıya bana bakarken baltayı salladığını görüyorum, havada görüyorum onu ve nefesimi tutuyorum; sonra sanki tavandan birisi uzanmış da tutmuş gibi balta duruyor. Kate'in yüzünün gerildiğini görüyorum; balta yere düşüyor, kendi arkasına bu sefer, döşemeye vuruyor. Kate kusuyor ve ben gözlerimi kapayıp bekliyorum. İnlemesini, kapıdan dışarıya fırlarken sendeleyişini ve sundurmadan avluya düşüşünü duyabiliyorum. Sonra başımı yere çeviriyorum ve Matty Lou'nun üzerinin kan içinde olduğunu görüyorum. Benim kanım, yüzümden akan kan. Harekete geçiriyor bu beni. Kalkıyorum ve Kate'i bulmak için dışarıya çıkıyorum sendeleye sendeleye, ilerki kavak ağacının altında görüyorum onu, dizleri üstünde ve inliyor.

'Ne yaptım ben Alla'ım! Ne yaptım ben!'

Ağzından salyalar akıyor yeşil yeşil, tekrar kusmaya başlıyor, ona dokunmaya kalkıyorum daha kötü oluyor. Elimle yüzümü tutarak orada duruyorum, kanı durdurmaya çalışıyorum, daha neler gelecek başıma diye düşünerek. Sabah güneşinde bakıyorum ve göğün gürlemesini bekliyorum, bilmem neden. Ama gökyüzü apaçık, aydınlık, güneş yükseliyor, kuşlar cıvıldıyor ve ben korkuyorum; bir yıldırım çarpsa bu kadar korkmam. Bağırıyorum havalara, 'Merhamet, Alla'ım! Alla'ım, merhamet!' ve bekliyorum. Ve berrak, parlak sabah güneşinden başka hiçbi şey.

Ama hiçbi şey olmuyor, o zaman anlıyorum ki bugüne kadar başıma gelenlerden, duygularımdan daha kötü bi şey bekliyor beni. Orada, kaskatı kesilmiş, taş gibi, yarım saat kadar duruyorum ayakta, Kate kalkıp eve girdiğinde ben hâlâ öyle duruyorum. Bütün elbisem kan içinde, sinekler sarmış her yanımı, ben de içeriye girip şu kanı durdurayım diyorum.

Matty Lou'yu orada yerde uzanmış yatıyor görünce ölmüş olduğunu düşünüyorum onun. Yüzünde renk menk kalmamış, zorla nefes alıyor. Yüzü kireç gibi. Ona yardım etmeye çalışıyorum ama elimden bi şey gelmiyor. Kate benimle konuşmuyor, yüzüme bile bakmıyor. Belki de beni tekrar öldürmeyi düşünüyor dedim içimden; ama hayır. Öyle şaşkınım ki, o ufaklıkları giydirip Will Nichols yoluna bırakana kadar orada öylece oturuyorum. Görüyorum ama bi şey yapamıyorum.

Ve o Matty Lou'ya bakmak için bazı kadınlarla tekrar içeriye girdiğinde ben hâlâ orada oturuyorum. Hiçbiri benimle konuşmuyor ama sanki yeni bir pamuk toplama makinesine bakar gibi yüzüme bakıyorlar. Berbat oluyorum. Bu işin nasıl olduğunu, bir rüyada gerçekleştiğini anlatıyorum onlara; ama onlar hakaret ediyorlar bana. Evden fırlıyorum, papazı görmeye gidiyorum; o da inanmıyor bana. Evinden defolup gitmemi, dünyada gördüğü insanların en günahkârı olduğumu, suçumu itiraf edip Tanrı'yla barışmanın daha iyi olacağını söylüyor. Dua etmeye çalışarak ayrılıyorum ama dua edemiyorum. Düşünüyorum, düşünüyorum, kafam patlayıncaya kadar düşünüyorum nasıl olup da suçlu olduğumu, nasıl olup da suçlu olmadığımı. Ağzıma bi lokma bi şey koymuyorum, bi yudum su içmiyorum, geceleri uyuyamıyorum. Nihayet bi gece, sabahın çok erken saatlerinde başımı yukarı kaldırıyorum, yıldızları görüyorum ve bi şarkı tutturuyorum. Öyle yapmak istemiyorum, öyle düşünüyorum ama birden bi şarkı tutturuyorum. Ne olduğunu bilmiyorum şimdi, bir kilise şarkısına benziyordu. Bütün bildiğim, kederli şarkılarla *bitiriyorum* ve ben o kederli şarkıları söylerken benim kendimden başka kimse olmadığıma ve elimden, ne olacaksa olsun demekten başka bi şey gelmediğine karar veriyorum; ama o güne kadar söylemediğim, bilmediğim kederli şarkılar söylüyorum hep. Tekrar eve dönmeye ve Kate'in karşısına çıkmaya karar verdim; evet, hem de Matty Lou'nun karşısına.

Oraya vardığımda herkes benim kaçmış olduğumu düşünüyor. Kate'in yanında bi sürü kadın var, hepsini kovuyorum. Ve onları kovarken ufaklıkları da dışarı oynamaya gönderiyorum, kapıyı kitliyorum, Kate'e ve Matty Lou'ya o rüyayı anlatıyorum, ne kadar üzgün olduğumu ama olanın artık olmuş olduğunu söylüyorum.

Kate'in bana ilk sözleri, 'Ne oldu da kaçıp bırakmadın bizim peşimizi?' oluyor. 'Bana ve çocuğa yaptıkların yetmedi mi daha?'

'Sizden ayrılamam' diyorum. 'Erkeğim ben, erkek adam ailesini terk etmez.'

'Hayır sen erkek değilsin' diyor. 'Erkek adam senin yaptığını yapmaz.'

'Ne olursa olsun bir erkeğim ben' diyorum.

'Peki ne yapacaksın bütün bunlardan sonra?' diyor Kate.

'Nelerden sonra?' diyorum.

'Senin o yüz karan doğup da Alla'ın gözü önünde bağırmaya başlayınca ne halt edeceksin!' (Papazdan öğrenmiş olmalı bunları.)

'Doğum mu?' diyorum. 'Kim doğuruyor?'

'Her ikimiz de. Ben doğuruyorum, Matty Lou doğuruyor. Aşağılık köpek biz doğuruyoruz, ikimiz de!'

Öldüm bunları duyunca. O zaman anladım Matty Lou neden yüzüme bakmıyor, neden kimseyle konuşmuyor.

'Eğer kalacaksan burada, ben gidip Cloe Teyze'yi getireyim ikimiz için' diyor Kate. 'Bütün hayatım boyunca herkesin göreceği bir günahı doğuracak değilim, Matty Lou'ya da doğurtacak değilim.'

Anlıyorsun, Cloe Teyze ebe. Bu haberden ötürü elim ayağım kesilmiş, tutmaz olmuş ama yine de biliyorum o kadının benim kadınlarımla eğlenmesini istemediğimi. Günah üstüne günah olur bu. Onun için Kate'e, hayır diyorum; eğer Cloe Teyze gelsin buraya, ihtiyar mihtiyar dinlemem öldürürüm onu. Yapardım da. Bunun üzerine oturuyor yine. Evden dışarıya çıkıyorum ve onları ağlar bırakıyorum orada. Yine başımı alıp gitmek istiyordum; ama böyle bi şeyden kaçmanın heç bi faydası yoktu. Nereye gitsen peşinden gelir. Sonra, ne yalan söyleyeyim, gidecek yerim de yoktu. Bi meteliğim yok cebimde!

Ne olacaksa hemen olsundu. Okuldaki zenciler beni yakalamaya geliyor, işte bu deli ediyor beni. O zaman beyazları görmeye gittim, bana yardım ettiler. İşte bunu anlamıyorum. Bi adamın ailesine yapabileceği en kötü şeyi yapmışım ben, buralardan dehleyeceklerine beni, yardım ediyorlar bana, en iyi zencilere yaptıklarından daha fazla hatta. Karımla kızım benimle konuşmuyor ama eskisinden çok iyiyim. Kate benimle konuşmuyor ama şehirden getirdiğim yeni elbiseleri alıyor yine de; şimdi ne zamandır istediği gözlüğü alacağım ona. Ama anlamıyorum, ben bi erkeğin, ailesine yapacağı en büyük kötülüğü yapmışım, işler kötüleşeceğine daha da iyileşiyor. Orda, okuldaki zenciler beni sevmiyorlar ama beyazlar iyi muamele ediyorlar."

Ne de olsa bir köylü o. Dinlerken utanç, alçalma ve büyülenme arasında öyle bocalamıştım ki, utanç hissimi azaltmak için dikkatimi onun keskin, gergin yüzüne mıhlamıştım. Bu şekilde Bay Norton'a bakmak zorunda kalmıyordum. Ama şimdi ses kesildiğinden, Bay Norton'un ayaklarına bakarak öylece oturuyordum. Dışarıda, avluda bir kadın kısık, kalın sesiyle ilahi söylüyordu. Oyun oynayan çocukların sesleri yükseldi. Kızgın gün ışığında yanan keskin kuru odun kokusunu duyarak öne eğilmiş oturuyordum. Önümdeki iki çift ayakkabıya dikmiştim gözlerimi. Bay Norton'unkiler beyazdı, siyah çizgilerden süsleri vardı. Ismarlama ayakkabılardandı; köylünün kaba, koyu renk, ucuz ayakkabılarının yanında zarif, incecik, güzel eldivenler gibi duruyorlardı. Nihayet birisi gırtlağını temizledi ve başımı kaldırınca Bay Norton'u sessizce gözlerini Jim Trueblood'ın gözlerine dikmiş duruyor gördüm. İrkildim. Yüzünün rengi uçmuştu. Yanan parlak gözleriyle Trueblood'ın yüzüne hayalet görmüş gibi bakıyordu. Trueblood, sorar gibi baktı bana.

Sıkıntı içinde, "Ufaklıkları dinleyin," dedi, "*Londra Köprüsü Çöküyor*'u oynuyorlar."

Anlayamadığım bir şeyler dönüyordu ortada. Bay Norton'u uzaklaştırmalıydım buradan.

"İyi misiniz efendim?" diye sordum.

Görmeyen gözleriyle bana baktı. "İyi mi?" dedi.

"Evet, efendim, yani demek istiyorum ki, öğleden sonraki toplantı için vakit geldi," diye acele acele devam ettim.

Boş boş bakıyordu bana.

Yanına gittim, "Sahiden bir şeyiniz yok, değil mi efendim?"

"Belki sıcaktandır, ha?" dedi Trueblood. "Bu sıcağa dayanabilmek için insan burada doğmuş olmalı."

"Belki de," dedi Mr Norton, "sıcaktandır. Gitsek iyi olur."

Hâlâ Trueblood'a dikkatle bakıyor ve sanki zorla duruyordu ayakta. Sonra ceketinin cebinden kırmızı maroken bir cüzdan çıkardığını gördüm. Platin çerçeveli küçük resim de birlikte çıktı; ama bu kez ona hiç bakmadı.

Bir kağıt para uzatarak, "Alın bunu, lütfen," dedi, "çocuklara benim yerime oyuncak alırsınız."

Titreyen parmaklarıyla parayı tutarken Trueblood'ın ağzı şaşkınlıktan açılmış, gözleri kocaman olmuş ve ıslanmıştı. Yüz dolarlık bir kağıt paraydı bu.

Bay Norton fısıldar gibi, "Ben hazırım, delikanlı," dedi.

Ben önden arabaya doğru gidip kapıyı açtım. Arabaya tırmanırken tökezler gibi oldu biraz, hemen kolumu uzattım. Yüzü hâlâ kireç gibi bembeyazdı.

Ani bir çılgınlık içinde, "Uzaklaştır beni buradan, çabuk!" dedi.

"Peki, efendim."

Arabayı vitese taktığımda Jim Trueblood'ı el sallarken gördüm. Dişlerimin arasından, "Eşşoğleşşek" dedim. "Eşek oğlu eşek! Yüz doları aldın gene!"

Arabayı döndürüp dönüş yoluna girdiğimde onu aynı yerde dikilmiş el sallarken gördüm.

Birden Bay Norton omzuma dokundu. "Bir parça uyarıcı içkiye ihtiyacım var, delikanlı. Bir parça viskiye."

"Baş üstüne, efendim. Bir şeyiniz yok ya?"

"Biraz baygınlık geliyor; ama bir içki olsa..."

Sesi kısıldı. Göğsüme buz gibi bir bıçak sokuldu sanki. Ona bir şey olursa, Dr. Bledsoe bundan beni sorumlu tutardı. Nereden viski bulacağımı düşünerek gaza bastım. Kasabadan olmazdı, çok uzun zaman alırdı bu. Bir tek yer vardı: Altın Gün.

"Birkaç dakika içinde bulurum, efendim," dedim.

"Mümkün olduğu kadar çabuk," dedi.

Üç

Biz Altın Gün ile demiryolu rayları arasından uzanan kısa yola yaklaşırken gördüm onları. Önce tanıyamadım. Beyaz çizgiden, güneşte yanmış, beton kısmın kenarındaki sararmış otlara kadar yolu tıkayarak dağınık bir düzende yürüyorlardı aşağı doğru. İçimden küfrettim. Yolu tıkamışlardı; Bay Norton ise zar zor nefes alıyordu. Radyatörün parlayan yuvarlağı üstünden bakılınca, yol yapımında çalışan mahkûm takımına benziyorlardı. Ama mahkûm takımı tek sıra halinde yürür; at üstünde, muhafız filan da yoktu görünürde. Daha yaklaşınca, emekli askerlerin giydiği bol, gri gömlekleri ve eski pantalonları fark ettim. Allah belasını versin! Altın Gün Meyhanesi'ne gidiyordu onlar da.

"Birazcık içki," sözlerini işittim arkamdan.

"Birazdan, efendim," dedim.

Ta ilerde, kendisini bando şefi sanan birinin, uzun, kalçadan adımlar atarak, emirler vererek önde kurumla yürüdüğünü gördüm. Başının üzerinde tuttuğu bastonunu tempoyla kaldırıp indiriyordu. Arabayı yavaşlattım yüzünü adamlara doğru döndüğünü görünce; adımlarını küçültmüş, bastonunu göğüs hizasına indirmişti.

Adamlar, kimisi aralarında konuşarak, kimisi kendi kendine söylenip birtakım hareketler yaparak karışık bir halde yürüyorlardı, farkında değillerdi sanki onun.

Bando şefi birden arabayı gördü ve kamış bastonunu bana doğru salladı. Arabanın burnunu yavaşça ileriye soktuğumda adamların kenara çekildiğini görünce kornayı çaldım. O yerinden kıpırdamıyordu, bacaklarını germiş, elleri kalçalarında öylece duruyordu; ona çarpmamak için frene bastım.

Bando şefi, adamların yanından hızla koşarak arabaya doğru geldi; bana yaklaşınca bastonun kaportanın üzerine hızla indiğini duydum.

"Kim sanıyorsunuz kendinizi de askerin arasından geçiyorsunuz? Parolayı söyle. Kim bu takımın kumandanı? Siz arabalı piçler, pantolonlarınız hep dar gelir kıçınıza zaten. Parola!"

"General Pershing'in arabası bu, efendim," dedim. Onun, yavaş zamanındaki başkumandanının adını duyunca ancak yola geldiğini duymuştum; onu hatırladım birden. Gözlerindeki vahşi bakış aniden değişti, bir adım geriye çekildi ve hazır ol durumunda bizi selâmladı. Sonra şüpheli şüpheli arabanın arkasına bakarak, bağırdı:

"Nerede General?"

Geriye dönerek, "İşte," dedim. Bay Norton yerinde doğrulmuş, zayıf, bembeyaz yüzüyle oturduğu yerden bakıyordu.

"Ne var, niçin durduk?"

"Başçavuş durdurdu bizi, efendim..."

"Başçavuş mu? Ne başçavuşu?" Dikildi.

Emekli Asker onu selâmlayarak, "Siz misiniz, General'im?" dedi. "Bugün ileri hatları teftiş ettiğinizi biliyordum, özür dilerim, kumandanım."

"Ne?.." dedi Bay Norton.

Hızla, "General'in acelesi var," dedim.

"Tabii" dedi asker. "Görmesi gereken bir sürü şey var. Disiplin berbat. Topçu mopçu kalmadı."

Sonra yoldan yukarı giden adamlara seslendi, "Defolun General'in yolundan, General Pershing geçiyor. General Pershing'e yol açın!"

Kenara çekildi; ben adamlardan sakınarak arabayı kalabalığın içinden sürdüm ve Altın Gün'e döndüğüm için ters yola girdim.

Bay Norton arkadan soluk soluğa, "Kimdi o adam?" dedi.

"Bir eski asker, efendim. Bir emekli. Hepsi emekli bunların, savaştan ötürü kaçırmışlar biraz."

"Refaketçi nerde?"

"Böyle birisini görmüyorum, efendim. Ama zararsızdır onlar."

"Olsun, bir refakatçileri olmalı yine de."

Onlar gelmeden önce onu oraya götürmeliydim ve işimizi gördükten sonra oradan hemen ayrılmalıydık. Askerlerin kızları ziyaret günüydü bu gün; Altın Gün'ün altı üstüne gelirdi artık. Ötekiler nerdeydi acaba? Elli kişi kadar olacaklardı. Neyse, bir an önce oraya gidip, viskiyi aldıktan sonra uzaklaşmalıydık. Bay Norton'un nesi vardı peki; Trueblood meselesine neden bu kadar bozulmuştu? Ben, utanmıştım, birçok kez gülmeye çalışmıştım; ama bu onu rahatsız etmişti. Belki de bir doktora ihtiyacı vardı. Bana ne, doktor istememişti ki! Allah belasını versin şu orospu çocuğu Trueblood'ın.

İçeriye koşarım, yarım litre viski alır fırlarım dışarıya, diye düşündüm. O zaman, Altın Gün'ün içini görmemiş olur. New Orleans'dan yeni kızlar geldiği haberi yayılınca arkadaşlarla gittiğim zamanların dışında oraya tek başına uğradığım seyrektir. Okul, Altın Gün'ü sayılan, sevilen bir yer yapmaya çok uğraşmıştı ama yörenin beyazları şu ya da bu şekilde işe el atmış ve işte bu hale getirmişlerdi sonunda. Okulun da, oraya gittiği duyulan öğrencileri cezalandırarak bunu önlemekten başka yapacak bir şeyi kalmamıştı.

Ben arabadan çıkıp Altın Gün'e doğru koşarken, o, uykuda bir insan gibi uzanıyordu arabada. Önce para istemeyi düşündüm ondan; ama sonra içkiyi kendi paramla almaya karar verdim. Kapıda durup baktım: İçerisi daha şimdiden doluydu. Bol gri gömlekleri ve pantolonlarıyla eski askerler; kısa, daracık, sert kolalı keten önlükleri içinde kadınlar ağzına kadar doldurmuştu salonu. Bayat bira kokusu, insan gürültüsü ve otomatik pikabın sesi içinden kalın bir sopa gibi çarpıyordu yüzüne adamın. Ben kapıdan içeriye girer girmez, asık suratlı bir adam kolumdan yakaladı ve sert sert yüzüme baktı.

Beni görmüyormuş gibi, içimden geçip uzaklara yönelen bakışlarıyla, "Saat 5.30'da olacak" dedi.

"Ne?"

"Büyük kucaklaşma, mutlak silah bırakımı, dünyanın sonu!" dedi.

Daha ben cevap vermeye kalmadan, kısa boylu, tombul bir kadın bana gülümsedi ve bir kenara çekti adamı.

"Sıra sende Doc," dedi. "Biz yukarı çıkıncaya kadar olmasın sakın. Hep ben mi çağıracağım seni, yani?"

"Hayır, doğru," dedi adam. "Beni Paris'ten telle çağırdılar bu sabah."

"Öyleyse acele etsek mi dersin, yavrum ha? O iş olmadan önce burada bir sürü para var sızdırmam gereken. Sen biraz bekleyedur olmaz mı?"

Bana göz kırparak adamı kalabalığın içinden merdivenlere doğru çekti. Sinirli sinirli, onu bunu ite dirsekleye bara yaklaşmaya çalıştım.

Adamların çoğu doktor, avukat, öğretmen, devlet memuruydu; bir sürü aşçı, bir papaz, bir politikacı ve bir de ressam vardı içlerinde. Kafadan kontak biri ruh doktoruymuş bir zaman. Ne zaman onları görsem rahatsızlık duyardım. Birçok kez belli belirsiz arzu ettiğim mesleklerin üyeleriydiler güya; hiçbir zaman beni görmüş gibi davranmazlardı ama gerçekten hasta olduklarına inanamıyordum. Bazen benimle ve okuldaki diğer insanlarla büyük ve karışık bir oyunun içindeymişler gibi geliyordu bana; amacı, gülmek olan, kurallarını ve inceliklerini hiçbir zaman kavrayamadığım bir oyun.

Tam önümde iki kişi duruyordu ayakta, biri tam bir ciddiyetle konuşuyordu: "...Ve Johnson, kırk beş dereceden, Jeffries'in sol alt kesici dişine vurdu, talamus bölgesini tam bir felce uğrattı, bir buzdolabının buzluğunda donmuşa döndürdü orasını, böylece onun otonom sinir sistemini darmadağın etti ve son derece hiperspazmik müsküler raşelerle tabaka tabaka koca pastayı sarsarak tam koksiksinin üzerine yere serdi onu; bu-

nun üzerine sfinkter sinirinde ve kasında keskin bir travma-
tik reaksiyon oldu ve sonra aziz meslektaşım, sürükleyip gö-
türdüler onu, üzerine sönmemiş kireç serptiler ve bir sedyenin
üstünde uzaklaştırdılar oradan. Bittabii, başka bir terapi yolu
yoktu, azizim."

Onları bir kenara itip geçerken, "Özür dilerim" dedim.

Koca Halley barın gerisindeydi, terden ıslanmış gömleğinin
içinden esmer teni görünüyordu.

"Ne diyon, Mektepli?"

"Bir duble viski istiyorum, Halley. Derin bir bardağa koy ki
dökmeden çıkarabileyim buradan. Dışardaki biri için."

Gürledi, "Olmaz, hayde!"

Dışarı fırlamış gözlerindeki kızgınlığa şaşarak, "Niçin?" di-
ye sordum.

"Sen daha yukarda okulda değel misin?"

"Tabii."

"Tamam, o piçler benim burayı yine kapatmaya çalışıyorlar
da ondan. Burada oturup geberinceye kadar içebilirsin; ama dı-
şarı götürmek için zırnık içki vermem sana."

"Ama dışarıda, arabada bir hasta adam var."

"Ne arabası? Heç bir zaman araban olmadı senin."

"Beyaz adamın arabası. Onun şoförlüğünü yapıyorum ben."

"Okulda okumuyon mu sen?"

"Okuldan biri o da."

"Peki hasta olan kim?"

"O."

"İçeriye girmeyi yediremiyor mu kendine? Söyle ona heç
kimseyi kovmayız biz buradan."

"Ama hasta o."

"Ölsün isterse."

"Önemli biri o Halley, mütevellilerden. Zengin hem de, has-
ta; başına bir şey gelirse onun, bavulumu elime verdikleri gibi
atarlar beni okuldan."

"Olmaz dedik, Mektepli, yapamam. İçeri getir onu, ister-
se yüzsün içkinin içinde burada. İsterse benim kendi şişem-
den içsin."

İki bira bardağının üzerindeki beyaz köpüğü fildişi renkli bir kürekle uçurdu ve barın üzerinde kaydırarak ileri sürdü bardakları. Bozuldum. Bay Norton içeriye girmek istemezdi. İçeri giremeyecek kadar hastaydı. Ayrıca, bu hastaları ve kızları görmesini de istemiyordum. Ben dışarıya çıkmaya uğraşırken daha da yabanileşiyordu ortalık. Süpercargo, çoğu zaman adamları susturan beyaz üniformalı muhafız ortalıkta görünmüyordu. Hiç hoşuma gitmedi bu; çünkü o yukardayken adamlar yasak masak dinlemezlerdi. Dışarıya çıkıp arabaya yöneldim. Ne söyleyebilirdim Bay Norton'a? Kapıyı açtığımda sakin bir şekilde uzanıyordu.

"Bay Norton, efendim, dışarıya viski vermiyorlar."

Hâlâ öyle sessiz yatıyordu.

"Bay Norton."

Kireç gibi yüzüyle yatıyordu orada. Yavaşça sarstım onu, içimde bir korku duyarak. Zar zor soluk alıyordu. Başının acayip şekilde sağa sola sallandığını görünce daha şiddetli sarstım onu. Dudakları aralandı; mavi mavi, uzun, ince, şaşılacak kadar hayvan dişlerine benzeyen bir sıra diş göründü.

"EFENDİM!"

Panik halinde Altın Gün'e koştum tekrar, görünmez bir duvara benzeyen gürültünün içine dalarak bağırdım:

"Halley; yetiş, adam ölüyor!"

Kalabalığı yarmaya çalışıyordum; ama kimse beni işitmişe benzemiyordu. Dört bir yanım sarılmıştı. Beni sıkıştırıp duruyorlardı.

"Halley!"

İki hasta döndü ve yüzüme baktı, gözleri burnumdan üç beş santim uzakta.

Uzun boylusu, "Nesi var bu beyefendinin, Sylvester?" dedi.

Öbürü, "Her zaman birileri ölür," dedi.

"Doğru, hem Tanrı'nın o koca gökyüzünden çadırı altında ölmek de iyidir."

"Biraz viskiye ihtiyacı var."

İçlerinden biri, "Ha, o zaman başka," dedi ve bara doğru bir yol açmaya çalıştılar kendilerine itişerek. "Acıyı dindirmek için son bir damla içki. Kenara çekilin, lütfen!"

"Gene mi sen, Mektepli?" dedi Halley.

"Biraz viski ver bana. Ölüyor!"

"Söyledim sana, Mektepli, onu içeri getir dedim. Ölmezse ne olursa olsun, benim ödenecek faturalarım var."

"Yalvarırım, beni hapse atarlar sonra."

"Koleje giden sensin, ben değil. Bir yolunu bulursun."

Sylvester dedikleri adam, "Beyefendiyi içeri getirsen iyi olacak" dedi. "Gel, yardım edelim sana."

İte kaka yol açtık kendimize dışarı doğru. Adam bıraktığım gibi duruyordu.

"Bak Sylvester, Thomas Jefferson!"

"Ben de tam bunu söyleyecektim, ne zamandır bekliyordum onunla konuşmayı."

Dilim tutulmuş gibi bakıyordum yüzlerine; ikisi de deliydi. Yoksa şaka mı ediyorlardı?

"Yardım edin bana," dedim.

"Memnuniyetle."

Adamlardan biri düşünceli düşünceli, "İçkisinin tadını çıkaracaksa acele etmeliyiz," dedi.

Kaldırdık. Aramızda çuval gibi sarkıyordu, sallanıyordu.

"Çabuk!"

Biz onu Altın Gün'e taşırken adamlardan biri aniden durdu ve Bay Norton'un başı aşağıya sarktı; beyaz saçları yerde sürünüyordu.

"Baylar, bu adam benim dedemdir!"

"Ama o bir beyaz, adı da Norton."

"Büyükbabamı benden iyi mi bileceksin sen! Thomas Jefferson'dur o ve ben de onun torunuyum, ailenin şehirli zenci kolundan" dedi uzun boylusu.

Bay Norton'a uzun uzun bakarak, "Sylvester," dedi, "haklısın, inanıyorum. Gerçekten inanıyorum sana. Şu yüz çizgilerine bak. Tıpkı seninki gibi, aynı kalıptan. Seni böyle elbiseli melbiseli yeryüzüne tükürmediğinden emin misin?"

"Yo, yo, o senin dediğin, babamdı," dedi adam aceleyle.

Ve biz yeniden kapıya doğru yürümeye koyulunca şiddetle küfretmeye başladı babasına. Halley orada bekliyordu. Kalabalığı biraz susturabilmişti; odanın ortasında birazcık yer açılmıştı. Adamlar Bay Norton'a bakmak için yaklaştılar.

"Birisi bir sandalye getirsin."

"Tabii, otursun Bay Norton."

"Mister Eddy değel o, John D. Rockfeller," dedi birisi.

"İşte geldi Mesih'in sandalyesi."

Halley emretti, "Hepiniz geriye çekilin, açın etrafını azıcık."

Burnside diye biri, doktor olacak, ileri fırladı ve Bay Norton'un nabzını tuttu.

"Çok normal. Saat gibi bir nabzı var bu adamın! Atmıyor, *ihtizaz* ediyor. Çok garip. Çok."

Birisi, çekerek uzaklaştırdı onu. Halley elinde bir şişe ve bardakla yine göründü. "Hey, birkaçınız başını geriye eğin."

Ben daha kımıldamaya fırsat bulamadan kısa boylu, çiçek bozuğu bir adam çıktı ortaya ve Bay Norton'un başını ellerinin arasına aldı, geriye doğru çekti, sonra usturayı vurmaya hazırlanan bir berber gibi çeneyi hafifçe tutarak ani bir silkiş hareketinde bulundu.

"Dök şimdi!"

Bay Norton'un başı, yumruklanan bir boks torbası gibi şiddetle silkindi. Beyaz yanağında beş tane soluk kırmızı çizgi belirdi, saydam taşın altında yanan bir ateş gibi parlayarak. Gözlerime inanamıyordum. Kaçmak istiyordum. Bir kadın kıkırdıyordu. Birkaç kişinin kapıya doğru koştuğunu gördüm.

"Kesin be, Allah'ın belaları, budalalar!"

Çiçek bozuğu adam yavaşça, "Bir isteri vakası," dedi.

"Defolun, yol açın," diye bağırıyordu Halley. "Birisi o madrabaz muhafızı getirsin yukardan. Buraya getirin onu, aşağı, çabuk!"

Çiçek bozuğu adam bir kenara itilirken yine, "Hafif bir isteri vakası," dedi.

"İçkiyi Halley, çabuk!"

"Hey Mektepli, sen bardağı tut. Brandi bu, kendim için saklıyordum."

Birisi anlamsız bir sesle kulağıma fısıldadı, "Görüyorsun, sana saat 5.30'da olacak demiştim. Yaradan da geldi." Asık suratlı adamdı.

Halley'in şişeyi eğdiğini gördüm; koyu kehribar rengi brandi lıkır lıkır dökülüyordu bardağa. Sonra Bay Norton'un başını geriye doğru eğerek bardağı dudaklarına dayadım ve boşalttım. Ağzının kenarından, ince kahverengi bir sızıntı iniyordu nazik çenesinden aşağıya. Salon birden sessizleşmişti. Elimin üzerinde, ağlama nöbetinin sonunda bir çocuğun göğsündeki iç çekişe benzer bir hareket duydum. İnce damarlı gözkapakları titredi, kıpırdadı. Öksürdü Bay Norton. Hafif kırmızı bir dalganın önce yavaş, sonra hızlı boynuna ve yüzüne yayıldığını gördüm.

"Burnunun altına tut Mektepli. Koklasın."

Bardağı Bay Norton'un burnunun altında gezdirdim. Soluk mavi gözlerini açtı. Yüzünü kaplayan kırmızı dalga içinde ıslak, yaşarmış görünüyordu gözleri. Kalkıp oturmaya çalıştı, sağ eli çenesine gitti. Gözleri açıldı, hızla birinden öbürüne giderek yüzlere baktı. Sonra benim gözlerimle karşılaştı; tanıyınca, ıslak gözlerini benimkilere dikti.

"Kendinizde değildiniz, efendim," dedim.

Yorgun yorgun sordu, "Neredeyim, delikanlı?"

"Burası Altın Gün, efendim."

"Ne?"

"Altın Gün. Bir çeşit eğlence ve oyun yeri," diye ekledim, isteksizce.

"Bir tane daha ver ona," dedi Halley. Bardağa biraz içki boşalttım ve eline verdim. Kokladı, ne olduğunu anlamak istercesine gözlerini kapadı, sonra içti. Ufak körükler gibi şişti yanakları; ağzını çalkalıyordu.

"Teşekkür ederim," dedi, bu kez biraz daha güçlü. "Nedir burası?"

Hastaların çoğu hep bir ağızdan, "Altın Gün!" dedi.

Yavaşça etrafına bakındı, yuvarlak, oymalı süsleri olan yukarıdaki balkona baktı. Büyük bir bayrak upuzun sarkıyordu yukardan aşağıya. Kaşlarını çattı.

"Eskiden ne olarak kullanılıyordu bu bina?" dedi.

Halley açıkladı, "Önce bir kiliseydi, sonra bir banka, daha sonra bir lokanta ve şık bir oyun salonu, şimdi *biz* kullanıyoruz. Bir zamanlar hapishane olarak da kullanılmış, öyle diyorlardı yanılmıyorsam."

"Haftada bir şeytan taşlamak için buraya gelmemize izin veriyorlar," dedi birisi.

Korkuyla, "Dışarıya içki çıkaramadım, efendim, onun için sizi buraya getirmek zorunda kaldım," dedim.

Etrafına baktı. Gözlerini izledim ve bakışlarına sessizce cevap verirken hastaların yüzlerindeki değişmiş ifadeleri görerek şaştım. Kimi düşmanca, kimi yaltaklanıyormuş gibi, kimi korkmuş; aralarında en hızlı görünen bazıları ise şimdi çocuklar kadar uysal görünüyordu. Bazıları garip şekilde ondan hoşlanmışa benziyordu.

"Hepiniz hasta mısınız?" diye sordu Bay Norton.

"Ben, bu batakhaneyi işletiyorum," dedi Halley. "Buradaki diğer arkadaşlar..."

Kısa boylu, şişman, çok zeki görünüşlü bir adam, "Biz tedavi için buraya gönderilmiş hastalarız," dedi. "Fakat," gülümsedi, "bir de muhafız takıyorlar yanımıza, bir çeşit gözcü yani, tedavinin başarısız olduğunu görmeleri için."

"Hepiniz delisiniz. Bense bir enerji deposuyum. Buraya bataryalarımı şarj etmeye geliyorum," diye üsteledi eski askerlerden biri.

Bir başkası dramatik hareketlerle sözünü kesti onun, "Ben bir tarih öğrencisiyim, efendim. Dünya, bir rulet tekeri gibi daire şeklinde dönüyor. Başlangıçta siyahlar yukarda, orta dönemlerde beyazlar dizginleri ele alıyor; ama uzun sürmez, Habeşistan, asil kanatlarını gerecek ileri doğru! Sonra bas paranı Siyah'a!" Heyecandan titriyordu sesi. "O zamana kadar güneş ısınmayacak; yeryüzünün göbeğinde buz var. İki yıla kalmaz melez anamı yıkayacak kadar yaşlı olacağım; yarı beyaz bir orospu!" diye ekledi, cam gibi gözleriyle kızgınlıktan aşağı yukarı zıplamaya başlayarak.

Bay Norton gözlerini kırpıştırdı ve doğruldu.

Burnside, Bay Norton'un bileğini yakalıyarak, "Ben doktorum," dedi, "nabzınıza bakabilir miyim?"

"Aldırma ona, mister. On yıldır doktorluğu filan kalmadı. Kanı paraya çevirmenin bir yolunu ararken yakaladılar onu."

"Yaptım ya!" diye bağırdı adam. "Ben keşfettim onu; ama John D. Rockefeller formülü çaldı benden."

"Bay Rockefeller mi?" diye sordu Bay Norton. "Yanılıyor olmalısınız."

Balkondan bir ses, "NE OLUYOR ORADA, AŞAĞIDA?" diye bağırdı. Herkes o tarafa döndü. Üzerinde yalnızca beyaz şortu olan bir zenci azmanı gördüm; sallana sallana iniyordu merdivenlerden. Muhafız Süpercargo'ydu bu. Sert, kolalı üniforması üzerinde olmadığından zor tanıdım onu. Çoğu kez, hep kolunda taşıdığı bir deli gömleğiyle gözdağı vererek adamların arasında dolaşır, o varken adamlar sessiz ve uysal olurlardı. Ama şimdi onu hiç tanımamış gibi yapıyorlardı; küfretmeye başladılar.

"Sarhoş olursan nasıl sağlarsın düzeni burada?" diye bağırdı Halley. "Charlene! Charlene!"

Balkon tarafındaki odaların birinden bir kadın ters ters karşılık verdi, "Ne var?" İnsanı irkilten bir güç vardı sesinde.

"Yanındaki o madrabaz, oyun bozan, deli başı serseriyi aşağı indir de ayılt. Giydir beyaz elbisesini gelsin düzeltsin ortalığı. Beyazlar var evde."

Balkonda, üzerine yünden pembe bir elbise geçirmiş bir kadın göründü. "Bana bak sen, Halley," diye ağır ağır söylendi. "Bir kadınım ben. Giyinmesini istiyorsan onun, kendin giydir. Ben bir tek erkeği giydiririm. O da New Orleans'da şimdi."

"Boş ver bunlara. Ayılt o madrabazı."

Süpercargo gürledi, "Düzen istiyorum orada, eğer beyazlar varsa *çifte* düzen istiyorum hem de."

Birden, geride, barın arkasında duran adamların arasından bir homurtu yükseldi ve adamların merdivenlere doğru fırladıklarını gördüm.

"Yakalayın!"

"Düzen verelim biraz ona!"

"Çekil yolumdan."

Beş adam tuttu merdivenin ağzını. Dev'in eğildiğini ve iki

eliyle merdivenlerin tepesindeki direkleri yakaladığını gördüm, direklere sımsıkı yapışmıştı; beyaz şortu içinde çıplak vücudu parlıyordu. Bay Norton'u hafifçe tokatlamış olan küçük adam öndeydi; uçar gibi fırladığında muhafızın hazırlandığını ve tekme salladığını gördüm. Küçük adam tam yanına gelince tekme göğsüne rastladı ve adam havada bir eğri çizerek geriye, arkasındaki adamların ortasına uçtu. Süpercargo bacağını tekrar sallamak için hazırlandı. Merdiven çok dardı, iki kişi çıkamazdı yan yana. Onlar ne kadar yukarı fırlarsa fırlasın, Dev, geriye püskürtüyordu onları. Boyuna tekme sallıyor, her defasında birini aşağı yuvarlıyordu, beyzbolda havaya attığı topa sopayla vuran oyuncu gibi. Onları seyrederken Bay Norton'u unutmuştum. Altın Gün bir hengâmeydi. Balkonun üstündeki odalardan yarı çıplak kadınlar fırlamıştı. Adamlar sanki bir futbol maçındaymış gibi yuhalıyor, bağırıyordu.

Dev, bir adamı merdiven sahanlığına doğru uçururken bağırdı, "DÜZEN İSTİYORUM!"

Kadının biri, "İÇKİ ŞİŞESİ ATIYORLAR! SAHİCİ İÇKİ!" diye çığlığı bastı.

"Onun istemediği bir düzen bu," dedi birisi.

Şişeler, bardaklar, etrafa viski saçarak yağmur gibi yağıyordu balkona. Süpercargo'nun birden ayağa dikildiğini ve alnını tuttuğunu gördüm, yüzünden viski akıyordu; "Aayyy!" diye bağırdı, "Aayyyy!" Sonra topuklarından tepesine kadar kazık gibi sallandığını gördüm. Merdivendeki adamlar bir an durdular, seyrettiler onu. Sonra ileri doğru fırladılar.

Ayaklarına yapışıp, Supercardo'yu aşağıya doğru çekerlerken o, merdiven korkuluklarına sımsıkı yapışmıştı. Gönüllü itfaiyecilerin hortum ellerinde koşuşları gibi onu bileklerinden yakalamış aşağı sürüklerlerken başı merdiven basamaklarına çarpıyor, makineli tüfek gibi "Pat! Pat! Pat!" diye ses çıkarıyordu. Kalabalık ileri doğru dalgalandı. Kulağımın dibinde Halley bağırıyordu. Adamın odanın ortasına doğru sürüklendiğini gördüm.

"Gösterin düzeni orospu çocuğuna!"

"Kırk beşime gelmişim ben, babammış gibi hükmediyor herif bana!"

Uzun boylu bir adam muhafızın başına doğru bir ayakkabı fırlatırken, "Tekmelersin ha?" diyordu. Sağ gözünün üzerinden şişerek bir et fırladı dışarı.

O sırada Bay Norton'un yakınımdan bir yerlerden bağırdığını işittim, "Hayır, yapmayın! Düşmüş adama vurulmaz!"

"Beyaz adamı dinleyin," dedi birisi.

"Beyazların adamı o!"

Adamlar Süpercargo'nun üzerine çıkmış zıplıyorlardı; öyle heyecanlandım ki onlara katılmak istedim ben de. Kızlar bile, "İyi bir benzetin onu!", "Hiç para vermezdi bana!", "Gebertin!" gibi sözler söylüyorlardı.

"Lütfen, hey! Burada yapmayın! Benim yerimde yapmayın!"

"O görev başındayken aklına geleni söylemezdin ama!"

"Allah kahretsin, söyler mi?"

Her nasılsa Bay Norton'un uzağına sürüklendim ve kendimi Sylvester denen adamın yanında buldum.

"Şuna bak, Mektepli" dedi. "Şuraya bak, kaburgalarının kanadığı yeri görüyor musun?"

Başımı salladım evet dercesine.

"Şimdi ayırma gözlerini oradan."

Sylvester ayağının ucunu kullanarak dikkatle nişan alırken, sanki mecburmuşum gibi kalça kemiğiyle alt kaburgasının arasındaki noktaya bakıyordum. Sonra bir futbol topuna şut çeker gibi tekmeyi savurdu Sylvester. Süpercago yaralı bir at gibi haykırdı.

"Sen de dene, Mektepli, öyle hoş oluyor ki! Rahatlatıyor insanı," diyordu Sylvester. "Bazen ondan o kadar korkarım ki kafamın içinde hissederim onu. Al sana!" dedi Süpercargo'ya bir tekme daha atarken.

Ben olup biteni seyrederken bir adam iki ayağıyla birden Süpercargo'nun göğsüne sıçradı ve muhafız kendinden geçti o zaman. Çılgına dönmüş adamlar onu tekrar tekmeleyebilmek için uyandırmak üzere yüzüne soğuk bira dökmeye başladılar. Çok geçmeden, kandan ve biradan bir çamur içinde kaldı yüzü.

"Bayıldı orospu çocuğu."

"Atın dışarı."

"Hayır, bir dakka. Yardım etsin biri bana."

Barın üzerine attılar onu, bir ceset gibi kollarını göğsünün üzerinde kavuşturarak boylu boyunca uzattılar.

"Haydi, içelim şimdi!"

Halley barın arkasına geçerken ağırdan alıyordu; küfrettiler.

"Geç oraya, içki ver bize, koca göt!"

"Bir viski ver bana!"

"Buraya, buraya, korkak pezevenk!"

"Kaldır o koca kıçını!"

"Peki, peki, ağır olun," dedi Halley, bardaklarına içki koymak için oradan oraya koştururken. "Yalnız haber verin siz."

Süpercargo barın üzerinde çaresiz yatarken adamlar deliler gibi uğuldayıp duruyorlardı. Heyecan, aklı daha ince pamuk ipliğiyle bağlı olanları iyice baştan çıkarmıştı. Bazıları avazları çıktığınca, hastane, devlet ve dünya hakkında nutuklar atıyorlardı. Kendisinin besteci olduğunu söyleyen birisi, bilir göründüğü gürültülü bir parçayı akortsuz piyanoda tangırdatıyordu tuşlara yumrukları ve dirseğiyle vurarak; bu da yetmiyormuş gibi kalın sesiyle, can çekişen bir ayı gibi bağırıyordu. En okumuş olanlarından biri koluma dokundu. Eski bir kimyagerdi; hiç kimse göğsünde daima pırıl pırıl parlayan eczacı işareti olmadan görmemişti onu bugüne dek.

O gürültü içinde, "Adamlar kontrolu kaybettiler" dedi, "Gitsen iyi olur gibime geliyor."

"Ben de ona çalışıyorum" dedim, "Bay Norton'un yanına bir ulaşabilsem."

Bay Norton, bıraktığım yerde değildi. Bağıran, çağıran adamlar arasında onun adını haykırarak oradan oraya koşup duruyordum.

Merdivenlerin altında buldum onu. İtişip kakışan, yalpalaya yalpalaya dönüp duran sarhoşlar nasılsa buraya itmişlerdi onu; yaşlı bir oyuncak bebek gibi bir sandalyeye kaykılmış yatıyordu. Loş ışıkta, yüzünün çizgileri sert ve bembeyazdı; güzel yüzündeki o güzel gözleri kapalıydı. Adamların gürültüsünü bastıracak kadar yüksek sesle adını seslendim, bir cevap alamadım. Yine bayılmıştı. Sarstım onu, önce hafifçe sonra daha sert; ama buruşuk gözkapaklarında en küçük bir titreme bile olmadı. Sonra, itişip kakışan, yumruklaşan adamlardan birkaçı onun üzerine ittiler beni, birden gözlerimin üç beş santim ötesinde bembeyaz bir şeyin büyüdüğünü fark ettim; onun yüzüydü bu; ama hiçbir anlam veremediğim bir dehşetle bir ürperti hissetim içimde. O güne dek bir beyaz insana bu kadar yakın olmamıştım hiç. Korku içinde uzaklaşmaya çalıştım. Kapalı gözleriyle, gözleri açıkken olduğundan daha korkutucu görünüyordu. Şekilsiz, beyaz bir ölüm çıkmıştı karşıma sanki aniden; sanki o ölüm hep oradaydı da Altın Gün'ün o çılgınlığı içinde kendini açığa vurmuştu bugün.

"Kes bağırmayı!" diye emretti bir ses; birisinin beni çektiğini hissettim. Kısa boylu, şişman bir adamdı bu.

O tiz, acı acı bağırışın benden çıktığını ilk kez fark ederek elimle ağzımı kapadım. Çarpık çarpık gülümserken bana, yüzünün gevşediğini gördüm adamın.

Kulağıma eğilip bağırdı, "Ha şöyle. Bir insan o. Unutma, insandan başka şey değil!"

Bay Norton'un bundan daha fazla bir şey olduğunu, zengin beyaz bir insan olduğunu, benim sorumluluğum altında bulunduğunu söylemek istedim ona; ama ondan sorumlu olduğumu söylemek fikri dile getirilemeyecek kadar büyük bir şeydi benim için.

Adam beni Bay Norton'un ayak ucuna doğru iterken, "Balkona çıkaralım onu" dedi. Makine gibi, hiç düşünmeden ince bileklerine yapıştım Bay Norton'un; o koltukaltlarından tuttu, kaldırdı ve geri geri merdivenlerden çıkmaya başladı. Bay Norton'un başı sarhoşların ya da ölülerin başı gibi sağa sola düşüyordu.

Emekli Asker gülümseyerek, merdivenleri adım adım çıkıyordu geriye doğru. Ondan korkmaya başlamıştım bu kez; o da öbürleri gibi sarhoş olmasındı! Korkuluklardan aşağı sarkmış, aşağıdaki arbedeyi seyreden üç kızın Bay Norton'u taşımakta bize yardım etmek için geldiklerini gördüm.

"Moruklar dayanamıyor galiba," diye bağırdı biri.

"Georgia çamı kadar uzun."

"Hee, bak sana deyim, Halley'in çıkardığı o şeyi beyazlar içemez, çok sert."

"Sarhoş değil, hasta!" dedi Şişman Adam. "Boş bir yatak bulun da bir süre uzansın."

"Helbet, babalık. Başka bir arzun?"

"O kadarı yeter," dedi.

Kızlardan biri ileri fırladı. "Benimki daha yeni değiştirildi. Buraya getirin onu," dedi.

Birkaç dakika sonra Bay Norton belli belirsiz nefes alarak orta genişlikte bir yatakta uzanıyordu. Şişman Adam'ın tam olarak meslekten biri gibi ona doğru eğildiğini ve nabzını yakaladığını gördüm.

"Siz doktorsunuz?" diye sordu bir kız.

"Artık değilim, bir hastayım şimdi. Ama bir şeyler bilirim."

Onu çabucak kenara iterken, al sana bir tane daha, diye düşündüm. "İyileşir o. Bırak, kendine gelsin ki buradan çıkarayım onu."

"Korkma, aşağıdakilerden değilim ben, delikanlı," dedi. "Sahiden doktorum ben. Bir şey yapmam ona. Hafif bir şok geçiriyor, o kadar."

Onun tekrar Bay Norton'un üzerine eğildiğini, nabzını yokladığını, gözkapaklarını açtığını gördük.

"Hafif bir şok," diye tekrarladı.

Kızlardan biri etekliğini, insanın içini gıcıklayan karın yuvarlağı üzerinde düzelterek, "Şu Altın Gün'de kim olsa komaya girer," dedi.

Bir başkası Bay Norton'un beyaz saçlarını alnından yukarıya doğru kaldırdı ve boş boş gülümseyerek okşadı. "Ne şirin," dedi, "tıpkı ufacık beyaz bir bebek gibi."

Ufak tefek zayıf bir kız, "Nasıl bir bebekmiş?" diye sordu.

"Öyle işte, yaşlı bir bebek."

Zayıf olanı, "Tıpkı beyazlar gibisin, Edna," dedi. "Tıpkı."

Edna başını salladı ve kendi kendisiyle eğlenir gibi gülümsedi. "Tabii öyleyim. Seviyorum onları. Şuna bir bak, ihtiyar mihtiyar, ne zaman gelirse gelsin girsin koynuma."

"Aptal, ben olsam öldürürdüm böyle yaşlı bir adamı."

"Ne öldürmesi bee..." dedi Edna. "Bilmiyon mu gız, bu zengin beyaz ihtiyarlarda maymun guddeleri, leke yumurtaları vardır? Hiç doymaz bu yaşlı piçler. Dünyayı versen bana mısın demezler."

Doktor bana baktı ve gülümsedi. "Bak, şimdi de endokrinoloji öğreniyorsunuz," dedi. "Sana onun bir insandan başka bir şey olmadığını söylediğimde yanılmışım; öyle görünüyor ki yarı keçi yarı maymunmuş. Belki ikisi birden."

"Siz inanmayın," dedi Edna. "Bir zamanlar benim vardı bir tane, Şikago'da..."

Öteki sözünü kesti, "Şuna bak, ne zaman Şikago'daydın ki sen gız?"

"Ne biliyon olmadığımı? İki yıl önce... Sen ne bilirsin ki zaten. Sanki bir çift eşek yumurtası vardı herifte!"

Şişman Adam sırıtarak doğruldu. "Bir bilim adamı ve bir doktor olarak buna pek inanmam," dedi. "Böyle bir ameliyat yapılmadı daha." Sonra ne yaptı etti, kızları odadan dışarı çıkardı.

Asker, "Kendine gelir de bu konuşmaları duyarsa, yeniden bayılır muhakkak," dedi. "Ayrıca, bir bakmışsın bilim meraklıları onun gerçekten maymun guddeleri taşıyıp taşımadığını incelemeye kadar götürmüş işi; ayıp olur o zaman..."

"Onu okula geri götürmeliyim," dedim.

"Tamam," dedi. "Sana yardım için elimden geleni yapacağım. Git bak, bir parça buz bulabilir misin. Telaş da etme."

Dışarıya, balkona çıktım, herkesi tepeden görüyordum. Hâlâ itişip kakışıyorlardı ortalıkta; otomatik pikap çalıyordu, piyano güm güm ötüyordu ve odanın öteki ucunda biraya bulanmış Süpercargo barın üzerinde gücü tükenmiş bir beygir gibi yatıyordu.

Merdivenlerde bir iki adım attım, bırakılmış bir içki bardağının içinde koca bir buz parçasının parladığını gördüm, ateş gibi yanan elimde duydum soğuğunu buzun ve gerisin geriye odaya koştum.

Asker gözlerini, şimdi hafif hafif düzensiz soluk almakta olan Bay Norton'un yüzüne dikmiş oturuyordu.

Ayağa kalkıp buza uzanırken, "Çabuk döndün," dedi. "Korku, dağları beklermiş," diye ekledi kendi kendine konuşur gibi. "Şu temiz havluyu uzat bana; şurada, leğenin kenarında."

Bir havlu verdim ona; buzu içine sardı ve Bay Norton'un yüzüne tuttu.

"Durumu nasıl?" dedim.

"Birkaç dakika içinde iyileşir. Ona ne oldu?"

"Arabayla gezdiriyordum" dedim.

"Bir kaza filan mı oldu?"

"Yo" dedim. "Bir köylüyle konuştu, güneş çarptı... Sonra da aşağıdaki kalabalığa yakalandık."

"Kaç yaşında?"

"Bilmiyorum; ama mütevellilerden biri..."

"İlklerinden biridir, muhakkak," dedi, mavi damarlı gözlere hafifçe dokunarak. "Bir bilinç mütevellisi."

"Nedir o?"

"Hiç... İşte bak, kendine geliyor artık."

Birden odadan kaçıp gitmek istedim. Bay Norton'un bana söyleyeceği şeylerden, gözlerinde görebileceğim ifadeden korkuyordum. Ama gelgelelim oradan ayrılmaktan da korkuyordum. Gözkapakları titreyen yüzden gözümü ayıramıyordum. Başı, elektrik ampulünün soluk ışığı altında, benim işitemediğim inatçı bir sesin söylediklerini inkâr ediyormuş gibi bir sağa bir sola dönüyordu. Sonra gözkapakları açıldı; en sonunda, gözleri gülümsemeden kendisine bakan Asker'in üzerinde donup kaldı.

Bizim gibi adamlar Bay Norton gibi bir adama bu şekilde bakmazdı; bunun için hemen aceleyle ileri çıktım.

"Gerçek bir doktor o, efendim," dedim.

"Ben anlatırım," dedi Emekli Asker. "Bir bardak su getir."

Duraksadım. Dik dik bakıyordu bana. Bay Norton'un kalkıp oturmasına yardım etmek için bana arkasını dönerken, "Su getir," dedi.

Dışarıya çıkıp bir bardak su istedim Edna'dan. Aşağıya, küçük bir mutfağa giden hole götürdü beni; yeşil renkli, eski model bir soğutucudan su çıkardı.

"İyi cins içkim vardı, yavrum; bir içki vermek istersen ona," dedi.

"Bu yeter," dedim. Ellerim öyle titriyordu ki, su yere döküldü. Döndüğümde Bay Norton yardımsız dik oturuyor, Emekli Asker'le konuşuyordu.

Bardağı uzatarak, "Buyrun, su, efendim," dedim.

Aldı, "Teşekkür ederim," dedi.

"Çok fazla içmeyin," diye uyardı Emekli Asker.

"Teşhisiniz, benim özel mütehassısımınkinin aynı," dedi Bay Norton. "Nihayet bir tanesi bu teşhisi koyuncaya kadar bir sürü doktora taşındım. Siz nasıl bildiniz?"

"Ben de bir mütehassıstım," dedi Emekli Asker.

"Ama nasıl olur? Bütün memlekette ancak bir iki insan vardır bu bilgiye..."

"İşte onlardan biri de bir yarı tımarhanenin sakini," dedi. "Şaşılacak bir şey yok ki bunda. Bir süre kaçtım. Ordu Sağlık Birliği'yle Fransa'ya gittim, çalışmak ve pratik yapmak için Ateşkes sonrasına kadar orada kaldım."

"Ha, doğru; peki ne kadar kaldınız Fransa'da?" diye sordu Bay Norton.

"Yetecek kadar," dedi. "Hiç unutmamam gereken birtakım temel bilgileri unutacak kadar."

"Ne gibi temel bilgiler?" dedi Bay Norton. "Ne demek istiyorsunuz?"

Emekli Asker gülümsedi ve başını dikti. "Hayata dair şeyler. Birçok köylünün ve halktan kimselerin neredeyse hep tecrübeyle, nadiren de bilinçle öğrendiği türden şeyler..."

"Özür dilerim, efendim," dedim Bay Norton'a "kendinizi iyi hissettiğinize göre gitsek iyi olmaz mı artık?"

"Hayır, hemen değil," dedi. Sonra doktora dönerek, "Çok ilginç. Ne geldi başınıza?" dedi. Kaşlarının birine asılı kalmış bir damla su, bir elmas parçası gibi parlıyordu. Gittim, bir sandalyeye oturdum. Allah kahretsin, bu Emekli'yi de!

"Dinlemek istiyor musunuz sahiden?" diye sordu Emekli Asker.

"Tabii, niçin olmasın?"

"O zaman delikanlı aşağıya inip orada beklese daha iyi olur herhalde..."

Ben kapıyı açınca bağırış çağrışın, parçalanan masa sandalyenin gürültüsü çıktı yukarıya.

"Hayır, belki de kalman gerek burada," dedi Şişman Adam. "Kim bilir, orada, tepede öğrenciyken daha, şu anlatacaklarımı duymuş olsaydım, bu belalar gelmezdi başıma."

"Otur delikanlı," diye emretti Bay Norton. "Demek kolejde okudunuz siz de?" dedi Emekli'ye.

Tekrar oturdum ve Şişman Adam Bay Norton'a kolejde okuduğu yılları, sonra nasıl doktor olduğunu ve Dünya Savaşı sırasında Fransa'ya gidişini anlatırken Dr. Bledsoe'yu düşünüp huzursuzlandım.

"Başarılı bir doktor muydunuz?" diye sordu Bay Norton.

"Oldukça. Dikkatleri birazcık üzerime çekecek birkaç beyin ameliyatı yaptım."

"Peki niçin geri döndünüz?"

"Yurt özlemi," dedi Emekli.

"Peki bu... bu yerde ne arıyorsunuz Allah aşkına?" diye sordu Bay Norton, "Bu kadar kabiliyetli biri..."

"Ülser," dedi Şişman Adam.

"Büyük bir talihsizlik; ama ülser engel olmaz ki sizin kariyerinize?"

"Pek engel oldu sayılmaz; ama ülserin yanı sıra öğrendim ki, işim bana itibar mitibar kazandırmazdı," dedi Emekli.

"Acı konuşuyorsunuz," dedi Bay Norton; kapı hızla açıldı o sırada.

Kırmızı saçlı, kahverengi tenli bir kadın içeri baktı. "Beyaz Adam ne yapıyor?" dedi sendeleyerek içeriye girerken. "Beyaz Adam, yavrum, kendine geldin demek. Bir içki isten mi?"

"Şimdi değil, Hester," dedi Emekli. "Bünyesi zayıf daha."

"Belli, belli. İşte bunun için içki ister ya! Kanı ateşlemek gerek biraz."

"Bırak şimdi, Hester."

"Peki, peki... Ama niye hepiniz ölü evindeymiş gibisiniz öyle? Buranın Altın Gün olduğunu bilmiyonuz mu?" Sallana sallana, nazikçe geğirerek bana doğru geldi. "Şunlara bakın. Şu Mektepli'ye bak, korkudan gebermiş. Beyaz Adam da, iki acayip fino köpeğiymişsiniz gibi bakıyor size. Neşenizi bulun be! Aşşağ gidiyorum ben, Halley'e söylemeye, size içki göndersin biraz." Gerçekten Bay Norton'un yanağına vurdu hafifçe; kıpkırmızı kesildiğini gördüm onun. "Neşeni bul, Beyaz Adam." "Hah!" diye güldü Emekli, "renginiz pembeleşiyor; iyileşiyorsunuz demektir bu. Sıkılmayın. Hester büyük bir hümanisttir, cömert ve usta bir terapisttir; dokunduğu şeyde hastalık mastalık kalmaz. Yumuşatma, yatıştırma kabiliyeti eşsizdir; ha, ha!"

Oradan ayrılmak için sabırsızlanarak, "Gerçekten iyi görünüyorsunuz, efendim," dedim. Emekli'nin sözlerini anlıyordum, ama ne demek istediğini kavrayamıyordum. Bay Norton ise, hissedebildiğim kadarıyla, rahatsız görünüyordu. Emekli'nin Beyaz Adam'a karşı ancak bela doğuracak bir serbestlikle davranışı o güne dek bilmediğim bir şeydi. Adamın kaçık olduğunu söylemek istiyordum Bay Norton'a; ama bir yandan da onun beyaz bir adamla bu şekilde konuşmasını işitmekten korku dolu bir tatmin duyuyordum. Kızla başkaydı. Bir kadın çoğu kez bir erkeğin yapamayacağı şeyi yapardı da yine bir şey olmazdı ona.

Sıkıntıdan tere batmıştım; fakat Emekli, lafının kesilmesine aldırmaksızın konuşmasına devam ediyordu.

"Rahatınıza bakın, rahatınıza bakın" dedi gözleriyle Bay Norton'a oturması için işaret ederek. "Bütün saatler geriye alınmıştır ve yıkım kuvvetleri şaha kalkmış aşağıda. Ola ki birden sizin siz olduğunuzun farkına varırlar da, o zaman bozuk para gibi harcarlar hayatınızı. Temizlerler sizi, delik deşik ederler, ortadan kaldırırlar, onların gevşek tahtalarının çivilerini çeken bir mıknatısa dönersiniz. Ne yaparsınız o zaman? Parada marada gözleri yoktur böylesi adamların; aşağıda boğazlanmış bir öküz gibi yatan Süpercargo'yu gördünüz, gözü hiçbir şeyi görmüyor onların. Bazıları için büyük beyaz babasınız siz, ötekiler içinse canları linç eden kimsesiniz; ama hepsine göre, Altın Gün'e kadar uzanabilmiş bir fesatçı başısınız."

"Neler söylüyorsun sen?" dedim, *linç eden mi*, diye düşünerek. Aşağıdaki adamlardan daha da vahşi oluyordu bu. Bir itiraz sesi yükselten Bay Norton'a bakmaya cesaret edemiyordum.

Emekli Asker kaşlarını çattı. "Ancak kaçarak karşı koyabileceğim bir sorundur bu. Son derece budalaca bir teklif; ameliyat bıçağını ustaca kullanmak için o kadar sevgiyle eğitilmiş bu eller bir tetiği okşamaya özlem duyuyor. Hayat kurtarma işine döndüm tekrar ve reddettiler beni," dedi. "Maskeli on adam bir gece yarısı şehirden dışarıya sürdü beni, bir insanın hayatını kurtardığım için kırbaçla dövdüler. Usta ellerim olduğu ve bilgimin bana itibar –zenginlik değil, yalnızca itibar– başkalarınaysa sağlık getirebileceğine inandığım için yapmadıkları rezillik kalmadı bana!"

Sonra birden gözlerini bana dikti. "Şimdi, şimdi anlıyor musun?"

"Neyi?" dedim.

"İşittiklerini!"

"Bilmiyorum."

"Niçin?"

"Doğrusu, ben gitme zamanımızın geldiğini düşünüyorum."

Bay Norton'a dönerek, "Görüyorsunuz," dedi, "gözleri, kuklaları ve tostoparlak bir Afrikalı burnu var; ama hayatın en basit gerçeklerini anlayamıyor. *Anlamak*. Anlamak ne demek? Daha da kötüsü. Duygularıyla kavrıyor ama beyni çalışmıyor; kaçak var beyninde. Hiçbir şeyin anlamı yok. İçine alıyor ama hazmetmiyor. Daha şimdiden; vay anasını! Bak işte! Yürüyen bir insan müsveddesi! Daha şimdiden yalnız heyecanlarını değil insanlığını da bastırmasını öğrenmiş. Görülmeyen biri o. Olumsuzluğun insan haline gelmiş yürüyen bir timsali, düşlerinizin eksiksiz bir başarısı, bayım! Makine adam!"

Bay Norton şaşkın şaşkın bakıyordu.

Emekli birden sakinleşerek, "Söyleyin bana," dedi, "okula niçin ilgi duydunuz, Bay Norton?"

Bay Norton isteksiz isteksiz, "Bunun, benim mukadder rolüm olduğu duygusuyla," dedi. "Hissettim, hâlâ da hissediyorum ki sizin halkınız benim kaderimle sıkı sıkıya bağlıdır."

"Kaderimle diyerek ne demek istiyorsunuz?" dedi Emekli.

"İşimin başarıya ulaşması tabii."

"Anlıyorum. Peki görseniz tanır mıydınız kaderinizi?"

"Tabii tanırım, niçin tanımayayım," dedi Bay Norton, kızgın bir şekilde. "Kampusa yeniden döndüğüm her yıl onun biraz daha büyüdüğünü görüyorum."

"Kampus mu? Niçin Kampus?"

"Benim kaderimin yazıldığı yer orası da ondan."

Emekli, bir kahkaha attı. "Kampusmuş, ne kader ya!" Ayağa kalktı ve daracık odanın içinde, gülerek, bir oraya bir buraya gezindi. Sonra başladığı gibi aniden durdu.

"Pek hatırlamayacaksınız ama, iyi ettiniz de Altın Gün'e bu delikanlıyla geldiniz," dedi.

"Hasta olduğum için geldim, daha doğrusu o getirdi beni," dedi Bay Norton.

"Tabii ama geldiniz, doğru da üstelik:"

"Ne demek istiyorsunuz?" dedi Bay Norton sinirli sinirli.

Yüzünde bir gülümsemeyle, "Ufacık bir çocuk bile önlerine düşebilir onların," dedi adam. "Ama cidden; çünkü siz ikiniz de size ne oluyor farkında değilsiniz. Gördüğünüz şeyin gerçeğini göremiyor, işitemiyor ya da koklayamıyorsunuz; bir de tutmuş kaderinizi arıyorsunuz! Klasik bir şey bu! Çocuğa gelince; bu robot, tam buraların çamurundan yapılmış ve sizden daha uzağı görüyor. Zavallı beceriksizler, ikiniz de birbirinizi göremiyorsunuz. Size göre o, başarı listenizde bir işaret; bir insan değil, sadece bir şey. Sizse, bütün o gücünüzle, onun için bir insan değil, bir tanrısınız, bir güç."

Bay Norton birden öfkeyle ayağa kalktı, "Haydi gidelim, delikanlı," dedi sinirli sinirli.

"Hayır, dinle. Kalbinin atışına nasıl inanıyorsa size de öyle inanıyor o. Kölelere ve pragmatiklere aynı şekilde öğretilen o büyük yanlış hikmete: Beyazların haklı olduğuna inanıyor. Ben söyleyebilirim *onun* kaderini size. Dediklerinizi yerine getirecek o; bunun için de bütün varı yoğu o körlüğüdür. Tam sizin adamınız o, dostum. Sizin adamınız ve kaderiniz. Şimdi ikiniz de merdivenlerden aşağıya inip o hengâmenin içine girin ve defolun buradan. İkinizin de iğrençliğinden usandım! Defolun, o nazik kafalarınızı ben ezmeden önce!"

Lâvabonun üzerindeki büyük beyaz su kabına doğru davrandığını görüp Bay Norton'u hafifçe kapıya doğru iterek aralarına girdim. Geriye bakınca, duvara yaslanmış bir halde gördüm onu; gülmeyle ağlama arası bir ses çıkarıyordu.

"Çabuk ol, adam öbürleri kadar deli," dedi Bay Norton.

Sesinde yeni bir belirti fark ederek, "Evet, efendim," dedim. Şimdi balkon da aşağısı kadar gürültülüydü. Kızlar ve sarhoş askerler, ellerinde içkileriyle yalpalıyorlardı. Tam açık bir kapının önünden geçerken, Edna bizi gördü ve kolumdan yakaladı.

"Nereye götürüyon Beyaz Adam'ı?" diye sordu.

Kolumu elinden kurtarırken, "Okula," dedim.

"Sen oraya gitmek istemiyon, Beyaz Adam, yavrum," dedi. Onu yana itip geçmeye çalıştım. "Valla'a yalan söylemiyom," dedi. "Benden daha beceriklisini bulamazsınız bu işte."

"İyi, iyi; ama lütfen bırak bizi," diye yalvardım. "Başımı belaya sokacaksın."

Merdivenlerden aşağıya, itişip kakışan adamların arasından iniyorduk ki, bağırmaya başladı, "Para ver öyleyse! Beğenmiyorsa beni, para versin."

Ben engel olmaya fırsat bulamadan Bay Norton'u itti ve her ikimiz de merdivenlerden yuvarlanacak gibi olduk, sendeledik. Sarhoşların o ünlü teklifsizliği, küstahlığıyla bize bakan bir adama bindirdim; adam bütün gücüyle itti beni. Kalabalığın içine gömülürken, Bay Norton'un hızla dönerek uzaklaştığını gördüm. Bir yerlerde kızın bağırdığını ve Halley'in sesini duyabiliyordum, "Hey! Hey! Durun!" Sonra birden temiz havayı hissettim ve kapıya yakın olduğumu gördüm, ite kaka yolumu açtım ve soluk soluğa durdum orda. Bay Norton'u kurtarmak için tekrar içeriye dalmadan önce, tam o sırada Halley'in "Hey! Yol açın!" diye bağırdığını duydum; Bay Norton'u kapıya doğru getiriyordu.

Beyaz Adam'ı bırakıp, koca kafasını sallayarak, "Vay canına!" dedi, derin bir soluk aldı.

"Sağol, Halley," dedim, o kadar.

Bay Norton'a baktım, yüzü sapsarıydı yine; beyaz elbisesi buruşmuştu, ayakta sallanıyordu, sonra başı kapının çerçevesini sıyırarak düştü.

"Hey!"

Kapıyı açtım ve onu ayağa kaldırdım.

"Allah kahretsin, yine mi bayıldı?" dedi Halley. "Ne diye getirirsin bu Beyaz Adam'ı buraya, Mektepli?"

"Öldü mü?"

Kızarak bir adım geriye çekildi. "NE ÖLMESİ?" dedi. "Ölemez o!"

"Ben şimdi ne yapacağım, Halley?"

"Benim burada olmaz, ölemez o," dedi diz çökerek.

Bay Norton gözlerini açtı ve baktı bize "Ölen mölen yok," dedi sert sert. "Çekin ellerinizi üzerimden!"

Halley şaşırmış bir halde geriye sıçradı. "Şükür Allah'ıma. İyisiniz ya, iyisiniz? Bu sefer garanti öldünüz diye düşündüydüm."

Sinirden patladım, "Allah aşkına sus biraz! Bir şeysi olmadığına sevinmelisin."

Bay Norton adamakıllı kızmıştı artık, alnında bir çizik görünüyordu; önüne geçerek arabaya doğru koştum. Yardımsız arabaya çıktı; ısınmış nane likörü ve puro kokusu duyarak direksiyona geçtim. Arabayı sürüp oradan uzaklaşırken sessiz sedasız oturuyordu arkada.

Dört

Anayolun beyaz çizgisini izlerken, direksiyon, yabancı bir şey gibi geliyordu ellerime. Öğle sonunun geç saatlerinde güneşin sıcak dalgaları boz renkli beton yoldan, gece yarısı sessizliği içinde uzakta bir yerde çalınan bir borunun gittikçe sönen sesi gibi titreyerek yükseliyordu. Aynadan Bay Norton'un boş tarlalara boş gözlerle baktığını görüyordum; ağzı gergin, beyaz alnının kapı çerçevesine çarpan yeri morarmış. Ona bakarken, tortop olmuş soğuk bir korkunun içimde açıldığını hissettim. Ne olacaktı şimdi? Okuldaki idareciler ne diyeceklerdi? Dr. Bledsoe'nun, Bay Norton'u görünce yüzünün ne şekil alacağını getirdim gözümün önüne. Okuldan atılırsam bizim kasabada bazı kişilerin nasıl sevineceğini düşündüm. Tatlock'ın sırıtan yüzü dans ediyordu kafamda. Beni koleje gönderen beyazlar ne düşüneceklerdi? Bay Norton kızgın mıydı *bana?* Altın Gün'de Emekli Asker saçma sapan konuşmaya başlayıncaya kadar öyle merakla bakıyordu ki her şeye! Allah'ın belası Trueblood. Bütün suç ondaydı. Güneşte o kadar uzun süre oturmasaydık Bay Norton'un viski miski isteyeceği yoktu, biz de Altın Gün'e gitmezdik o zaman. Peki, içeriye bir beyaz girince emekli askerler neden böyle yapmışlardı?

Buz gibi bir korku duygusu içinde, arabayı, kampusun kırmızı tuğladan yapılmış giriş kapısının iki yanındaki sütunların arasından sürdüm içeri. Şimdi, sıra sıra, canım yatakhane binaları bile düşman görünüyordu bana, inişli yokuşlu çimenlikler, ortasındaki beyaz çizgisiyle anayol kadar düşman. Alçak, geniş saçaklarıyla kilisenin yanından geçerken zorlanıyormuş gibi yavaşladı araba. Güneş, dönemeçli araba yolunu benek benek gölgeler içinde bırakarak iki yandaki ağaçların arasından soğuk soğuk parlıyordu. Öğrenciler gölgelerin arasında, yumuşak çimenli bir tepeden kiremit kırmızısı tenis kortuna doğru ağır ağır yürüyorlardı. Daha ilerde, beyazlar içindeki oyuncular yeşillikler ortasındaki tenis kortunun kırmızısına karşı güneşle yıkanmış canlı, neşeli bir görünüm oluşturuyordu. Kısa bir ara, bir alkış koptuğunu işittim. Başımdaki bela sivri uçlu bir bıçak gibi dönüyordu içimde. Arabanın kontrolünü kaybetmişim gibi bir duyguya kapıldım, yolun ortasında frene bastım aceleyle, sonra özür diledim ve devam ettim. İşte şurada, bu sakin yeşillik ortasında bugüne kadar bilebildiğim tek mutluluğu tatmıştım, şimdi yitiriyordum onu. Bu kısa geçiş anında, çimenlikler ve binalarla umutlarım ve düşlerim arasındaki bağların farkına vardım birden. Arabayı durdurup Bay Norton'la konuşmak, gördüğü şeylerden dolayı beni bağışlamasını dilemek istedim; yalvarmak, gözyaşı dökmek, anasının babasının önünde ağlayan bir çocuğun utançsız gözyaşlarını dökmek istedim; bütün gördüklerimizi ve duyduklarımızı herkese ilan etmek; görmüş olduğumuz kimselerden biri gibi olmak şöyle dursun onlardan *nefret* ettiğimi; bütün kalbimle, bütün ruhumla Kurucu'nun ilkelerine inandığımı; bizim gibi yoksul ve cahil kimseleri çamurdan, karanlıktan kurtarmak için hayırsever elini uzatışındaki iyiliğe ve şefkate inandığımı bildirmek istiyordum ona. Onun emirlerini yerine getirecek, arzu ettiği gibi başkalarını da eğitecektim yükseltmek için; tutumlu, terbiyeli, doğru yurttaşlar olmalarını, herkesin iyiliği için çalışmalarını, onun ve Kurucu'nun önümüzde açtığı doğru ve ince yoldan çıkmamalarını öğretecektim onlara. Yeter ki kızmasındı bana! Yeter ki bir fırsat daha versindi bana!

Gözlerime dolan gözyaşlarından önümü göremez oldum; yollar, binalar bir an sis içinde aktı ve dondu. Kışın yağmurun otlar ve yapraklar üzerinde donup kampusu bir beyaz dünyasına çevirdiği, ağaçların ve çalılıkların dallarını kristalden meyvelerle eğdiği zamanlardaki gibi parlayarak. Sonra göz açıp kapayıncaya kadar kayboldu, sıcağın ve yeşilliğin gerçekliği ve yerindeliği geri döndü. Bir anlatabilseydim Bay Norton'a, okulun benim için ne demek olduğunu!

"Kaldığınız yerde mi durayım, efendim," dedim, "yoksa idare binasına mı götüreyim sizi? Dr. Bledsoe endişe içindedir."

"Kaldığım yerde dur, sonra da Dr. Bledsoe'yu bana getir," diye cevap verdi kısaca.

"Baş üstüne efendim."

Aynadan, buruşuk bir mendille alnını hafifçe sildiğini gördüm. "Okul doktorunu da göndersen iyi edersin," dedi.

Eski, büyük çiftlik sahiplerinin evlerindekine benzer sütunları olan küçük bir binanın önünde durdurdum arabayı, aşağı atladım ve kapıyı açtım.

"Bay Norton, lütfen, efendim... Özür dilerim... Ben..."

Kısık gözleriyle sert sert baktı yüzüme, hiçbir şey söylemedi.

"Bilmiyordum... ne olur..."

Geriye dönüp binaya giden çakıl döşeli yolda sallana sallana yürürken, "Dr. Bledsoe'yu gönder bana," dedi.

Tekrar arabaya girdim, ağır ağır idare binasına doğru sürdüm arabayı. Geçerken, bir kız el salladı, elinde bir demet menekşe vardı. Koyu renk elbiseleri içinde iki öğretmen akmayan bir çeşmenin yanında durmuş ciddi ciddi konuşuyordu.

Binada çıt yoktu. Yukarıya çıkarken, bir balonun incecik zarını şişiren hava, nasıl ona şeklini ve canlılığını verirse, içindeki yağların basıncıyla öyle şişmişe benzeyen geniş toparlak yüzüyle Dr. Bledsoe'yu gördüm. Bazı çocuklar "Kova - Baş" derlerdi ona. Ben hiç demezdim. Belki de buraya gelirken okul müdürünün kendisine göndermiş olduğu mektupların da etkisiyle ilk günden beri nazik davranmıştı bana. Ama bunun da ötesinde, benim olmayı hayal ettiğim her şeyin örneğiydi gözümde o: Bütün ülkede varlıklı insanlarla konuşurken nüfuzlu; ırk sorunlarını ilgilendiren konularda kendisine danışılan; halkının bir önderi; bir değil iki *Kadillak*'ı, iyi bir maaşı ve yumuşacık, güzel, buğday tenli karısı olan bir insan. Ayrıca, kara ve kel olmasına, beyazların alay ettiği her şeyi üzerinde taşımasına rağmen, güç ve otorite kazanmasını bilmişti; kara, buruşuk kafasına rağmen kendisini dünyada birçok Güneyli beyazdan daha önemli yapmayı bilmişti. Ona gülerlerdi, ama görmezden gelemezlerdi onu.

Masadaki kız, "Seni aramadığı yer kalmadı," dedi.

İçeriye girdiğimde telefonla konuşuyordu ve birden bakışlarını bana kaydırdı. "Tamam, boş ver, kendisi burada şimdi," dedi ve telefonu kapadı. Heyecanla sordu bana, "Bay Norton nerede? Bir şeyi yok ya?"

"Yok efendim. Onu odasında bıraktım ve sizi götürmeye geldim. Sizi görmek istiyor."

Telaşla yerinden kalkıp masanın etrafını dolanırken "Bir şey mi var?" dedi. Duraladım.

"Ya, bir şey oldu demek!"

Yüreğimin korku içindeki çarpışlarından gözlerim bulanır gibi oldu.

"Şimdi bir şey yok; efendim."

"*Şimdi mi?* Ne demek istiyorsun?"

"Şey, efendim, bayılma nöbetine benzer bir şey geçirmişti de."

"Aman Tanrım! Biliyordum bir şey olduğunu. Neden beni aramadın?" Siyah fötrünü kaptı, kapıya doğru yönelirken. "Yürü."

Durumu açıklamaya çalışarak ardından gittim. "Şimdi bir şeyi yok efendim, size telefon edemeyecek kadar uzaktaydık..."

"Neden o kadar uzaklara götürdün onu?" dedi. Yetişemiyordum ona, neredeyse koşuyordu.

"Nereye istediyse oraya götürdüm ben onu, efendim."

"Neresiydi gittiğiniz yer?"

"Köle mahallesinin arkası," dedim korkuyla.

"Nee, köle mahallesi mi? Sen deli misin çocuk? Mütevelli Heyeti'nden birini oralara götürmekten daha iyi bir şey bilmez misin sen?"

"O istedi, efendim."

İlkbahar havası içinde yoldan aşağı iniyorduk; sanki birden karanın ak olduğunu söylemişim gibi ona, öfkeyle bakarak durdu.

Arabanın önüne benim yanıma çıkarken, "O istemiş," dedi. "Allah kahretsin. Tanrı akıl dağıtırken neredeydin sen, ha? Biz bu beyazları nereye gitmelerini istersek oraya götürürüz, ne görmelerini istiyorsak onu gösteririz onlara. Bilmiyor musun bunu? Birazcık akıllı sanırdım ben de seni."

Rabb Hall'e gelince arabayı durdurdum, sersemlemiştim, elim ayağım tutulmuştu.

"Oturup durma orada" dedi. "Gel benimle!"

Tam binaya girince bir şoka daha uğradım. Aynaya yaklaşınca Dr. Bledsoe durdu ve bir heykeltıraş gibi, kızgın yüzünü bir düzene soktu, yumuşak bir maske taktı sanki, daha bir saniye önce gördüğüm heyecanı ele verecek kıvılcım kaldı gözlerinde yalnızca. Bir an kendine baktı dikkatle, sonra sessizce hole doğru yürüdük yavaş yavaş; merdivenleri çıktık.

Üstü dergilerle dolu güzel bir masada bir kız öğrenci oturuyordu. Büyük bir pencerenin önünde, içinde renkli taşlarla etrafında dantela gibi ince yüzgeçleri kımıldamasına rağmen hareketsiz gibi görünen –zamanın bir anlık hareketli bir durduruluşuydu sanki bu– kırmızı balıklar bulunan, Ortaçağ şatolarının küçük bir örneğini andıran büyük bir akvaryum duruyordu.

Kıza, "Bay Norton odasında mı?" dedi.

"Evet efendim, Dr. Bledsoe, efendim," dedi kız. "Gelir gelmez içeri girmenizi söylememi istedi."

Kapıda hareketsiz dururken gırtlağını temizlediğini ve sonra yumruğuyla kapının aynalık tahtasına yavaşça vurduğunu duydum.

Dudakları daha şimdiden gülümseyerek, "Bay Norton?" dedi. Cevap alınca arkasından ben de girdim içeriye.

Büyük, aydınlık bir odaydı. Bay Norton ceketini çıkarmış koca bir koltukta oturuyordu. Serin yatak örtülerinin üzerinde çıkardığı çamaşırlar duruyordu. Geniş bir şöminenin üzerinde Kurucu'nun yağlı boya bir portresi uzaktan bakıyordu bana, aşağıya; iyi yürekli, üzgün ve bu anlamlı anda derin bir hayal kırıklığına uğramışçasına... Sonra bir örtü düşer gibi oldu. "Merak ettim sizi, efendim," dedi Dr. Bledsoe. "Öğleden sonraki toplantıya bekledik sizi..."

Tamam, başlıyor şimdi, diye düşündüm. Şimdi.

Ve birden ileri fırladı. "Bay Norton, başınız!" diye bağırdı, sesinde garip bir büyükanne ilgisi vardı. "Ne oldu efendim?"

"Önemli değil." Bay Norton'un yüzü hareketsizdi. "Yalnızca bir sıyrık."

Dr. Bledscoe, yüzü dehşet içinde dönüp duruyordu ortalıkta. "Doktoru çağır," dedi. "Niçin söylemedin bana Bay Norton'un yaralanmış olduğunu?"

Hızla geriye döndüğünü görerek, "Doktoru çağırmıştım zaten, efendim," dedim yavaşça.

"Bay Norton, *Mister Norton!* Ne kadar üzgünüm. Bilseniz!" diye böğürüyordu. "Size, dikkatli bir çocuk, aklı başında bir delikanlı gönderdiğimi sanıyordum! Daha önce hiç kaza filan görmemişizdir burada. Hiçbir zaman, yetmiş beş yıldır bir kerecik olsun. Sizi temin ederim ki efendim, yola getirilecektir kendisi, ciddi şekilde disipline sokulacaktır!"

Bay Norton nazikçe, "Ama otomobil kazası filan olmadı ki," dedi, "hem çocuk da sorumlu değil olanlardan. Gönderebilirsin onu, ihtiyacımız olmayacak ona burada."

Birden gözlerim doldu. Sözlerinden bir minnet dalgasının yayıldığını hissettim.

"Acımayın, efendim," dedi Dr. Bledsoe. "Bu insanlara karşı yumuşak davranmaya gelmez. Şımartmamalıyız onları. Bir öğrencinin sorumluluğundayken bu kolejin bir konuğunun başına gelen kaza, sorgusuz sualsiz o öğrencinin hatasıdır. En sıkı kurallarımızdan biridir bu!" Sonra bana döndü: "Yatakhanene dön ve ikinci bir emre kadar orada kal!"

"Fakat benim kontrolüm dışındaydı, efendim," dedim. "Bay Norton da söyledi demin..."

Bay Norton yarım ağızla gülümseyerek, "Ben anlatacağım, delikanlı," dedi. "Her şey anlatılacaktır."

Dr. Bledsoe yüzündeki ifadeyi değiştirmeksizin bana bakarken, "Teşekkür ederim, efendim," dedim.

"Ha, aklıma gelmişken," dedi, "Bu akşam kilisede olacaksınız, anlıyorsunuz beni, değil mi efendim?"

"Evet efendim."

Buz gibi bir elle kapıyı açtım, biz içeriye girerken masada oturmakta olan kıza çarptım.

"Özür dilerim," dedi kız. "Kova Baş'ı kızdırdınız galiba."

Cevap vermemi bekleyerek yanımda yürürken ona hiçbir şey demedim. Yatakhaneme doğru yola düzüldüğümde kıpkırmızı bir güneş kampusu aydınlatıyordu.

"Erkek arkadaşıma bir haber götürebilir misiniz?" dedi.

Öfkemi ve korkumu zar zor gizleyerek "Kim o?" dedim.

"Jack Matson," dedi.

"Olur, benimkine bitişik odada kalıyor."

"Çok iyi," dedi; bir gülümseme yayıldı bütün yüzüne. "Müdür Yardımcısı nöbete dikti beni, bu yüzden ona gidemedim bu öğleden sonra. 'Çimen yeşildir' dediğimi söyleyin ona yalnızca..."

"Ne?"

"Çimen yeşildir. Gizli şifremizdir bu, o anlar."

"Çimen yeşildir," dedim.

"Tamam. Teşekkür ederim, hayatım," dedi.

Tekrar binaya doğru aceleyle koşuşunu seyrederken, düz topuklu ayakkabılarının çakıl yolda çıkardığı sesi dinlerken küfredesim geldi. Benim, hayatımın geri kalan kısmının kaderinin tayin edildiği şu anda, o kalkmış budalaca şifrelerle gönül eğlendiriyordu. Çimen yeşilmiş... Buluşacaklardı ve gebe kalacaktı, göndereceklerdi evine; ama öyle de olsa benim kadar utanmayacaktı ya... Bir bilseydim ne söylüyorlardı hakkımda... Birden aklıma bir şey geldi ve arkasından koştum kızın, binaya girdim, merdivenleri çıktım.

Holde, güneş ışınlarının içinde oynaşan ince toz, onun hızla geçişiyle alabora olmuştu. Ama o yoktu ortalarda. Kapıdan içeriyi dinlemesini ve konuşulanları bana söylemesini isteyecektim ondan. Vazgeçtim; yakalanırsa bir de bunun günahı yüklenecekti bana. Ayrıca, başıma gelen belayı başkasının öğrenmesi zoruma gitti, inanılmayacak kadar budalaca bir şeydi bu.

Geniş holden geri dönerken, görülmeyen birinin şarkı söyleyerek merdivenlerde sektiğini işittim. Tatlı, umut dolu bir kız sesi. Sessizce ayrıldım ordan, yatak odama yürüdüm acele acele. Odamda, düşünmeye çalışarak gözlerim kapalı, yatağına uzandım. Heyecan, sinirlilik bütün vücudumu sarmıştı. Sonra birisinin koridordan geldiğini işittim, kaskatı kesildim. Ne çabuk çağırıyorlardı? Yakınlarda bir kapı açıldı ve kapandı, beni eski heyecanıma terk ederek. Kimden yardım isteyebilirdim? Kimse aklıma gelmiyordu. Hatta Altın Gün'de neler olduğunu kendisine açıklıyabileceğim biri bile yoktu. Her şey altüsttü içimde. Dr. Bledsoe'nun Bay Norton'a karşı davranışı ise hepsinden çok karıştırıyordu kafamı. Okulda kalma şansımı azaltır korkusuyla söylediklerini tekrar edemiyordum. Doğru olamazdı canım, ben yanlış anlamıştım. Benim söylediğini sandığım şeyi söylemiş *olamazdı*. Kaç kez, onu, şapkası elinde, iki büklüm, beyaz konuklara saygı dolu yaklaştığını görmemiş miydim? Yemekhanede okulun beyaz konuklarıyla yemek yemeyi kabul etmeyip, ancak onlar yemeği bitirdikten sonra içeriye girmemiş ve oturmayı bile reddedip şapkası elinde onlara ayakta güzel nutuklar çekmemiş, sonra yine saygı dolu oradan ayrılmamış mıydı? Yapmamış mıydı, yapmamış mıydı bütün bunları? Ben kendim, kaç kez yemek odası ile mutfak arasındaki kapıdan gizlice bakarken görmemiş miydim onu bu durumda? Sonra, onun en sevdiği dini şarkı "Mağrur Olma" şarkısı değil miydi? Ve pazar akşamları kilisede kürsüye çıkıp, bin dereden su getirerek bulunduğumuz konumdan hoşnut olarak yaşamamız gerektiğini öğretmez miydi bize hep? Öğretirdi ve de inanmıştım ben ona. Kurucu'nun izinden giden iyi insanları anlatırken bize, hiç kuşkusuz inanmıştım ona. Hayat buydu benim için; yapmadığım bir şey yüzünden geri gönderemezlerdi beni. Gönderemezlerdi. Evet. Ama o Emekli Asker! Ne deliydi herif, akıllı adamları baştan çıkarmıştı. Dünyanın altını üstüne getirecekti neredeyse; Allah kahretsin! Bay Norton'u kızdırmıştı. Beyaz bir adamla o şekilde konuşmaya hakkı yoktu; cezasını ben çekecektim şimdi...

Birisi sarstı omzumdan; irkildim, bacaklarım ter içinde, titriyordu. Oda arkadaşımmış.

"Neyin var arkadaşım?" dedi. "Haydi yemeye gidelim."

Kendine güvenli suratına baktım; çiftçinin biri olacaktı ilerde.

"İştahım yok," dedim içimi çekerek.

"Öyle olsun," dedi, "beni kandırmaya çalışıyorsun ama sonra uyandırmadın deme."

"Hayır," dedim.

"Kimi bekliyorsun, koca küfeli, kalçaları fıkır fıkır oynayan bir kızı mı yoksa?"

"Hayır," dedim.

"Bu işlere boş ver arkadaş," dedi sırıtarak, "sağlığına zarar, kafana zarar. Sana ne bu işlerden; sen al kızını Kurucu'nun mezarı üzerindeki o yemyeşil otlarda ay nasıl doğuyor göster ona oğlum..."

"Siktir git," dedim.

Gülerek ayrıldı; kapıyı açınca holden bir sürü ayak sesi duyuldu: Akşam yemeği vaktiydi. Yemeye gidenlerin sesleriydi. Onlarla birlikte hayatımdan bir şey, yorgun argın, gri bir uzaklığa çekilir gibi oldu. Sonra kapı vuruldu sıçradım, kalbim sıkışarak.

Başında hazırlık sınıfı şapkası bulunan küçük bir öğrenci kapıdan içeri uzattı kafasını, "Dr. Bledsoe sizi aşağıda, Rabb Hall'de görmek istediğini söyledi," diye bağırdı. Daha ben sormaya fırsat bulamadan fırladı gitti; son zil çalmadan önce yemeye yetişmek için koridordan aşağıya doğru koşarken güm güm ses çıkaran ayak sesleri geliyordu.

Bay Norton'un kapısında, ellerim kapı kolunda bir dua mırıldanarak bir süre durdum.

Kapıyı vurunca, "Gel delikanlı," diye cevap verdi; yeni, keten çamaşırlar giyinmişti, ipek gibi yumuşak beyaz saçlarının üzerine ışık düşüyordu. Alnına küçük bir parça gazlı bez yapıştırılmıştı plasterle. Yanında kimse yoktu.

Özür diledim. "Özür dilerim efendim, bana Dr. Bledsoe'nun beni burada görmek istediğini söylemişlerdi de..."

"Doğru," dedi, "ama Dr. Bledsoe gitmek zorundaydı. Kiliseden sonra bürosunda bulacaksın onu.

"Teşekkür ederim, efendim," dedim ve gitmek için geriye

döndüm. Arkamdan, boğazını temizleyerek, "Delikanlı..." diye bağırdı.

Umutla döndüm.

"Delikanlı, senin suçun olmadığını Dr. Bledsoe'ya söyledim. Sanırım anlamıştır."

O kadar rahatlamıştım ki, önce yüzüne bakakaldım; yaşlarla dolmuş gözlerimle, ufacık, ipek saçlı, beyaz elbise giymiş bir Aziz Nicholas gibi görüyordum onu.

En sonunda, "Gerçekten teşekkür ederim, efendim," diyebildim.

Ses çıkarmadan inceliyordu beni, gözlerini hafifçe kısmıştı.

"Bu akşam bana ihtiyacınız olacak mı efendim?" diye sordum.

"Hayır makineye ihtiyacım olmayacak, işlerim beni umduğumdan da erken uzaklaştırıyor buradan. Bu akşam geç saatlerde ayrılıyorum."

Umutla, "Sizi istasyona kadar götürebilirim arabayla, efendim," dedim.

"Teşekkür ederim, Dr. Bledsoe o işi ayarladı."

"Ya," dedim hayal kırıklığıyla. Haftanın geri kalan kısmında da ona hizmet edersem takdirini yeniden kazanırım diye ummuştum ben. Şimdi bu fırsat geçmeyecekti elime.

"Şey, iyi yolculuklar, efendim," dedim.

Birden gülümseyerek, "Teşekkür ederim," dedi.

"Belki bir dahaki gelişinizde bu öğleden sonra bana sorduğunuz sorulara cevap verebilirim."

Gözlerini kıstı, "Sorular mı?"

"Evet, efendim, sizin... sizin kaderiniz hakkında," dedim.

"Ha, evet, evet," dedi.

"Hem, Emerson'u da okuyacağım..."

"Çok iyi. Kendine güven, en değerli erdemdir. Kaderime yapacağın katkıyı büyük bir ilgiyle bekleyeceğim." Beni kapıya doğru götürdü. "Dr. Bledsoe'yu görmeyi de unutma."

Birazcık rahatlamış olarak ayrıldım; ama büsbütün değil. Dr. Bledsoe'yla karşı karşıya gelmek zorundaydım hâlâ. Ve kilisedeki törene de katılmam gerekiyordu.

Beş

Akşam duasına çağıran çan seslerini duyunca, akşamın yumuşak alacakaranlığında fısıldaşarak yavaş yavaş yürüyen öğrenci gruplarıyla birlikte kampusu geçtim. Leylak, hanımeli ve mineçiçeği kokularıyla dolu alacakaranlıkta bahar yeşilliği içinde yavaş yavaş ilerlerken, çakıl yol üzerinde ince gölgeler bırakan sararmış buzlu camdan karpuzları, üzeri yapraklar ve dallarla kaplı yolları anımsıyorum; yumuşak bahar çimenlerinin üzerinden hoplaya zıplaya gelen ani, kesik kesik gülüşler aklıma geliyor. Neşeli, ta uzaklara kadar giden, akıcı, zorlamasız, çın çın öten, kadınsı ince kahkahaları, sonra da bastırılan; sanki şimdi kasvetli kilise çanlarıyla titreyen akşam havasının sakin ağırbaşlılığı altında hemencecik ve bir daha geri gelmez şekilde içe çekilmiş, bastırılmış gibi. Dang! Dang! Dang! Etrafımdaki ağır ağır yürüyüşün üzerinde, oraya buraya serptirilmiş binaların taraçalarını terk edip dar yollara ve oradan da kenarları beyaz badanalı taşlarla süslü asfalt yollara doğru yürüyen ayak sesleri, konukların beklediği yere doğru ağır ağır yol alan erkeklere ve kadınlara, oğlanlara ve kızlara gönderilen o gizemli bildiriler ve biz, bir tapınma havası içinde değil de yargılanmaya gider bir havada yürürken. Sanki burada, yukardan süzülerek gelen alacakaranlıkta, burada çivit rengi engin göğün altında, burada birbirinin kuyruğuna takılmış uçuşan kırlangıçlarla, ışıklara saldıran pervanelerle canlı, burada kilisenin gerisinde batmış bir güneş gibi kan kırmızı yavaş yavaş yükselen, aydınlığını yarasaların ötüştüğü bu alacakaranlık üstüne ya da çekirgelerin ve çobanaldatan kuşlarının uçuştuğu gece üstüne saçmayıp bizim toplantı yerimiz üzerinde yoğunlaştıran ayın henüz aydınlatmadığı gecenin burasında... Ve biz, sert, dimdik ileriye doğru yığılan, kol ve bacaklar kasılmış, sesler susmuş artık, karanlıkta bile gösterideymiş gibi ve ay, bir beyazın kanlanmış gözü...

Ve ben, bir yargılanma duygusu içinde ötekilerden daha sert yürüyorum; kilise çanlarının titreşimleri, içimdeki kargaşanın derinliklerinde dönüyor hızla; bir ölüm, bir yıkım duygusuyla en yüksek noktasına doğru yöneliyor. Ve, doğan bir ay gibi topraktan kanlı yükseliyormuşçasına uzun ve alçak saçaklarıyla kiliseyi anımsıyorum; insan elinden değil de yerden çıkmışçasına sarmaşıkla kaplı ve toprak rengi. Ve kafam, teselli arıyor, bahar akşamının alacakaranlığından ve çiçek kokularından uzaklara, çarmıha gerilişin zaman-sahnesinden doğumun zaman-havasına kaçarak, akşam duasından yüksek, parlak ve aydınlık kış ayına kaçarak; ve kar, çanların yerine org ve trombon korosunun, gece havasını sesin ulaşabildiği kadar uzaklarda, millerce uzaklarda uyuyan toprağı kucaklayan bir kristal su denizi haline getiren, Altın Gün'e bile, deliler evine bile yeni bir dinsel hava getiren sevinç şarkıları söylediği, şarkıların karlarla uçuşup gittiği yerde bodur çamların üzerinde pırıldayarak. Ama akşamın alacakaranlığının burasında, çiçeklerle dolu bir hava içinde yükselen ayın altında Kıyamet Günü'ne çağırır gibi çanlara doğru yürüyorum.

Kapıların içine ve yumuşak ışıkların içine yürüyorum sessiz, hangisine oturacağımı arayarak dümdüz ve insana acı veren sofu sıraları geçiyorum ve bırakıyorum vücudumu onun acısına. Orada, kürsüsü ve parlatılmış pirinçten parmaklığıyla platformun üstünde geride, öğrenci korosunun sıra sıra piramit şeklinde dizilmiş kafaları, siyah ve beyaz üniformalar üzerinde rahat ve duygusuz yüzler; onların da üzerinde tavana kadar yükselen hayal gibi boruları orgun, donuk donuk parlayan gotik altın sıraları...

Yanımda yöremde öğrenciler ciddi, ağırbaşlı maskeler altında donmuş yüzleriyle dolanıyor; konukların sevdikleri şarkılarda makine gibi yükselen sesleri daha şimdiden duyar gibi oluyorum. (Ne sevmesi? İstedikleri şarkı mı söyleniyordu? Bir yüce emir alınıyor ve yerine getiriliyordu saygıyla; getirdiği barış uğruna bir sadakat yemini ezberden okunuyordu gözü kapalı ve belki de bunun için seviliyordu. Yenilenlerin yenenlerinin simgelerini sevmesi gibi bir şey. Bir boyun eğme hareketi, söylenmiş ve gönülsüz onaylanmış sözlerin dile gelişi.) Ve burada, dimdik otururken, o geniş platformun önünde huşu ve zevk içinde, huşunun zevki içinde geçmiş akşamları anımsıyorum; oradaki kürsüden, çoğumuzun kendi memleketlerimizden tanıdığı ve içten içe utanç duyduğu acemi, kaba saba papazların o yabancı heyecanlarından temizlenmiş sakin bir güvenle, tane tane, yumuşak bir sesle verilen kısa dinsel öğütleri anımsıyorum; daha çok bizi coşturmak ve avutmak için karışık olmayan dönemlerin açıklığından, çok heceli sözcüklerin uyutucu, uyuşturucu makamından başka bir şey istemeyen sağlam ve biçimsel bir model gibi bize kadar ulaşan o mantıki çağrıları. Ve yine, hepsi de bu "muazzam" ve resmi ayine katılmakla ne kadar şanslı olduğumuzu bize söylemeye can atan konuk konuşmacıların konuşmalarını anımsıyorum. O cehalet ve karanlık içinde kaybolmuş ailelerimizden kopup bu aileye sığınmış olmakla ne kadar şanslı olduğumuzu...

Horatio Alger'in kara ayini, Tanrı'nın kendi senaryosuna uygun olarak kendilerini göstermeye gelmiş milyonerlerle birlikte işte bu sahnede yapılırdı; yalnızca kendi iyilik efsanelerini, servetlerini, başarılarını, güçlerini, iyilikseverliklerini ve kartondan maskeler altındaki otoritelerini değil ama kendilerini, bu et kemik haline gelmiş erdem örneklerini de gösterirlerdi bize! Yüzlerden aşağılara indiğinde, kadim ve zeval bulmuşken bile dinç ve capcanlı. Ekmek ve şarap değil; fakat et ve kan, capcanlı ve hayat dolu. (Ve kim, bunu görür de inanmazdı? Hatta kuşkulanabilirdi?)

Ve onları anımsıyorum, beni bu Cennet'e yerleştirmiş olanları, tanımasak da tanıdıklarımızı, yakınları içinde uzak olanları, söyleyeceklerini ağır gülümseyişlerle, kan ve şiddetle, küçük görme ve alçakgönüllülükle uzata uzata söyleyenleri, yaşamlarımızın sınırlarını ve tutkularımızın sınırsız cüretini, daha yükseklere çıkmak için duyduğumuz sabırsızlığın insanın başını döndüren çılgınlığını bize anlatırken masum sözlerle uyarmış, tehdit etmiş, göz dağı vermiş olanları; konuşurlarken, içimde, çiğnedikleri tütünün suyuymuş gibi çenelerinden akıp duran kan köpükleriyle, dudaklarının üzerinde bir milyon zenci köle sütanasının kurumuş memelerinin pıhtılaşmış sütüyle gizli hayaller, kaynağımızda emilmiş ve şimdi o kadar iğrenç bir şekilde yüzümüze kusulan varlığımızın hain ve akıcı bilgisini uyandıranları nasıl karşılardık, nasıl yüz yüze gelirdik onlarla, onu da anımsıyorum. Bu bizim dünyamızdı, derlerdi bize tanımlarlarken onu, bu bizim ufkumuz ve onun yeryüzü, mevsimleri ve iklimi, ilkbaharı ve yazı, sonbaharı ve kim bilir kaç milyon yıl sonraki hasadı; ve bunlar selleri tufanları ve kasırgaları onun; onlar yıldırımımız bizim, şimşeğimiz; bunu kabul edecektik, sevecek ve kabul edecektik sevmiyor olsak da. Kabul etmek zorundaydık, onlar olmasalar bile artık; demiryollarını, gemileri ve taştan kuleleri yapmış olan adamlar, dipdiri, sesleri farklı, bilinen tehlikenin ağırlığından kurtulmuş ve şarkılarımızda sevinçleri daha içten görünen, mutluluğumuza saygıları neredeyse şefkatli ve kendilerinin dışında bir kayıtsızlıkla belirli olanları, gözlerimizin önündelerken bile, kabul etmek zorundaydık. Ama ötekilerin sözcükleri hayırsever doların gücünden daha kuvvetliydi; petrol ya da benzin için toprağa çakılmış millerden daha derin; bilim laboratuvarlarında yapılan mucizelerden daha korku verici ve ürkütücü. Çünkü onlar en masum sözcükleri, biz kampustan olanların, katlanmasak bile aşırı derecede hassas olduğumuz şiddet eylemleriydi.

Ve platformda, orada, ben de uzun adımlarla yürümüş ve tartışmıştım, bir öğrenci lideri olarak en yüksek kirişlere, en son dilmeye salarken sesimi, sesim çınlatırken onları, kesik kesik heceler, vurgular, bir yaban ormanın ağaçlarına ya da suları kapkara bir kuyuya bağırılmış sözcükler gibi çatı kirişine çarpıp çıngırdayarak yankılanırken; duygudan çok ses, binaların yankılamaları üzerine bir oyun, kulakların boşluklarına bir saldırı:

Ey! En arka sıradaki ak saçlı ana. Ey! Miss Suzie, kız öğrenciye bakan, oğlan öğrenciye gülümseyen, orada geride Miss Suzie Gresham, dinleyin beni, sözlerin bu acemi borazan başını, bu trompetin ve trombonun tonuna öykünen, bariton bir boru gibi temalarda çeşitlemeler çalan beni, dinleyin. Haydi! Ses sedalarının, bildirisiz seslerin, haber getirmeyen rüzgârın eski ustası, sesli sedaları ve patlayan damak sessizlerini dinler; boş acıların çatlayan ayn'larını şimdi uzun zaman önce bir Baptist Kilisesi'nde işittiğim bir papazın ritminin iğrisinin üstünde, şimdi sıyrılmış ritmin imgelerinden; kanamaları olmayan güneşler, gözyaşı dökmeyen aylar, kutsal mutsal dinlemeyip et yiyen solucanlar ve Paskalya sabahında toprağın içinde dans eden. Ey şarkı söyleyen beceri! Ey top gibi gürleyen başarı, ses veren! Ey kabul, ey boğulmuş tutkularla dolu sözcük sedalarından bir nehir, yüzen! Ey yerine getirilmez tutkuların ve ölü doğmuş isyanların enkazıyla, süpürerek kulaklarını, ey sımsıkı sıraya dizilmiş önümde, boyunlar ileri uzamış dinleyen kulaklarla, ey tavanı yalıya yalıya. Kapkara kirişlerde: Binlerce sesin fırınında yumuşamış acılı kerasteden o yıllanmış çaprazlara vura vura; çakarak ey, tıpkı bir ksilofondaymış gibi; sözcükler öğrenci bandosu gibi yürürken bir aşağı bir yukarı kampusun içinde, zaferlerden yoksun muzaffer sesler çıkararak. Haydi, Miss Suzie, sözcük olmayan sözcüklerin sedaları, henüz başarılmamış başarıları söyleyen sahte notalar, sesimin kanatları üzerine binerek size, yaşlı ana, Kurucu'nun sesinin sedalarını bilen ve onun verdiği sözün vurgularını ve yankısını bilen size koşan; etrafındaki gençlerle birlikte dikilmiş kır saçlı yaşlı başın, kapalı gözlerin, kendinden geçmiş yüzün, sözcük sedalarını, bir nefesimden, akciğerlerimden, kaynağımdan dışarı fırlatırken ben, duy beni, yaşlı ana, doğrula artık bu sesi, senin o güzel eski baş sallayışınla, gözleri kapalı gülümsemenle ve tanıyarak baş eğişinle; sen ki sözcüklerin yalnızca anlamlarıyla kandırılamayacak olan, benim sözcüklerimle değil, titreyinceye kadar gözkapak-

larına çarpan tüyden hafif uçuşlarla değil, söz verişin yankılı gürültüsüyle ancak, şarkıdan ve dışarı yürüyüşten sonra benim elimi tutarsın ve titreyen sesinle, "Oğul, bir gün gelecek Kurucu öğünecek seninle!"yi söylersin. Ey Suzie Gresham, Ana Gresham, sofu sıraların üzerindeki, kendi buharları yüzünden senin Şeria Nehri'nin sularını göremeyen ateşli genç kadınların bekçisi; sen, kampusun sevdiği fakat anlamadığı kölelik yadigârı, yaşlı, kölelikten gelen ama yine de sıcak, canlı ve her şeye dayanıklı, bu utanç adasında bizim utanmadığımız; sana yönelttim sesimdeki hızı, ey en arka sıradaki ve sendin tören başlasın diye beklerken utançla ve pişmanlıkla düşündüğüm.

Şeref konukları, şişman bir şef garsonun terbiyesiyle hareket eden Dr. Bledsoe'nun arkasından, yüksek, oymalı koltuklarına doğru sessiz sedasız yürüyorlardı platformda. Dr. Bledsoe, konukların bazıları gibi çizgili bir pantolon, pahalı bir fuların süslediği siyah örgü yakalı kırlangıç kuyruğu bir ceket giymişti. Bu gibi vesilelerde giydiği resmi elbiseydi bu onun; ama elbisesi ne kadar şık olursa olsun yine de kendisini alçakgönüllü göstermeyi beceriyordu. Kim bilir neden, pantalonunun dizleri torbalaşmış, ceketi omuzlarından sarkıyordu. Birinin dışında hepsi de beyaz olan konuklara teker teker gülümserken seyrediyordum onu; elini onların kolları üzerine koyarken, sırtlarına dokunurken, uzun boylu, köşeli yüzlü mütevelliye bir şeyler fısıldarken –bunun üzerine o da tanıdık bir edayla koluna dokundu onun– gördüm onu, bir titreme hissettim içimde. Bugün ben de bir beyaz adama dokunmuştum da bunun felaket getirici bir şey olduğunu hissetmiştim; o zaman anladım ki içimizde cezaya uğramadan bir beyaza dokunacak –belki bir berberi ya da dadıyı saymazsak– tanıdığım tek insan oydu. Ve yine anımsadım, beyaz konuklar ne zaman platforma çıksalar o, kuvvetli bir büyü yapıyormuşçasına elini sırtlarına dokunduruyordu onların. Bir Beyaz eli tuttuğunda dişlerinin parladığını görüyordum; sonra, hepsi yerine oturunca, o da sıralanmış koltukların en sonundaki yerine gitti.

Karşılarında, onlardan yukarda öğrenciler saf saf dizilmişti, gözleri orgun konsolu üzerinde parlayarak başını bir omzuna doğru çevirmiş bekliyordu; Dr. Bledsoe'yu gördüm, gözleri dinleyicilerin üzerinde dolaşıyordu, birden, başını çevirmeden kısa bir işaret verdi. Sanki görünmeyen bir sopayla bir başlama işareti vermişti. Orgcu döndü ve omuzlarını kamburlaştırdı. Yüksek bir ses çağlayanı kaynadı orgdan; yayılan, kalın ve sarıcı, kilisenin duvarlarından dışarı taşan. Orgcu büküldü ve sırasında döndü; ayakları, orgunun havaya uygun fırtınasıyla hiç ilgisiz ritimlerle dans eder gibiydi, uçuyordu altta.

Ve Dr. Bledsoe, içine kapanmış bir edayla, dudaklarında iyi kalpli bir gülümseme, oturuyordu. Fakat gözleri hızla önce öğrenci sıralarını, sonra öğretmenlere ayrılmış olan bölümü tarıyordu, kısa, kesik kesik bakışları herkese korku götürerek. Çünkü, bu toplantılara herkesin katılmasını emrederdi. Okulun politikasının en açık sözlerle belirtildiği yerdi burası. Benim oturduğum bölümü tararken gözlerinin benim yüzümde bir an durur gibi olduğunu hissettim. Platformdaki konuklara baktım; bizim yukarı dönük gözlerimizle buluşan tetikte bir rahatlıkla oturuyorlardı. Hangisinden benim için Dr. Bledsoe'ya gidip aracılık etmesini isteyebilirdim; ama içlerinde böyle birisinin olmadığını da ta içimden hissetim.

Yanındaki sıra sıra önemli insana rağmen kendini onlardan küçük gösteren (oysa vücutça en irisiydi onların) alçakgönüllü ve uysal duruşuna rağmen, varlığını çok daha büyük bir etkiyle hissettiriyordu üzerimizde. Koleje nasıl geldiğine dair efsaneyi anımsadım. Okumaya karşı içinde yanan ateşin, eski püskü giysilerini sardığı bir bohçayla iki eyaleti yaya geçmeye ittiği yalınayak bir oğlan. Ve nasıl kendisine, domuzları yemleme işi verildiğini, fakat okulun tarihinde en iyi hayvan yemleyicisi haline geldiğini; Kurucu'nun nasıl etkilendiğini ve onu bürosuna aldığını. Her birimiz onun yıllar süren sıkı bir çalışmadan sonra müdürlüğe yükselişini bilirdik ve her birimiz, kimi zaman, bilgiye olan açlığımızı açıkça göstermek için onun gibi okula yürüyerek gelmiş olmayı, bir el arabasını itmiş olmayı ya da bir kararlılık, bir özveri davranışı göstermiş olmayı arzu etmişizdir. Kampusta herkeste uyandırdığı hayranlığı ve korkuyu anımsadım; zenci basınında, top mermisi gibi patlayan harflerle yazılmış "E Ğ İ T İ M C İ" başlığı üstündeki son derece büyük bir güvenle yüzümüze bakan resimleri. Bizim için, bir kolej müdürü olmaktan daha fazla bir şeydi. Bir önderdi, sorunlarımızı bizim üstümüzdekilere, hatta Beyaz Saray'a kadar götüren bir "devlet adamı"ydı; bir zamanlar Başkan'ın kendisini o dolaştırmıştı kampusun içinde. Bizim önderimiz ve bizim büyümüzdü, bağışları yüksek seviyede tutan, burs fonlarını boyuna artıran ve basın yoluyla okulun sesini duyuran. O bizim kendisinden korktuğumuz kömür karası babamızdı.

Org sesleri durunca, incecik esmer bir kızın modern bir dansözün ayaklarının ucuna basa basa yürüyüşüyle sessizce yerinden kalktığını, koronun daha yukardaki sıraları arasında yükseldiğini ve bir *cappela* söylemeye başladığını gördüm. Yavaşça başladı, kendi kendine, son derece gizli coşkularının şarkısını söylüyormuş gibi; topluluğa değil, kendi arzusu olmadan kendisine kulak kabartan kimselere seslenen bir sesle. Yavaş yavaş yükseltti sesinin tonunu; ses, zaman zaman sarsarak onu, belli bir ritim içinde sağa sola sallayarak içine girmeye, ona saldırmaya çalışan cisimsiz bir güç oluyormuş gibi görününceye kadar, sanki kendi yaratısının akışkan ağından çok varlığının kaynağı olmuştu.

Konukların, arkalarına bakmak, beyaz koro elbisesi içinde orgun borularına karşı ayakta duran, gözlerimizin önünde belirgin ama kendini dışarı vermeyen, yücelmiş acıyla dolu, orgun bir parçası haline gelmiş olan dal gibi esmer kızı, müziğin değiştirdiği ince, basit, süssüz yüzü görmek için geriye döndüklerini görüyordum. Sözcükleri değil ancak şarkının hüzünlü, karanlık ve uçup giden havasını anlayabiliyordum. Yurt özlemiyle, pişmanlık ve tövbeyle atıyordu şarkının yüreği ve o yavaş yavaş çökerken yerine, ben şurama bir şey saplanmış gibi oturuyordum yerimde; bir oturma değil, yavaş yavaş bir içe göçüştü onunkisi, son notasının hâlâ kaynayan kabarcıklarını kalbindeki kanın o ince ritmiyle, ya da yukarı dikili iri gözlerini dolduran yaşların arasından sese dikilmiş varlığının mistik toplanışıyla dengeliyor, devam ettiriyordu sanki.

Alkış yoktu, yalnızca derin bir sessizlik. Beyaz konuklar çok beğenmiş bir edayla gülümsüyorlardı birbirine. Bütün bunlardan ayrılmak zorunda kalmak gibi bir olasılığı, kovulma olasılığını düşünerek oturuyordum yerimde; eve dönüşümü, anamın babamın azarlarını hayal ediyordum. Sahneye, umutsuzluğum içinde çok gerilerden, dıştan bakıyordum şimdi, platformu ve aktörleri bir dürbünün tersinden görüyormuş gibi; yapma bebek gibi ufak şekiller, anlamsız bir dinsel tören içinde kımıldıyordu. Ta yukarda, önümde sıralanmış mısır püskülü gibi ya da yağdan pırıl pırıl kafalarının üzerinde birisi, üzerinde donuk bir ışığın parladığı bir kürsüden bildiriler okuyordu. Bir başka şekil kalktı, bir duaya yol gösterdi. Birisi konuşuyordu. Birden etrafımda herkes, "Götür beni, götür beni benden daha yüksek bir kayaya" ilahisini söylüyordu. Ve ses, can damarı olduğu sahnenin imgesinden daha emredici bir güç taşıyormuş gibi içinde, onun dolaysızlığına, anına çekildim.

Konuklardan biri konuşmak için yerinden kalktı. Hemen göze çarpacak kadar çirkin bir adamdı; şişman, kısa bir boyun üzerinde sivri bir kafa, yüzüne göre çok iri bir burun ve burnun üzerinde siyah camlı gözlük. Dr. Bledsoe'nun yanında oturuyormuş; ama ben öyle takmıştım ki kafamı müdüre, gerçekten görmemiştim adamı onun yanında. Gözlerim yalnızca beyazlara ve Dr. Bledsoe'ya dikiliydi. Bunun için de adam ayağa kalkıp platformun ortasına doğru yavaş yavaş giderken Dr. Bledsoe'nun bir parçası ayağa kalktı ve öteki parçasını koltukta gülümser durumda bırakarak ileriye doğru yürüdü sandım.

Karşımızda rahat bir edayla yürüyordu; beyaz yakası kara yüzüyle koyu renk elbisesi arasında bir çizgi gibi parlıyor, başını gövdesinden ayrı tutuyordu; kısa kolları, kara, küçük bir Buda'nınkine benzeyen iri göğsünü kucaklamış. Bir an, iri kafası havada, düşünür gibi durdu; sonra konuşmaya başladı, o kadar yıl sonra okulu ziyaret etmesine izin verildiği için mutlu olduğunu söylerken sesi dolgun ve güçlüydü. Bir Kuzey kentinde vaizlik yaptığı için okulu son kez Kurucu'nun son günlerinde, Dr. Bledsoe'nun "ikinci adam" olduğu günlerde görmüştü. "Çok güzel günlerdi onlar" diye tek perdeden konuşuyordu. "Önemli günler. Büyük işaretlerle dolu günlerdi."

Konuşurken parmak uçlarını birbirine değdirerek bir kafes yapıyor, sonra küçük ayaklarını birleştirerek yavaş, ritmik bir hareketle ileri geri sallanıyordu; başparmakları üzerinde, düşecekmiş gibi oluncaya kadar öne eğiliyor, sonra topukları üzerinde geriye doğru yaylanıyordu; siyah camlı gözlüğü üzerine düşen ışıklar, başı vücudundan ayrılmış, yüzüyormuş ve ona yalnızca yakasındaki beyaz bandla bağlıymış gibi gösteriyordu onu. Ve öne doğru eğilirken bir ritim tutturana kadar konuşuyordu.

Yüreklerimizdeki düşü yeniliyordu:

"...Kurtuluştan sonra bu kıraç topraklar," diye makamla başladı. "Bu karanlıklar ve üzüntüler, bilgisizlik ve rezillik toprağı, kardeş elinin kardeşe kalktığı, babanın oğula, oğulun babaya karşı çıktığı; sahibin köle, kölenin sahip karşısına dikildiği; her şeyin kavga ve karanlık olduğu bu yer, bu acılı toprak. Ve bu topraklara alçakgönüllü bir peygamber geldi. Nazareth'in alçakgönüllü marangozu gibi kibirsizdi; bir köle, yalnız anasını tanıyan bir köle oğluydu. Doğuştan köleydi; ama daha başlangıçtan ileri zekâsı ve prensçe kişiliğiyle dikkati çekiyordu; bu kıraç, savaşın yakıp yıktığı toprağın en adi yerinde doğmuştu, ama geçtiği her yere ışık saçıyordu nasılsa. Eminim, hepiniz, onun tehlikelerle dolu geçen çocukluğunu, bebeğin üzerine külü döken ve onun tohumunu kurutan bir deli kuzen tarafından o değerli hayatın neredeyse yok edilmiş olacağını ve bebeciğin nasıl dokuz gün ölüm komasından sonra bir mucizeyle iyileştiğini duymuşsunuzdur. Onun ölüm yatağından kalkmış ya da sanki yeniden doğmuş olduğunu söyleyebilirdiniz."

"Ey benim genç arkadaşlarım," diye bağırdı gülümseyerek, "benim genç arkadaşlarım, gerçekten de güzel bir hikâyedir bu. Eminim, birçok kez dinlemişsinizdir bu hikâyeyi; yaşlı sahiplerinin şüphesini hiç çekmeksizin küçük sahiplerinin zekice sorularıyla ilk öğretimine nasıl başladığını anımsayın; alfabesini nasıl öğrendiğini ve kendi kendine okumayı, sözcüklerin sırlarını çözmeyi öğrettiğini, başlangıç bilgisi olarak büyük hikmetler taşıyan Kutsal İncil'e içgüdüyle yönelişini. Ve nasıl kaçtığını ve o öğrenme yerine dağlardan vadilerden geçerek nasıl ulaştığını ve öğrenim ayrıcalığı için, ya da eski insanların söylediği gibi 'kafasını kolejin duvarlarına sürte sürte' öğrenim ayrıcalığı için nasıl inatla, sabah, öğle, akşam demeyip çalıştığını hepiniz bilirsiniz. Parlak kariyerini bilirsiniz, daha o zamandan insanları coşturucu bir hatip olduğunu; sonra okuldan meteliksiz mezun oluşunu ve yıllar sonra bu memlekete dönüşünü, hepiniz bilirsiniz.

İşte o zaman başlar büyük mücadelesi. Gözünüzün önüne getirin, benim genç arkadaşlarım: Karanlık bulutlar bütün ülkeyi kaplamış, siyah halk, beyaz halk korku ve nefretle dolu, ilerlemek istiyorlar ama biri ötekinden korkuyor. Bütün bölge korkunç bir gerilime yakalanmış. Herkes, sıçrayacağı zamanı bekleyen bir şeytan gibi bu toprakların üzerine çökmüş olan korkuyu ve nefreti dağıtmak, eritmek için ne yapılması gerektiği sorusuyla şaşkın; bilirsiniz onun nasıl gelip, onlara yolu gösterdiğini. Ah, evet, arkadaşlarım. Eminim defalarca ve defalarca duymuşsunuzdur bunu; bu tanrı adamının çalışmalarını, büyük alçakgönüllülüğünü ve bulanmayan görüşünü, bu görüşün bugün sizin yararlandığınız meyvelerini; somut, elle tutulur; kölelik günlerinin kopkoyu karanlığında doğmuş ve bugün artık sizin soluduğunuz havada bile, birbirine karışmış seslerinizin tatlı uyumunda, her birinizin –kölelerin kızları ve kız torunları, oğulları ve oğlan torunları– aydınlık ve her şeyi tamam sınıflarda paylaştığınız bilgide gerçekleşmiş olan düşünü onun. Bu kölenin, bu kara Aristo'nun yavaş yavaş, yumuşak bir sabırla, yalnızca bir insanın değil fakat Tanrı vergisi bir inancın sabrıyla hareket ettiğini anlamalısınız. Her güçlüğün üstesinden gelirken yavaşça hareket edişini anlamalısınız. Sezar'ın hakkını Sezar'a vererek, evet; ama sizin şimdi yararlandığınız nurlu ufku aramaktan bir an bile geri durmaksızın..."

"Bütün bunlar," dedi, parmaklarını açıp önüne doğru uzatarak, "bir uçtan bir uca bütün ülkede defalarca anlatıldı, alçakgönüllü ve fakat hızla ayağa kalkmasını bilen bir halkın gözünü açarak. Duymuşsunuzdur bunu ve bu –bu, sonu çok güzel biten gerçek hikâye, bu, tanıtlanmaz zaferin ve alçakgönüllü soyluluğun canlı masalı– dediğim gibi bu özgürleştirdi sizleri. Hatta bu kutsal yere daha bu sömestr gelmiş olanlarınız bile bilir bunu. Ananızdan babanızdan duymuşsunuzdur onun adını; çünkü onları doğru yola çıkaran, büyük bir kaptan gibi onlara yol gösteren o idi; halkını güvenle ve kılına zarar gelmeden kan kızıl denizin dibinden çıkarıp karşı kıyıya geçiren, eski zamanların o büyük yol göstericisi gibi. Ve sizin ana babalarınız bu olağanüstü insanın izinden gitti önyargının kara denizinden karşı kıyıya geçerken, cehalet toprağından güvenle geçerken, korku ve kızgınlık fırtınaları içinde, gerektiğinde 'BIRAK HALKIMIN YAKASINI' diye bağıran, fısıldamanın en akıllıca şey olduğu zamanlarda ise aynı şarkıyı kulaktan kulağa fısıldayan insanın peşinden. *Ve duydular onu.*"

Sırtımı sert tahta sıraya dayamış, bir uyuşukluk içinde, coşkularım bir dokuma tezgâhındaki gibi onun sözcüklerine ilmik ilmik bağlanmış dinliyordum.

"Ve anımsayın," dedi, "o berbat günlerde nasıl zor durumlara katlandığını; düşmanları canına kastetmeye kalkmıştı. Ve bir gezisinde, çopur yüzünden siyah mı, beyaz mı olduğu anlaşılamayan garip bir adamın nasıl önüne çıkıp onu durdurduğunu anımsayın... Kimileri Yunan olduğunu söyler. Kimileri Moğol. Başkaları, bir zenci melezi; daha başkalarıysa Tanrı'nın gönderdiği basit bir beyaz adamdı, der. Kim olursa olsun, ne olursa olsun, biz, doğrudan doğruya yukardan –evet, elbette!– yukardan gönderilen bir haberci olduğu ihtimalini gözden uzak tutmamalıyız ve nasıl birden ortaya çıkarak atını ürküttüğünü ve uyardığını Kurucu'yu. Atını ve arabasını oracıkta yolda bırakıp hemen oradaki bir kulübeye girmesini söylediğini Kurucu'ya, sonra sessizce ortadan kaybolduğunu; öyle sessiz ki, benim genç arkadaşlarım, Kurucu'nun acaba hayal mi gördüm diye kuşkulandığını anımsayın. Ve hep bilirsiniz o büyük adamın akşam karanlığında kente yaklaştıkça içine kuşku düşse de yine kararlı bir şekilde nasıl yoluna devam ettiğini. Kaybolmuştu, ilk tüfek patladığında derin düşüncelere dalmıştı; sonra onu başından yaralayan –ah, Tanrım!–, sersemlemiş ve ölü gibi yere seren o öldürmecesine yaylım ateşi başlamıştı.

Onlar, onun üzerine eğilmiş o iğrenç işlerini seyredip incelerken nasıl kendine geldiğini ve duymasınlar beceriksizliklerini, Fransızların dediği gibi bir *Coup de Grace*'la* ortadan kaldırmasınlar diye soluğunu tuttuğunu kendi ağzından dinledim ben. Ha! Ve ben eminim ki, sizler her biriniz onun kaçışını ta içinizde yaşamamışsınızdır onunla birlikte," dedi sanki doğruca benim yaşarmış gözlerime bakıyor gibi.

"O uyandığında siz de uyandınız, daha fazla zararları dokunmadan çekip gittiklerine sevindiğinde, siz de gördünüz sevindiniz; o ayağa kalktığında siz de; etrafında dönerlerken bıraktıkları ayak izlerini ve vücudunun düştüğü yerin etrafına saçılmış mermi kovanlarını gözleriyle görürken siz de; evet, kanı, soğuk, toprağa bulanmış ama öldürecek kadar akmamış kanı da. Ve içiniz kuşku dolu, yabancının işaret ettiği kulübeye koştunuz onunla... Hani hatırlarsınız, çocukların kent meydanında alay edip kızdırdıkları o yaşlı, gülünç suratlı, aklı kıt adamı. Ve oydu sizin yaralarınızı saran, Kurucu'nun yaralarıyla birlikte. Onu, yaşlı köleyi, bu konularda –kendi deyişiyle *germology* ve *scabology* konularında– Ha, ha! Şaşılacak derecede bilgisi olan onu... Gençlere yaraşır canlılıkta ne usta ellerdi onlar! Saçlarımızı kazıyan, yaralarımızı temizleyen ve ayaklanan gürruhun lideri olan adamın evinden çalınmış bezlerle, yaralarımızı güzelce saran oydu çünkü. Ve anımsarsınız, Kurucu'yla, Önder'imizle o kapkara kaçış ustalığı içine derinliğine nasıl daldığınızı; önce, tabii, sanatını köleliğinde öğrenmiş olan deli görünüşlü adamın kılavuzluğunda, onun işaretiyle. Gecenin zifiri karanlığında Kurucu'yla birlikte bir yerde bırakıldınız ve ben biliyorum bunu. Nehrin yatağı boyunca hızla yürüyordunuz sessiz sedasız, sivrisinekler sokarak, baykuşlar arkanızdan kovalayarak, yarasalar fır fır dönerek etrafınızda, kayaların arasında çıngıraklarını çalan yılanlar vızır vızır, çamur ve ateş, karanlık ve iç çekişi... Ertesi gün akşama kadar gizlendiniz on üç kişinin üç küçük odada uyuduğu kulübede, ocağın bacasının içinde durarak karanlık basıncaya kadar, sırtınız o is, kurum ve kül içinde –Ha, ha!–, içinde şuncacık ateş kalmamış ocağa göz-

---

(*) Acılara son veren öldürücü vuruş – ç.n.

lerini dikmiş nineciğin bekçiliğinde. Karanlığın, karalığın içinde duruyordunuz uluyan köpekleriyle geldiklerinde; çıldırmış sandılar onu, nineciği. Ama o biliyordu, biliyordu! Ateşi biliyordu! Ateşi biliyordu! Hiç sönmeksizin yanan ateşi biliyordu o! Tanrı hakkı için biliyordu!"

Bir kadın sesi, konuşan adamın içimdeki hayalini tamamlıyarak, "Tanrım, doğru!" diye cevap verdi.

"Ve siz onunla ayrıldınız ordan sabahleyin, pamuk yüklü bir arabanın içinde gizlenerek, koyun postunun tam ortasında, ne olur ne olmaz diye alınmış tüfeğin namlusundan kızgın havayı soluyarak; Tanrı'ya şükür ki, kullanılması gerekmeyen fişekler dizi dizi ve gergin parmakları arasında elinizin. Ve bu köye geldiniz onunla; bir gece bir aristokrat gizledi sizi, ertesi gece hiçbir kin tutmayan bir beyaz demirci; gizliliğin şaşırtıcı zıtlıkları... Kaçarken, evet! Sizleri tanıyanlar ve de tanımayanlar yardım etti size. Çünkü bazıları için onun yüzünü görmek yetiyordu; ötekilerse, siyahlar, beyazlar, bu olmadan bile yardım ettiler. Ama daha çok kendimizdik yardım eden; çünkü siz kendileriydiniz onların ve biz hep kendi kendimize yardım ederiz. Ve böylece, genç kardeşlerim benim, kız ve erkek kardeşlerim, gittiniz onunla, kulübelerde, dışarıda geceleyin ve sabahın erinde bataklıklardan geçerek, tepeleri tırmanarak. Hep kara ellerden kara ellere, arada bir de beyaz ellere geçerek ve bütün eller ta içten duyulan bir şarkıyı yapan sesler gibi Kurucu'nun özgürlüğüne ve de kendi özgürlüğümüze şekil vererek, yaparak onu. Ve sizler, her biriniz, onunla birlikteydiniz. Ah, ne kadar iyi bilirsiniz bunu; çünkü sizdiniz özgürlüğe kaçan. Ah evet, biliyorsunuz hikâyeyi."

Dinlendiğini görüyordum şimdi, kilisenin bir ucundan öbür ucuna gülümseyerek baktığını, kocaman başını bir deniz feneri gibi kilisenin her köşesine çevirerek, ben coşkumu bastırmaya çalışırken sesi hâlâ yankılanarak. İlk kez kederlendiriyordu beni Kurucu'nun anılışı; kampus kaçıyordu yanımdan sanki, hızla geriye çekilerek, bölük pörçük bir uykuda bir düşün sönüşü, kayboluşu gibi. Yanı başımdaki öğrencinin gözleri şişmişti ağlamaktan, yaş içindeydi; ta içinde bir mücadeleyi sürdürüyormuş gibi sertleşmişti yüz çizgileri. Şişman Adam en ufak bir çaba göstermeksizin bütün dinleyicilerin duygularını sömürüyordu. Kendisiyse kara camlı gözlüğünün gerisine gizlenmiş, yalnızca hareketli çehresi sesindeki acıklılığa göre değişerek, tamamen sakin görünüyordu. Yanımdaki çocuğu dirseğimle dürttüm.

"Kim bu?" diye fısıldadım.

Canını sıkmışım gibi neredeyse nefret ederek baktı yüzüme, "Saygıdeğer Homer A. Barbee" dedi. "Şikago'dan."

Konuşmacı şimdi kollarını konuştuğu kürsünün üzerine koymuş, Dr. Bledsoe'ya dönmüştü.

"Güzel hikâyenin başlangıcını işitmiş bulunuyorsunuz arkadaşlarım. Ama bir de acıklı bir sonu var, belki de birçok bakımdan en zengin yanı. Bu şanlı sabah güneşinin batışı."

Dr. Bledsoe'ya döndü, "Mukadder bir gündü o; Sayın Dr. Bledsoe, hatırlatmama izin verin, oradaydık çünkü. Ah, evet, benim genç arkadaşlarım," dedi tekrar bize dönerek, yüzünde hüzünlü, mağrur bir gülümseme. "Onu iyi tanıyordum, seviyordum ve oradaydım."

"Bildirisini taşıyıp yaydığı birçok eyaleti birlikte dolaşmıştık. Halk, peygamberi dinlemeye gelmişti, kalabalıklar cevap vermişti çağrısına. Eski günlerin insanları; önlüklü kadınlar ve patiskadan, alaca dokumadan giysili Hubbard analar; iş elbiseleri ve yamalı yün elbiseleriyle adamlar; yassılmış eski hasır şapkalarının ve eğri büğrü olmuş güneş başlıklarının altından bakan allak bullak olmuş şaşkın yüzlerden bir deniz. Öküzlerini, katırlarını önlerine katıp gelmiş olanlar; uzun yolları yaya tepenler. Eylül ayıydı, zamansız bir soğuk vardı. Onların dertli ruhlarına rahatlık ve güven vererek konuşuyordu, gözlerinin önüne bir yıldız dikmişti gökyüzüne ve boyuna dolaşıyorduk bildiriyi götürerek başka kalabalıklara, başka sahnelere.

Ah, o bitmez tükenmez dolaşma günleri, o gençlik dolu günler, o ilkbahar günleri; bereketli, çiçekli ve gün ışığı dolu, umut dolu günler. Ah, evet, Kurucu'nun yalnızca bu kıraç vadide değil, memleketin dört bucağında bir düşü kurduğu, bir düşü insanların yüreklerine damla damla akıttığı o dile gelmez şanlı günler; bir milletin iskeletini dikerken. Nadaslı tarlaya atılan tohum misali bildirisini yayarken, kendini feda ederken, her iki renk deriden düşmanlarıyla dövüşürken ve bağışlarken onları; ah evet, her iki renk deriden de düşmanı vardı. Ama bildirisinin büyüklüğüyle, kendini adadığı görevle dopdolu içi, ilerleyerek ve tutkusu içinde, belki de fani gururu içinde, doktorunun sözüne aldırmayarak. Gözlerimi kapasam, iğne atsan yere düşmeyecek salonun o yüce havasını görürüm. Kurucu, belagatinin nazik avuçlarında tutuyor bütün dinleyicileri, sarsıyor, yumuşatıyor, öğretiyor; ve ta aşağıda, nar gibi kızarmış kocaman şiş karınlı bir sobanın alevinde kendinden geçmiş yüzler; evet, bildirisinin emredici gerçeğine yakalanmış, büyülenmiş sıralar. Ve şu anda yeniden duyuyorum, sesi güçlü, uzun ve ağır cümlenin sonuna ulaştığında o büyük uğultulu suskunluğu ve dinleyicilerden birinin, apak başlı bir adamın yerinden fırlayarak, 'Ne yapacağımızı söyleyin bize, efendim! Tanrı aşkına, söyleyin bize! Geçen hafta elimden aldıkları oğul adına söyleyin bize!' deyişini ve bütün salonda, 'Söyleyin bize! Söyleyin bize!' diye yalvaran seslerin yükselişini. Ve Kurucu, birden gözyaşları içinde susmuş."

Yaşlı Barbee'nin sesi, platformda ileri atılmak ister gibi, kesik kesik ani hareketler yaparken çın çın ötüyordu salonda. Hikâyenin bir kısmını biliyordum; ama bir yanımla onun kaçınılmaz, hüzünlü sonuna karşı mücadele ederek marazi bir büyülenişle seyrediyordum onları.

"Ve Kurucu kısa bir süre durur, sonra büyük coşkusu gözlerinden okunarak ileri doğru çıkar. Kollarını havaya kaldırır, cevap vermeye başlar ve sendeler. Herkes sarsılır birden, ortalık karışır. Biz koşar dışarı çıkarırız onu.

Dinleyiciler dehşet içinde ayağa fırlar. Korku ve telaş içindedir herkes, ağlar, feryad eder. Bir fırtınanın aniden patlayışı gibi Dr. Bledsoe'nun sesinin güçlü, etkili, bir kırbaç gibi şakladığını, bir umut şarkısına başladığını duyana kadar. Ve biz, Kurucu'yu dinlenmesi için bir sıraya yatırırken, Dr. Bledsoe'nun, zamanı o güçlü darbeleriyle o çukur platforma çakan, orada durduran sesini; yalnızca sözleriyle değil, o şahane bas sesinin çıplak gücüyle emredişini duyuyorum –ah, bir şarkıcı değil miydi o, sahi? Bugün de bir şarkıcı değil mi hâlâ?– ve dinleyiciler dururlar, sakinleşirler ve sendeleyen devlerine karşı onunla birlikte şarkı çağırırlar. Kandan ve kemikten yoğrulmuş uzun zenci şarkıları çağırırlar:

'UMUT'tur bu!

Sıkıntı ve acının şarkısını:

'İNANÇ'tır bu!

Alçakgönüllülüğün ve saçmalığın şarkısını:

'SABIR'dır bu!

Bir türlü bitmeyen mücadelenin karanlıklarında:

'ZAFER'dir..."

"Ah!" diye bağırdı Barbee ellerini birbirine çarparak. "Ah! Şarkı üstüne şarkı söyleyerek, ta ki Önder kendine gelinceye kadar!" (şap, şap edişi ellerinin.)

"Onlara sesleninceye..."

(Şap!) "Tanrım, Tanrım"

"Onları inandırıncaya..." (Şap!)

"Ki..." (Şap!)

"Bitmek bilmeyen çabalarında yorgun düşmüş olduğuna inandırıncaya kadar..." (Şap!) "Evet, gönderir onları, sevindirerek, teker teker hepsinin elini dostça sıkarak, her birini kendi yoluna gönderir..."

Barbee'nin yüzünü bir yarım daire şeklinde seyrediyordum; dudakları sımsıkı, yüzü coşkuyla hareketli, avuçları ses çıkarmaksızın birbirine vurarak.

"Ah, onun o güçlü topraklarını işlediği günler, ürünün tuttuğunu ve boy attığını seyrettiği günler, o gençlik, gün ışığı dolu yaz günleri..."

Özlem dolu bir iç çekişti Barbee'nin sesi. O, derinden içini çekerken, kilise soluk almıyordu. Sonra, kar gibi beyaz bir mendil çıkardığını, koyu renk gözlüğünü çıkardığını ve gözlerini sildiğini gördüm onun; içine düştüğüm yalnızlığın, yalıtılmışlığın gittikçe artan uzaklığından, onur yerinde oturan insanların büyülenmiş başlarını yavaş yavaş salladıklarını görüyordum. Sonra Barbee'nin yeniden konuşmaya başladı, bu kez bedeninden kurtulmuş ve sanki hiç durmamış, susamamış gibi; sözcükleri, kaynakları bir an için kurumuş olsa da içimizde yankılanarak ritmik akışlarını sürdürmüşler gibi.

"Ah, evet benim genç arkadaşlarım, ah evet, evet," diye devam etti büyük bir hüzünle. "İnsanın umutları ortalığı pespembe gösterebilir, yükseklerde uçan bir akbabayı soylu bir kartala ya da dem çeken bir güvercine döndürebilir. Ah, evet! Fakat ben *biliyordum*" diye bağırdı; irkildim birden. "*İçimdeki o büyük, o acılı umuda* rağmen o büyük ruhun çökmekte olduğunu, ıssız kışına doğru yaklaştığını *biliyordum*, biliyordum büyük güneş batıyordu. Çünkü bazen malum olur insana bu gibi şeyler. Ve bu bilişin korkunç ağırlığı altında eziliyordum, onu taşıdığım için kendime lanet ediyordum. Ama Kurucu'nun verdiği coşku öyleydi ki –ah, ah!– biz, o muhteşem sonbahar boyunca kasabadan kasabaya koşup dururken, çok geçmedi unuttum. Ve sonra... ve sonra... ve... sonra..."

Sesinin bir fısıltı haline gelişini dinliyordum; elleri, bir orkestrayı derin ve son bir *diminuendo*'ya doğru yönetiyormuş gibi ileriye uzanmış. Sonra yeniden yükseldi sesi, dalga dalga, sanki kuru, heyecansız ve gittikçe hızlanarak:

"Trenin hareket edişini anımsıyorum; dağların içine doğru dik yokuşa vurduğunda nasıl inliyormuş gibiydi. Hava soğuktu. Don, buzdan şekillerini çizmişti pencerenin kenarlarına. Trenin düdüğü derinden ve yalnızdı, dağın derinliklerinden çıkan bir iç çekişi gibiydi.

İlerde, ön vagonlardan birinde, hat sorumlusunun emriyle onun için ayrılmış bir yataklıda sarsılarak uzanıyordu Önder'imiz. Ani ve ne olduğu bilinmeyen bir hastalığa yakalanmıştı. Ve içimdeki acıya rağmen biliyordum ki güneş batıyordu artık; gökler gönderiyordu bu haberi çünkü. Tren soluya soluya koşuyor, tekerlekler çelik raylar üzerinde tıkırdıyordu. Buz tutmuş camdan nasıl dışarı baktığımı ve uzakta hayal gibi Kutup Yıldızı'nı gördüğümü ve sonra gökyüzü gözünü kapamış gibi onu kaybettiğimi anımsıyorum. Tren dağın etrafını dolaşıyordu; lokomotif, yana yatmış son vagonlara paralel, her an bizi daha yükseklere çıkarırken, soluk beyaz buharını soluyarak iri, kara bir av köpeği gibi koşturup duruyordu. Uzatmayalım, gökyüzü kapkaraydı, ay yoktu..."

Giderek uzattığı, "aayy..." sesi kilisenin üzerinde yankılanırken, çenesini, beyaz yakası kaybolana kadar göğsüne düşürdü, kesintisiz dümdüz kara bir şekildi şimdi; soluk aldıkça çıkan hırıltıyı duyuyordum.

"Sanki gökyüzündeki yıldızlar bile biliyordu bizim yaklaşmakta olan acımızı," dedi başını tavana doğru kaldırmış, boru gibi, gırtlaktan bir sesle. "Çünkü o büyük –sonsuz– her şeyi kaplayan zifiri karanlığa karşı bir tek, mücevhere benzer bir yıldız belirdi birden ve önce kesik kesik parlayıp söndüğünü, sonra kopup, bir damla gönülsüz gözyaşı gibi kömür karası gecenin yanağından aşağı süzüldüğünü gördüm..."

Büyük coşkuyla kafasını salladı, "Mmmmmmm" diye inlerken dudakları büzülmüş, sanki o kendisini iyice görüyormuş gibi Dr. Bledsoe'ya dönerek. "Bu mukadder anda... Mmmmm, sizin büyük müdürünüzle oturuyordum... Mmmmmmmm! Biz oturmuş bilim adamlarından bir şey söylemelerini beklerken o derin düşüncelere dalmıştı ve o kayan yıldıza bakıp bana dedi ki,

'Barbee, dostum, gördün mü?'

Ve ben cevap verdim, 'Evet, Doktor, gördüm.'

O anda felaketin soğuk elini duyduk boğazlarımızda. Ve doktor Bledsoe'ya, 'Dua edelim' dedim. Oracıkta, sağa sola yalpalayan döşemeye diz çöktük; ağzımızdan çıkan sözler duadan çok sessiz ve korkunç bir üzüntünün sesleriydi. İşte o zaman, hızla giden trenin hareketinden sendeleyerek ayaklarımızın üzerinde doğrulunca doktorun bize doğru geldiğini gördük. Ve soluk almaya korkarak bilim adamının bomboş ve anlamsız yüz çizgilerine bakıyorduk, bütün varlığımızla sorarak: Umut mu yoksa felaket mi getiriyorsun bize? İşte o zaman ve orada Önder'imiz son yolculuğuna çıkmak üzere olduğunu haber verdi bize...

Zalim darbenin indiği ve çaresiz ortada kaldığımız söylendi bize; ama Kurucu hâlâ bizimleydi, hâlâ başımızdaydı. Trendeki bütün insanların içinden onu, şimdi orada sizin önünüzde oturan kimseyi, benim için Tanrı'ya yakın bir insan olan onu çağırıyordu yanına. Ama o, gece yarısı konuşmalarının, görüşmelerinin arkadaşını; savaşlardaki yoldaşını; uzun, yorucu yıllara rağmen zaferde olduğu gibi dimdik savunmada kalmış olan kimseyi istiyordu daha çok.

Ölgün ışıklarla aydınlanmış karanlık geçidi şimdi bile görebiliyorum ve önümde Dr. Bledsoe'nun sallana sallana gidişini. Kapıda, yataklı vagonun kamarotu ve kondüktör duruyordu; biri kara, biri beyaz iki Güneyli, ikisi de ağlıyor. İkisi de gözyaşı içinde. Ve biz içeri girince bize doğru baktı, iri gözleri kendinden geçmiş ama hâlâ soyluluk ve yüreklilikle alev alev yastığının beyazlığı üzerinde; arkadaşına baktı ve gülümsedi. Eski kavga arkadaşına, sadık savaşçısına, yardımcısına, sıkıntılı ve cesaret kırıcı zamanlarda ruhunu canlı tutmuş olan eski şarkıların o eşsiz söyleyicisine, eski bildik ezgileri söyleyişiyle herkesin kuşkularını ve korkularını yatıştırana sıcak gülümseyişiyle baktı; cahilleri, korkakları ve kuşkululuları, hâlâ kölelik paçavraları içinde yuvarlananları düzene sokan; o, orada, Önder'iniz, fırtınanın çocuklarını sakinleştiren insan. Ve Kurucu, arkadaşına bakarken, o gülümsüyordu. Ve elini dostuna, yoldaşına doğru uzatırken, şimdi benim elimi size uzatışım gibi böyle, 'Yaklaş, yaklaş' dedi. Yaklaştı, yatağın yanına kadar, yandan, omzunun üzerinden gelen ışığın altında onun yanına diz çöktü yere. Eli uzandı, yavaşça dokundu ona ve dedi, 'Artık sen omuzlayacaksın yükü. Yolun geri kalanında sen önderlik edeceksin onlara!' Ve ah, o trenin çığlığı ve gözyaşlarının dindiremediği o acı!

Tren dağın zirvesindeyken o bizimle değildi artık. Ve yokuş aşağı kaptırdığında aramızdan ayrılmıştı.

Tam bir keder treni olmuştu. Dr. Bledsoe, kafası yorgun, yüreği taş gibi oturuyordu orada. Ne yapmalıydı? Önder ölmüştü ve kendisi savaşı yönetirken vurulup düşen generalin atının eğerine oturtulmuş bir süvari gibi birliklerin başına itilmişti birden. Onun ateşli ve yaralı atının üzerine oturtulmuştu. Ah! Ve o büyük, kara, soylu hayvan, savaşın korkunç gürültüsü içinde gözleri çakmak çakmak ve kaybını hissederek gemini zorluyor. Nasıl bir emir vermeli? Omzuna aldığı yükle yurda; telgraf tellerinin daha şimdiden bu kara haberi çektiği, konuştuğu, takırdadığı yere mi dönmeliydi? Dönmeli ve düşen askeri bu soğuk ve yabancı dağdan aşağı, şu vadiden yurda mı götürmeliydi? O sevgili gözler donuklaşmış, körelmiş; güçlü eller hareketsiz; eşsiz ses susmuş; Önder soğumuş, buz gibi geriye dönmek mi? Sıcak vadiye, fani bakışlarıyla artık ışıtamayacağı yeşil topraklara mı dönmeli? Kendisi şimdi dönülmez yolculuğa çıkmış da olsa Önder'in hayalinin izinden mi gitmeliydi?

Ah, tabii biliyorsunuz hikâyeyi: Ölüyü o yabancı kente nasıl taşıdığını, Önder'i açık tabut içinde uzanırken başında yaptığı konuşmayı, kara haber yayılınca nasıl bütün kentte bir günlük yas ilan edildiğini. Ah, nasıl zengin-yoksul, kara-beyaz, zayıf-güçlü, genç-ihtiyar herkesin son görevlerini yapmaya geldiğini; birçoğu Önder'in değerini ve onunla birlikte neyi kaybettiklerini ancak ölümüyle anlayarak. Ve Dr. Bledsoe'nun, görevini yapmış olarak, arkadaşının başında, basit bir yük vagonunda üzüntülü nöbet görevini nasıl yerine getirdiğini ve istasyonlarda halkın nasıl ona saygılarını sunmaya geldiğini...

Ağır ağır giden bir tren. Keder dolu bir tren. Ve bütün yol boyunca, dağda ve vadide, çelik rayların kendi sadık yollarını bulabildiği her yerde, insanlar ortak kederleri içinde birleşmiş bir tek kişiydiler ve soğuk çelik raylar gibi kederlerinin içine gömülmüşler, çivilenmişlerdi. Ah, ne hüzünlü bir gidişti o!

Ondan da hüzünlü bir varış. Benimle birlikte görün, genç arkadaşlarım, benimle birlikte işitin: Onun çalışmalarını paylaşmış olanların ağlamalarını ve dövünmelerini. Güzel Önder'leri kendilerine dönüyordu, ölümün taş gibi hareketsizliğinde, buz gibi soğuk. Kendilerinden, capcanlı, insanlığının en olgun haliyle, ateşlerinin ve aydınlıklarının yaratıcısı olarak ayrılmıştı; soğuk, daha şimdiden bronz bir heykel olarak dönüyordu onlara. Ah, o *keder*, o *üzüntü*, benim genç arkadaşlarım. Kara halkın kara umutsuzluğu! Yeniden görüyorum onları; buralarda, her tuğlanın, her kuşun, her çimen yaprağının değerli bir anının geriye kalan bir parçası olduğu bu topraklarda dolaşırken ve her anı üzüntülerinin kör çivilerini bağırlarına çakan bir çekiç vuruşu olmuş. Ah, evet, bazıları aranızda şimdi, saçları ağarmış, kendilerini hâlâ onun hayaline adamış, hâlâ çalışıyorlar üzüm bağlarında. Ama o zaman, kara örtülü tabutu arkalarında upuzun yatıyor görünce, köleliğin kara gecesinin bir kez daha üzerlerine çöktüğünü hissettiler –nasıl olur da hatırlamazlardı?– karanlığın o eski, iğrenç kokusunu, eski ölümün pis kokan nefesinden daha kötü kokuyu duydular. Onların o güzel ışığı, kara örtülü bir tabuta kapatılmıştı, onların o haşmetli güneşleri bir bulutun arkasına girmişti.

Ah, ya o ağlayan boruların kederli sesi! Onları şimdi, kampusun dört köşesine yerleştirilmiş, vurulup düşmüş general için kesik kesik öterken duyabiliyorum; kara haberi, yeniden, her gün yeniden bildirirken, kederli sırlarını, inanamamışlar gibi, ne anlayabiliyor ne de kabul edebiliyorlarmış gibi havanın sessiz uyuşukluğu içinde birbirlerine her gün yeniden söylerlerken; borular, sevdikleri insanın başında ağlayan hafif yürekli kadınlar gibi. Ve halk geldi, eski şarkılar söyleyerek dile gelmez kederlerini dile getirmek için. Kara, kara, kara! Daha kara bir kedere batmış olan zenci halk, tabutun üzerindeki kara bez çırılçıplak yüreklerine asılmış; kederi dile getiren kara halk türkülerini utanmadan söyleyerek, acıyla kıvranarak, yollarda, dönemeçlerde birbirinin üzerinden akarak, yere sarkmış ağaçların altında ağlayıp döverek ve ağırdan, mırıltılı sesleri çölde bir rüzgârın uğultusu gibi. Ve en sonunda, bayırda toplandılar, yaşlı gözlerin görebildiği kadar uzakta başları eğik, türkü söyleyerek öylece durdular.

Sonra sessizlik. Kenarlarında acılı çiçekler açmış ıssız çukur. On iki beyaz eldivenli el, ipekten halatı gergin tutarak bekliyor. O korkunç sessizlik. Son sözler söylenmiştir. Ve de yerine atılan bir tek yaban gülü, yaprakları, isteksizce indirilen tabutun üzerine kar taneleri gibi dağılarak düşer. Sonra toprağa indirilir, eski yorgun toprağa geri verilir, soğuk kara balçığa... hepimizin anası... olan."

Barbee susunca sessizlik o kadar büyük oldu ki kampusun ta öbür ucundan, heyecanlı bir nabız gibi gecenin yüreğini attıran elektrik motorlarını duydum. Dinleyicilerin içinden yaşlı bir kadın kederli bir ağıt tutturdu; daha doğmadan bir hıçkırıkla sönen kederli, dile gelmeyen bir şarkı gibi.

Barbee başını geriye atmış, kolları yanlarına düşüp kalmış, yumrukları, kendisini tutmaya çalışır gibi umutsuzca sıkılmış dikiliyordu. Dr. Bledsoe, yüzünü elleriyle kapamış oturuyordu. Yakınımda biri burnunu çekiyordu. Barbee, sendeler gibi bir adım attı ileriye doğru.

"Evet, evet" dedi. "Ah, evet. Bu da eşsiz hikâyenin bir parçasıdır. Ama onu bir ölüm diye değil, bir doğum diye düşünün. Koca bir tohum ekilmişti. Büyük yaratıcı dirilmişçesine, meyvesini her mevsim yeniden vermeye devam eden bir tohum. Çünkü bir anlamda o, beden olarak değilse bile, ruh olarak vardı. Ve bir anlamda beden olarak da. Bugünkü Önder'iniz onun canlı temsilcisi, onun fiziksel varlığı olmamış mıydı? Kuşkunuz varsa bunda, etrafınıza bakın. Genç arkadaşlarım, benim sevgili genç arkadaşlarım! Size önderlik edenin nasıl bir insan olduğunu nasıl anlatayım size? Kurucu'ya verdiği andı nasıl eksiksiz yerine getirdiğini, emaneti ne kadar bilinçli bir şekilde taşıdığını nasıl anlatayım, göstereyim size?

Önce, okulu bir zamanlar olduğu gibi görmelisiniz. Bugün muhakkak ki büyük bir kuruluş; ama o zamanlar yedi tane bina vardı, şimdi yirmi; o zaman elli şube vardı, şimdi iki yüz; o zaman birkaç yüz öğrenci vardı, şimdi üç bin olduğunuzu söylediler bana. Ve artık lastik tekerleklerin dönmesi için asfalt yollarınız var, o zaman öküz ve katır çiftlerinin, at arabalarının geçeceği çakıl yollar vardı. O kadar zaman sonra, yemyeşil hazineleri, verimli çiftliği ve mis kokulu kampusu görmek, içinde dolaşmak için büyük kuruma yeniden dönmüş olmaktan yüreğimin nasıl kabardığını size anlatacak söz bulamıyorum. Ah! Ve birçok kasabadan daha geniş bir alana elektrik veren o harika fabrika; hepsi de kara ellerden çıkma. İşte böyle genç arkadaşlarım, Kurucu'nun ışığı hâlâ yanmakta. Önder'iniz, verdiği sözü bin katıyla yerine getirdi. Kendisini yüzüne karşı övüyorum; çünkü o büyük ve soylu bir denemenin ortak mimarıdır. Büyük arkadaşının değerli bir sürdürücüsüdür ve onun büyük, akıllı önderliğinin onu başta gelen devlet adamlarımızdan biri yapması da bir raslantı değildir. Onunki, örnek alınmaya değer bir büyüklüktür. Size söylüyorum, onu örnek alın kendinize. Her biriniz, bugün onun izinden gitmeyi amaç edinin kendinize. Yapılacak büyük işler henüz ilerde. Çünkü biz, genç ama çabuk yükselen bir halkız. Yaratılacak çok efsane var daha. Önder'inizin yükünü omuzlarınıza almaktan korkmayınız ve Kurucu'nun eseri her gün tekrarlanan bir zafer olsun, ırkınızın tarihi, birbiri üzerine eklenen zaferlerin masalı olsun."

Barbee, kollarını ileriye, dinleyicilerin üzerine doğru uzatmış duruyordu şimdi. Buda heykelini andıran vücudu bir kaya gibi sert ve hareketsizdi. Kilisenin içinde burun çekişleri duyuluyordu. Sesler hayranlıkla mırıldanıyordu ve ben eskisinden daha çok kayıp hissediyordum kendimi. Yaşlı Barbee, birkaç dakika içinde her şeyi göstermişti bana; şimdi kolejden ayrılmanın, etin kemikten ayrılması gibi bir şey olacağını biliyordum. Şimdi kollarını aşağı indirdiğini ve başı uzaktan gelen bir müziği dinlermiş gibi yukarı kalkık bir halde ağır ağır hareket ederek yerine doğru yöneldiğini görüyordum. Gözlerimi silmek için başımı eğmiştim ki, dinleyicilerden birden bir iç çekişin yükseldiğini duydum.

Yukarıya kaldırınca başımı, beyaz mütevellilerden ikisinin platforma doğru, Barbee'nin, Dr. Bledsoe'nun ayaklarına takılıp sendelediği yere doğru hızla koştuğunu gördüm. Yaşlı adam öne doğru, elleri ve dizleri üzerinde kayıyordu iki beyaz adam kollarından onu yakaladığında ve ayağa kalktığında adamlardan birinin yere doğru eğilip bir şey aldığını ve onun avcuna koyduğunu gördüm. Ne olduğunu, başını kaldırdığında gördüm ancak. Kısa bir an, bu hareketle, gözlüğünün koyu parıltısı arasında, görmeyen gözlerini kırpıştırdığını gördüm. Homer A. Barbee, kördü.

Dr. Bledsoe özürler dileyerek onu koltuğuna kadar götürdü. Sonra, yaşlı adam, yüzünde bir gülümsemeyle oturunca yerine Dr. Bledsoe platformun kenarına yürüdü ve kollarını kaldırdı. Ondan çıkan derin, kederli sesi ve ona katılan öğrenci korosunun yükselen kreşendosunu duyunca gözlerimi kapadım. Bu kez daha içten duyuluyordu müzik; konuklar için değil kendileri için söylüyorlardı; bir umut ve bir coşku şarkısı. Binadan dışarı kaçmak istedim; ama cesaret edemedim. Kaskatı ve dimdik oturuyordum, sırtımı sıramın sert arkalığına dayamış, bir çeşit umut gibi ona güvenerek.

Yaşlı Barbee, suçumu hissettirdiği ve kabul ettirdiği için bana, Dr. Bledsoe'nun yüzüne bakamıyordum artık. Çünkü, isteyerek yapmamış da olsam bu düşün devamını tehlikeye atmış olan herhangi bir hareket bir ihanetti.

Ondan sonraki konuşmacıyı dinlemedim; gözlerini durmadan bir mendille silen, söylediklerini heyecanlı ve anlamsız bir şekilde tekrarlayan uzun boylu bir beyazdı. Sonra orkestra Dvorjak'ın *Yeni Dünya Senfonisi*'nden parçalar çaldı ve ben onun hakim teması boyunca anamın ve büyükbabamın en sevdiği dini şarkı olan "Swing Low Sweet Chariot"un yankılandığını duydum kulaklarımda. Bu kadarına dayanamazdım artık; bir sonraki konuşmacı konuşmasına başlamadan, öğretmenlerin ve idareci kadınların kınayan bakışları önünden geçerek dışarıya, geceye fırladım.

Kurucu'nun ay ışığındaki heykeli üzerine konmuş bir ardıç kuşu, ay ışığının çılgına döndürdüğü kuyruğunu sonsuza kadar öylece diz çökmüş durumda kalacak olan kölenin başının üzerinde sallayarak uzun uzun ötüyordu. Gölgeli araba yoluna doğru çıktım, ötüşünü hâlâ duyuyordum arkamda. Sokak lambaları, kampusun ay ışığıyla aydınlanmış düşü içinde, her ışık kendi gölgeden kafesi içinde sakin, açık parlıyordu.

Pekâlâ törenin sonuna kadar bekleyebilirdim; çünkü fazla uzaklaşmamıştım ki, bir marş çalmaya başlayan orkestranın bir sönen bir canlanan notalarını duydum; arkasından öğrenciler dışarıya, gecenin içine boşalınca birden seslerin yükselişini... Bir korku duygusuyla idare binasına doğru yöneldim, oraya varınca karanlık kapı içinde durdum. Altımdaki çimenliğe gölgesi düşen sokak lambasının üstünü kaplamış pervaneler gibi heyecanla çırpınıyordu yüreğim. Dr. Bledsoe'yla gerçek konuşmamı yapacaktım şimdi; Barbee'nin konuşması geldi aklıma, kızdım. İyi biliyordum ki, o sözler kafasında daha taptazeyken Dr. Bledsoe benim özrüme pek aldırmazdı. Karanlık kapı içinde durmuş, okuldan kovulursam geleceğimin ne olacağını düşünüyordum. Nereye giderdim, ne yapardım? Memlekete nasıl dönerdim?

Altı

Bulunduğum yerin altında uzanan çimenlik bayırdan aşağı, şimdi benden; bir ihmal yüzünden kendisini değerli ve esinleyici her şeyden uzağa, karanlık içine atmış olan benden çok uzakta, bana yabancı ve her birinin gölgesi benimkinden çok üstün erkek öğrenciler yatakhanelerine doğru gidiyorlardı. Birlikte bir şarkı tutturmuş bir grubun geçişini dinledim. Fırında hazırlanmakta olan taze ekmek kokusu geldi burnuma. Kahvaltıların güzel, beyaz ekmeği; daha sonra odamda memlekette gelen böğürtlen reçeliyle yerim diye çoğu kez cebime attığım, ucundan sarı yağlar damlayan çörekler.

Kız yatakhanelerinde, binanın yanlarına görünmeyen ellerin attığı ışıklı tohumlar patlarmış gibi ışıklar görülmeye başladı. Birçok araba geldi geçti. Evleri kasabada olan bir kadın grubunun yaklaştığını gördüm. Birisinin elinde, kör bir insan gibi zaman zaman hafifçe yere vurduğu bir baston vardı. Konuşmalarından parçalar bana kadar geliyordu. Barbee'nin konuşmasını tartışıyorlardı heyecanlı heyecanlı, Kurucu'nun günlerini anımsıyorlardı, titrek sesleri dalgalanıyor, onun hikâyesini süslüyordu. Sonra, etrafı ağaçlıklı yolun altında tanıdık Kadillak'ın yaklaştığını gördüm ve birden paniğe kapılarak binaya girdim. Daha iki adım atmamıştım ki geriye döndüm ve dışarı, gecenin karanlığına kaçtım. Dr. Bledsoe'yla şu anda yüz yüze gelemezdim. Araba yolundan yukarıya doğru giden bir grup oğlanın arkalarına indiğimde açıkça titriyordum. Bir şey tartışıyorlardı heyecanlı heyecanlı; ama onları dinleyemeyecek kadar sarsılmıştım; gölgelerinin arkasından gittim yalnızca, sokak lambalarının ışığı altında cilalı ayakkabılarının donuk parıldayışına bakarak. Dr. Bledsoe'ya ne söyleyeceğimi hazırlamaya çalışıyordum. Oğlanlar kendi binalarına dönmüş olmalıydılar; çünkü kendimi birden kampusun dışında, anacaddeden aşağı inerken buldum; döndüm ve binaya doğru koştum.

İçeri girdiğimde mavi kenarlı bir mendille boynunu siliyordu. Sıkılmış yumruklarını önündeki lambada ileriye doğru uzatırken masa lambasından gözlüğüne düşen gölge, geniş yüzünün yarısını karanlıkta bırakıyordu. İkircikli duruyordum kapıda; Kurucu'nun zamanından kalma hatıralar olan eski ağır mobilyaları, çerçeveli portreleri, duvarlara savaş hatıraları ya da hanedan işaretleri gibi asılmış başkanların, sanayicilerin, güçlü insanların kabartma plakalarını daha yeni görüyordum.

Yarı karanlık içinde, "İçeri gir" dedi. O zaman kımıldadığını ve başını öne doğru eğdiğini gördüm; ateş gibiydi gözleri.

Sessiz sedasız, dengemi yitirterek bana, şaka ediyormuş gibi yumuşakça başladı söze.

"Oğlum" dedi. "Anlıyorum ki, Bay Norton'u o yasak bölgeye götürmekle kalmamış, o batakhaneye, Altın Gün'e de sokmuşsun."

Bir cümleydi bu, bir soru değil. Bir şey söylemedim; aynı uzun yumuşak bakışlarla bana bakıyordu. Onu yumuşatmak için Barbee mi yardım etmişti Bay Norton'a?

"Hayır," dedi, "onu yasak yere götürmek yetmezdi, tam bir tur yaptırmak, her şeyi bir tamam göstermek zorundaydın ona. Öyle değil mi?"

"Hayır, efendim... Demek istiyorum ki, hastaydı, efendim," dedim. "Biraz viskiye ihtiyacı vardı..."

"Ve onu götürecek, bildiğin tek yer orasıydı," dedi. "Yani oraya onun sağlığını düşünerek gittiniz..."

"Evet, efendim..."

"Ve bu kadar da değil," dedi, hem alay eden hem de hayret eden bir sesle. "Onu dışarıya çıkardın ve sofada, taraçada, hayatta –şimdilerde ne diyorlarsa işte orada– oturttun onu ve o yüksek sınıfa tanıttın!"

"Yüksek sınıf mı?" Kızdım, kaşlarımı çattım. "Yo; ama o istedi durmamı, efendim. Başka ne yapabilirdim?.."

"Tabii, tabii," dedi.

"Kulübeleri görmek istedi, efendim. Hâlâ böyle kulübeler kalmasına şaşmıştı."

"Tabii sen de durdun," dedi başını yeniden eğerek.

"Evet, efendim."

"Evet, tabii kulübe hemen açıldı, hayat hikâyesini, bütün o güzel dedikoduları anlattı ona?"

Açıklamaya çalıştım.

"Çocuğum," diye parladı, "kendine gel! Önce o yolda ne işin vardı? Direksiyondaki sen değil miydin?"

"Evet, efendim..."

"Öyleyse? Ona göstereceğin yeteri kadar güzel ev, o evlere giden araba yolları olsun diye kimlerin önünde eğilmedik, kimlere yalvarmadık, dilenmedik, yalan söylemedik, ha! Bir beyazın bin millik yoldan, ta New York'tan, Boston'dan, Philadelphia'dan sırf sen ona pis, sefil bir mahalleyi gösteresin diye geleceğini mi sandın? Durma orda öyle, bir şey söyle!"

"Ama ben yalnızca arabayı kullanıyordum, efendim. Orada yalnız o emrettiği için durdum..."

"Sana emretti ha?" dedi. "Sana *emretti*. Allah kahretsin, beyazlar hep emir verir, onların âdetidir bu. Niye bir bahane bulmadın? Oradaki insanların hastalıklı olduklarını –ne bileyim, çiçeğe yakalanmış olduklarını– söyleyemez miydin, ya da başka bir kulübe seçemez miydin? Niye o Trueblood'ın kulübesi? Oğlum, Allah, Allah! Sen zencisin, Güney'de yaşıyorsun; yalan söylemesini unuttun mu yoksa?"

"Yalan mı, efendim? Ona yalan söylemek, bir mütevelliye yalan söylemek mi, efendim? Ben?"

Üzülmüş gibi başını salladı. "Ben de kafası çalışan bir çocuk seçtim sanıyordum," dedi. "Okulu tehlikeye atmakta olduğunu bilmiyor muydun?"

"Fakat ben yalnızca onu hoşnut etmeye çalışıyordum..."

"Onu *hoşnut* etmek ha? Sen de bir kolej öğrencisisin, ha? Pamuk tarlalarındaki en sersem zenci piçi bile bilir ki, bir beyazı hoşnut etmenin yolu ona yalan söylemektir be! Nasıl eğitim görüyorsun burada sen? Sahi, kim söyledi sana onu oraya götürmeni?" dedi.

"O söyledi, efendim. Kimse değil."

"Yalan söyleme bana!"

"Doğrusu bu, efendim."

"Bak, sana söylüyorum, kim teklif etti önce?"

"Yemin ederim, efendim. Kimse söylemedi."

"Araboğlu, yalan söylemenin zamanı değil şimdi. Beyaz değilim ben. Gerçeği söyle bana!"

Yüzüme bir tokat vurmuştu sanki. Masanın öbür yanından dik dik bakıyordum ona, bana *böyle* desin O... diye düşünerek.

"Cevap ver bana, çocuk!"

Demek öyle, diye düşündüm, iki gözünün arasında bir damarın attığını görerek ve düşünerek. *Bana Araboğlu desin o?*

"Yalan söylemem ben, efendim," dedim.

"Peki o konuştuğunuz hasta kimdi?"

"Daha önce hiç görmedim, efendim."

"Ne söylüyordu?"

"Hepsini hatırlamıyorum," diye mırıldandım. "Saçmalıyordu adam."

"Ağzını aç, ne dedi?"

"Fransa'da yaşamış, kendisinin büyük bir doktor olduğunu sanıyor."

"Devam et."

"Benim, beyazın haklı olduğuna inandığımı söyledi," dedim.

"Ne?" Birdenbire, karanlık bir suyun yüzü gibi seğirdi, kırıştı yüzü. "Demek inanıyorsun, öyle mi?" diye sordu Dr. Bledsoe, pis pis gülüşünü gizlemeye çalışarak. "Öyle değil mi?"

Cevap vermedim, *siz, siz...* ya siz diye düşünerek.

"Kimdi o, daha önce hiç görmüş müydün onu?"

"Hayır efendim, görmemiştim."

"Kuzeyli miydi, Güneyli mi?"

"Bilmiyorum efendim."

Masaya vurdu. "Zenciler Koleji ha! Kuruluşu yarım yüzyıldan daha çok zaman almış olan bir kuruluşu yarım saat içinde yıkmaktan başka ne bilirsin sen, çocuk? Kuzeyli gibi mi, yoksa Güneyli gibi mi konuşuyordu?"

"Bir beyaz gibi konuşuyordu," dedim, "yalnız sesi Güneyli'ye benziyordu, bizden biri gibi..."

"Araştırmalıyım onu," dedi. "Böyle bir zencinin kilit altında olması gerek."

Kampusun öteki ucundan bir saat çeyreği vurdu; içimde bir şey susturdu saatin sesini. Umutsuzca ona doğru döndüm. "Dr. Bledsoe, çok özür dilerim. Oraya gitmek niyetim yoktu; ama önüne geçemedim olanların. Bay Norton, nasıl olduğunu anlar..."

"Beni dinle, çocuğum," dedi. "Norton başka insan, ben başka; o inandığını sansa bile ben bilirim inanmamıştır! Senin kötü kararın bu okula ölçüsüz zarar vermiştir. Irkımızı yükselteceğine, yerin dibine batırdın."

Akla gelebilecek en kötü suçu işlemişim gibi bakıyordu bana. "Böyle bir şeye göz yumamayacağımızı bilmiyor musun? En iyi beyaz dostlarımızdan birine, senin kaderini değiştirebilecek bir insana hizmet etme fırsatını verdim sana ben. Buna karşılık, sen bütün ırkımızı çamura sürükledin!"

Birden, bir kağıt yığınının altındaki bir şeye uzandı; kölelik günlerinden kalma bir bilek zinciriydi bu, övünerek, "İlerlememizin bir sembolü," derdi buna.

"Cezanı çekmelisin, oğlum," dedi. "Bunun şayeti, şu'su, bu'su yok."

"Ama Bay Norton'a söz vermiştiniz..."

"Dikilip durma orada da şu anda ne bildiğimi de söyle bari. Ne demiş olursam olayım, bu kuruluşun başı olarak, bunun böyle geçiştirilmesine izin veremem. Çocuk, kovuyorum seni!"

Elindeki madeni şey masaya çarptığı sırada olmuş olmalıdı bu; çünkü birden ona doğru eğilmiş öfkeyle bağırıyor buldum kendimi.

"Ona söyleyeceğim," dedim "Bay Norton'a gideceğim ve söyleyeceğim. İkimize de yalan söylediniz..."

"Ne?" dedi. "Beni tehdit etmeye kalkıyorsun... hem de benim büromda?"

"Söyleyeceğim ona," diye haykırıyordum. "Herkese söyleyeceğim. Mücadele edeceğim sizinle. Yemin ediyorum, mücadele edeceğim!"

"Peki," dedi yerine oturarak, "peki, hay kör şeytan!"

Bir an baştan aşağa baktı bana ve başının tekrar gölgeye çekildiğini gördüm, öfke çığlığı gibi yüksek, ince bir ses duydum; sonra yüzü tekrar ileriye doğru çıktı ve gülerken gördüm onu. Bir an baktım yüzüne, sonra geriye döndüm ve kapıya yürüdüm; arkamdan telaşla, "Bekle, bekle," dediğini duydum.

Döndüm. Bir an soluk almak için durdu, gözyaşları yüzünden aşağı boşalırken başını elleriyle tutuyordu.

Gözlüğünü çıkarıp gözlerini silerken, "Haydi gel," dedi. "Gel oğlum," dedi yatışmış, avunmuş bir sesle. Gizli bir örgütün kardeşliğe kabul töreninden geçmiş gibiydim sanki, geri dönmüş buldum kendimi; hâlâ acıyla gülerek yüzüme bakıyordu. Gözlerim yanıyordu.

"Çocuğum, delisin sen," dedi. "Sizin beyazlar hiçbir şey öğretmemiş sana; aklın da ortada bıraktı seni. Ne oldu size böyle genç zenciler? Burada işlerin nasıl yürüdüğünü anladınız artık sanıyordum. Ama sen işlerin nasıl olduğuyla *nasıl olması* gerektiği arasıdaki farkı bile bilmiyorsun. Tanrım," nefes aldı, "nereye gidiyor ırkımız? Bak çocuğum, istediğin kimseye söyleyebilirsin; otur şuraya... Oturun, efendim, oturun dedim ya!"

İstemeyerek oturdum, kızgınlıkla büyülenme arasında paramparça, baş eğdiğim için kendimden nefret ederek.

"Canının istediğine söyle," dedi. "Vız gelir bana. Sana engel olmak için serçe parmağımı bile oynatmam. Çünkü kimseye hiçbir şey borçlu değilim, oğlum. Kime, zencilere mi? Zenciler idare etmiyor bu okulu, birçok şey gibi bunu da mı öğrenmedin daha? Hayır efendim, bu okulu onlar idare etmiyorlar, ne de beyazlar. Doğru, *destekliyorlar*; ama *ben* idare ediyorum. Ben, büyük ve karayım ve gerektiğinde herhangi bir koca kafalı zenci kadar yüksek sesle, "Evet, efendi," derim; ama yine de kral benim burada. Dışardan nasıl görünürse görünsün aldırmıyorum. Kuvvetin gösteriye ihtiyacı yoktur. Kuvvet güvenlidir, kendine inandırır, kendiliğinden başlar ve durur, kendi kendini coşturur ve kendisi karar verir kendi hakkında. Sahip olduğun zaman tanırsın onu. Zenciler gülüşsün, palavracılar alay etsin, zararı yok! Gerçeği budur, oğlum. Bir yerde benim bile hoşnut etmeye çalıştığım, çalışır göründüğüm tek kişi, *kodaman* beyazlardır; ama bunları bile onların beni idare ettiklerinden daha çok idare ederim. Burası bir kudret örgütüdür ve bütün dizginleri de ben elimde tutarım. Aklından çıkarma bunu. Sen bana saldırırken, kudrete, zengin beyazların kudretine, milletin kudretine, ki hükümet demektir bu, ona saldırıyorsun demektir!"

Söylediklerinin içime işlemesi için bir an durdu; bense miskin ve şiddetli bir alçalış duygusuyla bekliyordum.

"Ve sana, sizin toplumbilim öğretmenlerinizin söylemeye korktuğu bir şey söyleyeyim," dedi. "Bunun gibi okulları çekip çevirecek benim gibi adamlar olmasaydı, Güney olmazdı. Ne de Kuzey. Hayır, ülke de olmazdı. Bunu da aklından çıkarma oğlum." Güldü. "Bütün o yaptığım konuşmalara ve çalışmama bakıp bir şeyler anladığını sanıyordum. Ama sen... Pekâlâ, git. Norton'u gör. *Onun* da senin cezalandırılmanı istediğini anlayacaksın; bilmeyebilir bunu o, ama ister. Çünkü onun yararı için en iyi şeyin ne olduğunu benim bildiğimi bilir. Sen, eğitilmiş budala zencinin birisin, oğul. O beyazların gazeteleri, dergileri, radyoları, sözcüleri vardır kendi fikirlerini yayacak. Dünyanın bir yalan söylemesini istiyorlarsa, onu o kadar güzel söylerler ki, gerçek olur o ve ben onlara senin yalan söylediğini söylersem, sen gerçeği söylediğini ispat etsen bile onlar bütün dünyaya yayarlar senin yalan söylediğini. Çünkü onların duymak istedikleri cinsten bir yalandır bu..."

İnce, tiz gülüşünü duydum yeniden. "Sen hiç kimse değilsin, oğul. Sen yoksun; göremiyor musun bunu? Beyazlar herkese ne düşüneceklerini kendileri söylerler, benim gibi adamlar hariç. Ben *onlara* söylerim; benim yaşamımdır bu, bildiğim şeyler hakkında ne düşüneceklerini, nasıl düşüneceklerini beyazlara söylemek. Sarsıyor seni, şaşırtıyor, değil mi? Ama, öyle işte. Pis bir iş, ben de hoşlanmıyorum her zaman. Ama beni dinle: Ben koymadım bu kuralı, değiştiremem de, bunu biliyorum. Ama onun için de yerimi yaptım ben ve bu yerde kalabilmek için gerekirse memleketteki zencilerin her birini bir ağaca astırırım sabahleyin."

Güzümün içine bakıyordu şimdi, sesi heyecanlı ve içten; benim ne inanabildiğim ne de yadsıyabildiğim bir sır verirmiş, fantastik bir şey açığa vuruyormuş gibi. Sırtımdan soğuk ter damlaları bir buz yavaşlığıyla aşağı doğru akıyordu.

"Doğru söylüyorum, oğul," dedi. "Bulunduğum yere ulaşabilmem için kuvvetli olmak ve amacımı iyi bilmek zorundaydım. Beklemek, plan kurmak ve etrafı yalamak zorundaydım... Evet, zenci gibi davranmak zorundaydım!" dedi ateşli bir "evet!" daha ekleyerek.

"Buna değip değmediği üzerinde durmuyorum bile; ama şimdi buradayım ve burada kalmak istiyorum; yarışmayı, oyunu kazandıktan sonra ödülü alırsın ve saklarsın, korursun; yapacak başka şey yoktur." Omuzlarını silkti. "İnsan, yerini kazanarak yaşlanır, oğul. Neyse sen yine de devam et, git hikâyeni anlat; gerçeğini benim gerçeğimin karşısına çıkart; çünkü sana söylediklerim gerçek şeylerdir, apaçık gerçektir. Dene, sına... Ben *ilk başladığımda* genç bir delikanlıydım..."

Ama artık dinlemiyordum, sözlerin insanı iğrendirici denizi içinde yüzer gibi görünen gözlüğünün madeni kenarlarında ışığın oynayışından başka bir şey de görmüyordum. Gerçek, gerçek, neydi gerçek? Tanıdığım hiç kimse, hatta kendi anam bile, anlatmaya çalışsam inanmazdı bana. Yarın ben de inanmam, diye düşündüm, ben bile... Umutsuzca, masanın tahtasının damarlarına daldım, gittim, sonra başının ötesinde, koltuğunun arkasındaki iki kulplu içki kâselerinin bulunduğu dolaba diktim gözlerimi. Dolabın üstünde Kurucu'nun bir portresi hiç renk vermeksizin duruyordu.

"Hii, hii!" Bledsoe gülüyordu. "Kolların benimle dövüşemeyecek kadar kısa oğul. Ve ben yıllardır genç bir zenciyi gerçekten yere sermek zorunda kalmamıştım. Hayır," dedi ayağa kalkarak, "her zaman oldukları gibi fazla kabarmamışlardı karşımda." Bu kez kımıldayamaz olmuştum; midem düğüm düğüm olmuştu, böbreklerim ağrıyordu. Bacaklarım benim değildi sanki, uyuşmuştu. Üç yıldır kendimi bir adam olarak düşünmüştüm, şimdiyse söylediği bir iki söz, bir süt çocuğu kadar çaresiz duruma düşürmüştü beni. Yerimden kalkmaya çalıştım. Havaya para atmak üzere olan bir insan gibi yüzüme bakarak, "Dur, bir dakika bekle," dedi. "Senin zekânı severim oğul. Mücadelecisin, hoşuma gidiyor bu; yalnız yargılama gücün yok, bu da mahvedebilir seni. İşte bunun için cezalandırmam gerek seni, *oğul*. Neler hissettiğini de biliyorum. Küçük düşeceğin için memlekete dönmek istemiyorsun, anlıyorum bunu; çünkü şeref hakkında karanlık, belirsiz düşüncelerin var. O kadar engel olmaya çalışmama rağmen, o gösterişli ama bomboş öğretmenlerle, o Kuzey'de eğitim görmüş idealistlerle sızıyor buraya böyle düşünceler. Evet, senin de beyazlardan arkan var ve onların yüzüne nasıl bakarım, diye düşünüyorsun; çünkü bir zenci için beyazlardan hakaret görmekten daha ağır bir şey yoktur. Bütün bunları da biliyorum; senin doktorun da azarlanmış, küçük görülmüş, her bir şeyi görmüştür. Sadece şarkısını *söylemiyorum* onun kilisede, *biliyorum* da. Ama zamanla geçer bunlar; budalaca ve pahalı bir şeydir bu, adamın sırtına yük olur. Bırak beyazlar düşünsün gururu ve şerefi; sen nerede olduğunu öğren, güçlü ve etkileyici olmaya bak sen, güçlü ve etkili kimselerle tanışmaya bak. Sonra karanlıkta kal ve kullan onu!"

Daha ne kadar duracağım burada, benimle alay etmesine daha ne kadar izin vereceğim, diye düşündüm, sandalyenin arkalığına dayanarak, daha ne kadar?

"Sen, sinirli küçük bir kavgacısın, oğul," dedi. "Irkımızın ise iyi, zeki, gözü açık savaşçılara ihtiyacı var. Bunun için sana yardım elimi uzatacağım. Sağ elimle şamarladıktan sonra seni, sol elimi uzattığımı hissedeceksin belki; benim sağ eliyle yol gösterecek bir insan olduğumu sanıyorsan, ki hiç de öyle birisi değilim. Ama olsun, ya tut bu eli, ya da git. Bu yaz New York'a gitmeni ve gururunu kurtarmanı istiyorum senin; para da biriktirirsin. Oraya gider ve gelecek yılın okul masraflarını kazanırsın, anladın mı?"

Konuşamadan, içimde hiddet fırtınaları eserken, onunla pazarlık etmeye, söylediklerini daha önce söylediklerine uydurmaya çalışarak başımı salladım...

"Sana iş bulmanda yardım edecek, okulumuzun dostlarına verilmek üzere mektuplar vereceğim," dedi. "Fakat bu kez kafanı kullan, gözünü aç, etrafına uymaya çalış! O zaman, becerebilirsen, kim bilir... kim bilir... her şey sana bağlı."

Orada, upuzun, kara ve yusyuvarlak gözlü ve kocaman durarak sustu.

Sert ve resmi bir tonda, "Hepsi bu kadar delikanlı," dedi. "İşlerini yoluna koymak için iki gün, sana."

"İki gün mü?"

"İki gün!"

Merdivenlerden indim ve ağaçlardan ipler gibi sarkan mor salkımların altından geçerken içimdeki acıdan iki büklüm, karanlık yola daldım. İçim dışıma çıkıyordu; bir an durunca bu ağrı, yukarıda birbirine karışarak bir kemer yapan serin ağaçların arasından, hızla dönen iki yüzlü bir ay gördüm. Gözlerim iyi görmüyordu. Yolumun üzerine çıkıyor görünen ağaçlara ve lamba direklerine çarpmamak için bir elimle gözümün birini kapayarak odama yöneldim. Gece olduğu için durumu kimse göremeyeceğinden ötürü şükrederek kusacak gibi devam ettim yoluma. Midem kazınıyordu. Kampusun sessizliği içinde bir yerlerden akortsuz bir piyanonun çaldığı, gitar için yazılmış, eski bir blues'un sesi tembel, uyuşuk bir dalga gibi, ovada tek başına ilerleyen bir trenin yankılanan düdüğü gibi bana kadar geliyordu; kafam yine bir şeye, bu kez bir ağaca gitti, çiçek açmış sarmaşıkların üzerine dağıldığını hissettim müziğin.

Tekrar hareket ettiğimde başım bir çember içinde dönmeye başladı. Günün olayları gözümün önünden bir bir tekrar geçti. Trueblood, Bay Norton, Dr. Bledsoe ve Altın Gün; delicesine, gerçek üstü bir dönüşle geçti kafamdan. Gözümü tutarak ve günün olaylarını geriye itmeye çalışarak patikada duruyordum; ama her defasında Dr. Bledsoe'nun kararına gelip takılıyordum.

Hâlâ yankılanıyordu kafamda; gerçekti ve sondu. Olanlarda sorumluluk payım ne olursa olsun, bunun hesabını vereceğimi biliyordum, kovulacağımı biliyordum; aynı düşünce sivri uçlu bir bıçak gibi saplandı içime. İlerdeki etkilerinin ne olacağını düşünmeye çalışarak, başarılarımı kıskananların duyacakları sevinci, ana-babamın utancını ve düş kırıklığını hayal ederek, ay ışığının aydınlattığı yolda duruyordum. Yüzkaramı, ayıbımı unutturamazdım hiçbir zaman. Beyaz arkadaşlarım nefret edeceklerdi; güçlü, kudretli beyazlardan arkası olmayanların üzerinde öylece asılı duran korkuyu anımsadım.

Nasıl gelmişti bunlar başıma? Önümde açılan yolda sapmaksızın yürümüştüm, benden umulduğu gibi olmaya çalışmıştım, yapmamı bekledikleri şeyleri eksiksiz yapmıştım; ama beklenen ödülü kazanacağım yerde, işte sendeliyordum şimdi, çarpıtılmış görüşümün yolumun üzerine getirip koyduğu tanıdık şeylere çarpıp beynim dağılmasın diye gözlerimden birini tutuyordum umutsuzca. Ve büyükbabamın, beni daha da çıldırtmak için muzaffer bir edayla karanlıklardan sırıtarak etrafımda dolaşıp durduğunu hissettim birden. Dayanamazdım artık buna. Çünkü, acıma ve kızgınlığıma rağmen, başka türlü bir yaşam tarzı bilmiyordum; benim gibi kimseler için başka türlü bir başarı şeklinin mümkün olmadığını biliyordum. O varlığın öylesine bir parçasıydım ki, önünde sonunda uzlaşmak zorundaydım onunla. Ya buydu doğrusu, ya da büyükbabamın hakkı vardı. Ama imkansızdı bu; çünkü hâlâ suçsuz olduğuma inanmama rağmen Trueblood'ın ve Altın Gün'ün dünyasıyla devamlı olarak karşı karşıya kalmanın tek değişkeni, olanlardan dolayı sorumluluğumu kabul etmekti. Her nasılsa, kanunları çiğnemiş olduğuma ve bu yüzden de cezaya katlanmam gerektiğine inandırdım kendimi. Dr. Bledsoe haklı, dedim kendi kendime, haklı; okul ve onun temsil ettiği her şey korunmalıdır. Başka türlüsü olamazdı; ne kadar acı çekersem çekeyim, günahımı mümkün olduğu kadar çabuk ödemeli ve geleceğimi kurmaya dönmeliydim yeniden...

Odama dönünce biriktirdiğim paramı saydım; elli dolar kadardı ve New York'a mümkün olduğu kadar erken gitmeye karar verdim. Dr. Bledsoe, iş bulmamda bana yardım etme kararından dönmezse, misafirhanede oda ve yiyecek paramı ödemeye yeterdi bu para: Yaz tatilleri boyunca orada kalmış olan arkadaşlardan öğrenmiştim. Sabahleyin hareket edecektim. Oda arkadaşım rüyasında haberi olmadan gülerken, bir şeyler mırıldanarak eşyalarımı topladım.

Ertesi sabah boru çalmadan kalktım ve Dr. Bledsoe göründüğünde yazıhanesinin önünde oturmuş onu bekliyordum. Mavi serj elbisesinin ceketinin önü açıktı, sessiz sessiz bana doğru gelirken iki yelek cebinin arasından sarkan ağır bir altın zinciri açıkta bırakıyordu. Beni görmemiş gibi yanımdan geçti. Sonra yazıhanenin kapısına varınca, "Hakkında kararımı değiştirmedim, çocuğum. Değiştirmeye de niyetim yok!" dedi.

"Ah, onun için gelmedim, efendim," dedim. Birden döndü, yukarıdan aşağı soran gözlerle garip garip bana baktı.

"Çok iyi, sen bunu anladıktan sonra. İçeri gir de anlat derdini. Yapacak işim var benim."

Fötr şapkasını eski bir pirinç askılığa asışını seyrederken masasının önünde bekliyordum. Sonra, parmaklarıyla bir kafes yaparak önünde ve başlamam için başını sallayarak karşıma oturdu.

Gözlerim yanıyor, sesim bir tuhaf çıkıyordu. "Bu sabah gitmek istiyorum efendim," dedim.

Hayretle baktı. "Neden bu sabah?" dedi. "Yarına kadar zaman vermiştim sana. Neden bu acele?"

"Acele değil, efendim. Nasıl olsa gideceğime göre bir an önce yola çıkmak istiyorum. Yarına kadar kalmak hiçbir şeyi değiştirmez..."

"Hayır, değiştirmez," dedi. "İyi akıl bu, ben de izin veriyorum. Başka?"

"Hepsi bu kadar efendim; yalnız yaptığım şeyden ötürü üzgün olduğumu ve kimseye gücenmediğimi söylemek istiyorum. İsteyerek yapmadım ama yine de cezama razıyım."

Parmak uçlarını birbirine dokundurdu, kalın parmaklar titizce birbirini buldu; yüzü ifadesizdi. "Uygun bir davranış," dedi. "Yani, daha da kötü olmaya niyetin yok, öyle mi?"

"Evet efendim."

"Evet, öğrenmeye başladığını görüyorum. İyi bu. Bizim halkımızın yapması gereken iki şey, hareketlerinin sorumluluğunu kabul etmek ve daha kötü olmaktan sakınmaktır." Kilisede yaptığı konuşmalardaki inançla yükseldi sesi. "Oğul, daha da kötüleşmezsen, hiçbir şey önleyemez başarını. Unutma bunu."

"Unutmam, efendim" dedim. Boğazıma bir şey saplandı ve iş meselesini kendisi açar diye bekledim.

Oysa o sabırsızca yüzüme baktı ve "Eee? Yapacak işim var benim. Benden izin çıktı," dedi.

"Şey efendim, sizden bir lütufta bulunmanızı rica edecektim..."

"Lütuf mu?" dedi kurnazca. "Bak, bu başka bir sorun. Nasıl bir lütuf?"

"Büyük bir şey değil, efendim. Bana iş verecek mütevellilerden bazılarını görmemi sağlayacağınızı söylemiştiniz. Ne iş olursa yaparım."

"Ha, evet," dedi, "evet, tabii."

Bir an düşünür gibi durdu, gözleriyle masanın üzerindeki eşyaları inceleyerek. Sonra işaret parmağıyla prangaya hafifçe dokunarak, "Pekâlâ," dedi. "Ne zaman ayrılmak istiyorsun?"

"İlk otobüsle, efendim, mümkün olursa."

"Eşyalarını topladın mı?"

"Evet efendim."

"Çok güzel. Git çantalarını al, yarım saat içinde buraya dön. Sekreterim, okulumuzun birçok dostuna yazılmış mektuplar verecek sana. Onlardan herhangi biri işini görür senin."

"Teşekkür ederim, efendim. Çok teşekkür ederim," dedim. O ayakta dururken.

"Bir şey değil," dedi. "Okul, kendi adamlarını gözetir. Yalnız bir şey daha var. Bu mektuplar mühürlenmiş olacak; yardım istiyorsan açma onları. Beyazlar böyle şeylerde çok titizdirler. Mektuplar seni onlara tanıtacak ve sana iş bulmalarını rica edecek. Elimden geleni yapacağım senin için ve de onları açman gereksiz, anladın mı?"

"Ah, onları açmak nasıl aklıma gelir, efendim?" dedim.

"Pekâlâ, sen dönene kadar kızda olacak mektuplar. Peki ya anan baban, onlara haber verdin mi?"

"Hayır efendim, kovulduğumu söylersem çok kötü olur onlar için, bu yüzen oraya vardıktan ve işe girdikten sonra yazacağım onlara..."

"Anlıyorum. Belki de en iyisi bu."

"Ahh. Allahaısmarladık, efendim" dedim elimi uzatarak.

"Güle güle," dedi. Eli kocaman ve acayip şekilde yumuşaktı. Ben ayrılmak için dönerken bir zile bastı. Ben kapıdan çıkarken sekreteri bana sürtünerek içeriye girdi.

Döndüğümde mektuplar beni bekliyordu; yedi tane, etkileyici isimlere yazılmış. Bay Norton'un adını aradım ama bulamadım aralarında. Mektupları dikkatle iç cebime yerleştirerek çantalarımı kaptım ve otobüse koştum.

Yedi

İstasyon boştu ama gişe açıktı. Gri üniformalı bir hamal bir süpürgeyi itiyordu. Biletimi satın aldım ve otobüse bindim. İç tarafı kırmızı ve nikel renkli arabanın girişinde oturan iki yolcu vardı yalnızca; birden düş görüyorum sandım. Yüzüme eski bir tanıdığını görmüş gibi gülümseyen adam, Emekli Asker'di; yanında bir bakıcı oturuyordu.

"Hoş geldin, delikanlı," diye çağırdı. "Düşünün, Bay Crenchaw," dedi bakıcısına. "Bir yol arkadaşımız var!"

İstemeye istemeye, "Günaydın," dedim. Onlardan uzakta bir yer aradım oturmak için; ama otobüs hemen hemen boş olduğu halde, ancak arka taraf ayrılmıştı bize, onlarla birlikte geriye kaymaktan başka çare yoktu. Hoşuma gitmedi bu; Emekli Asker, kafamdan çıkarıp atmaya çalıştığım bir olayın parçasıydı. Bay Norton'a karşı konuşma tarzı, talihsizliğimin bir habercisi olmuştu; daha o zaman böyle olacağını hissetmiştim. Şu anda bir kez cezama razı olmuşken, Trueblood'la ya da Altın Gün'le ilgili hiçbir şey anımsamak istemiyordum.

Supercargo'dan çok daha ufak tefek bir adam olan Crenshaw hiçbir şey söylemiyordu. Böyle ciddi olaylarda birlikte gönderilecek tiplerden değildi ve Emekli Asker'in en şiddetli, en kötü tarafının, dili olduğunu anımsayınca sevindim. Çenesi belaya sokmuştu başımı, şimdi de beyaz şoföre sataşmaz inşallah, dedim içimden; öldürebilir *bu* bizi. Her neyse, otobüste ne işi vardı? Tanrım, Dr. Bledsoe ne kadar hızlı çalışmıştı? Şişman Adam'a bakıyordum.

"Dostunuz Bay Norton nasıl oldu?" diye sordu.

"İyidir," dedim.

"Bayılma nöbetleri tutmuyor mu artık?"

"Hayır."

"Olanlardan dolayı seni azarladı mı?"

"Beni suçlu bulmadı," dedim.

"İyi. Altın Gün'de gördüğü şeyler içinde en çok ben sarstım onu sanırım. İnşallah sana zararı dokunmamıştır. Okullar bu kadar erken kapanmazdı, ne oldu?"

"Öyle," dedim önem vermeden. "Bir iş bulabilmek için erken ayrılıyorum ben."

"Çok güzel. Memlekette mi?"

"Hayır, New York'ta daha fazla para kazanabileceğimi düşündüm."

"New York!" dedi. "Yer değil orası, bir düş. Ben senin yaşındayken Şikago'daydım. Şimdi bütün zenci oğlancıkları New York'a koşuyor. Ateşten kaçarken kızgın tavaya düşüyorlar. Harlem'de üç ay kaldıktan sonra görürüm seni. Konuşman değişecek, boyuna 'kolej'den söz edeceksin, misafirhanede konferanslara katılacaksın... Bir iki beyaza da rastlayabilirsin. Dinle beni," dedi fısıldamak için başını eğerek, "beyaz bir kızla dans bile edebilirsin hatta."

"New York'a çalışmaya gidiyorum ben," dedim etrafıma bakınarak. "Öyle şeylere zamanım olmayacak."

"Olur, olur" diye takıldı. "Aklının bir köşesinde Kuzey'deki özgürlüğe dair duyduğun bir şeyler vardır; hem bir kez deneyeceksin onu, sırf duyduklarının doğru olup olmadığını görmek için."

"Yaşlı, beyaz paçavra karıların yanında başka türlü özgürlükler de vardır," dedi Crenshaw. "Kendisi bazı eğlenceler görmek ister ya da o büyük lokantalarda yemek yemek yahut."

Asker sırıttı... "Neden olmasın, tabii; ama unutma Crenshaw, sadece birkaç aylığına gidiyor oraya. Zamanının çoğu çalışmakla geçecek, özgürlüğün o kadar çoğu ancak sembolik olur onun için. Ve onun ya da herhangi bir insan için en kolay kabul edilebilir özgürlük sembolü ne olabilir? Bir kadın, tabii. Yirmi dakika içinde, çok meşgul olduğu için zamanının geriye kalan kısmında kullanamayacağı kadar özgürlükle şişirebilir o sembolü, büyütür göğünde. Görecek kendisi."

Konuyu değiştirmeye çalıştım. "Nereye gidiyorsunuz?" diye sordum.

"Washington D.C.'ye," dedi.

"O halde iyileştiniz?"

"İyileşmek mi? İyileşme diye bir şey yoktur."

"Oraya naklediliyor," dedi Crenshaw.

"Evet. St. Elizabeth Hastanesi'ne gidiyorum," dedi Asker. "İdarenin ne yaptığı gerçekten bilinmez. Bir yıldır uğraşıyordum nakledilmem için. Bir de baktım ki sabah acele toparlanmam söylendi. Dostunuz Bay Norton'la yaptığımız o küçük konuşmanın bununla bir ilgisi var mı acaba, diye düşünmekten alıkoyamıyorum kendimi."

"Bununla ne ilgisi olabilir onun?" dedim. Dr. Bledsoe'nun tehdidi geçti aklımdan.

Göz kırptı. Gözleri parladı birden. "Neyse, boş ver söylediklerime. Ama, Tanrı aşkına, yüzeyin altındaki şeylere bakmasını öğren," dedi. "Sisten çık delikanlı. Ve unutma, başarıya ulaşmak için tam bir aptal olmak zorunda değilsin. Oyunu oyna ama inanma ona; ne yaparsan kendin için yapacaksın. Bu, sana deli gömleği giydirse, ya da tımarhaneye soksa bile. Oyunu oyna ama kendi bildiğin gibi oyna; hiç olmazsa bir süre. Oyunu oyna ama payı yükselt, oğlum. İşlerin nasıl döndüğünü öğren, işleri *sen* nasıl döndürürsün onu öğren. Ah, sana bunların bir parçacığını olsun anlatacak zamanım olsaydı. Ama biz yine de ters insanlarızdır. Oyunda yenebilirsin de. Gerçekten çok kolay bir iştir bu. Gerçek bir Rönesans öncesi ve oyun analiz edilmiş, kitaplara kaydedilmiştir. Ama işin burasına gelince kitapları göz altında tutmayı unutmuşlardır; bu da senin elindeki fırsattır. Açıkça, göz önünde gizlenirsin; yani, ancak bunun farkına varırsan var olabilirsin. Seni göremezler onlar; çünkü senin bir şey bildiğini sanmazlar, o meseleyi çözdüklerine inandıkları için..."

"Hey, boyuna söyleyip durduğun *onlar* kim, be?" dedi Crenshaw.

Emekli Asker canı sıkılmış gibi baktı... "Onlar mı?" dedi. "Onlar mı? Kim olacak, her zaman kastettiğimiz *onlar*, beyazlar, yetkililer, tanrılar, kader, koşullar; boynuna takılan yuları, artık çekilecek yanı kalmayıp da sen başkaldırıncaya kadar çeken kuvvet. Hiçbir zaman senin sandığın yerde olmayan büyük adam."

Crenshaw yüzünü buruşturdu. "Ne kadar çok konuşuyon be adam," dedi. "Boyuna konuşuyon heç bi şey söylemiyon."

"Ah, söyleyecek o kadar şeyim var ki, Crenshaw. Birçok kimsenin hissettiği, belli belirsiz de olsa hissettiği şeyleri sözlere döküyorum ben. Doğru, bir başladım mı zor susturulurum; ama doğrusu deliden çok soytarıyımdır ben. Fakat, Crenshaw" dedi dizleri üzerinde yatan bir gazeteyi ince uzun kıvırarak, "ne olduğunun farkında değilsin sen. Genç arkadaşımız ilk kez gidiyor Kuzey'e! İlk kez, değil mi?"

"Doğrusunuz," dedim.

"Tabii. Sen daha önce Kuzey'de bulundun mu hiç. Crenshaw?"

"Ben bütün memleketi gezmiştim," dedi Crenshaw. "Neler yaparlar, nasıl yaparlar bilirim ben. Nasıl hareket edilecek onu da bilirim. Sonra, Kuzey'e gitmiyon ki sen, esas Kuzey'e gitmiyon. Washington'a gidiyon. Washington da bir başka Güney şehri."

"Evet biliyorum," dedi Emekli Asker. "Ama bunun genç arkadaş için ne demek olduğunu düşün. Özgür gidiyor, güpegündüz ve tek başına. Onun gibi gençlerin ne zaman, akıllarında bile yokken bir suç işlemek zorunda kaldıklarını ya da suç işlemiş olmakla suçlandırıldıklarını anımsayabiliyorum. Sabahın ışığında ayrılacaklarına, gecenin karanlığında giderlerdi. Otobüsler de yeteri kadar hızlı gelmez onlara; öyle değil mi Crenshaw?"

Crenshaw, bir şekerin kâğıdını açarken durdu ve gözlerini kısarak sert sert baktı ona. "Nerden bileyim ben, be?" dedi.

"Özür dilerim, Crenshaw," dedi Asker. "Tecrübeli bir adam olarak demek istemiştim de..."

"Bu işlerde tecrübem yok benim. Kuzey'e kendi isteğimle gittim ben."

"Peki buna benzer *olaylar* duyduğun da mı olmadı?"

"Duymak tecrübe demek değildir," dedi Crenshaw.

"Hayır, değildir. Ama özgürlükte daima bir suç unsuru bulunduğuna göre..."

"Ben suç muç işlemedim!"

"İşledin demedim ben," dedi Asker. "Özür dilerim boş ver, unut."

Crenshaw, "Keşke biraz daha keyfin kaçsa, belki o zaman bu kadar çok konuşup durmazdın," dedi ağzında gevelediği şekeri kızgın kızgın ısırırken.

"Evet, doktor," dedi Asker alay ederek. "Birazdan keyfim kaçacak; ama sen şekerini yerken izin ver ben de şu paçavrayı çiğneyeyim, bir şeyler vardır içinde."

"Off, bırak artık bilgiçlik taslamayı," dedi Crenchaw. "Sen de benim gibi otobüsün arkasında gidiyon işte bir zenci olarak. Üstelik de kaçığın birisin."

Emekli Asker göz kırptı bana; otobüs hareket etmişti ama bir an bile durmadan konuşmaya devam ediyordu. Nihayet gidiyorduk; otobüs, okulun etrafını çeviren anayolu hızla dönerken özlem dolu son bir bakış attım okula. Geriye döndüm ve arka pencereden yavaş yavaş gözden kayboluşunu seyrettim; güneş ağaçların tepelerini yalıyor, basık binalarını, düzenli alanlarını yıkıyordu. Sonra kayboldu gözden. Bütün olası dünyaların en güzeliyle kendimi bir tuttuğum toprak parçası beş dakikadan daha kısa bir zaman içinde gitmiş, ekilmemiş yaban arazi içinde kaybolmuştu. Yanı başımdan hızla geçip giden şeyler gözümü yolun kenarına çekiyordu; gri betonun kenarında hızla hareket eden bir yılan gördüm, yolun kenarında yatıp duran bir demir borunun içinde kayboldu. Hızla geride kalan pamuk tarlalarını ve kulübeleri seyrediyordum, bir meçhule doğru gittiğimi hissederek.

Emekli Asker ve Crenshaw bir sonraki durakta otobüs değiştirmeye hazırlanıyorlardı; ayrılırlarken Emekli Asker elini omzuma koydu ve şefkatle yüzüme baktı, her zaman olduğu gibi gülümsedi. "Babaca öğüt verme zamanı şimdi," dedi. "Ama senden esirgeyeceğim bunu; sanırım kendimden başka hiç kimsenin babası olmadım çünkü. Belki de sana verilecek öğüt şu: Kendi kendinin babası ol delikanlı. Ve unutma; dünya, ancak sen keşfedersen bir olasılıktır. Son olarak, Bay Norton'ları yalnız başlarına bırak, ne demek istediğimi bilmiyorsan düşün üzerinde. Eyvallah."

Otobüse binmeyi bekleyen bir grup yolcu arasında, Crenshaw'ın arkasından giderken gördüm onu: Giderek bir el sallaması haline dönüşen ve sonra kırmızı tuğladan terminalin kapısında gözden kaybolan kısa, komik bir şekil. Rahat bir soluk alarak oturdum yerime; ama yolcular otobüse binip de otobüs tekrar yola düzülünce üzgün ve son derece yalnız hissettim kendimi.

Jersey yakınlarına gelinceye kadar neşemi bulamadım. Sonra eski güvenim ve iyimserliğim yerine geldi; Kuzey'de zamanımı nasıl geçireceğimi düşünmeye çalıştım. Çok çalışacaktım, patronuma öyle hizmet edecektim ki, Dr. Bledsoe'yu iyi raporlar yağmuruna tutacaktı o. Para biriktirecektim ve sonbaharda New York kültürüyle dopdolu, okuluma dönecektim. Kampusun en önde gelen kişilerinden biri olacaktım, yolu yok. Belki de kasaba toplantılarına katılırdım, radyoda duymuştum bunu. Sürükleyici konuşmacıların kürsü hilelerini öğrenecektim. İlişkilerimi en iyi şekilde ayarlayacaktım. Mektuplarımın yazıldığı büyük adamlarla karşılaştığımda en iyi tavrımı takınacaktım. Yumuşak bir sesle, en terbiyeli, en nazik ses tonumla konuşacak, uygun şekilde gülümseyecek ve olabildiği kadar kibar olacaktım; o ("o", önemli baylardan biri demekti) pek bilmediğim bir konuda konuşma açarsa (hiçbir zaman kendi kendime bir konuşma açamam ben) gülümsemeyi ve onu onaylamayı unutmamalıydım. Ayakkabılarım boyalı olmalıydı, elbisem ütülü, saçlarım taralı, düzgün (fazla yağ sürmemeliydim) ve sağdan ayrılmış; tırnaklarım temiz olmalı, koltukaltlarıma koku giderici şeyler sürmeliydim. Bu son şeye çok dikkat etmeli. *Hepimizin* kötü koktuğunu düşündürmemeli onlara. Yapacağım temasların düşüncesi bile, cebimdeki yedi önemli mektuba parmağımla dokundukça kendimi kuş gibi hafif ve coşku içinde hissetmeme sebep olan bir bilgiçlik ve bu dünyadan olma duygusu veriyordu bana.

Başımı kaldırıp, hiddetle yüzüme bakan kırmızı şapkalı hamalı görünceye kadar, gözlerim geçip giden görüntüye bomboş dikili, hayal kurmuşum; "Hemşerim, iniyor musun?" diyordu. "İniyorsan toparlan."

"Ha, tabii," dedim toparlanmaya başlayarak, "Tabii; ama Harlem'e nasıl gidilir?"

"Kolay," dedi. "Boyuna kuzeye git."

Çantalarımı ve hâlâ dövüş gecesindeki kadar parlak el çantamı aşağı indirirken metroya nasıl bineceğimi öğretti; sonra kalabalığın içine daldım.

Metroya girerken, dönüp duran siyahlı-beyazlı bir insan kalabalığı seline kapıldım itilip kakılarak; iriyarı, Supercago iriliğinde mavi üniformalı bir muhafız arkamdan yüklendi üzerime, çantalar, bavullar içinde soluğum tıkandı, bir trene doğru itildim; tren o kadar kalabalıktı ki herkes, başı geride ve gözleri dışarı uğramış, bir tehlike anında donup kalmış tavuklar gibi ayakta duruyordu sanki. Sonra kapı gürültülü kapandı arkamda, kara elbiseli çok şişman bir kadına doğru itildim, sıkıştırıldım; derisinin yağlı beyazlığından, yağmurla ıslanmış bir ovadan fırlayan kara bir dağ gibi yükselmiş koca bir et benine gözümü dikmiş dehşetle bakarken ben, kadın başını salladı ve gülümsedi. Bütün vücudum da etinin lastik yumuşaklığını hissediyordum. Ne yana, ne arkaya dönebiliyor, ne de elimdekileri yere bırakabiliyordum, tuzağa kıstırılmış gibiydim; kadına o kadar yakındım ki başımı eğsem dudaklarım dudaklarına sürtecekti. Umutsuzca, ellerimi kaldırıp bütün bu olanların isteğim dışında olduğunu göstermek istiyordum ona. Ha şimdi, ha şimdi çığlığı basacak diye bekliyordum; nihayet vagon sarsıldı ve sol elimi kurtarabildim. Ceketimin yakasına yapışarak gözlerimi kapadım. Araba kükredi ve sağa sola sarsıldı, daha da sert bastırdı beni ona doğru; ama gizlice etrafıma baktığımda hiç kimsenin benimle ilgilenmediğini gördüm. Hatta kadın bile kendi düşüncelerinin içine dalmış görünüyordu. Tren, bir tepenin içinde kaybolmuş gidiyordu sanki, ta ki bir durakta çılgına dönmüş bir balinanın karnından kusulurmuş gibi bir perona fırlatıncaya kadar beni. Sıcaktan yanan caddeye doğru merdivenleri çıkarken çantalarımla güreşerek kalabalık boyunca sürüklenip duruyordum. Nerede olduğuma aldırmıyordum, yolun geri kalan kısmını yürüyerek gidecektim.

Bir an, kadınla sımsıkı yapışık olarak yaptığım bu yolculuktan kendime gelmeye çalışarak bir dükkânın vitrini önünde durdum ve kendi gölgeme baktım camda. Hışırım çıkmıştı, elbisem ıpıslaktı. "Ama Kuzey'desin artık," dedim kendi kendime, "Kuzey'de." Evet ama ya çığlığı bassaydı kadın... Bir daha metroya bindiğimde, vagonda ellerimin ceketimin yakalarında olmasına ve trenden ininceye kadar orada durmasına dikkat edecektim. Vay anasını, bu trenlerde her gün böyle şamata oluyordu demek? Bunlar üstüne neden hiçbir şey okumamıştım?

Tuğla binalardan, neon ışıklarından, camekânlardan ve kükreyen trafikten bir geri planda bu kadar zenciyi bir arada hiç görmemiştim; hatta münazara takımıyla New Orleans'a, Dallas'a ya da Birmingham'a yaptığım yolculuklarda bile. Nereye baksan onlardan vardı. O kadar çok, o kadar sinirli ve gürültülü yürüyorlardı ki, bir bayramı kutlamak üzere mi olduklarını yoksa bir sokak kavgasına katılmaya mı gittiklerini bir türlü anlayamadım. Önlerinden geçerken, ucuzcu mağazaların tezgâhlarının gerisinde zenci kızların durduğunu bile gördüm. Sonra kavşakta, zenci bir polisin trafiği yönettiğini görerek şaşakaldım ve trafikte, dünyanın en tabii şeyiymiş gibi onun işaretlerine uyan beyaz şoförler de vardı. Tabii duymuştum bunu; ama bu şimdiki, *gerçekti* artık. Cesaretimi yeniden kazandım. Gerçekten Harlem'di bu, şimdi bu kent-içinde-kent üstüne duyduğum bütün hikâyeler kafamda canlanıyordu. Emekli Asker'in hakkı vardı: Benim için bir gerçeklikler kenti değil bir düşler kentiydi; belki de daima bütün yaşamımın Güney'e hapsedilmiş olduğunu düşündüğüm içindi bu. Ve şimdi insan kuyrukları arasından yürüyüp geçmeye çabaladığım şu anda yeni bir olasılıklar dünyası hafifçe kendini gösteriyordu bana; kentin seslerinin kükreyişi içinde zorla duyulabilen ince bir ses geldi kulağıma. İzlenim bombardımanının hepsini yakalayabilmek için gözlerimi dört açmış yürüyordum. Birden zınk diye durdum.

Tam önümdeydi, kızgın ve tiz sesli; duyar duymaz çocukken babamın sesine şaştığım zamankine benzer bir şaşkınlık ve korkuya kapıldım. Bir boşluk duygusu genişledi midemde. Önümde bir insan topluluğu neredeyse yolu kapamıştı; onların üzerinde kısa boylu, kalın bir adam, küçük Amerikan bayraklarının asıldığı bir merdivene çıkmış, kızgın kızgın bağırıyordu.

"Kovacağız onları," diyordu adam avaz avaz. "Kovacağız."

"Anlat, Ras, anlat onlara," diye bir ses yükseldi.

Ve bodur adamın yukarıya doğru dönmüş yüzler üzerinde yumruğunu hiddetle salladığını, kesik kesik, kuvvetli West Indian aksanıyla bir şeyler haykırdığını gördüm; kalabalık da tehdit edici bir sesle cevap veriyordu ona. Kime karşı olduğunu bilmiyordum ama her dakika bir ayaklanma patlayacakmış gibiydi. Hem adamın sesinin etkisi, hem kalabalığın apaçık hiddeti hayrete düşürmüştü beni. Apaçık ortada, bu kadar kızgın zenciyi bir arada görmemiştim daha önce; ama öteki insanlar başlarını çevirip bakmadan geçiyorlardı topluluğa. Yanlarına geldiğimde birbiriyle sakin konuşan iki beyaz polis gördüm, bir espriye gülerken başlarını çeviriyorlardı. Hatta, gömleklerinin kolları sıvalı kalabalık, konuşanın bir sözünü onaylamak için bağırınca aldırmadılar bile. Sersemlemiştim. Şaşkınlıktan ağzım bir karış açık, durmuş polislere bakıyordum, çantalarım yolun ortasında, yerde. Nihayet bir tanesi nasılsa gördü beni, dirseğiyle ötekini dürttü; koca bir parça cikleti tembel tembel çiğniyordu öteki.

"Bir şey mi var hemşerim?" dedi.

"Hiç, dolaşıyordum..." dedim daha kendime gelemeden.

"Ya, öyle mi?"

"Misafirhaneye nasıl gidileceğini arayıp duruyordum, efendim" dedim.

"Hepsi bu kadar mı?"

"Evet, efendim," diye kekeledim.

"Emin misin?"

"Bir yabancı," dedi öbürü. "Kente yeni mi geldin hemşerim?"

"Evet, efendim," dedim. "Metrodan yeni çıktım."

"Demek öyle? Gözünü aç öyleyse."

"Açarım, efendim."

"Bizden söylemesi. Başın belaya girer yoksa," dedi ve misafirhanenin yolunu gösterdi.

Teşekkür ettim ve aceleyle ayrıldım yanlarından. Konuşmacı eskisinden daha da sertleştirmişti sesini, şimdi hükümete dair konuşuyordu. Sokağın geri kalan kısmının sessizliğiyle, sesteki bu hırs acayip bir çığırdan çıkmışlık veriyordu manzaraya; bense birden bir ayaklanma başlayacak korkusuyla arkama bile bakmaya korkuyordum.

Kan ter içinde vardım misafirhaneye, adımı yazdırdım, hemen odama çıktım. Harlem'i her defasında azar azar tanıyacaktım.

Sekiz

Koyu turuncu yatak örtüleri olan küçük, temiz bir odaydı. Sandalye ve aynalı dolap akçaağaçtandı; küçük bir masanın üzerinde bir Gideon İncili duruyordu. Çantalarımı yere atıp, yatağın üzerine oturdum. Aşağıdan, caddeden trafiğin sesi, daha üstte metronun sesi, arada bir de çeşitli insan sesleri geliyordu. Odamda tek başıma, memleketten o kadar uzakta olduğuma inanamıyordum; ama etrafımda tanıdık hiçbir şey de yoktu. İncil'den başka; İncil'i kaptım ve yeniden yatağa oturdum, kan kırmızı kenarlı sayfalarını başparmağımla taradım. Dr. Bledsoe'nun, Pazar akşamları okulun öğrencilerine yaptığı konuşmalarda Kitap'tan parçalar söyleyişini anımsadım. Tekvin'i açtım fakat okuyamadım. Evimi, babamın aile dualarını yönetişini düşündüm; yemek zamanı sobanın etrafında toplanmışız, diz çökmüş, başlarımız sandalyelerimizin oturacak yerine eğilmiş, babamın titrek, yoksul kilise retoriği ve söz haline dönüşmüş alçakgönüllülükle dolu sesi.

Ceketimi ve şapkamı çıkardım, mektup paketimi aldım ve önemli adları okurken kendime bir önemlilik payı çıkararak yatağın üzerine yaydım onları. İçlerinde ne vardı, farkına varılmadan nasıl açabilirdim? Sıkıca yapıştırılmış ve mühürlenmişti. Mektupların buhara tutulup açılabileceklerini okumuştum;

ama buhar ne gezerdi burada. Vazgeçtim; aslında içlerinde ne olduğunu bilmemin de gereği yoktu, üstelik Dr. Bledsoe'nin işine karışmak namuslu ve de güvenli bir şey olamazdı. Onların benimle ilgili olduklarını ve bütün ülkede en önemli kişilere yazıldıklarını biliyordum ya. Yeterdi bu. Birden, mektupları gösterecek birileri olsun diye düşündüğümü fark ettim, ne kadar önemli bir kişi olduğumu yüzüne bakınca okuyabileceğim bir kişi. En sonunda, aynaya gittim ve hayran hayran baktım kendime, pokerde floş ruvayal yakalamışım gibi, mektupları konsolun önüne dizerek.

Sonra ertesi gün ne yapacağımı planlamaya başladım. Önce bir duş yapacaktım, sonra kahvaltı edecektim. Bütün bunlar çok erkenden olup bitmiş olacaktı. Çabuk davranmak zorundaydım. Böyle önemli adamlarla işin olduğunda, gecikmek olmazdı. Bunlardan biriyle buluşman varsa, zencilere davrandığın gibi davranamazdın, geç kalamazdın. Evet, bir saat almalıydım. Her şeyi programa uygun olarak yapacaktım. Dr. Bledsoe'nun iki yelek cebi arasından sarkan ağır altın zinciri ve zamanı öğrenmek için, dudaklarını büzerek, çenesini kat kat oluncaya kadar içeri çekerek, alnını kırıştırarak saati "çat" diye açışını anımsadım. Sonra boğazını temizler ve her hece çok önemli bir anlamın nüanslarına gebeymiş gibi ta içerden gelen bir sesle emirler verirdi. Kovuluşumu anımsadım birden, kızdım ve hemen bu duyguyu bastırmaya çalıştım; gücenikliğim bardağı taşırıyor, rahatsız ediyordu beni. Belki en iyisi de budur, diye düşündüm. Belki böyle bir şey olmasaydı böyle önemli insanlarla yüz yüze gelmek fırsatını hiçbir zaman bulamayacaktım. Kafamın içinde onu, saatine gözünü dikmiş bakarken görmeye devam ediyordum; ama şimdi bir başka hayal daha vardı yanında: Daha genç bir hayal, kendim; daha aklı başında, tatlı dilli, böyle koyu renkli kasvetli elbiseler değil (şimdi şu üzerindeki modası geçmiş esvaplar gibi), zengin bir kumaştan, modaya uygun olarak dikilmiş, dergilerin ilan sayfalarında gördüğün erkeklerin elbiselerine benzer, *Esquire*'daki ikinci, üçüncü müdürlerinkine benzer sımsıkı bir elbise giyinmiş halde. Kendimi bir konuşma yaparken düşündüm; fotoğraf makinelerinin flaşları bazı çarpıcı pozlarımı yakalıyor, göz kamaştırıcı güzellikte bir cümlenin sonunda, Şakk! Doktorun daha genci, daha az kabası, gerçekten incesi, zarifi. Taş çatlasa, bir fısıltıdan daha yüksek sesle konuşmazdım o zaman ve daima sevimli –evet, bundan başka söz olamazdı– olurdum. Ronald Colman gibi; ne sesti o! Tabii Güney'de öyle konuşamazdınız, beyazlar hoşlanmazdı, zencilerse sahte davrandığını söylerdi. Ama burada, Kuzey'de, Güneyli konuşma biçimini atmalıydım. Gerçekten de Kuzey'de başka türlü konuşurdum, Güney'de başka türlü; Güney'de ne istiyorlarsa onu vereceksin onlara, yolu buydu. Dr. Bledsoe yapabildiğine göre bunu, ben de yapabilirdim. O gece yatmadan önce el çantamı temiz bir havluyla sildim ve mektupları dikkatle yerleştirdim içine.

Ertesi sabah, beni hemen adanın sonuna kadar götürecek bir adres seçerek Wall Street bölgesine giden ilk metrolardan birine bindim. Binaların yüksekliğinden ve caddelerin darlığından hava karanlık gibiydi. Ben bina numarasını ararken, eli tetikte muhafızların koruyuculuğunda zırhlı arabalar geçti. Kurulu gibi, görünmeyen güçlerin kontrolü altındaymış gibi yürüyen aceleci insanlarla doluydu caddeler. Birçokları kurye çantaları, el çantaları taşıyorlardı; ben de bir önemlilik duygusuyla benimkine yapıştım sıkıca. Bileklerine bir kayışla bağlı torbalarıyla koşuşan zenciler görüyordum orada burada. Prangadan kaçmış, ayaklarında demirleri hâlâ taşıyan mahkûmları anımsattılar bana bir an. Ama kendi önemlerinin farkında görünüyorlardı ve birini durdurup sormak istiyordum, neden bileğindeki torbaya bağlanmış olduğunu. Belki bunun için iyi para alıyorlardı, belki paraya zincirlenmişlerdi. Kim bilir, aşınmış topuklarıyla önümde yürüyen şu adam bir milyon dolara zincirlenmiştir!

Çekilmiş silahlarıyla peşlerinden gelen polis ya da polis hafiyesi var mı diye baktım; ama yoktu böyle bir şey. Ya da varsa bile, koşuşan kalabalık içine gizlenmişlerdi. Nereye gittiğini görmek için adamlardan birini izlemek istedim. O kadar parayı niçin güvenle vermişlerdi ona? Ve o parayla ortadan kaybolsa ne yaparlardı? Ama tabii kimse o kadar delilik etmezdi. Wall

Street'ti burası. Postanelerin, tavanda ya da duvarlardaki gözetleme deliklerinden aşağıya size bakan, devamlı olarak sizi gözetleyen, sessizce, yanlış bir hareket yapmanızı bekleyen adamlar tarafından korunduğunu söylemişlerdi bana; belki bunlar da öyle korunuyorlardı. Belki şu anda bile bir göz beni seçmişti, her hareketimi gözetliyordu. Belki, şu caddenin karşısındaki gri renkli binanın üzerine yerleştirilmiş olan saatin yüzü, gözetleyen iki gözcü gizliyordu. Gideceğim adrese doğru hızlandım ve bronzdan oyma yüzeyiyle beyaz, taştan, dimdik bir bina çıktı karşıma. Erkekler, kadınlar aceleyle koşuşuyorlardı içeri; bir an durup baktıktan sonra ben de arkalarından gittim, asansöre bindim, asansörün ta gerisine itildim. Asansör, apış aramda, önemli bir parçam aşağıda, lobide kalmış gibi bir duygu yaratarak roket gibi yükseldi yukarı.

Son katta asansörden çıktım, kapısında mütevellinin adı olan büroyu buluncaya kadar mermer bir koridorda yürüdüm. Fakat tam girecekken sinirlerim bozuldu, geriye çekildim. Holden aşağıya baktım. Bomboştu. Beyazlar tuhaf insanlardı: Bay Bates sabah sabah karşısında bir zenci görmek istemeyebilirdi. Döndüm ve holden aşağı yürüdüm, pencereden dışarıya baktım. Bir süre bekleyecektim.

Altımda Güney Geçidi uzanıyordu, bir gemi ve iki mavna nehre giriyordu; uzakta, sağda Özgürlük Anıtı'nı seçebiliyordum meşalesi sisin içinde neredeyse kaybolmuş. Geride, kıyı boyunca, dokların üzerindeki dumanın, sisin içinde martılar uçuşuyordu ve aşağıda, başımı döndüren bir derinliğin içinde kıvıl-kıvıl kalabalık. Tekrar, Özgürlük Anıtı'nı geçmekte olan bir feribota baktım; gerisinde bıraktığı köpüklü sular körfezin üzerinde bir eğri çiziyor, martılar dalıp dalıp çıkıyorlardı arkasından suya.

Arkamdaki asansör boyuna gelenleri boşaltıyordu kapıdan dışarıya; konuşa konuşa holden giden kadınların neşeli seslerini duydum. Biraz sonra ben de içeriye girmek zorunda kalacaktım. Güvensizliğim arttı. Görünüşüm korku veriyordu içime. Bay Bates, elbisemden hoşlanmayabilirdi, ya da saç tıraşımdan; böylece bir iş bulma şansım da kaybolabilirdi. Zarfın üzerine çok düzgün şekilde daktilo edilmiş adına baktım ve nasıl kazanmış acaba bu kadar parayı, dedim içimden. Bir milyonerdi, biliyordum. Belki oldum olası öyleydi; belki milyoner doğmuştu anasından. Bugüne kadar, kendimi onunla çepeçevre sarılmış, kuşatılmış hissettiğim şu anda olduğu kadar ciddi durmamıştım paranın üzerinde. Belki burada bir iş bulacak ve birkaç yıl sonra kollarıma kayışlarla milyonlar bağlanmış güvenilir bir ulak olarak caddelerde bir aşağı bir yukarı, oradan oraya gönderilecektim. Sonra tekrar Güney'e gönderilirdim, kolejin başına geçmek için; tıpkı, sobasının karşısında duramayacak kadar sakatlaşınca okul müdürü yapılan belediye reisinin aşçısı gibi. Yalnız, o kadar uzun süre dayanamazdım Kuzey'e; ondan önce ihtiyaçları olacaktı bana... Ama şimdi gelelim görüşmeye.

Büroya girince, masasından yüzüme, yukarı doğru bakan genç bir kadınla yüz yüze buldum kendimi; geniş aydınlık odaya, kolktuklara, tavana kadar yükselen içi altın yaldızlı deri ciltli kitaplarla dolu dolaplara çabucak bir göz attıktan ve bir sıra portreyi geçtikten sonra tekrar soran gözleriyle karşılaştım onun. Yalnızdı. İyi diye düşündüm, hiç olmazsa çok erken gelmemiştim...

Umduğum tersliklerin hiçbirisin göstermeden, "Günaydın," dedi.

"Günaydın," dedim ilerleyerek. Nasıl başlamalıydım?

"Evet?"

"Burası Bay Bates'in bürosu mudur?" dedim.

"Evet," dedi. "Randevunuz var mıydı?"

"Hayır, hamfendi" dedim ve der demez; bu kadar genç bir beyaz kadına hem de Kuzey'de, hamfendi dediğim için nefret ettim kendimden. El çantamdan mektubu çıkardım ama ben daha durumu açıklamadan.

"Görebilir miyim, lütfen?" dedi.

Duraladım. Mektubu Bay Bates'ten başkasına teslim etmek istemiyordum ama bana doğru uzanmış elde bir emir edası vardı; boyun eğdim bu emre. Verdim mektubu, açmasını bekliyordum ama o, zarfa baktıktan sonra ayağa kalktı, bir tek kelime söylemeksizin, tahta, oymalı bir kapı arkasında kayboldu.

Geride, halının girdiğim kapıya doğru uzantısında birçok sandalye gördüm; fakat bir türlü karar veremedim gidip oturmaya. Ayakta durdum, şapkam elimde, etrafıma bakarak. Bir duvar çarptı gözüme. Bayazlarla bir de yüzü ustura yaralı birkaç kötü zenci dışında hiç kimsede görmediğim bir güven ve gururla çerçevelerinden aşağı doğru bakan, kanatlı gömlek yakaları içinde yaşlı, ağırbaşlı üç beyin portresi asılıydı. Konuşmaksızın etrafına bakınıp dururken öğretmenleri tir tir titremekten başka bir şey bilmeyen Dr. Bledsoe'de bile böyle kendine güvenen bir bakış yoktu. İşte onun arkası bu tip adamlardı. Güneyli beyazlarla, bana burs vermiş olan insanlarla nasıl da uyuyorlardı birbirine! Sekreter geriye döndüğünde, böyle kudretli görünmenin sırlarını düşünerek hâlâ bakıp duruyordum.

Garip garip yüzüme baktı ve gülümsedi. "Özür dilerim," dedi. "Ama Bay Bates bu sabah sizi göremeyecek kadar meşgul, adınızı ve adresinizi bırakmanızı rica ediyor. Mektupla cevap verecek size."

Hayal kırıklığı içinde sessiz, ayakta duruyordum. "Şuraya yazın," dedi bir kart uzatarak.

Ben acele acele adresimi yazıp hemen gitmeye hazırlanırken, tekrar, "Özür dilerim," dedi.

"Her an bu adreste bulunabilirim," dedim.

"Çok iyi," dedi. "Çok yakında bir mektup alırsınız."

Çok kibar ve ilgilenmiş görünüyordu; moralim düzelmiş olarak ayrıldım. Korkularım yersizdi, değmezdi. New York'tu burası.

Ondan sonraki günler boyunca birçok mütevellinin sekreterine kadar ulaşabilmeyi başardım; hepsi de dost ve cesaret vericiydi. Bazısı acayip bakıyordu; ama bu bana terslik gibi görünmediği için boş veriyordum. Kim bilir, benim gibi, böyle önemli kimselere tavsiye mektupları getiren birini gördüklerine şaşıyorlardır, diye düşünüyordum. Kuzey'den Güney'e uzanan görünmez hatlar vardı ve Bay Norton da bana "kendi kaderi" olduğunu söylememiş miydi... El çantamı güvenle sallıyordum.

İşler bu kadar iyi gidince mektuplarımı sabahleyin dağıtıyor, öğleden sonralarımı kenti görmeye ayırıyordum. Caddelerde yürümek, metrolarda beyazlarla yan yana oturmak, onlarla aynı kafeteryada (aynı masada oturmaktan sakınsam da) yemek yemek, korkulu karmaşık bir rüya duygusu veriyordu. Elbiselerim pek uymuyordu üzerime; kudretli insanlara yazılmış olan bütün o mektuplara rağmen nasıl hareket edeceğim konusunda kararsızdım. Caddeler boyunca sallanıp dururken, ilk kez memlekette nasıl davrandığımı bilinçli olarak düşündüm. İnsan olarak beyazlardan o kadar endişelenmezdim. Bazıları dostça davranırdı, bazıları değil; siz her iki tipi de gücendirmemeye, kızdırmamaya çalışırdınız. Ama burada hepsi de kişiliklerini gizlemiş gibiydiler; ama yine de, tam, kişilikleri en gizli göründüğü zaman bana karşı nazik davranarak, kalabalıkta çarpınca bağışlamamı rica ederek korkutuyorlardı beni. Nazik davrandıkları zaman bile beni görmediklerini; kafası kendi işine dalmış yürüyüp giderken çarpsalar, yüzüne bakmaksızın Ayı Jack'ten de özür dileyebileceklerini hissediyordum. Aklım karışıyordu. Bunun isteyerek mi, istemeyerek mi yapılmış bir şey olduğunu bilmiyordum...

Ama benim için asıl sorun mütevellileri görmekti; bir haftadan fazla bir süre kenti gördükten ve sekreterlerce belli belirsiz yüreklendirildikten sonra sabırsızlanmaya başladım. Bay Emerson diye birine yazılmış olandan başka bütün mektupları dağıtmıştım, onun da kentte olmadığını öğrenmiştim gazetelerden. Birçok kez, ne olduğunu gidip görmeye davrandım ama vazgeçtim sonra. Fazla sabırsız görünmek istemiyordum. Fakat zaman azalıyordu. Hemen iş bulamazsam sonbaharda okula kaydolacak kadar parayı kazanamazdım. Eve, mütevelliler kurulundan bir üyenin yanında çalıştığımı yazmıştım; o zamana kadar aldığım tek mektupta buna ne kadar sevindiklerini söylüyorlar ve kentin *kötülüğüne, tehlikelerine* karşı uyarıyorlardı beni. İş bulduğum konusunda söylediğim yalanı itiraf etmeden mektupla para da isteyemezdim onlardan.

Sonunda, önemli insanları telefonla bulmaya çalıştım; ama sekreterlerinin beni nazikçe reddetmelerinden başka sonuç alamadım. Ama neyse ki Bay Emerson'a yazılmış mektup hâlâ yanımdaydı. Kullanmaya karar verdim onu; fakat sekretere vereceğim yerde, Dr. Bledsoe'dan bir mesajım olduğunu bildiren ve buluşma talebini içeren bir mektup yazdım kendisine. Belki de sekreterlerde yanılmıştım bugüne kadar, diye düşünüyordum; belki yırtıyorlardı mektupları. Daha dikkatli olmalıymışım. Bay Norton'u düşündüm. Ah, son mektup ona yazılmış olsaydı! Ah, New York'ta olsaydı da gidip kendim başvursaydım ona! Her nedense kendimi daha yakın hissediyordum Bay Norton'a. Beni görse, kaderiyle o kadar yakından ilişki kurduğu kimsenin ben olduğumu anımsayacağını hissediyordum. Şimdi yüzyıllar kadar uzak geliyordu bu bana; başka bir mevsimde, uzak bir ülkedeymiş gibi. Gerçekte, daha bir ay bile olmamıştı. İşi gücü bıraktım, onun yanında çalışsam geleceğimin ölçülemeyecek derecede farklı olacağına; benim kadar kendisinin de bundan yararlanacağına dair olan inancımı belirten bir mektup yazdım. Kendisine nasıl ustaca başvurduğumu gösterebilecek bazı şeylere özellikle dikkat ettim. Yazıp yırttım, yazıp yırttım, saatlerce uğraştım daktiloda; en sonunda kusursuz, ifadesi dikkatli ve çok saygılı bir mektup yazıp bitirebildim. Aşağıya koştum, son mektup toplama zamanından önce postaladım; bunun mutlaka bir sonuç vereceğine dair bir inanca kapıldım birden. Bir cevap bekleyerek, üç gün boyunca binanın etrafından uzaklaşamadım. Ama hiçbir cevap gelmedi mektuba. Tanrı'nın cevaplandırmadığı bir dua nasıl geri dönmezse o da geri dönmedi.

Kuşkularım artıyordu. Belki her şey kötüydü. Ertesi gün sabahtan akşama kadar odamda kaldım. Korktuğumu anlıyordum artık; şurada, odamda Güney'de hiçbir zaman korkmadığım kadar korkuyordum. Hatta daha da çok; çünkü burada korkuma neden olacak somut bir şey de bulamıyordum. Bütün sekreterler cesaret verici konuşmuşlardı. Akşamleyin bir sinemaya gittim; kahraman Kızılderililerin dövüştüğü, su baskınına, fırtınaya ve orman yangınına karşı mücadele ettikleri, sayıca üstün yeni gelenlerin her çarpışmayı kazandıkları bir filmdi; hep batıya doğru giden arabaların destanı. Kendimi unuttum (serüvenlere katılmakta benim gibisi yoktu) karanlık salondan, daha hafiflemiş bir hava içinde ayrıldım. Ama o gece büyükbabamı gördüm düşümde ve kırgın, şevki kırılmış uyandım. Anlamadığım bir dalaverede rol alıyormuşum gibi garip bir hisle binadan dışarıya çıktım, dolaştım. Her nasılsa, Dr. Bledsoe ile Norton'un bu dalaverenin arkasında olduklarını hissediyordum ve bütün gün rezalet çıkaracak bir şey söyleyebilirim ya da yapabilirim korkusuyla konuşmamda ve davranışımda çekingendim. Ama bütün bunlar hayal, diyordum kendi kendime, çok sabırsızlanıyordum ben de. Mütevellilerin bir hareket yapmalarını bekleyebilirdim. Kim bilir, belki de sınavdan geçiriyorlardı beni. Biliyordum kuralları söylememişlerdi bana; ama o garip duygu hâlâ içimdeydi. Belki de sürgünlüğüm birden sona erecek ve kampusa dönmem için bir burs verilecekti. Ama ne zaman? Daha ne kadar zaman?

Bir şeyler olmalıydı, çabuk. Geçici olarak bir iş bulmak zorundaydım. Param neredeyse suyunu çekmişti, her şey olabilirdi; ilk geldiğimde o kadar emindim ki her şeyden, memlekete gidecek tren parasını bile bir kenara koymamıştım. Acınacak durumdaydım; sorunlarım hakkında kimseyle konuşmaya cesaret edemiyordum, misafirhanenin yetkilileriyle bile; çünkü önemli bir işe atanacağımı öğrenmiş oldukları için apaçık bir saygı göstermişlerdi bana; bunun için, gittikçe artan kuşkularımı dikkatle gizliyordum. Nihayet, diye düşünüyordum, kredi istemek zorunda kalabilirim, bu tehlikeyi göze alabilirim. Hayır, yapılacak şey, inancımı kaybetmemekti sonuna kadar. Yarın sabahleyin bir kez daha başlayacaktım. Yarın mutlaka bir şey olacaktı. Oldu da. Bay Emerson'dan bir mektup aldım.

Dokuz

Dışarıya çıktığımda açık, parlak bir gündü; güneş gözlerimi yakıyordu. Yalnız, mavi sabah göğünde kar gibi bembeyaz, küçük bir iki parça bulut yükseklerde asılı duruyordu; bir kadın sabah sabah çamaşır asıyordu bir çatıda. Yürümek hoşuma gidiyordu. Bir güven duygusu kaplıyordu içimi. Aşağıda, adanın bir ucunda gökdelenler, ince, pastel bir pus içinde upuzun ve gizemli yükseliyordu. Bir süt kamyonu geçti. Okulu düşündüm. Şimdi kampusta ne yapıyorlardı? Damızlık koca boğanın böğürtüsü yatakhanelerde kızları uyandırmış mıdır bu sabah da, ben oradayken olduğu gibi; çanların ve boruların ve günün ilk işlerinin sesleri üzerinde açık ve tok? Anılarla yüreklenmiş bir halde hızlandım, birden bugün tam günü olduğuna dair kesin bir duyguya kapıldım. Bir şeyler olacaktı. İçindeki mektubu düşünerek el çantama hafifçe vurdum. Sonuncusu birinci olmuştu; iyi bir belirtiydi bu.

İlerde, kaldırımın kenarında, tomar tomar mavi proje kağıtlarıyla tıka basa yüklü el arabasını iten bir adam gördüm; çın çın öten berrak bir sesle şarkı söylüyordu. Hüzünlü bir şarkıydı; bu tür şarkıları memlekette duymuş olduğumu anımsayarak arkasından yürüdüm. Burada bazı anılar kampustaki yaşamımı atlayarak çok önceleri kafamdan çıkarmış olduğum şeylere uzanıyormuş gibiydi. Böyle anımsatıcı şeylerden kaçış kurtuluş yoktu.

"Maymun gibi ayakları
Kurbağa gibi bacakları, aman Allah!
Hele bir sevdası var
Bağırtır adamı; uyyyy, kancığın kızı!
Severim ben bebeğimi
Çünkü kendimden fazla..."

Yanına yaklaşınca beni çağırdığını işitip irkildim:
"Buraya baksana, hemşerim..."
"Evet," dedim, kırmızımsı gözlerine bakıp durdum.
"Bir tek şey söyle bana bu çok güzel sabah vakti. Hey! Bir dakka, babalık, yollarımız aynı!"
"Nedir?" dedim.
"Bilmek istediğim" dedi. "*kancığı* sen mi aldın?"
"Kancık mı? Hangi kancık?"
"Elbet," dedi arabasını durdurup destekleri üzerine bırakarak. "İşte böyle. *Kim...*" İncil'in üzerine pat diye vuran bir köy papazı gibi kaldırımın kenarında bir ayağı üzerinde çömelmek için durdu. "*Aldı... kancığı...*" Her kelimede kızgın bir horoz gibi başını ileri doğru atarak hızla.

Sinirli sinirli güldüm ve geriye çekildim. Keskin, zeki gözleriyle dikkatli dikkatli bakıyordu bana. "Ah, *kancık*, babalık," dedi aniden, "kim aldı o Allah'ın belası kancığı? Ta memleketten tanıyorum seni, daha önce hiç duymamışsın gibi bunu, numara yapıp durma! Allah kahretsin kimsecikler yok sabah sabah dışarda bizden, zencilerden başka. Ne diye yalancı çıkarmaya çalışıyorsun beni?"

Birden sıkıldım ve kızdım. "Ne seni yalancı çıkarması? Ne demek istiyorsun sen?"
"Sen soruma cevap ver. Aldın mı sen onu, yoğsa almadın mı?"
"Kancığı mı?"
"He ya, kancığı!"
Öfkelendim. "Hayır bu sabah almadım," dedim ve bir sırıtışın yayıldığını gördüm yüzünde.
"Bir Dakka, babalık. Kızma şimdi. Allah'ın belası herif. Senin aldığını sandım," dedi bana inanmamış görünerek. Yürümeye

başladım, arabayı itmeye başladı yanımda. Ve birden huzurum kaçmış hissettim kendimi. Bir yanıyla, Altın Gün'deki emekli askerlerden birine benziyordu... "Kim bilir, belki de tersidir," dedi. "Belki de o seni yakalamıştır."

"Kim bilir?" dedim.

"Eğer öyleyse şanslısın bir kancıktan başka şey olmadığı için; çünküm, bana bak, sana söyleyim, ben... yakalıyan, bir ayı..."

"Bir ayı mı?"

"Helbet ya! Ayı. Kıçımda tırmaladığı yerlerdeki yamaları görmüyor musun?"

Şarlo pantalonumun kıçını yana doğru çekerken uzun bir gülme tuttu.

"Bu Harlem, bir ayı ininden başka şey değil, valla. Ama sana bir şey söyleyim mi?" dedi birden gülmesini keserek, "senin ve benim için bu dünyada en güzel yer burası; bu durumlar düzelmezse çabucak tutacağım o ayıyı ve canına okuyacağım!"

"O senin canına okumasın, dikkat et!"

"Yoo, babalık, kendi boyuma göre biriyle başlarım ben!"

Cevap olarak ayılara dair bir deyiş bulmaya çalıştım; ama Tavşan Jack... filan gibi şeyler geldi aklıma yalnız. Çoktan unutmuştum bunları, şimdi bir sıla özlemi dalgası getiriyordu insana. Ayrılmak istiyordum, ama yanında yürürken belli bir rahatlık da duyuyordum, başka yerlerde başka sabahlar da bu yolu birlikte yürümüşüz gibi...

"Ne var orada?" dedim arabaya yığılmış mavi kağıt tomarlarını göstererek.

"Yapı planları," dedi. "Elli kiloya yakın plan var şurada da, bir kulübe kuramadım daha kendime."

"Ne planları?" dedim.

"Biliyorsam Allah belamı versin; her yerin. Şehirler, kasabalar, kasaba kulüp binaları... Bazıları sırf bina ve ev planları, Japonya'da olduğu gibi kağıttan bir evde yaşıyabilseydim, yapardım kendicağıma bir ev namussuzum. Birileri değiştirdi planlarını herhal," diye ekledi gülerek. "Sordum adama, bütün bunları niye atıyorsunuz, diye; ayaklarına dolaşıyormuş, öyle dedi adam, bunun için de arada sırada atmalılarmış ki yeni planlara yer açılsınmış. Bunun gibi daha bir sürüsü kullanılmamış duruyor, biliyor musun?"

"Epey var burada," dedim.

"He, bu kadar da değil hepsi hem. Bir iki yük daha var. Bir günlük işi var şu dalgaların. Adamların hep plan yapıyorlar ve sonra da değiştiriyorlar."

"Evet, doğru," dedim, mektuplarımı düşünerek, "ama yanlış bu. Plana bağlı kalmalı insan."

Birden ciddileşerek yüzüme baktı. "Çok toysun babalık," dedi.

Cevap vermedim. Bir tepenin tam üstünde bir dönemece geldik.

"Eeh, babalık, bizim memleketten bir delikanlıyla konuşmak iyi şeydi; ama senden ayrılmak zorundayım artık. Bak şurada, yokuş aşağı güzel bir cadde var. Bir süre bırakırım arabayı orda yokuş aşağı, gün bitinceye kadar da yorgunluktan pestilim çıkmaz böylece. Postu kaptırırsam onlara Allah belamı versin. İlerde görürüm seni gene; ha biliyor musun?"

"Neyi?"

"Başlangıçta bana numara yapmaya çalışıyorsun sanmıştım; ama şimdi seni gördüğüme memnunum..."

"Ben de," dedim. "Kendine iyi bak."

"Bakarım, bakarım. Bu erkek şehrinde geçinebilmek için her şey, birazcık yüzsüzlüğe, birazcık cesarete ve kafanı kullanmaya bakar. Ve gardaşım ben bu üçüyle birlikte doğdum. Aslına bakarsan, yapılmamışduvardaoturandoğmamışoğlanımben; ekilmemişbostanıyolmadiyebağırırım, dikilmedikbahçeninbitmediknarınıyedim," dedi bir makamla, gözlerini kırpıştırarak, dudaklarını hızla oynatarak. "Kavradın mı babalık?"

"Çok hızlı söylüyorsun," dedim gülerek.

"Peki yavaşlıyorum, ayarlayacağım seni ama kalaylamayacağım. Peter Wheatstraw'dur adım, Şeytan'ın tek damadıyım, hadi bakayım! Güneylisin, değil mi?" dedi, başı bir ayı başı gibi bir yana eğilmiş.

"Evet," dedim.

"Eh ne yapalım! Var varanın, sür sürenin, destursuz bağa girenin, hali yaman dediler... Fe Fi Fo Fum."

İster istemez sırıttım. Karşılığında ne söyleyeceğimi bilmesem de hoşuma gidiyordu söyledikleri. Çocukluğumda bilirdim bunları ama unutmuştum şimdi; okula gitmeden çok yıllar önce öğrenmiştim...

"Anlıyabiliyor musun, babalık?" Güldü. "Haydi eyvallah, ara sıra ara beni; piyano çalarım, aç yatarım, viski içerim, kaldırım ölçerim. Sana bazı iyi kötü şeyler öğretirim. İhtiyacın olur. İyi şanslar," dedi.

"Güle güle" dedim ve arkasından baktım. Arabasının kollarına adamakıllı eğilmiş, onu tepeye doğru itişini seyrettim ve sesinin yükseldiğini duydum, boğuk, kısık:

"Maymun gibi ayaaakları
Bacakları
Bacakları, bacakları
Kuduz bir Buldog gibi..."

Nedir bunun anlamı, diye düşündüm. Bütün yaşamım boyunca işitmiştim bu şarkıyı ama acayipliğinin yeni farkına varıyordum. Bir kadını mı anlatıyordu yoksa sfenkse benzer acayip bir hayvanı mı? Tabii onun kadınıydı bu, hiçbir kadın bu tanıma uymazdı. Neden tanımlarlardı herhangi bir insanı böyle çarpık sözlerle? Bir sfenks miydi yoksa? O Şarlo pantalonlu, o kıçı tozlu, seviyor muydu onu, yoksa nefret mi ediyordu; yoksa yalnızca şarkı mı söylüyordu? Böyle pis herifin biri nasıl bir kadın sevebilirdi, sahi? Kadın, şarkıda söylendiği gibi iğrençse *o* bile olsa nasıl severdi onu? Devam ettim düşünmeye. Kim bilir herkes birilerini seviyordur. Ne bileyim. Fazla kafa yormamıştım aşka; uzaklara gidebilmek için bağlı olmamalıydı insan, kampusa geri dönebilmek için uzun bir yol vardı önümde. Arabacının şarkısının şimdi her cümlenin sonunda titrek, hüzünlü bir şarkı notası halinde çiçeklenen garip, gür sesli bir çığlığa döndüğünü işiterek hızlı hızlı yürüyordum. Titreyişinin ve sürükleniştinin, kimsesiz bir gecenin içinde tek başına son hızla giden bir trenin sesiyle bastırıldığını işittim. Şeytanın damadıydı, olsun; üç tonlu bir sesi ıslıkla çalabilecek adamdı ya... Allah kahretsin, diye düşündüm, ne berbat bir hak! Ve o anda birden beni saran şeyin gurur mu, nefret mi olduğunu bilmiyordum.

Köşede bir sandviççiye girdim, tezgâhta bir yere oturdum. Bir sürü insan tabaklarındaki yiyeceklerin üzerine eğilmişti. Mavi alevler üzerinde camdan, yuvarlak kahve güğümleri kaynıyordu. Tezgâhtaki adam ızgaranın kapağını açıp ince dilimleri çevirerek tekrar kapattıkça kızarmakta olan domuz pastırmalarının kokusunu ta midemde duyuyordum. Yukarda, tezgâhın tam karşısında sarışın, güneş yanığı bir kolejli kız aşağıya bakıp gülüyordu, herkesi kola içmeye çağırarak. Tezgâhtar yaklaştı.

"İyi bir şeylerim var sizin için," dedi önüme bir bardak su koyarak. "Özel kahvaltımıza ne dersin?"

"Ne var özel kahvaltıda?"

"Domuz pastırması, mısır ezmesi, bir yumurta, sıcak bisküvi ve kahve!" Bak, bu senin ağzının suyunu akıtır oğlum, der gibi bir bakışla tezgâhın üzerine eğildi. Güneyli olduğumu nasıl anlıyordu herkes?

Soğuk soğuk, "Portakal suyu, tost ve kahve istiyorum," dedim.

Başını salladı, tost makinesinin içine iki dilim ekmeği gürültüyle kapatarak, "Kandırdın beni, gören de seni pastırmacının biri sanır. Portakal suyu küçük mü, büyük mü?" dedi.

"Büyük olsun," dedim.

Arkasını dönmüş, bir portakalı kesmekte olan adama baktım sessizce. Bir özel kahvaltı ısmarlamalı sonra da kalkıp gitmeliyim, diye düşündüm. Ne zannediyordu kendini?

Bardağın üzerinde toplanmış kalın portakal posası içinde bir çekirdek yüzüyordu. Bir kaşıkla çıkardım çekirdeği; domuz pastırmasını ve mısır ezmesini reddettiğim için gurur duyarak asitli içkiyi mideme indirdim.

Bir disiplindi, bir değişiklik belirtisiydi bu üzerime gelen, koleje daha tecrübeli bir insan olarak döndürecekti beni. Temelde yine aynı olurum, diye düşündüm kahvemi karıştırarak; ama Kuzey'de hiç bulunmamış olanları şaşırtacak kadar inceden inceye değişirdim. Kolejde birazcık farklı olmak her zaman işine yarardı insanın, hele herhangi bir şeyde başa güreşmek istiyorsan. Herkes senin hakkında konuşur, seni anlamaya, çözmeye çalışırdı. Bununla birlikte, Kuzeyli bir Zenci gibi çok fazla konuşmamaya da dikkat etmeliydim; bundan hoşlanmazlardı. Yapılacak şey, ne söylersen söyle, ne yaparsan yap hepsinin, yüzeyin tam altında yatan geniş ve gizemli anlamlarla yüklü olduğunu hissetirmektir, diye düşündüm gülümseyerek. Buna bayılırlardı. Ve ne kadar belirsiz şey söylersen o kadar iyiydi. Onları hep tahmin etme durumunda tutacaksın. Dr. Bledsoe hakkında tahmin yürüttükleri gibi: Dr. Bledsoe New York'a gittiğinde pahalı bir beyaz otelinde kalmış mıdır acaba? Mütevellilerle birlikte balolara, eğlencelere gitmiş midir? Ve nasıl davranmıştır orada?

"*Bahse girerim ki iyi eğlenmiştir, valla. Bana dediler ki, Bizim Doktor New York'a gittiğinde öyle kırmızı ışıkta filan durmazmış. İyi cins, kırmızı etiketli viskisini içer ve iyi cins siyah purolarını tüttürür ve burada, kampustaki siz kara-cahil Zencileri unuturmuş tümden. Kuzey'e çıktığında herkese Mister Doktor Bledsoe dedirtirmiş kendine.*"

Bu konuşma aklıma gelince gülümsedim, kendimi iyi hissettim. Kim bilir, uzaklaştırılmam belki de en iyisiydi. Şimdiye kadar kampustaki bütün dedikodular kötü niyetli ve saygısızca görünmüştü bana; şimdi Dr. Bledsoe'nun bunlardan çıkar sağladığını görebiliyordum. Onu sevelim ya da sevmeyelim, aklımızdan çıkmazdı. Önderliğin bir giziydi bu. Bunu şimdi düşünmem garip; çünkü daha önce hiç üzerinde durmamış olsam da her şeyi ta başından beri biliyormuşum gibi geliyordu bana. Yalnız, şimdi kampustan bu kadar uzak olmam onları daha açık ve kesin yapıyor gibiydi, korkmadan düşünüyordum artık. Şimdi, şurda, kahvaltım için tezgâhın üzerine koyduğum on senti vermek kadar kolay geliyordu anılar. Kahvaltı on beş sentti ve cebimde bir beş sent daha aranıp dururken bir on sent çıktı bu kez; bizlerden biri onlardan birine bahşiş verse hakaret olur mu, diye düşündüm.

Tezgâhtarı arandım; onu, hafif kumral, bıyıklı bir adama bir tabak domuz pastırması ve mısır ezmesi verirken gördüm, uzun uzun baktım ona; sonra on senti hafifçe vurarak tezgâha, çıktım, on sentler elli sentler kadar ses çıkarmadığı için canım sıkıldı.

Bay Emerson'un bürosunun kapısına vardığımda, belki de günlük işler başlayıncaya kadar beklemek gerektiği gibi bir düşünce geldi aklıma ama aldırmadım bu düşünceye ve ilerledim. Erken gelişim, hem işe ne kadar ihtiyacım olduğunun hem de bana verilen bir görevi ne kadar dikkatle ve zamanında yaptığımın bir belirtisi olur, diye umut ediyordum. Ayrıca, erken kalkan yol alır, demezler miydi? Yoksa yalnızca Yahudiler için söylenmiş bir şey miydi? Çantamdan mektubu çıkardım. Emerson, bir Hıristiyan adı mı yoksa bir Yahudi adı mıydı?

Kapının ötesi bir müze gibiydi. Soğuk, tropikal renklerle dekore edilmiş geniş bir kabul odasına girmiştim. Bir duvar koskoca renkli bir haritayla neredeyse tamamen kaplanmıştı; haritanın her bölgesinden ince kırmızı ipek kurdeleler uzanıyordu çeşitli ülkelerin doğal ürünlerinden örneklerin bulunduğu cam kavanozları taşıyan bir sıra siyah tahtadan ayağa. Bir dışalım firmasıydı bu. Şaşkın şaşkın bakınıyordum odanın içinde. Yağlıboya resimler, tunç heykeller, resimli duvar halıları, hepsi de çok güzel yerleştirilmiş. Gözlerim kamaşmıştı, öylesine şaşırmıştım ki, birisi "Bir şey mi istemiştiniz?" deyince neredeyse çantamı düşürecektim elimden.

Bir reklamdan fırlamışa benzeyen bir yüz gördüm karşımda: Bir tek teli bile ayakta olmayan kumral saçlarıyla sağlıklı pespembe bir yüz, geniş omuzlarını kusursuz örten yazlık, keten bir elbise, açık renk çerçeveli gözlüğünün gerisinde ürkek gri gözleri.

Randevum olduğunu söyledim. "Ha, evet," dedi. "Mektubu görebilir miyim, lütfen?"

Mektubu verdim; elini uzattığında yumuşak, beyaz kol kapaklarında altın kol düğmeleri gördüm. Zarfa, sonra gözlerinde garip bir ilgiyle tekrar yüzüme baktı. "Oturun lütfen," dedi, "biraz sonra dönerim ben."

Gürültüsüz, uzun adımlarla kalçalarını sallaya sallaya yürüyüşünü seyrettim, kaşlarım çatıldı. İleri yürüdüm, üzerinde zümrüt yeşili minderler olan bir ağaç iskemleye, çantamı dizlerimin üstünde sıkı sıkı tutarak oturdum. Ben içeriye girdiğimde o oturuyor olmalıydı; çünkü çok güzel bodur bir ağacın üzerine tutturulmuş bir masa üzerinde, yeşim taşından bir kül tablası içinde bir sigaradan duman çıktığını gördüm. Açık bir kitap: *Totem ve Tabu* diye bir şey duruyor sigara tablasının yanında. Karşıdaki, içi her biri tahtadan oyma bir altlığa yerleştirilmiş çok narin görünüşlü at ve kuş heykelleriyle, küçük vazolar ve kadehlerle dolu, Çin motifli, aydınlatılmış dolaba baktım. Bir mezar kadar sessizdi oda. Birden vahşi bir kanat vuruşu işittim, pencereye doğru baktım; bir renk patlaması aldı gözümü, sanki sert bir rüzgâr, parlak renkli bezlerden yapılma bir kırbacı sallamıştı. Geniş pencerelerden birinin yanına yerleştirilmiş, içinde tropik kuşlar bulunan bir kuş kafesiydi bu; kanat çırpışları şimdi durduğu için, pencerelerden, dışarıda, uzakta yeşilimsi körfezin üzerinde iki geminin gittiğini görebiliyordum. Büyük bir kuş ötmeye başladı, gözlerimi parlak mavi, kırmızı ve sarı gırtlağının hareketine çekerek. Ürkütücüydü; renkleri bir an açılmış bir Doğu yelpazesi gibi parladıkça kabaran ve kanat çırpan kuşları seyrediyordum. Daha iyi görmek için gidip kafesin yanında durmak istiyordum; ama yapmamaya karar verdim bunu. İşi bozabilirdi. Oturduğum yerden gözetliyordum odayı.

Bu insanlar Yeryüzünün Kralları, diye düşünüyordum, kuşun çıkardığı çirkin sesi dinlerken. Kolej müzesinde –ya da bugüne kadar gördüğüm herhangi bir yerde– buna benzer şeyler yoktu. Kölelik günlerinden kalma birkaç kırık dökük kalıntı aklıma geldi: Bir demir kap, bir eski çan, bir takım bilek demiri ve zincir halkaları, ilkel bir dokuma tezgâhı, bir çıkrık, bir su kabağı, alay ediyora benzeyen abanozdan yapılma çirkin bir Afrika tanrısı (okula bir milyoner gezgin hediye etmişti bunu), üzerinde ufak ince çiviler bulunan bir deri kırbaç, çift MM işaretli bir dağlama demiri... Pek seyrek görmeme rağmen kafamda capcanlıydı bunlar. Hoş şeyler değillerdi, o odayı ne zaman gezsem bunların içinde durduğu cam dolaptan kaçardım; onların yerine İç Savaş'tan hemen sonraki günlerin, kör Barbee'nin anlattığı günlere yakın günlerin fotoğraflarına bakmayı yeğlerdim. Hatta bunlara bile çok sık bakmazdım.

Rahatlamaya çalışıyordum; sandalye çok güzel fakat sertti. Nereye gitmişti adam? Beni gördüğünde herhangi bir düşmanlık göstermiş miydi? Önce onu görmemiş olduğum için canım sıkıldı. İnsan böyle ayrıntıları gözden kaçırmamalıydı. Birden, acı bir çığlık yükseldi kafesten, kuşlar kendiliğinden parlamışlar gibi delicesine bir alevlenme gördüm bir kez daha; kanat çırpıyorlar, bambudan kafesin sopalarını dövüyorlardı kanatlarıyla. Kapı açılıp da kumral adam, eli kapının tokmağında, işaret ederek çağırınca beni birden sustular, yerlerine döndüler. İlerledim, içimde bir daralma vardı. Kabul mü edilmiştim, ret mi?

Gözlerinde bir soru vardı. "İçeri girin, buyrun," dedi.

"Teşekkür ederim," dedim peşinden gitmeyi bekleyerek.

"*Lütfen*, buyrun," dedi belli belirsiz bir gülümsemeyle.

Önünde yürüdüm, sözlerinin tonundan bir şeyler çıkarmaya çalışarak.

Elinde tuttuğu mektubu iki sandalyeye doğru sallayarak. "Size birkaç soru sormak istiyorum," dedi.

"Evet, efendim?"

"Söyleyin bana, ne yapmaya çalışıyorsunuz?"

"Bir iş istiyorum, efendim, sonbaharda koleje dönmek için yeterli parayı kazanabileyim diye."

"Eski okulunuza mı?"

"Evet, efendim."

"Anlıyorum." Bir an sessizce inceledi beni. "Ne zaman bitireceksiniz okulu?"

"Gelecek yıl efendim. Son sınıfa geldim."

"Ya, demek öyle? Çok güzel. Peki kaç yaşındasınız?"

"Hemen hemen yirmi, efendim."

"On dokuz yaşında bir son sınıf öğrencisi? İyi bir öğrenciymişsiniz."

"Teşekkür ederim," dedim, konuşma yavaş yavaş hoşuma gitmeye başlamıştı.

"Bir atlet miydiniz" diye sordu.

"Hayır efendim..."

"Yapınız uygun," dedi yukardan aşağıya süzerken beni, "Belki de eşsiz bir koşucu, bir kısa mesafe koşucusu olabilirdiniz."

"Hiç denemedim efendim."

"Sizin Alma Mater hakkında ne düşündüğünüzü sormak bile budalaca bir şey olur sanırım?" dedi.

Sesimin ta derinden kabardığını hissederek, "Sanırım en iyilerden biri" dedim.

Beni şaşırtan, ani bir hoşnutsuzlukla, "Biliyorum, biliyorum," dedi. "Harward Parkı için duyduğu özlem"e dair anlaşılmaz bir şeyler mırıldanırken ben yeniden dikkat kesildim.

"Peki çalışmanızı bir başka kolejde bitirmeniz için bir fırsat verseler size ne derdiniz?" dedi, gözlük camlarının arkasında gözleri kocaman açılarak. Gülümsemesi yeniden gelmişti yüzüne.

Kafam hızla dönmeye başlarken, "Başka bir kolej mi?" diye sordum.

"Tabii, niçin olmasın, mesela New England'da herhangi bir okul..."

Dilim tutulmuş gibi yüzüne bakıyordum. Harward mı demek istiyordu? İyi miydi, kötü müydü bu? Nereye götürürdü beni? "Bilmem, efendim," dedim ihtiyatla. "Hiç düşünmemiştim bu konuyu. Benim bir yılım daha var yalnız, şey, hem de okulumda herkesi tanırım, onlar da beni tanırlar..." Elinden bir şey gelmiyor da boyun eğiyormuş gibi bir iç çekişle bana baktığını görünce kafam karıştı, durdum. Ne vardı kafasında bu adamın? Belki koleje dönme konusunda çok açık sözlü olmuştum, belki bizlerin yüksek eğitim görmesine karşıydı... Olursa olsun, bir sekreterdi o... Yoksa, o olmasın?"

"Anlıyorum," dedi sakin bir sesle. "Küstahlıktı benimkisi, başka bir okulu teklif bile etmek... İnsanın koleji gerçekten kendisinin anası babası gibi bir şeydir sanırım... kutsal bir şey."

"Evet, efendim. Öyle," dedim acele acele onu onaylayarak.

Gözleri kısıldı. "Ama şimdi cevaplandırılması zor, sıkıntılı bir soru soracağım. Sorabilir miyim?"

"Ne demek, tabii, efendim," dedim sinirli sinirli.

Acıyla kaşlarını çatarak öne eğildi. "Bunu sormak istemezdim ama oldukça gerekli bir soru... Söyleyin bana, Bay Emerson'a getirdiğiniz mektubu okudunuz mu? Bunu?" dedi mektubu masadan alarak.

"Hayır, efendim! Bana yazılmamıştı, ben de bunun için açmayı düşünmedim tabii..."

"Tabii hayır, ben de açmadığınızı biliyordum," dedi ellerini çırpıp yerinde doğrularak. "Özür dilerim, unutun artık bunu, tıpkı bugünlerde o güya kişilikle ilgisiz kağıtlarda sorulan basbayağı can sıkıcı kişisel sorular gibi."

İnanmıyordum ona. "Yoksa açılmış mıydı efendim? Birisi eşyalarımı karıştırmış olabilir de..."

"Hayır, hayır, öylesi değil. Lütfen unutun o soruyu... Ve söyleyin bana, lütfen, okulu bitirdikten sonra ne yapmayı düşünüyorsunuz?"

"Pek bilmiyorum, efendim. Öğretmen olarak ya da idari bir görevle okulda kalmam istense memnun olurdum. Ve... şey..."

"Evet, başka ne?"

"Şey, yani, bana sorulsa, ben Dr. Bledsoe'nun asistanı olmak isterdim..."

"Ah, anlıyorum," dedi geriye oturarak ve ağzını ince dudaklı bir daire haline getirerek. "Çok hırslısınız."

"Sanırım öyleyim, efendim. Ama çok çalışmak istiyorum ben."

"Hırs çok güzel bir güçtür," dedi, "fakat bazen insanı kör edebilir... Öte yandan başarıya da ulaştırabilir sizi; babam gibi..." Sesi yeniden sertleşti, kaşlarını çattı ve titreyen ellerine indirdi gözlerini. "Hırsın tek kötü yanı bazen insanı gerçeklere karşı kör etmesidir... Söyleyin bana, bu mektuplardan kaç tane var sizde?"

"Yedi kadar vardı, efendim," diye cevap verdim, yaptığı yeni dönüşü anlamayarak. "Onlar..."

"*Yedi tane!*" Birden öfkelendi.

"Evet, efendim, bana verdiğinin hepsi o kadardı..."

"Peki bu isimlerden kaç tanesini görmeyi başarabildin, sorabilir miyim?"

Batıyormuşum gibi bir duygu kapladı içimi. "Hiçbirisini kişi olarak göremedim, efendim."

"Ve bu sizin son mektubunuz?"

"Evet, efendim, son ama öbürlerinden bir cevap almayı umuyorum... Dedilerdi ki..."

"Tabii, alacaksın, yedisinden de. Hepsi de sadık Amerikalıdır."

Sesinde apaçık bir alay vardı şimdi; bense ne söyleyeceğimi bilemiyordum.

"Yedi tane," diye tekrarladı anlaşılmaz biçimde. "Ah, keyfini kaçırmayayım senin," dedi kibar bir şekilde, kendinden iğrenircesine. "Dün akşam psikanalizcimle zor bir seans yaptık da en küçük şeyler keyfimi kaçırabiliyor şimdi." Kontrolden çıkmış bir çalar saat gibi, "Şey!" dedi avuçlarını kalçalarına vurarak. "Allah aşkına, ne demek bu?" Birden korkmuş, huzuru kaçmış gibiydi. Yüzünün bir yanı seğirmeye ve şişmeye başlamıştı.

Ne oluyor, nedir bütün bunlar diye düşünerek, sigara yakışını seyrettim onun.

"Bazı şeyler sözcüklerle dile getirilemeyecek kadar karışık oluyor," dedi ince bir duman çıkararak ağzından. "Ve ne konuşmaya ne de düşünmeye gelmeyecek kadar iki anlamlı. Sahi, Calamus Kulübü'ne hiç gittiniz mi?"

"Adını duyduğumu hatırlamıyorum, efendim," dedim.

"Duymadınız mı? Çok tanınmıştır. Harlemli arkadaşların çoğu gider oraya. Yazarlar, ressamlar, her çeşidinden ünlü kişiler için bir toplanma yeridir. Kentte böylesi yoktur, garip şekilde bir Avrupa havası vardır orada."

"Hiç gece kulübüne gitmedim, efendim. Para kazanmaya başladıktan sonra neye benzediğini görmek için giderim belki," dedim konuşmayı tekrar iş sorununa getirmeyi umarak.

Ani bir baş hareketiyle yüzüme baktı; yüzü yeniden seğirmeye başladı.

"Meseleyle karşı karşıya gelmekten kaçıyorum yine galiba; her zaman olduğu gibi. Bak," diye patladı, kendini kontrol edemeyerek. "İki insanın, birbirlerini daha önce hiç görmemiş iki yabancının tam bir açıklıkla ve içtenlikle konuşabileceğine inanır mısınız?"

"Efendim?"

"Ah, Allah kahretsin! Yani, demek istiyorum ki, bizim için, ikimiz için insanı insandan ayıran bütün o giyiniş ve davranış maskesini sıyırıp atmak ve yalın bir açıklık ve namusluluk içinde konuşmak mümkün müdür sizce?"

"Ne söylemek istediğinizi tam olarak bilmiyorum, efendim," dedim.

"Emin misiniz?"

"Ben..."

"Tabii, tabii. Ah, açıkça, düpedüz konuşabilseydim! Aklınızı karıştırıyorum sizin. Böyle bir açıklık mümkün değildir; çünkü bizi hareket ettiren bütün o şeyler katıksız değildir de ondan. Unutun artık söylediklerimi. Şöyle anlatmaya çalışacağım ve lütfen unutmayın bunu..."

Başım dönüyordu. Sanki beni yıllardır tanıyormuş da bir sır veriyormuş gibi öne doğru eğilmiş bana sesleniyordu; bense çok zaman önce büyükbabamın söylemiş olduğu bir şeyi anımsıyordum: *Bir beyazın size kendi işini anlatmasına izin vermeyin; çünkü anlattıktan sonra, bunları size anlattığı için utanacak ve sonra sizden nefret edecektir. Aslında, her zaman nefret etmekteydi sizden...*

"Sizin için çok önemli olan gerçeğin bir kısmını açıklamak istiyorum; ama uyaracak sizi, inciltici bir şey olacak bu. Hayır, bırakın bitireyim," dedi dizime hafifçe dokunarak ve ben oturuşumu değiştirince hızla çekerek elini.

"Yapmak istediğim şeyi pek kimse yapmaz; açık konuşmak gerekirse, bir sürü imkansız hayal kırıklıklarına uğramamış olsaydım şimdi de yapamazdım. Anlıyorsun; şey, engellenmişin biriyim ben... Ah, Allah kahretsin, işte yine başladım yalnız kendimi düşünmeye... Biz ikimiz boşuna uğraşıyoruz, anlıyor musun? Her ikimiz de ve ben yardım etmek istiyorum size."

"Yani Bay Emerson'u görmeme izin vereceğinizi mi söylemek istiyorsunuz?"

Kaşlarını çattı. "Ne olur, bu konuda o kadar sevinç göstermeyin, hemen sonuçlara doğru sıçramayın. Yardım etmek istiyorum; ama bir zorbalık var işin içinde, bir gaddarlık..."

"Bir *gaddarlık* mı?" Göğsüm sıkıştı.

"Evet. Ancak böyle diyebiliriz ona. Çünkü sana yardım etmek için gözünü açmak zorundayım..."

"Oo, ben aldırmam bunlara, efendim. Bay Emerson'u görecek olduktan sonra ne olursa olsun. Bütün istediğim onunla konuşmak."

"Onunla *konuşmak*," dedi birden ayağa kalkarak ve titreyen elleriyle sigarasını ezerek kül tablası içinde. "Hiç kimse konuşamaz *onunla*. *O* konuşur." Birden durdu. "İkinci olarak, belki adresinizi bana bırakmanız daha iyi olur. Bay Emerson'un cevabını sabahleyin postalarım size. Gerçekten çok meşgul bir insandır o."

Tüm davranışı değişmişti.

"Fakat siz demiştiniz ki..." Ayağa kalktım tamamen şaşırmış bir halde. Alay mı ediyordu benimle? "Yalnızca beş dakika onunla konuşmama izin veremez miydiniz?" diye yalvardım. "Eminim ki inandırabilirdim onu iş yapacak bir insan olduğuma. Ve eğer bu mektupla oynamışsa birisi, kimliğimi ispat edebilirdim... Dr. Bledsoe edebilir."

"Kimliğiniz! Tanrım! Artık kimin kimliği var ki? O kadar basit değil bu. Bak," dedi acı duyuyormuş gibi bir hareketle. "Bana güveniyor musunuz?"

"Tabii efendim, güveniyorum size."

Öne doğru eğildi. "Bak," dedi, yüzü şiddetle oynayarak. "Sizin hakkınızda çok şey bildiğimi söylemek istiyordum size; kişi olarak sizin hakkınızda değil, sizin gibi arkadaşlar hakkında. Çok da değil hatta; ama herhangi bir kimseden çok yine de. Bize göre hâlâ Jim ve Huck Finn sorunu bu. Arkadaşlarımdan bazıları cazcıdır, çok yer görmüşümdür. İçinde yaşadığınız koşulları bilirim. Niçin geriye gideceksin, arkadaşım? Daha çok özgürlüğün olduğu bu yerde yapacağın o kadar çok şey var ki. Geriye döndüğün zaman aradıklarını bulamayacaksın; çünkü bilemeyeceğin o kadar çok şey var ki işin içinde. Ne olur beni yanlış anlama; bütün bunları seni etkilemek için söylemiyorum. Ya da sadistçe kendimi tatmin etmek için söylemiyorum. Gerçekten, öyle. Ama senin ilişki kurmaya çalıştığın bu dünyayı biliyorum, tanıyorum ben –bütün erdemleriyle ve bütün konuşulamayanlarıyla– ha evet, konuşulmazlarıyla. Korkarım, babama göre ben de bu konuşulamazlardan biriyim... Huckleberry'im ben, anlıyor musun?"*

Bu dağınık konuşmalarından bir anlam çıkarmaya çalışırken ben, o alay edercesine güldü. Huckleberry? Ne diye söz ediyordu bu çocuk hikâyesinden? Benimle bu şekilde konuşabilmesi beni şaşırtıyor, canımı sıkıyordu; çünkü benimle iş arasında, kampus arasında duruyordu...

"Ama ben yalnızca bir iş istiyorum, efendim," dedim. "Derslerime dönmem için gerekli parayı kazanmak istiyorum yalnız."

"Tabii ama bundan daha fazla bir şey gerektiğinden de şüphe ediyorsun, eminim. Bütün bunların altında neler yattığını merak etmez misin?"

"Evet, efendim; ama benim bütün düşündüğüm, bir iş."

"Elbet," dedi, "ama yaşam o kadar basit değil..."

"Ama ben bütün öteki şeylere ne olursa olsun, aldırmıyorum ki efendim. Benim işim değil onlara burnumu sokmak; koleje geri dönsem ve beni tuttukları sürece orada kalsam yeter bana."

"Fakat en iyi şeyi yapman için yardım etmek istiyorum sana ben," dedi. "*En iyinin* ne olduğu ilgilendirir seni. Kendin için en iyi şeyi yapmak ister misin?"

"Tabii ki isterim, efendim. Sanırım isterim..."

"Öyleyse koleje dönmeyi sil kafandan. Başka bir yere git..."

"Yani ayrılayım mı demek istiyorsunuz?"

"Evet, sil kafandan..."

"Ama bana yardım edeceğinizi söylemiştiniz!"

"Ettim ve ediyorum."

"Peki Bay Emerson'u görecektim hani?"

"Ah, Tanrım! Onu *görmemenin* en iyi şey olduğunu anlamıyor musun?"

Birden soluk alamaz oldum. Sonra ayağa kalktım; çantamı kapmıştım, sımsıkı tutuyordum. "Niçin bana karşısınız?" söz-

---

(*) Mark Twain'in "Huckleberry Finn" romanında kitaba adını veren genç çocuk, evinden kaçar ve Jim adlı kaçak zenci köleyle dostluk kurar – ç.n.

leri ağzımdan kaçtı. "Ne yaptım ben size? Hiçbir zaman istemediniz onu görmemi. Tanıtma mektubumu verdiğim halde bile. Niçin? Niçin? *Sizin* işinizi almazdım elinizden."

"Hayır, hayır, hayır. Şüphesiz hayır," diye bağırdı ayağa fırlayarak. "Beni yanlış anladın. Yapma bunu! Tanrım, ne kadar çok yanlış anlaşılmalar oluyor. Ne olur, peşin bir yargıyla, benim... yani Bay Emerson'u görmene engel olduğumu düşünme..."

"Elbet düşünürüm, efendim," dedim kızgın kızgın. "Onun bir arkadaşı gönderdi beni buraya. Okudunuz mektubu ama hâlâ onu görmeme izin vermiyorsunuz; şimdi de tutmuşsunuz kolejden ayrılmam için kandırmaya çalışıyorsunuz beni. Ne biçim bir insansınız, anlayamadım? Ne düşmanlığınız var bana? Siz, Kuzeyli bir beyaz adam!"

Acıyla baktı "Belki beceremedim, kötü yaptım," dedi, "ama sana, senin için en iyi şeyi önermeye çalıştığıma inanmalısın." Sert bir hareketle gözlüğünü çıkardı.

"Ama benim için en iyi şeyin ne olduğunu *ben* bilirim," dedim. "Ya da hiç olmazsa Dr. Bledsoe bilir ve eğer bugün göremezsem Bay Emerson'u, yalnız söyleyin bana ne zaman görebilirim, o zaman geleyim..."

Dudaklarını ısırdı, gözlerini kapadı, bir çığlığı bastırmak için mücadele ediyormuş gibi başını bir yandan öbür yana çevirerek. "Özür dilerim, çok özür dilerim bütün bunları başlattığım için," dedi birden sakinleşerek. "Sana öğüt vermeye çalışmakla budalalık ettim; ama lütfen sana ya da senin ırkına karşı olduğumu sanma. Arkadaşınızım ben. Tanıdığım en iyi kimselerden bazıları zencidir. Şey, anlıyorsun, Bay Emerson babamdır benim."

"Babanız mı!"

"Babam, evet, olmamasını isterdim ama. Fakat öyle ve senin onu görmeni sağlayabilirim de. Ama son derece açık sözlü olacaksak, böylesi bir ikiyüzlülük gelmez elimden. Hiçbir iyiliği dokunmaz sana bunun."

"Fakat şansımı denemek isterdim bir, Bay Emerson, efendim... Çok önemli bu benim için. Bütün geleceğim buna bağlı."

"Ama *şansın* yok, hiç yok," dedi.

"Ama Dr. Bledsoe gönderdi buraya beni," dedim daha da heyecanlanarak. "Bir şansım olması gerek..."

"Dr. Bledsoe" dedi, ondan hoşlanmadığını belli ederek. "O da benim... şey gibi... Kırbaçlanacak adamdır o! İşte," dedi mektubu hızla çekip; hışırdayan kağıdı bana doğru sürdü. Alev alev yanan gözlerinin içine bakarak aldım mektubu.

"Haydi oku," diye bağırdı heyecanla. "Okusana!"

"Ama ben bunu istemiyordum," dedim.

"Oku!"

Azizim Bay Emerson,

Bu mektubun hamili, bizim eski bir öğrencimizdir (eski diyorum çünkü hangi şartlar altında olursa olsun bir daha okulumuza öğrenci olarak alınmıyacaktır); bizim en sıkı kurallarımıza karşı çok ciddi bir kusur işlediği için kovulmuştur.

Fakat, mahiyetini İdare Meclisi'nin önümüzdeki toplantısından bilistifade size şahsen izah edeceğim durumlar yüzünden bu delikanlının okuldan kovuluşunun kesin olduğunu öğrenmemesi kolejin menfaatinedir. Çünkü gerçekten sonbaharda buraya, derslerine döneceğini ummaktadır. Öte yandan, bizim çevremizden mümkün olduğu kadar uzakta, bu boş umutlar içinde rahatsız edilmeden kalması da kendimizi vakfettiğimiz büyük görevin menfaatinedir.

Bu durum, aziz Bay Emerson, kendisinden büyük şeyler umduğumuz bir insanın ne yazık ki yoldan çıktığı ve kendi düşüşüyle birlikte bazı ilgili kimselerle okul arasındaki bazı nazik münasebetleri bozma tehlikesini gösterdiği nadir ve nazik hallerden birini temsil etmektedir. Yani, bu mektubun hamili artık bizim okul ailemizden biri olmasa bile, kolejden ayrılışının mümkün olduğu kadar incitmeden yerine getirilmesi son derece önemlidir. Yüreği umutla dolu yolcunun önünden, ufuk gibi, hep daha parlak, hep daha uzağa çekilen o vaat doğrultusunda yürümesine yardım etmenizi sizden rica ederim, efendim.

Saygılarımla,
Sizin naçiz kulunuz
A. HERBERT BLEDSOE

Başımı kaldırdım. Mektubu bana verişiyle içindekileri kavramam arasında yirmi beş yıl geçmişti sanki. İnanamıyordum, tekrar okumaya çalıştım. İnanamadım; ama her şeyin daha önceden olduğuna dair bir duygu vardı içimde. Gözlerimi ovaladım, içinde tek damla sıvı kalmamış gibi kumlar batıyordu.

"Üzgünüm," dedi. "Çok üzgünüm."

"Ne yaptım ben? Hep doğru şeyleri yapmaya çalıştım..."

"Anlatmalısın bana," dedi. "Bir şeyden söz ediyor mektupta, nedir o?"

"Bilmiyorum, bilmiyorum..."

"Ama *bir şey* yapmış olman gerek."

"Bir adamı arabayla gezdirdim, hastalanınca yardım etmek için Altın Gün'e götürdüm onu... bilmiyorum..."

Her ayrıntıya gösterdiği tepkiyi yansıtan hareketli yüzüne bakarak Trueblood'ın evine, Altın Gün'e gidişimizi ve kovuluşumu anlattım kekeleye kekeleye.

"Pek küçük bir şeymiş," dedi ben sözümü bitirdiğimde. "İnsan denen şeyi anlamıyorum. Çok çapraşık bir yaratık."

"Ben sadece dönmek ve yardım etmek istiyordum," dedim.

"Hiçbir zaman geri dönmeyeceksin. Artık dönemezsin" dedi. "Anlamıyor musun? Çok üzgünüm ama sana her şeyi anlatmamı isteyen itici kuvvete boyun eğdiğim için de mutluyum. Unut artık; bu, benim de kabul edemediğim bir öğüt olmasına rağmen iyi öğüttür yine de. Hakikate gözünü kapamanın anlamı yok. Kendini aldatma..."

Ayağa kalktım, şaşkındım, kapıya doğru yürüdüm. Kuşların, kafeslerinde çırpınıp durdukları, bir karabasandaki çığlıklara benzer şekilde acı acı bağırdıkları kabul odasına kadar arkamdan geldi.

Suçlu suçlu kekeledi. "Ne olur, bu konuşmadan kimseye söz etmeyin."

"Hayır," dedim.

"Ben aldırmam; ama babam benim bu açıklamamı son derece büyük bir ihanet olarak görür... Ondan kurtuldun sen artık. Ama ben hâlâ onun esiriyim. Sen serbest bırakıldın, anlıyor musun? Bense kavga vermek zorundayım daha." Neredeyse boşanacaktı.

"Söylemem," dedim. "Kimse inanmaz bana. Ben bile inanamıyorum. Bir yanlışlık olmalı. Bir yanlışlık..."

Kapıyı açtım.

"Bak, arkadaşım," dedi. "Bu akşam Calamus'ta bir parti veriyorum. Misafirlerimin arasına sen de katılmak ister misin? Yardımı olurdu sana."

"Hayır, teşekkür ederim, efendim. Düzelirim ben."

"Belki de benim oda hizmetçim olmak isterdin ha?"

Yüzüne baktım. "Hayır, teşekkür ederim, efendim," dedim.

"Lütfen," dedi. "Sana gerçekten yardım etmek istiyorum. Bak, Hürriyet Boyaları Fabrikası'nda bir iş var, aklıma geldi şimdi. Babam birçoklarını göndermiştir... denemelisin bir."

Kapıyı kapadım.

Asansör bir gülle gibi indirdi beni aşağıya, dışarı çıktım, cadde boyunca yürüdüm. Güneş çok parlaktı şimdi, kaldırımda yürüyen insanlar çok uzak görünüyorlardı. Bir kilise mezarlığının mezar taşlarının başımın üzerinde, binaların tepeleri gibi ta yukarda yükseldiği, gri renkli bir duvarın önünde durdum. Caddenin karşı tarafındaki bir tentenin gölgesinde bir ayakkabı boyacısı çocuk üç kuruş için dans ediyordu. Köşeye kadar yürüdüm, bir otobüse atladım ve hiç düşünmeden, kendiliğimden otobüsün arkasına yürüdüm. Önümdeki sırada oturan panama şapkalı bir adam dişlerinin arasından bir ezgi söylüyordu ıslıkla. Kafam bir Bledsoe'ya, bir Emerson'a gidiyor, sonra yine geri geliyordu. Anlam veremiyordum bir türlü. Bir şakaydı. Allah belasını versin, bir şaka olamazdı. Evet, bir şaka... Birden araba sarsıldı bir durağa gelince, kendimi önceki adamın ıslıkla söylediği melodiyi mırıldanırken işittim ve sözleri geldi aklıma:

Oof Ardıç kuşunu tertemiz yoldular.
Oof Ardıç kuşunu tertemiz yoldular.
Bağladılar zavallıyı bir ağaç kütüğüne
Aman Allah, bütün tüylerini yoldular

Kıçından, zavallı Ardıç kuşunun
Tertemiz yoldular Ardıç kuşunu.

Sonra fırladım yerimden, kapıya doğru koşarak, ince, bir-ta-rağın-dişlerine-yapıştırılmış-bir-kâğıdın-çıkardığı-ıslığın öte-ki durağa kadar peşimden geldiğini duyarak. Yolun kenarında, titreyerek durdum, bakarak ve adamın kıçı yolunmuş bir ardıç kuşuna dair eski, unutulmuş bir şarkıyı ıslıkla söyleyerek beni izlemek için arkamdan atlayacağını umarak.

Kafama takılmıştı melodi. Metroya bindim; misafirhanedeki odama çıkıp yatağa uzandığım zaman bile hâlâ vızıldayıp du-ruyordu kafamda. Zavallı ardıç kuşunun kimi-nesi-ne zamanı-niçini-neredesi neydi? Ne yapmıştı? Kim bağlamıştı onu, niçin yolmuşlardı, biz niçin şarkısını söylüyorduk onun o kötü ka-derinin? Gülünsün diyeydi, gülmek içindi, bütün veletler gül-müşler, gülmüşlerdi ve o eski Elk* topluluğunun tuba çalıcı-sı, helezoni çalgısında solo yapmıştı onunla; gülünç farfarası ve hüzünlü ifadesiyle, "Boo boo bo boooooo, zavallı Ardıç kuşu-nu tertemiz..." Maskara bir ağıttı bu... Ama kimdi Ardıç kuşu, niçin canı yakılmıştı, niçin alçaltılmıştı böyle?

Birden öfkeden sarsılarak uzandım. İyi değildi bu. Genç Emerson'u düşündüm. Yalnız kendisinin bildiği bir üstün ne-denle yalan söylediyse ya? Herkesin bir planı vardı sanki ba-na dair ve onun altında daha gizli bir başka plan. Genç Emer-son'un planı neydi ve niçin ben oluyordum o planın içinde? Sonra, ben kimdim? Bir yandan öbür yana atıyordum kendimi durup durup. Belki de iyi niyetimin ve imanımın bir sınavdan geçirilişiydi bu; ama bir yalan, bu, diye düşündüm. Bir yalan ve biliyorsunuz bir yalan olduğunu. Mektubu görmüştüm ve kısa-cası benim öldürülmemi söylüyordu. Ağır ağır...

"Azizim Bay Emerson" dedim yüksek sesle. "Bu mektubu ge-tiren Ardıç kuşu eski bir öğrencidir. Lütfen ölene kadar umut-landırın onu, peşini bırakmayın, boş bırakmayın onu. En naçiz ve en itaatkâr kulunuz. A. H. Bledsoe..."

Tabii, yolu budur bunun, diye düşündüm, kısa, özlü, dos-

(*) Amerika'da çok bilinen bir hayır derneği – ç.n.

doğru ense köküne inen sözlü bir *coup de grâce*. Emerson cevap yazar mı ona? Tabii. "Sevgili Bled, Ardıç kuşuyla karşılaştım ve kuyruğunu tıraş ettim. İmza Emerson." Yatağın üzerine oturdum ve güldüm. Kargaların yuvasına göndermişlerdi beni, pekâlâ. Güldüm, aciz ve zayıf hissettim kendimi, çok geçmeden acının geleceğini ve başıma ne gelirse gelsin artık aynı kimse olmayacağımı bilerek. Aciz hissediyordum kendimi ve gülüyordum. Soluk almak için durunca, geri dönmeye ve Bledsoe'yu öldürmeye karar verdim. Evet, diye düşündüm, ırkıma ve kendime karşı boynumun borcu bu. Öldüreceğim onu.

Bu düşüncedeki yüreklilik ve onun gerisindeki öfke, kararlılıkla harekete geçirdi beni. Bir iş bulmalıydım ve en çabuğu olduğunu umduğum şeye el attım. Genç Emerson'un sözünü ettiği fabrikayı hatırladım ve işe yaradı. Ertesi sabah işe başlamam söylendi. O kadar çabuk öyle kolay olmuştu ki, bir an ne yapacağımı bilemedim. Bu şekilde mi planlamışlardı? Ama hayır, bir daha yakalayamazlardı beni. Bu kez *ben* atmıştım ilk adımı.

Nasıl öç alacağımı düşlemekten zorla uyuyabildim.

On

Fabrika Long Island'daydı; oraya varmak için sis içinde bir köprüyü geçtim ve bir işçi dalgası içine düştüm. Önümde koskoca elektrikli bir yazı, sis tülleri içinde fabrikanın bildirisini yayıyordu:

HÜRRİYET BOYALARI'YLA
AMERİKA'YI TEMİZ TUTUN

Yazının altındaki binalar labirentinin her birinden bayraklar sallanıyordu hafif rüzgârda; bir an, uzaktan ulusal bir tören seyrediyormuş gibi oluyordu insan. Ama fişekler atılmıyor, borular çalmıyordu. Sis içinde ötekilerle birlikte hızla yürüyordum.

Emerson'un adını, iznini almadan kullandığım için endişeliydim; ama personel bürosuna varınca her şey bir sihirli hava içinde geçti. Bay Mac Duffy adında baygın gözlü ufak tefek bir adam sorular sordu bana ve Bay Kimbro diye bir adamın yanında çalışmaya gönderdi. Bürolarda ayak işi gören bir çocuk yol göstermek için benimle birlikte geliyordu.

"Kimbro'nun ihtiyacı varsa ona," dedi Mac Duffy, "geri gel de adını yükleme bölümünün bordrolarına geçirt."

Binadan dışarı çıkınca, "Ne büyük!" dedim. "Küçük bir kente benziyor."

"Epey büyüktür," dedi. "Bu işte en büyük işletmelerden biriyiz. Hükümete çok boya yaparız."

Şimdi binalardan birine girmiştik, bembeyaz bir holden aşağı iniyorduk.

"Eşyalarını kilitli dolapların bulunduğu odada bıraksan iyi edersin," dedi bir kapıyı açarken; alçak tahta sıraların ve yeşil, kilitli dolap sıralarının bulunduğu bir odaydı bu. Dolapların birçoğunda anahtarlar vardı; bir tane seçti benim için. "Eşyalarını koy içine ve anahtarını al," dedi. Giyinirken heyecanlandım. Bir bacağını sıranın birine atmış, ağzındaki kibrit çöpünü çiğnerken dikkatle seyrediyordu beni. Beni Emerson'un gönderdiğinden mi kuşkulanmıştı yoksa?

Kibrit çöpünü başparmağıyla işaret parmağı arasında çevirirken, "Yeni bir dümen var burada," dedi. Sesinde bir ima havası vardı, ayakkabımı bağlarken yukarı doğru baktım, heyecanlandığımı göstermemeye çalışıyordum.

"Nasıl bir dümen?" dedim.

"Oo, bilirsin. Akıllılar, iyi çocukları atıyorlar ve yerlerine sizin gibi kolejli zenci çocukları koyuyorlar. Kafaları çalışıyor," dedi. "Böylece sendika primlerini ödemek zorunda kalmıyorlar."

"Benim koleje gittiğimi nerden biliyorsun?" dedim.

"Ohoo, sizden sekiz çocuk var şimdi buralarda. Bazıları yukarda, deneme laboratuvarında. Herkes bilir bunu."

"Ama bu yüzden işe alındığımı bilmiyordum ben," dedim.

"Boş ver Mac," dedi. "Senin kabahatın yok. Siz yeni çocuklar, sebebini bilmezsiniz. Sendikanın dediği gibi, büroda zeki oğlanlar var. Sizi grev kırıcılar haline getiren onlar. Hey; geç kaldık."

Uzun sundurmaya benzer bir odaya girdik; bir yanda baş hizasının üstünde bir sıra kapı, öteki yanda bir sıra küçük büro gördüm. Şirketin işareti olan çığlık atan bir kartal resminden etiketler taşıyan bitmek tükenmek bilmeyen sayıda tenekeler, kovalar ve fıçılar arasında bir koridor boyunca peşi sıra gidiyordum. Boya, beton döşeme boyunca düzgün piramit yığınları şeklinde depo edilmişti. Sonra, bürolardan birine doğru yürürken bir an durdu oğlan, sırıttı.

"Dinle şunu!"

Büronun içinden birisi telefonda kalayı basıyordu.

"Kim bu?" diye sordum.

Sırıttı. "Senin patron, müthiş Kimbro. Biz ona 'Albay' deriz; ama yakalamasın seni böyle derken."

Hoşlanmadım. Laboratuvardaki bir yanlışlıktan dolayı bağırıp çağırıyordu, çıldırmışçasına; birden bir huzursuzluk hissettim. Böyle berbat bir ruh hali içindeki adamın yanında çalışmaya başlamak düşüncesi hoşuma gitmedi. Belki de okuldan gelenlerden birine kızgındı, bu da bana karşı dostça davranmasını önleyecekti.

"Girelim," dedi çocuk. "Daha geri döneceğim ben."

Biz içeriye girerken adam telefonu çarparak kapadı ve birtakım kağıtlar aldı eline.

"Bay Mc Duffy bu yeni adamın işine yarayıp yaramayacağını soruyor," dedi çocuk.

"Neden işime yaramayacakmış, hem..." Ses, titreyerek uzadı gitti; sert asker bıyıkları üstündeki gözler sertleşti.

"Yani bir işte kullanabilir misin?" dedi çocuk. "Kartını çıkaracağım da."

"Tamam," dedi adam sonunda. "Kullanabilirim. Mecburum buna. Nedir adı?"

Çocuk adımı okudu karttan.

"Pekâlâ," dedi, "sen doğru işe. Sense..." Çocuğa dönerek, "Çek arabanı buradan, her maaş günü senin için sokağa atılan paranın bir kısmını kazanma fırsatını sana vermeden önce!"

"Hadi be, insafsız köle çalıştırıcısı," dedi çocuk odadan dışarı fırlarken.

Kimbro kıpkırmızı kesilmiş, bana döndü, "Gidelim, gel benimle," dedi.

Tavandan sarkan numaralı işaretleyiciler altında döşemeye yığılmış bir sürü boyanın bulunduğu uzun odaya gittik, o önde, ben arkada. Odanın gerisinde, iki adamın bir kamyondan ağır kovalar boşaltışını ve bunları alçak bir yükleme platformuna düzgünce yığışını görüyordum.

"Şunu iyi bil ki," dedi Kimbro ters ters, "burası işi çok bir bölümdür ve benim bir söylediğimi bir daha söyleyecek zamanım yoktur. Talimatlara uymak zorundasın, anlamadığın şeyler yapacaksın çünkü; bunun için önce emirlerini alacaksın ve doğru alacaksın! Durup her şeyi açıklıyacak zamanım yok benim. Sana ne söylersem bir tamam yaparak anlayacak, öğreneceksin. Anladın mı bunu?"

Odanın öbür köşesindeki adamların bizi dinlemek için durduklarını görünce sesinin daha da yükseldiğini fark ederek başımı salladım.

"Pekâlâ," dedi, bir sürü alet aldı yanına. "Şimdi buraya gel."

"Kimbro o," dedi o adamlardan biri.

Yere diz çöktüğünü, bir kovayı açtığını, kahverengi, süt gibi bir şeyi karıştırdığını gördüm. Mide bulandırıcı pis bir koku yükseldi. Geriye çekilmek istedim. Ama o, spatülü nazik bir alet gibi tutarak ve boya, spatülün geniş ağzından dantel gibi tekrar kovanın içine süzülürken dikkatle bakarak, parlak beyaz hale gelinceye kadar kuvvetle karıştırdı boyayı. Suratı asıktı Kimbro'nun.

"Allah belasını versin o kalın kafalı laboratuvarcıların! Teker teker bütün bu orospu çocuğu kovalara ilaç koymak gerekecek şimdi. İşte bunu yapacaksın sen ve öyle konmalı ki ilaç, 11.30'dan önce buradan kamyonlara yüklensin bütün bunlar."

Emayeden, beyaz, dereceli bir kapla batarya hidrometresine benzer bir şey verdi elime.

"Her kovayı açacaksın ve bu maddeden on damla koyacaksın içine," dedi. "Sonra o şey kayboluncaya kadar karıştıracaksın. Karıştırdıktan sonra şu fırçayı alıp şunlardan biri üzerine bir örnek boya süreceksin." Ceketinin cebinden bir sürü dikdörtgen şeklinde tahtayla bir ufak fırça çıkardı. "Anladın mı?"

"Evet, efendim." Ama beyaz dereceli kabın içine bakınca duraladım; içindeki sıvı zifiri karaydı. Matrak mı geçiyordu benimle?

"Ne oldu?"

"Bilmem, efendim... Yani. Şey, bir sürü budalaca soru sorarak başlamak istemiyorum; ama bu kabın içinde ne olduğunu biliyor musunuz?"

Gözlerinden kıvılcımlar çıkıyordu sanki. "Bilmez olur muyum Allah'ın belası," dedi. "Ne söylendiyse sana onu yap sen!"

"Emin olmak istedim, efendim," dedim.

"Bak," dedi, abartılı bir sabır gösterisiyle soluğunu içine çekerek, "damlalığı al ve ağzına kadar doldur... Haydi, ne duruyorsun!"

Doldurdum.

"Şimdi on damla koy boyanın içine... Tamam, oldu, tabakhaneye koşar gibi değil öyle. Tamam. On damladan ne fazla ne eksik koyacaksın."

Yavaş yavaş, parlak siyah damlaları sayıyordum; önce boyanın yüzüne düşüyor, daha da siyahlaşıyorlardı, sonra birden kenarlara doğru yayılıyorlardı.

"Tamam, oluyor. Bütün yapacağın bu," dedi. "Nasıl göründüğüne aldırma. Ben düşünürüm onu. Sen yalnız sana söyleneni yap ve ne oluyor diye düşünmeye çalışma. İki üç kova yaptıktan sonra gel ve örnekler kurumuş mu, kurumamış mı bak... Ve elini çabuk tut, bu yığını saat 11.30'a kadar Washington'a göndermek zorundayız..."

Hızlı fakat dikkatli çalışıyordum. Bu Kimbro gibi bir adamla yanlış yapılan en küçük bir şey insanın başına bela açardı. Bunun için de düşünmemeliydim! Canı cehenneme. Dalkavuğun biri, Kuzeyli ırgat, Yanki palavracısı ne olacak! Boyayı adamakıllı karıştırıyor, sonra tahta parçalarından biri üzerine düzgünce sürüyordum, fırça darbelerinin hep aynı olmasına dikkat ederek.

Çok sıkı bir kapağı açmaya çalışırken, aynı Hürriyet Boyaları'nın kampusta kullanılıp kullanılmadığını düşündüm; yoksa bu, "Optik Beyazı" sırf hükümet için yapılmış bir şey miydi? Kim bilir belki de daha iyi bir kaliteydi, özel bir karışımdı. Hayalimde, sonbaharda boyandıktan ve kışın hafif bir kar yedikten sonra, üzerinde kayıp giden bulutlara fırlayıp uçan bir kuşu, ilkbahar sabahlarında göründüğü şekliyle tertemiz ve süslü kampus binalarını görebiliyordum; etrafında ağaçlar ve kıvrım kıvrım sarmaşıklar. Binalar hep daha etkileyici görünürlerdi; çünkü düzenli olarak boyanan tek bina onlardı. Yakınlardaki evlere ve kulübelere hiç fırça değmez, havanın da etkisiyle tahtanın donuk gri rengini alırlardı. Tahtaların bazılarından rüzgârla, güneşle ve yağmurla nasıl kıymıklar fırladığını, kapak tahtalarının parlak, gümüş rengini, gümüş balığı parlaklığını aldığını anımsıyordum. Trueblood'ın kulübesi ya da Altın Gün gibi... Altın Gün bir zamanlar beyaza boyanmıştı; şimdi üzerinden yıllar geçtikçe boyaları kalkıyor, tırnağınla hafifçe bir dokunmaya gör, kabuk kabuk dökülüyordu yere. Yere batsın Altın Gün! Ne garipti, yaşamın böyle birbirine bağlı ilmiklerle yürüyüşü! Bay Norton'u, bozulmuş boyalarıyla o yıkık dökük binaya götürdüğüm için buradaydım şimdi. Eğer, diye düşündüm, insan, yüreğinin atışını ve belleğini, kovanın içine o kadar yavaşça damlayan fakat o kadar hızla yayılan siyah damlaların temposuna uyacak gibi yavaşlatabilseydi, heyecanlı bir düşteki olayları yaşıyora benzerdi... Hayallerime o kadar dalmıştım ki Kimbro'nun yaklaştığını duyamadım.

Elleri kalçalarında durarak, "Nasıl gidiyor?" dedi.

"Oluyor, efendim."

"Bakayım," dedi bir örnek seçerek ve başparmağını tahtanın üzerine sürerek. "Tamam, George Washington'un Pazar-toplantısına-gidiş-perukası kadar beyaz, her şeye kadir dolar kadar kusursuz! Boya bu!" dedi övünerek. "Her şeyi kapatacak bir boya bu!"

Bir kuşku belirtisi göstermişim gibi baktı yüzüme ve ben acele acele, "Gerçekten iyi beyaz," dedim.

"Beyaz mı? Yeryüzünde bulunabilecek en temiz beyaz. Hiç kimse bundan daha beyaz boya yapamaz. Şuradaki küme, bir ulusal anıt için gidiyor!"

"Ya!" dedim, oldukça duygulanmış bir halde.

Saatine baktı. "Devam et sen," dedi. "Acele etmezsem o üretim konferansına geç kalacağım! Şey, ilâcın bitmek üzere: Depoya gidip kabı yeniden doldursan iyi edersin... Zaman kaybetme! Ben gitmek zorundayım."

Deponun nerede olduğunu söylemeksizin çekip gitti. Zor değildi bulmak; ama o kadar çok tanka alışkın değildim. Yedi tane tank vardı; her birinin üzerine bilmece gibi markalar asılmıştı. Kimbro'ya göre bir işti bunları söylememek bana, diye düşündüm. Herhangi biri olur herhalde. Eh, zararı yok, tankların musluklarına takılı damlama kutularının içine bakarak seçerdim ben de.

Ama ilk beş tankta terebantin gibi kokan açık renkli sıvılar olduğu halde, son iki tanka kullandığım ilaç gibi siyah fakat kod numarası farklı bir şey vardı. Bir seçim yapmak zorundaydım. Damlama kutusundaki sıvının elimdeki ilâcın kokusuna en benzeyen tankı seçtim ve damlalığı doldurdum, Kimbro dönünceye kadar zaman kaybetmediğim için kendi kendimi kutlayarak.

İş daha hızlı gidiyordu şimdi, karıştırmak daha kolay oluyordu. Boya tertibi ve ağır yağlar dipten daha çabuk geliyordu şimdi ve Kimbro geldiğinde ben süratimin zirvesindeydim artık. "Kaç tane bitirdin," diye sordu.

"Yetmiş beş kadar, sanırım, efendim. Sayıyı şaşırdım."

"Oldukça iyi; ama yeteri kadar hızlı değil. Malzemeyi çıkarmak için sıkıştırıyorlar beni. Haydi, yardım edeyim sana."

Haşlamış olmalılar, diye düşündüm, dizleri üzerine hırıldayarak çöküp kovaların kapaklarını kaldırmaya başladığında. Fakat daha başlamamıştı ki, çağırdılar.

O ayrıldığında son bir grup örneğe şöyle bir baktım ve dondum kaldım yerimde: İlk örneklerin düzgün ve sert yüzeyine karşılık bunlar, arasında tahtanın damarları görünen yapışkan bir maddeyle kaplıydı. Ne olmuştu acaba? Boya, önceki kadar beyaz ve parlak değildi; hafiften gri izler vardı üzerinde. Kuvvetle karıştırdım, sonra bir paçavra bularak bütün tahtaları silip temizledim, sonra her kovadan yeni bir örnek yaptım. Ben bitirmeden önce Kimbro dönecek diye ödüm kopuyordu. Heyecanla, telaşla çalışırken nihayet bitirdim; fakat boyanın kuruması için bir iki dakika gerektiği için bitmiş bir iki kovayı kaptım ve yükleme platformu üzerine sürüklemeye başladım. Arkamdan bir bağırtı duyunca, güm diye düşürdüm kovaları elimden. Kimbro'ydu gelen.

"Nedir buuu!" diye bağırıyordu, parmağını örneklerden birinin üzerine sürerken, "Hâlâ yaş bunlar!"

Ne söyleyeceğimi bilmiyordum. Daha sonraki örneklerden birkaç tane daha kaptı, elini sürdü ve feryadı bastı. "Her şey de gelir beni bulur. Gelirler elimdeki iyi adamları alırlar, sonra seni gönderirler başıma. Ne yaptın bu boyaya?"

"Hiçbir şey, efendim. Sizin talimatlarınızı yerine getirdim," dedim kendimi savunarak.

"İlaç kabına merakla bakıyor, damlalığı kaldırıyor, kokluyordu; öfkeden kıpkırmızı kesilmişti yüzü.

"Hangi Allah'ın belası verdi bunu sana?"

"Hiç kimse..."

"Nerden aldın öyleyse?"

"Depodan."

Hızla depoya koştu, koşarken sıvıyı etrafına saçıp duruyordu. Allah kahretsin, dedim içimden, ben daha arkasından gitmeye kalmadan o çıldırmış gibi fırladı kapıdan.

"Yanlış tanktan almışsın," diye bağırıyordu. "Şirkete sabotaj yapmaya çalışıyorsun sen, Allah'ın belası? Bir milyon yıl geçse bu ilaç iş görmez. Temizleyici bu, *koyulaştırılmış* temizleyici! Farkı bilmiyor musun?"

"Hayır efendim, bilmiyorum. Bana aynı gibi geldi. Ne kullandığımı bilmiyordum, siz de söylemediniz. Zaman kazanmaya çalışıyordum, aynı sandığım şeyi aldım."

"Ama niçin bunu?"

"Çünkü kokusu aynıydı da," diye başlamıştım.

"*Kokusu aynıymış!*" diye gürledi. "Allah belanı versin, bütün bu dumanlar içinde bok bile olsa kokusunu duymazsın, bilmiyor musun bunu? Gel benim büroya!"

Karşı gelmekle, haksızlık etmemesini rica etmek arasında ne yapacağımı bilemiyordum. Tamamen benim suçum değildi ve azarlanmak istemiyordum; ama günün sonuna kadar da götürmek istiyordum işi. Öfkeden boğularak arkasından gittim ve personel bürosuna telefon edişini dinledim.

"Alo! Mac? Mac, ben Kimbro. Bu sabah gönderdiğin adam için konuşacaktım. Gündeliğini alması için gönderiyorum yukarı... Ne mi yaptı? Benim işime gelmez, hepsi bu, işini beğenmiyorum... İhtiyar rapor mu istiyormuş, ee bana ne? Kendin yaz raporu. Bu Allah'ın belası herifin, hükümetin bir sürü malzemesini berbat ettiğini söyle ona. Dur! Hayır, söyleme bunu ona... Dinle, Mac, başka birisi var mı elinde, orada?... Peki, peki, boş ver."

Telefonu gürültüyle kapadı ve sallanarak bana doğru geldi. "Sizin gibi adamları ne diye işe alırlar, biliyorsam namussuzum. Yakışmıyorsunuz bir boya fabrikasına. Yürü."

Şaşkın şaşkın arkasından gittim depoya, işi bırakıp yüzüne karşı "has'tir lan!" diyebilmenin özlemi içinde. Ama paraya ihtiyacım vardı ve burası Kuzey de olsa mecbur olmadıkça dövüşmeye hazır değildim. Kim bilir kaç kişi çıkardı karşıma burada.

Kabı tekrar tankın içine boşaltışını seyrettim ve SKA-3-69-T-Y işaretli bir başka tanka gidişine ve kabı yeniden dolduruşuna dikkat kesildim. Bir dahaki sefere bilirdim artık.

"Şimdi, Allah aşkına," dedi bana verirken, "dikkatli ol da doğru yapmaya çalış işi. Ve ne yapılacağını bilmiyorsan sor birine. Ben bürodayım."

Kovaların yanına döndüm, içim allak bullaktı heyecandan. Kimbro, bozulmuş boyayı ne yapacağımı söylememişti, unutmuştu. Onu orada görünce birden bir öfke bastı içimi, damlalığı yeni ilaçla doldurarak her kovaya on damla damlatıp karıştırdım ve kapakları yerlerine bastırdım. Hükümet düşünsün gerisini, diye düşündüm; açılmamış kovalar üzerinde çalışmaya başladım. Kolum acıyıncaya kadar karıştırdım ve örnek tahtalarını elimden geldiği kadar pürüzsüz boyadım, yaptıkça daha da ustalaşarak.

Kimbro gelip beni seyrederken hiçbir şey söylemeden aşağıdan yukarıya baktım ve karıştırmaya devam ettim.

"Nasıl?" dedi kaşlarını çatarak.

"Bilmem," dedim bir örnek alarak elime, duraladım birden.

"Eee?"

"Bir şey değil... bir toz lekesi," dedim, ayağa kalkıp örneği ona doğru uzattım içim daralarak.

Örneği yüzüne yaklaştırarak parmağını tahtanın yüzünde dolaştırdı ve gözlerini kısarak boya tabakasına baktı. "Benziyor biraz biraz," dedi "İşte böyle olması gerek."

Başparmağını örnek tahta üzerinde gezdirirken bir inanmazlık duygusuyla bakıyordum yüzüne; tahtayı geri verdi ve daha fazla bir şey söylemeden ayrıldı.

Boyanmış tahta parçasına baktım. Aynı gibi geliyordu bana, beyazlığın içinde aynı gri iz parlıyordu; Kimbro görmemişti bunu. Bir dakika kadar gözlerimi diktim baktım, acaba ben mi görmüyordum onları; bir başkasını, sonra bir başkasını inceledim. Hepsi de aynıydı, içine gri bir renk yayılmış parlak bir beyaz. Bir an gözlerimi kapadım, sonra açıp tekrar baktım, hiçbir değişiklik yoktu. Amaan, diye düşündüm, o beğendiğine göre...

Fakat bir şeylerin, boyadan çok daha önemli bir şeylerin yanlış gittiğine dair bir his vardı içimde; ya ben Kimbro'ya bir oyun oynamıştım ya da o, mütevelliler ve Bledsoe gibi, o bana bir oyun oynuyordu... Kamyon, geri geri yükleme platformuna dayandığı zaman ben son kovanın kapağını bastırıyordum ve Kimbro orda, tepemdeydi.

"Örneklerini bir görelim" dedi.

Mavi gömlekli kamyoncular yükleme kapısının içinde kamyona tırmanırlarken, en beyazını seçmeye çalışarak uzattım.

"Nasıl Kimbro," dedi bir tanesi, "başlayabilir miyiz?"

"Bir dakika, şimdi," dedi örneği inceleyerek, "bir dakika..."

Sinirli sinirli seyrediyordum onu, gri çizgilere tepesi atacak, diye bekleyerek, sinirlendiğim ve korktuğum için kendimden nefret ederek. Ne söylerdim o zaman? Ama kamyonculara dönmüştü şimdi.

"Pekâlâ çocuklar, çekin gidin siz buradan."

"Ve sen," dedi bana, "git Mac Duffy'yi gör, işin bitti."

Orda duruyordum, arkadan kafasına, bezden kepinin ve demir kırı saçlarının hemen altından başlayan pembe ensesine bakarak. Demek karıştırma işi bitinceye kadar bırakmıştı beni burada. Geriye döndüm, yapabileceğim hiçbir şey yoktu. Personel bürosuna gidinceye kadar sövdüm. Ne olduğunu yazsa mıydım patronlara? Belki de, Kimbro'nun, boyanın kalitesiyle o kadar ilgilenmediğini bilmiyorlardı. Ama büroya varınca fikrimi değiştirdim. Belki de burada işler böyle yürüyor, diye düşündüm; belki de boyanın gerçek kalitesi, onu karıştıranlarla değil de onu yükleten kişiyle tayin ediliyordu *daima*. Cehenneme kadar yolu vardı hepsinin... Bir başka iş bulacaktım.

Ama kovulmamıştım. Mac Duffy, 2 Numaralı binanın bodrum katında yeni bir göreve gönderdi beni.

"Oraya indiğinde Brockway'e, Bay Sparland sizin mutlaka bir yardımcıya ihtiyacınız olduğunu söylüyor diyeceksin. Ne söylerse yaparsın."

"Neydi o isim, efendim?" dedim.

"Lucius *Brockway*," dedi. "Oranın sorumlusu."

Ta derinde bir bodrumdu. Yerin üç kat altında, üzerinde "tehlikeli" yazan ağır demir bir kapıyı ittim ve gürültülü, yarı aydınlık bir odaya girdim. Odanın havasını dolduran dumanın kokusu hiç yabancı gelmedi; makine seslerinin üzerinde yüksek perdeden bir zenci sesi çın çın öterken, *çam* kokusunu düşünüyordum ben.

"Kimi arıyorsun burada?"

"Sorumluyu arıyorum" diye seslendim sesin yerini bulmaya çalışarak.

"Kendisiyle konuşuyorsun. Ne istiyorsun?"

Gölgeden çıkıp ters ters yüzüme bakan adam kirli iş giysileri içinde ufacık, ince ve sırım gibi biriydi. Yanına yaklaştıkça, kuru yüzünü, çizgili, sıkı makinist şapkası altından taşan pamuk gibi beyaz saçlarını gördüm. Davranışı şaşırttı beni. Bir şeyden dolayı kendini mi suçlu hissediyor, yoksa benim bir suç işlediğimi mi sanıyor, söyleyemezdim. Yüzüne baka baka biraz daha yaklaştım. 1.60 boyunda ya vardı ya yoktu; iş giysileri katrana batmış gibi simsiyah görünüyordu şimdi.

"Evet" dedi. "İşim var benim. Ne istiyorsun?"

"Lucius'u arıyorum," dedim.

Kaşlarını çattı, "Benim işte; hem öyle adımla çağırıp durma beni. Sen ve senin gibiler için *Mister* Brockway'im ben..."

"Siz...?" diye başladım.

"Ben, ya! Neyse, kim gönderdi seni buraya?"

"Personel bürosu," dedim. "Bay Sparland'ın size bir yardımcı verilmesini söylediğini söylersin dediler."

"Yardımcı!" dedi. "Yardımcıya, mardımcıya ihtiyacım yok benim! İhtiyar Sparland kendisi gibi benim de yaşlandığımı düşünüyor olmalı. Ben burada yıllardır kendi başıma çeviriyorum işleri; şimdi tutmuşlar boyuna yardımcı göndermeye çalışıyorlar bana. Dön yukarıya ve yardımcıya ihtiyacım olduğu zaman ben isterim onlardan, öyle söyle!"

Sorumlu olarak böyle bir adamı bulmaktan öylesine iğrenmiştim ki, bir kelime söylemeden geriye döndüm ve merdivenleri çıkmaya başladım. Önce Kimbro, diye düşündüm, şimdi de bu moruk...

"Hey! Bir dakika!"

Döndüm, beni çağırdığını gördüm.

"Bir dakika gel buraya," dedi, fırınların gürleyişi içinde keskin çıkıyordu sesi.

Geriye gittim, arka cebinden beyaz bir bez parçası çıkarmış, bir basınç saatinin cam yüzünü siliyor, sonra eğilip kısılmış gözleriyle saatin iğnesinin durumuna bakıyordu.

Doğrularak, bezi bana uzattı, "Burada," dedi, "burada durabilirsin ben ihtiyarla konuşuncaya kadar. Şuracıktaki şeyler temiz tutulmalı ki ne kadar basınç olduğunu görebileyim."

Bir kelime söylemeden bezi aldım ve camları ovmaya başladım. Dikkatle seyrediyordu beni.

"Adın ne senin?" dedi.

Fırınların gümbürtüsü içinde bağırarak söyledim adımı.

"Bir dakika," diye bağırdı, ileri gidip karmakarışık boruların içinde bir valfı çevirerek. Gürültünün daha yüksek, neredeyse isterik bir tona yükseldiğini işittim; ama nasıl oluyorsa bağırmaksızın birbirimizi işitiyorduk yine de, seslerimiz belli belirsiz duyuluyordu.

Dönerek, dik dik baktı yüzüme. Kuru yüzü, zeki, kırmızımsı gözleriyle üzerine resim yapılarak insana benzetilmiş bir kara cevize benziyordu.

Şaşırmış gibi, "Buraya, senin gibisini ilk defa gönderiyorlar," dedi. "İşte bunun için seni çağırdım geriye. Çoğu zaman, birkaç gün ne yapacağımı gözetleyip, bana bir sürü soru sorup sonra işi elimden alacağını sanan beyaz delikanlıları gönderirler. Bazı insanlar konuşmaya değmeyecek kadar basit oluyor, Allah kahretsin," dedi yüzünü buruşturup, boş ver der gibi elini savurarak.

"Bir mühendissin sen?" dedi aniden yüzüme bakarak.

"*Mühendis* mi?"

"Ya, onu soruyorum," dedi meydan okur gibi.

"Hayır, efendim, ben mühendis değilim."

"Eminsin?"

"Eminim tabii. Niçin olacakmışım?"

Rahatlamış görünüyordu. "İyi öyleyse. O personel adamlarını gözden uzak tutmamalıyım. Bir tanesi var, buradan atacağını sanıyor beni; ama bilmiyor ki boşuna harcıyor zamanını. Lucius Brockway kendini korumak istemez yalnız, bunu *nasıl yapacağını* da bilir! Herkes bilir, burası kurulalı beri benim burada olduğumu; ilk temelin kazılışına bile yardım etmişimdir, ihtiyar aldı işe beni, başkası değil; Allah'ın izniyle, ihtiyara düşer beni işten çıkarmak!"

Niye böyle parladığını düşünerek saatleri siliyordum, kişi olarak bana karşı olmadığını görerek biraz rahatlamıştım.

"Nerede okula gidiyorsun sen?" dedi.

Söyledim.

"Öyle mi? Ne öğreniyorsun orada?"

"Yalnız genel konular, normal kolej dersleri," dedim.

"Mekanik?"

"Oo, yoo, öyle bir şey yok; fen, tarih, felsefe gibi dersler. Pratik yok."

"Demek öyle?" dedi şüpheli şüpheli. Sonra birden, "Ne kadar basınç var şuradaki saatin üzerinde?"

"Hangisi?"

"Görüyorsun." İşaret etti. "Şuradaki!"

Bakarak yüksek sesle okudum, "Kırk üç onda iki libre."

"Ah, ha, ah-ha, doğru! Gözlerini kısarak saate baktı ve sonra bana döndü yine. "Bu kadar iyi saat okumasını nereden öğrendin sen?"

"Lisedeki fizik derslerinde. Bir saati okumak gibi bir şey bu."

"*Lisede* bunu öğretirler mi size?"

"Tabii."

"İşlerinden biri bu olacak öyleyse. Şuracıktaki saatler her on beş dakikada bir kontrol edilmek ister. Bunu yapabilmelisin."

"Yaparım herhalde," dedim.

"Bazıları yapar, bazıları yapamaz. Sahi, kim aldı işe seni?" Bütün bu soruları niye sorduğunu düşünerek, "Bay Mac Duffy," dedim.

"Ya, peki bütün sabah nerdeydin?"

"1 Numaralı binada çalışıyordum."

"Sürüyle bina var burada. Hangisi?"

"Bay Kimbro'nun yanında."

"Anladım anladım. Günün bu kadar geç saatinde adamı almazlar işe, biliyordum zaten. Ne iş yapıyordun Kimbro'ya?"

Bütün bu sorulardan yorulmuş, bıkmış bir halde, "Bazı boyalara ilaç koyuyordum, bozuldu," dedim.

Kavga edecekmiş gibi dudakları ileri fırladı. "Hangi boyalar bozuldu?"

"Hükümet için hazırlananlar sanırım..."

Başını dikti. "Nasıl olur da hiç kimse söylemez hiçbir şey bu konuda bana," dedi düşünceli düşünceli "Kovaların içinde miydi, yoksa o ufak kutularda mı?"

"Kovalarda!"

"Ha, o kadar kötü değil öyleyse; o küçükler var ya, dünyanın işi vardır onlarda." Yukardan, kurnaz kurnaz güldü yüzüme. "Nasıl duyarsın burada bu işi?" diye birden yapıştırdı soruyu, beni gafil avlamaya çalışıyor gibiydi.

"Bakın," dedim ağır ağır, "tanıdığım bir adam söyledi buradaki işi bana; Mac Duffy işe aldı; bu sabah Bay Kimbro'nun yanında çalıştım ve size Bay Mac Duffy gönderdi beni."

Yüzü gerildi. "O zencilerden birinin arkadaşısın sen?"

"Kim?"

"Yukarda, laboratuvarda?"

"Hayır," dedim. "Bilmek istediğiniz başka şey var mı?"

Uzun uzun, şüphelenerek baktı bana; sıcak bir borunun üzerine tükürdü, kızgın bir buhar çıktı borudan. Göğüs cebinden koca bir makinist saati çıkardığını ve gözlerini kısarak azametle baktığını, sonra duvarda parlayan elektrikli saatle kontrol etmek için döndüğünü gördüm. "Sen o saatleri silmeye devam et," dedi. "Çorbama bakmam lazım benim. Ve buraya bak." Saatlerden birini gösterdi. "Şuradaki orospu çocuğunun üzerinden ayırmayasın gözünü. Son bir iki gündür çok çabuk yükselmek âdetini çıkardı başıma. Başımı belaya sokuyor. Gördün 75'i geçiyor, bağıracaksın, hem de yüksek sesle!"

Tekrar gölgelerin içine daldı, incecik bir ışık uzandı içeriye, kapının açıldığını anladım.

Elimdeki bezi bir saatin üzerinde gezdirirken, böyle besbelli eğitimsiz, yaşlı bir adamın nasıl olup da böyle sorumlu bir iş bulabildiğini düşündüm. Kuşkusuz, bir mühendise benzer tarafı yoktu; ama ondan başka da kimse görünmüyordu ortada. Hiçbir zaman güvenemiyordu insan; memlekette Sular İdaresi'nde odacı olarak çalışan bir yaşlı adam vardı da, bütün ana su borularını ondan başka bilen tek kişi yoktu. Ta başlangıçta işe alınmıştı, daha ortada kayıt mayıt yokken, odacı maaşı aldığı halde gerçekte mühendis olarak çalıştırılıyordu. Belki de bu ihtiyar Brockway bir şeylerden koruyordu kendini. Her neyse, şu ya da bu işte kullanılışımızda terslikler oluyordu böyle. Başına bela gelmesin diye okulun çevresindeki küçük kasabalarda arabalarıyla dolaşırken şoför şapkası giyen ve arabalarının kendilerine değil bir beyaza ait olduğu izlenimini vermeye çalışan kolejdeki bazı öğretmenler gibi o da kendini gizliyordu belki. Ama niye bana yutturmaya çalışıyordu? Asıl işi neydi?

Etrafıma baktım. Yalnızca bir makine dairesi değildi burası; sonuncusu kolejde olmak üzere bugüne kadar birçoğunu gördüğüm için tanırdım makine dairelerini. Daha fazla bir şeydi burası. Bir kez, fırınların yapılışı farklıydı; ateşleme odasının çatlaklarından dışarı sızan alevler çok şiddetli ve çok maviydi. Birtakım kokular geliyordu. Hayır, burada bir şey *yapıyordu* o, boyayla ilgili bir şey, belki de beyazların para karşılığında da olsa yapmak istemeyecekleri çok pis ve tehlikeli bir şey. Boya değildi bu; çünkü boyanın yukarı katlarda, geçerken, hızla döndürülen boya maddesiyle dolu büyük fıçıların üzerine eğilmiş çalışan, önlükleri leke içinde adamlar gördüğüm yerde yapıldığını söylemişlerdi bana. Bir şey kesindi yalnız: Bu Brockway kaçığına karşı dikkatli olmalıydım; benim burada bulunuşum hoşuna gitmemişti... İşte geliyordu, merdivenlerden iniyor, odaya giriyordu.

"Nasıl gidiyor?" diye sordu.

"İyi," dedim. "Yalnız gürültü arttı gibi."

"Ha, burası epey gürültülü olur, tabii; burası gürültü bölümüdür ve ben de onun sorumlusu... İşaretin üzerine çıktı mı?"

"Hayır, aynı duruyor," dedim.

"İyi. Son günlerde başım belada onunla. Şu tankın içindekileri bitirir bitirmez onu söküp iyice bir tamir etmem gerekiyor."

Belki de mühendistir *gerçekten*, diye düşündüm, saatleri inceleyişini, bir sıra valfı ayarlamak için odanın öbür tarafına gidişini seyrederken. Sonra gitti ve duvardaki telefona bir iki şey söyledi, valfları işaret ederek beni çağırdı.

"Onlara, yukarıdakilere göndermeye hazırlanıyorum," dedi ciddi ciddi. "Ben işaret verince tamamen açacaksın onları. Ve ikinci işareti verince ben sana, tekrar kapatacaksın. Şuradaki kırmızıdan başla, sonra karşıdakine geç..."

Yerimi aldım ve bekledim, o da saatin yanında yerini alırken.

"Bırak," diye bağırdı. Valfları açtım, koca boruların içinden hızla koşan sıvının sesini işiterek. Bir zil sesi duyunca yukarı baktım...

"Kapamaya başla," diye haykırdı. "Ne bakıyorsun? Kapasana valfları!"

"Neyin var senin?" diye sordu son valf da kapandığında..

"Sizin seslenmenizi bekliyordum."

"*İşaret* vereceğimi söyledim ben sana. Bir işaretle bağırma arasındaki farkı bilmez misin sen? Zil çaldım sana, herif. Aklını başına topla bir daha. Zil çalınca bir şeyler yapmanı istiyorum demektir, hem de çabuk!"

"Patron sensin," dedim alay eder gibi.

"Ha şunu bileydin, patron benim ve de unutma bunu. Şimdi gel buraya, yapacak işimiz var."

Davula benzer bir sıra silindiri birbirine bağlayan koskoca bir dişli takımının bağlı bulunduğu acayip görünüşlü bir makinenin yanına geldik. Brockway bir kürek aldı, yerdeki bir yığından bir kürek kahverengi kristal doldurdu ve makinenin üstündeki bir havuza attı dikkatle.

"Bir kürek de sen al ve başla," diye emretti sert bir sesle.

"Yaptın mı bundan önce böyle bir şey?" diye sordu ben yığına daldırırken küreğimi.

"Çok zaman oluyor," dedim. "Nedir bu madde?" Küreğini bıraktı, uzun uzun, öfkeli öfkeli baktı bana, sonra tekrar yığına döndü, küreklemeye devam etti. Hep aklında olacak, bu kuşkulu, yaşlı piçe bir soru sormayacaksın, diye düşündüm, küreğimi kahverengi yığına daldırırken.

Çok geçmeden terlemeye başladım, şakır şakır. Ellerim acıyordu, usanmaya başlamıştım. Brockway gözünün ucuyla seyrediyordu beni, sessiz sessiz gülerek.

"Kendini yorma delikanlı," dedi yumuşak bir sesle.

"Alışacağım," dedim küreği ağzına kadar doldururken.

"Oo, elbet, elbet," dedi. "Elbet. Ama yorulunca dinlensen biraz, daha iyi."

Durmadım. "İşte bizim de aradığımız böyle bir kürekçiydi. Biraz geriye çekilsen iyi edersin; çünkü çalıştıracağım onu," deyinceye kadar havuza o maddeden yığdım. Onun ileri çıkışını, bir düğmeye basışını seyrederek geriye çekildim. Makine, sarsılarak harekete geçerken yuvarlak testere gibi acı acı ses çıkardı birden ve keskin kristalleri yağmur gibi fırlattı yüzüme. Beceriksizce geriye kaçtım; Brockway, kurumuş erik yüzüyle sırıtıyordu. Sonra delicesine dönen silindirlerin gittikçe kaybolan homurtusuyla birlikte, tanelerin ani sessizlik içinde tembel tembel elenişini, kum gibi aşağıdaki oluğa, oradan da alttaki kaba kayışını işittim.

Onun ilerleyip bir valfı açışını seyrettim. Keskin, yeni bir yağ kokusu yükseldi.

"Pişirmeye hazır artık; bütün yapacağın onu ateşlemek," dedi, bir benzin fırının ateşleyicisine benzer bir şeyin üzerindeki düğmeye basarken. Öfkeli bir uğultu başladı, sonra hafif bir patlama oldu ve bir şeyler takırdamaya başladı; alttan alta bir kükreme geliyordu kulaklarıma.

"Pişince ne olacağını biliyor musun bunun?"

"Hayır efendim," dedim.

"Boyanın asıl maddesi olacak, ne derler ona, boyanın esas cevheri. Şimdi değil; ama ben başka bir şeyler daha katınca içine öyle olacak."

"Ama ben boyanın yukarda yapıldığını sanıyordum..."

"Bak, onlar yalnız rengi katarlar, güzel görünmesi için. İşte şuracıkta yapılır asıl boya. Benim yaptığım olmasa, onlar bir şey yapamazlar, samansız kerpiç yaparlar olsa olsa. Vee, boyanın aslını yapmam ben yalnızca, vernikleri de hazırlarım ve de bir sürü başka yağları..."

"Demek öyle," dedim. "Burada ne yapıp durduğunuzu merak ediyordum ben de."

"Bir sürü insan bir şey öğrenmeden şaşırıp durur işte böyle. Ama ne diyordum sana, Lucius Brockway'ın şu ellerinden geçmedikçe bir damla bile boya çıkmaz bu fabrikadan dışarıya."

"Ne kadar zamandır yapıyorsunuz bu işi?"

"Ne yaptığımı bilecek kadar uzun bir zamandır," dedi. "Ve bunu, buraya gönderdiklerinde varmış ya o tahsil mahsil, işte o olmadan öğrendim ben. Yaparak öğrendim ben. O personel adamları görmek istemez bu hakikatleri; ama Hürriyet Boyaları beş para etmezdi gavur parasıyla, boyaya güzel sağlam bir asıl madde verecek bana sahip olmasalar burada; ihtiyar Sparland bilir bunu ama. Gülmekten kırılırım hatırlayınca, bir zaman zatürreeden yatmıştım da o mühendis dediklerinden birini koymaya kalkmışlardı buraya. Ama adam boşuna uğraşıp durmuş; o kadar boya bozulup bozulup gidiyordu ki, ne yapacaklarını bilemedilerdi. Boya akıyordu su gibi, buruşuyordu, boya moya kalmıyordu sürülünce bir şeyin üzerine; bilir misin insan bir bilse boyayı akıtan şeyin ne olduğunu, dünyanın parasını yapar. Neyse her şey kötüye gidiyordu. Sonra kulağıma geldi ki, o adamı koymuşlar benim yerime ve iyileşince ben dönemeyecekmişim oraya geri. Şurada ne zamandır beraber olayım onlarla, sadık olayım filan da. Hıh, bir gönderdim haber onlara ki, Lucius Brockway tekavüt oluyor diye!

Senin anlayacağın, ihtiyar kalkıp gelmez mi! Öyle ihtiyar ki kendisi, şoförü çıkarmış onu o dimdik merdivenlerden benim oraya. Oflaya puflaya gelmiş içeriye ve der, 'Lucius, nedir bu duyduklarım, tekavüt oluyorsun filan?'

'Şey, benim, Bay Sparland, beyim' derim ben. 'Çok hastayım ben. Biliyorsunuz benden iyi, çalışıp çabaladım bunca yıl, bilirsiniz benden iyi ve duyarım ki bu İtalyan, benim yerime koyduğunuz, o kadar iyi yaparmış ki işleri düşündüm oturayım evimde de rahatıma bakayım ben de.'

Anlarsın, anasına sövmüşüm filan gibi oldu o. 'Neler duyuyorum ağzından senin, Lucius Brockway' dedi, 'orda fabrikada sana ihtiyacımız olsun bizim de, sen burada rahatına bakasın? Ölüme en çabuk gidiş yolunun tekavütlük olduğunu bilmiyor musun? Hem, fabrikadaki o herif hiçbir şey anlamaz o fırınlardan. Öyle korkuyorum ki bir şey yapacak diye, fabrikayı uçurur muçurur diye bir gün havaya; gittim sigortayı yükselttim. Senin işini yapıyor o,' dedi. 'Eli yatkın değil işe, bir şey bilmiyor. Sen gittiğinden beri birinci sınıf boya çıkaramadık hiç.' İşte ihtiyar böyledir kendisi!" dedi Lucius Brockway.

"Sonra ne oldu?" dedim.

"Ne demek ne oldu?" dedi, dünyanın en mantıksız sorusunu sormuşum gibi. "Peh, birkaç gün sonra ihtiyar tekrar buraya koydu beni, her bir şeyi verdi kontrolüme. O mühendis bütün emirleri benden alacağını öğrenince bir kızsın, bir kızsın, ertesi gün işi bıraktı."

Yere tükürdü ve güldü. "Heh, heh, heh, enayinin biriydi, işte. Enayinin biri! *Patronluk* yapmak istiyordu bana; ama ben herkesten iyi biliyordum bu bodrumu, kazanları ve de her şeyi. Ben yardım ettim boruların döşenmesine filan. Yani demek isterim ki her bir borunun, düğmenin, kablonun, telin ve her bir şeyin yerini bilirim ben; hem de her katta ve de duvarların içinde *veee* dışarda avluda bile. Evet, efendim! Ve bundan başka kafama öyle güzel almışım ki onu, oturup kâğıda çizebilirim son vidasına ve son civatasına kadar; hiç kimsenin mühendislik okulunda mokulunda da bulunmamışım hiçbir zaman, yanından bile geçmemişim hiçbirinin, hatırladığım kadar. Ee, buna ne dersin bakayım?"

Bu yaşlı adamı sevmiyorum, diye düşünerek, "Ne diyeyim, çok güzel bir şey," dedim.

"Yoo, ben olsam öyle demezdim," dedi. "Ne varki ben ne zamandır buradayım. Yirmi beş yıldan fazladır okuyorum bu makineleri burada. Elbet; ama o herif düşünür ki okullara gitmiş ve bir planı nasıl olacağını öğrenmiş ve bir kazanı ateşlemeyi öğrenmiş, Lucius Brockway'den daha iyi bilecekmiş bu fabrikayı. Mühendis filan olmaz o heriften; neden dersen karşısında yüzüne bakıp duran şeyi göremiyor... Hey, o saatlere bakmayı unutuyorsun."

Koştum, bütün ibreler yerli yerindeydi.

"Tamamlar," diye seslendim.

"İyi; ama bak sana söylüyorum, gözlerini ayırmayacaksın üzerlerinden. Burada bir şey unutamazsın; çünkü unutursan, bir şeyleri uçurur muçurursun burada. Makineler var, var var olmasına ama, her şey demek değildir bu; *bizler makine içinde makineleriz.*"

"En çok satan boyanın bizim, burada bu işte yapılan boya olduğunu biliyor musun?" diye sordu, ben, bir fıçıyı kokulu bir maddeyle doldurmasına yardım ederken.

"Hayır, bilmiyorum."

"Bizim beyaz, Optik Beyazı."

"Niçin ötekiler değil de yalnızca beyaz?"

"Çünkü başlangıçtan beri ona önem verdik. Dünyadaki en iyi beyaz boyayı biz yaparız; bunu bilir, bunu söylerim ben, başkaları ne söylerse söylesin vız gelir bana. Bizim beyazımız öyle beyazdır ki kömürü boyarsın da sonra kömürün ta göbeğine kadar böyle beyaz olup olmadığını anlamak için varyosla kırmaya kalkarsın onu!"

Gözleri şakasız bir inançla parlıyordu ve ben gülümsememi gizlemek için başımı eğmek zorunda kaldım.

"Binanın tepesindeki o işareti gördün?"

"Oo, hiç gözden kaçar mı?" dedim.

"Sloganı okudun?"

"Hatırlamıyorum, acelem vardı da."

"Belki inanmayacaksın ama, ben yardım ettim ihtiyara o sloganı yapmasında. 'Optik Beyazı'ndan Daha Beyazı Olamaz' diye okudu parmağını kaldırarak, kutsal bir şey okuyan bir papaz gibi. "Üç yüz dolarlık prim kazandım, bunu düşünmeye yardım ettim diye. O yeni yetme züttürük reklamcılar başka renkler için bir şeyler yapmaya çalışıyorlar: Ebemkuşağıydı, yok bilmem neydi diyorlar; ama peh, bir şey çıkaramıyorlar."

"Optik Beyazı'ndan Daha Beyazı Olamaz" diye tekrarladım ve birdenbire bir çocuk tekerlemesi gelince aklıma gülmemek için kendimi zor tuttum: "Beyaz mısın, haklısın," *dedim*.

"Öyle," dedi. "Ve işte başka bir sebep daha sana, niye ihtiyar, kimseyi bırakmaz gelsin buraya benim başıma. Bir sürü gencin bilmediğini bilir *o*; bizim beyazımız o kadar iyiyse *bilir* bunu Lucius Brockway'in o yağlara ve reçinelere iyice bir basınç verdiği için olduğunu, hatta tanklardan boşaltılmadan önce bile." Pis pis güldü. "Onlar burada her şeyi makine yapar sanırlar, hepsi bu, kaçıklar! Burada bir şey yapılsın da benim bu kara ellerim değmesin ona, olur mu? Bu makineler ne yapar? Pişirir yalnız. Bu gördüğün eller yapar güzelleştirmeyi. Evet, efendim! Lucius Brockway bilir işini! Parmağımı daldırırım ben ve güzelleştiririm onu! Haydi yemek yiyelim şimdi..."

"Peki ya saatler?" dedim, yürüdüğünü ve fırınlardan birinin yakınındaki bir raftan bir termos aldığını görerek.

"Ha, gözümüzü onlardan ayırmayacak kadar yakında olacağız. Düşünme onu sen."

"Ama ben öğle yemeğimi, 1 Numaralı binada, dolaplı odada bıraktım."

"Git al, geri dön ve ye. Burada hep işin başında olmamız gerek. Yemek, on beş dakikadan fazla zaman almaz; sonra işin başına geçmeli derim ben."

Kapıyı açar açmaz yanlış bir şey yaptığımı sandım. Boya lekesi içinde şapkaları ve iş giysileriyle adamlar sıralarda oturmuşlar, zayıf, veremliye benzer bir adamı dinliyorlardı; adam, genizden gelen bir sesle bir şeyler anlatıyordu onlara. Herkes bana döndü ve adam arkamdan, "Geç gelenler için çok yerimiz var. Gir içeri, Kardeş..." diye seslendiğinde ben dışarıya çıkmak üzereydim.

Kardeş mi? Kuzey'de bu kadar haftadan sonra bile şaşırtıcı bir sözdü bu. "Dolap odasını arıyordum," gibi bir şeyler geveledim.

"Burası, Kardeş. Toplantı olduğunu söylemediler mi sana?"

"Toplantı mı? Hayır efendim, söylemediler."

Başkan öfkelendi. "Görüyor musunuz, patronlar işbirliği yapmıyorlar," dedi ötekilere. "Kardeş, kim senin ustabaşın?"

"Bay Brockway, efendim," dedim.

Adamlar birden ayaklarını yere vurmaya, küfretmeye başladılar. Ne olmuştu, ne vardı? Brockway'e *Mister* deyişime mi itiraz ediyorlardı?

Başkan, masanın üzerinden eğilerek ve elleriyle kulaklarını tıkayarak, "Susalım Kardeşler," dedi. "Neydi, Kardeş? Bir daha söyle, kim senin ustabaşın?"

Mister sözünü atarak, "Lucius Brockway, efendim," dedim.

Ama bu onları daha da düşman yaptı bana sanki. "Defolsun, gitsin!" diye bağırıyorlardı. Döndüm. Odanın öbür köşesinden bir grup, bir sıranın üzerinden, ayaklarını yere vurarak itiraz ediyor, bağırıyordu, "Atın dışarı! Atın dışarı!"

Ufak tefek adamın etrafı susturmak için masayı yumrukladığını işiterek geri geri gidiyordum. "Hey, Kardeşler! Kardeş'e bir fırsat verin..."

"Bana kalırsa, pis ispiyoncunun biri o. Kılık değiştirmiş birinci sınıf bir ispiyoncu!"

Boğuk bir sesle söylenmiş olan bu söz, kızgın bir Güneyli ağzındaki "Arap," sözü gibi tırmaladı kulağımı...

"Kardeşler, *lütfen!*" Ben geri geri giderek kapıya vardığımda Başkan ellerini kollarını sallayıp duruyordu; kapının kolunu aranırken bir kola dokundum. Kapı şiddetle kapandı. Elimi indirdim.

"Kim gönderdi bu ispiyoncuyu toplantıya, Başkan Kardeş? Bunu sorun ona!" diye bir istekte bulundu bir adam.

"Hayır, dur," dedi Başkan. "Fazla kullanma o sözü..."

"Sorun ona, Başkan Kardeş!" dedi bir başka adam.

"Tamam; ama emin oluncaya kadar hemen ispiyoncu diye yapıştırmayın bir insana." Başkan bana döndü. "Nasıl oldu da buraya geldin, Kardeş?"

Adamlar seslerini kestiler, dinliyorlardı.

Ağzım kurumuştu. "Yemeğimi dolapta bırakmıştım," dedim.

"Birileri *göndermedi mi* seni toplantıya?"

"Hayır, efendim, herhangi bir toplantıdan haberim yoktu."

"Boş verin söylediklerine. Bu ispiyoncuların hiçbirinin haberi olmaz zaten."

"Atın bu aşağılık orospu çocuğunu dışarıya!"

"Hey, durun," dedim.

Daha çok bağırmaya başladılar, korkutucu oluyorlardı.

"Başkanlığa saygı," diye bağırdı Başkan. "Demokratik bir sendikayız burada biz, demokratik yolları..."

"Boş ver, defet ispiyoncuyu!"

"...izleyin. Bizim görevimiz bütün işçilerle arkadaşlık kurmaktır. Bunu derken gerçekten *bütün* işçileri kastediyorum. Sendikayı işte böyle güçlendirebiliriz. Şimdi dinleyelim bakalım Kardeş ne söyleyecek. Öyle bağırma, söz kesme filan istemiyorum artık!"

Soğuk bir ter boşandı sırtımdan; öyle sert bakıyor olmalıyım ki, her yüzde apaçık düşmanlık görüyordum.

"Ne zaman işe alındın, arkadaş?" diye bir soru duydum.

"Bu sabah," dedim.

"Görüyorsunuz, Kardeşler, yeni bir adam; işçiye, ustabaşısına bakarak hüküm vermek hatasını işlemeyelim. Sizlerden bazıları da orospu çocuklarının yanında çalışıyor, unuttunuz mu?"

Adamlar birden gülmeye ve küfretmeye başladı. "İşte birisi burada," diye bağırdı içlerinden biri.

"Benimki, patronun kızıyla evlenmek istiyor; dünyanın sekizinci harikasıymış!"

Bu ani değişiklik şaşırttı ve kızdırdı beni, bana taş atıyorlarmış gibi geldi.

"Susalım, Kardeşler! Belki Kardeş sendikaya katılmak istiyordur. Ne dersin Kardeş?"

"Efendim...?" Ne söyleyeceğimi bilemiyordum. Sendikalar hakkında çok az şey biliyordum; ama bu adamların çoğu bana düşman gibiydi... ve daha ben cevaplandırmadan, pösteki gibi kır saçlı bir adam ayağa fırladı, öfkeyle bağırarak:

"Karşıyım buna! Kardeşler, bu arkadaş bir ispiyoncu olabilirdi, hatta tam şu dakikada işe alınmış olsa bile. Herhangi bir kimseye haksızlık etmek niyetinde de değilim. Belki bir ispiyoncu değil" diye bağırıyordu hırsla, "ama Kardeşler, size hatırlatmak istiyorum ki, kimse bilmiyor bunu daha ve bana öyle geliyor ki o orospu çocuğu, o hain Brockway'in yanında on beş dakikadan fazla çalışan kim olursa olsun ispiyoncudan daha ispiyoncu olur! Lütfen, Kardeşler!" diye bağırdı susturmak için etrafı, kollarını sallayarak. "Bazılarınızın, Kardeşler, karılarınızın ve bebelerinizin acıları pahasına öğrenmiş olduğunuz gibi bir ispiyoncunun ispiyoncu olabilmesi için sendikacılık hakkında bilgisi olması gerekmez! İspiyonculuk! Allah belasını versin, ispiyonculuğu inceledim ben! İspiyonculuk doğuştan vardır bazılarında. Tıpkı renklere karşı *doğuştan* duyarlı olan bir insan gibi, ispiyonculuk doğuştan vardır bazılarında. Doğrudur bu, namuslu, bilimsel bir gerçektir bu! Bir ispiyoncunun, sendika sözünü daha önce duymuş olması bile gerekmez," diye bağırıyordu sözlerinin coşkusuna kapılmış bir halde. "Yapacağınız tek şey, onu bir sendikanın yakınına getirip bırakmak, sonra, göreceksiniz; şıppp diye başlayacaktır ispiyonculuğa!"

Alkışlara boğuldu. Adamlar bana bakmak için sertçe döndüler. Boğulacakmış gibiydim havasızlıktan. Başımı aşağı indirmek istiyordum ama onun söylediklerini kabul etmediğimi gösterirmiş gibi dosdoğru yüzlerine bakıyordum. Doğrulayıcı bağırtıların arasından bir başka ses yükseldi; bir elinin işaret parmağı havada, öteki elinin başparmağı iş tulumunun askısına takılmış, gözlüklü, ufak bir adamın dudaklarından büyük bir aceleyle şu sözler döküldü:

"Bu Kardeş'in söylediklerini bir teklif halinde getirmek istiyorum size: Ben, yeni işçi bir ispiyoncu mu değil mi, buna tam bir araştırmayla karar verelim, diyorum; bir ispiyoncuysa, kimin için ispiyonculuk ediyor onu bulalım! Ve bu, üye Kardeşler, işçiye, bir ispiyoncu değilse, sendikanın ne yaptığını, amaçlarını görmek için zaman kazandıracaktır. Ne olursa olsun, Kardeşler, biz onun gibi işçilerin, işçi hareketlerinde uzun zamandır bulunan bazılarımız kadar gelişmemiş olduğunu unutamayız. Bunun için, ona zaman verelim diyorum ben, işçilerin koşullarını geliştirmek konusunda ne yaptığımızı görmesi için; ondan sonra, bir ispiyoncu değilse, demokratik yoldan karar veririz, bu Kardeş'i sendikaya alacak mıyız, almayacak mıyız. Sendika üyesi Kardeşler, teşekkür ederim size!"

Gümm diye yerine oturdu aniden.

Oda gürledi. Bir öfke kabarıyordu içimde. Demek onlar kadar gelişmiş değilmişim ha! Ne demek istemişti? Hepsi birer profesör müydü yani! Kımıldayamıyordum; artık fazlaydı bu kadarı. Sanki odadan içeriye girer girmez üyelik için başvurmuştum da... Bir sendikanın olduğunu bile bilmiyordum oysa, soğuk domuz pirzolası sandviçimi almaya gelmiştim. Titreyerek duruyordum ayakta; sendikaya katılmamı teklif edecekler diye korkuyor ama birçoğu beni görür görmez reddettiği için de kızıyordum. En kötüsü, her şeyi kendi koşullarıyla, kendi bildikleri gibi kabul etmem için beni zorladıklarını biliyordum, üstelik ayrılamıyordum da oradan.

"Tamam Kardeşler, oylayacağız," dedi Başkan. "Teklifin lehinde olanlar bunu "kabul" diyerek belirtsinler..."

Kabul sesleri arasında boğuldu sesi.

Birkaç adam bana bakmak için dönerken, Başkan, "Kabuller kazandı," diye bildirdi sonucu. Nihayet gidebilirdim. Niçin geldiğimi unutmuş bir halde dışarı yürüdüm.

"Gel Kardeş," diye çağırdı Başkan. "Yemeğini alabilirsin artık. Yol verin, geçsin; siz, kapının ordaki Kardeşler!"

Tokat yemiş gibi yanıyordu yüzüm. Kendi adıma konuşmak için bir fırsat bile vermeden bana, kendileri almıştı kararlarını. Ordaki her adamın bana düşmanlıkla baktığını hissediyordum; bütün yaşamım boyunca düşmanlıkla birlikte yaşamış olduğum halde şimdi ilk kez, sanki bu adamlardan diğerlerinden fazla bir şey umut etmişim gibi, dokunmuş görünüyordu bana bu; oysa varlıklarından bile haberim yoktu. Burada, şu odada savunma olanaklarım inkâr edilmiş, elimden alınmış ve cumartesi akşamları Altın Gün'ün kapısında köylü çocuklarının silahlarının, bıçaklarının, usturalarının ve çiftelerinin kontrol edilişi gibi kontrol edilmişti. Gözlerim hep yerde, donuk yeşil renkli dolaba kadar "özür dilerim, özür dilerim," diye mırıldanarak gittim; sandviçi çıkardım, artık iştahım kalmamıştı yemek için, paket elimde, adamların yüzüne bakmaya korkarak öylece durdum. Sonra ağzımdan çıkan özürler için kendi kendimden nefret ederek, onlara sürüne sürüne dışarıya çıktım, sessizce.

Kapıya vardığımda Başkan seslendi, "Bir dakika Kardeş, bunun, kişi olarak size karşı bir şey olmadığını anlamanızı isteriz. Burada gördükleriniz, şu fabrikadaki bazı koşulların sonucudur. Sizin, kendimizi korumaya çalışmaktan başka bir şey yapmadığımızı bilmenizi isteriz. Bir gün sizi de devamlı bir üyemiz olarak aramızda görmeyi arzu ederiz."

Odanın orasından burasından çabucak sönen gönülsüz alkışlar geldi. Yutkundum ve görmeden baktım yüzlerine; sözcükler, kırmızı, sisli bir uzaklıktan vuruyordu yüzüme.

"Tamam Kardeşler," dedi ses, "bırakın geçsin."

Avludaki parlak gün ışığına çıkınca sendeledim, 2 Numaralı binanın arkasında, çimenlerin üzerinde gevezelik eden büro işçilerini geçtim ve bodruma yöneldim. Bağırsaklarımı asit basmış gibi bir duyguyla durdum merdivenlerde. Neden bırakıp çıkmadım oradan, diye düşündüm acıyla. Peki kaldım diyelim; niçin ağzımı açıp da bir şey söylemedim, niçin savunmadım kendimi? Birden sandviçi saran kâğıdı parçaladım ve hırsla ısırdım sandviçi; yutarken, kurumuş, büzülmüş, boğazımdan zorla geçen kuru parçaların tadını alamadım. Kalanı tekrar torbaya koyarak merdivenin parmaklıklarına yapıştım; büyük bir tehlikeden yeni kurtulmuşum gibi bacaklarım titriyordu. Sonunda geçti ve madeni kapıyı ittim.

Oturduğu el arabasının üzerinden ters ters söylendi Brockway, "Nerde kaldın bu kadar zaman?" Kirli avuçları içine aldığı, kulplu beyaz bardaktan bir şeyler içmekteydi.

Işığın, kırışık alnına, bembeyaz saçlarına düşüşünü görerek dalgın dalgın baktım yüzüne.

"Nerde kaldın, dedim sana!"

Sis gibi bir şeyin arasında yüzüne bakarak, kendisinden hoşlanmadığımı ve çok yorgun olduğumu bilerek, bilip de ne yapacak sanki, diye düşünüyordum.

"Sana söylüyorum..." diye başladı ve kendi sesimin kurumuş, sertleşmiş gırtlağımdan çok yavaş çıktığını işittim saate bakarken: Gideli sadece yirmi dakika olmuştu daha.

"Bir sendika toplantısına rastladım."

"Sendika mı?" Bacaklarını birbirinin üstünden indirip ayağa kalkarken elindeki beyaz bardağın gürültüyle yere yuvarlandığını işittim.

"Biliyordum ben, senin de o ortalığı karıştırıcı yabancılardan olduğunu! Biliyordum! Defol!" diye haykırdı. "Defol benim bodrumumdan!"

Avazı çıktığı kadar bağırıp eliyle merdivenleri gösterirken saatlerin üzerindeki ibreler gibi titreyerek bir düşteymiş gibi üzerime yürümeye başladı. Yüzüne bakıyordum; bir yanlışlık var gibiydi ortada, reflekslerim işlemez haldeydi.

"Ama ne oldu?" diye kekeledim, yavaş bir sesle ve ne olduğunu anlayarak ama yine de kafama sığdıramıyarak.

"Ne oldu?"

"Duyuyor musun beni? Defol!"

"Ama anlamıyorum..."

"Kes sesini ve defol!"

"Ama, Bay Brockway" diye bağırdım, kendimi tutmak için zorla mücadele ederek.

"Seni aşağılık, baş belası sendika kehlesi!"

"Bana bak herif," diye bağırdım; artık sabrım tükenmişti, "Sendikalı filan değilim ben."

Yerde delicesine bir şeyler aranırken, "Buradan defolup gitmezsen aşağlık köpek, öldürebilirim seni. Tanrı şahidim olsun, ÖLDÜRÜRÜM SENİ!"

İnanılmaz bir şeydi bu, gittikçe kızışıyordu işler. "Ne yaparsın?" diye kekeledim.

"ÖLDÜRÜRÜM, NE OLACAK!"

Aynı şeyi tekrarlamıştı ve bir şeyler çekildi içimde, kendi kendime hızlı hızlı konuşuyordum sanki: *Soytarı ve budala olduklarını düşünsen de, bunun gibi yaşlı adamların budalalıklarını kabullenecek gibi yetiştirildin sen; onlara saygılı davranır gibi yapman, onlarda, önünde eğildikleri beyazlardaki aynı etki ve kudreti bulur gibi görünmen öğretildi sana; sana, kızgın ya da garazlı, ya da kudretlerinden başları dönmüş, bir sopayla ya da kayışla veya bastonla üzerine gelseler bile bunu kabul etmen ve onlara karşılık vermeden, yalnızca belli etmeden kaçman öğretildi sana.* Ama bu kadarı fazlaydı artık... Ne büyükbabam, ne amcam ne de babamdı, ne papazımız, ne öğretmenimizdi. Midemde kangal kangal bir şey açılıyordu ve ben üzerine yürüyordum onun; açıkça belirli bir insan yüzünden çok, gözlerimi yakan kapkara bir bulanıklığa bağırarak, "KİMİ ÖLDÜRÜRSÜN, KİMİ?"

"SENİ, NE OLACAKMIŞ!"

"Bak, dinle beni, ihtiyar kaçık, öldürürüm seni deyip durma! Fırsat ver bana anlatayım. Hiçbir yere kayıtlı değilim ben." Gözlerini yerdeki bükülü bir demir çubuğa diktiğini görerek, "Haydi bakayım, kap onu; haydi, kapsana!" diye bağırdım. "Büyükbabam yaşındasın; ama bir dokun o demire, yemin ediyorum yediririm sana onu!"

"Söyledim sana, BODRUMDAN DEFOL! *Saygısız piç!*" diye haykırdı.

Eğildiğini ve yanda duran demir çubuğa yetiştiğini görerek ilerledim; üzerine atıldım, altımda kuvvetimden ezilerek yuvarlanıyor, ağzından hırıltılar çıkarak sürünüyordu döşemenin üzerinde. Çevik, sırım gibi bir farenin üzerine düşmüştüm sanki. Altımda çırpınıyor, kızgın sesler çıkarıyor, elindeki demiri kullanmaya çalışarak yüzüme vuruyordu; kıvırıp aldım elinden demiri, omzuma keskin, bıçak gibi bir acının saplandığını hissettim. Kafamda bir şimşek çaktı birden, bıçak kullanıyordu; dirseğimle sert bir vuruş yaptım yüzünün ortasına, kafası geriye uçtu, geri geldi, yeniden vurdum, sallandı yerinde, bir şeyin havada uçtuğunu ve yerde odanın ta öbür ucuna kadar kaydığını işittim, Gitti dedim, bıçak gitti... Ve beni boğmak için gırtlağıma yapışınca ileri geri sallanıp duran kafasına yumruğumu yapıştırdım; demir çubuğun havada sallandığını ve kafasına geldiğini hissettim, vuramadım, şangırtıyla düştü yere, bir daha kaldırdım ve bağırdığını işittim. "Yapma, yapma; pes, pes!"

"Beynini dağıtacağım senin!" dedim, boğazım kupkuru, "beni bıçaklarsın ha!"

"Hayır," diye soluyordu. "Yeter. Yeter dedim duymadın mı?"

"Sen yenemeyince, dur ha! Allah'ın belası, ya bir yerimi kesseydin; kafanı koparacağım senin!"

Onu gözetleyerek ayağa kalktım. Demir çubuğu attım, bir sıcaklık dalgası bastı vücudumu. Yüzü içeri çökmüştü.

"Deli misin, nesin moruk?" diye bağırdım öfkeyle. "Senin üçte birin yaşında bir insana saldırmaktan başka bir şey bilmez misin sen?"

Moruk deyince ben, yüzü bembeyaz oldu; tekrarladım aynı sözü, büyükbabamın ağzından duyduğum küfürleri de ekleyerek buna. "Seni andavallı, hırbo, taşarabası, uşak oğlu uşak, haybeci piç, başka bir şey bilmez misin sen! *Benim* hayatıma kastedebileceğini nasıl düşünürsün sen? Kimsin lan sen, bir hiçsin benim gözümde be! Buraya geldiysem keyfimden gelmedim ben, gönderildim. Ne seni ne de sendikayı tanırdım ben. Daha içeriye girdiğim dakikadan beri saldırıyorsun be! Deli misiniz siz, hepiniz? Boya beyninizi mi sulandırıyor sizin yoksa? İçiyor musunuz yoksa onu?"

Yorgun yorgun soluyarak dik dik bakıyordu yüzüme. Üstüne başına bulaşmış olan yapışkan maddeler, iş tulumunun birçok yerini kat kat etmiş, birbirine yapıştırmıştı. Marsık, diye düşündüm, gözümün önünden çekilip gitsin istiyordum. Ama öfkem, hareketten sözlere doğru akıyordu daha hızlı.

"Yemeğimi almaya gittim, kimin yanında çalıştığımı sordular, söyledim ben de; söyler söylemez ispiyoncu dediler bana. *İspiyoncu!* Sizler aklınızı kaçırdınız herhalde. Daha buraya döner dönmez bu sefer *sen* başladın bağırmaya seni öldüreceğim diye! Ne oluyor? Nedir bana düşmanlığınız? Ne yaptım ben?"

Ses çıkarmadan öfkeyle bakıyordu bana, sonra döşemeyi gösterdi.

"Hele bir elini uzat da göreyim" diye ikaz ettim.

"Dişimi de alamaz mıyım?" diye hım-hım etti acayip bir sesle.

"DİŞİNİ Mİ?"

Utangaç bir öfkeyle ağzını açtı. Büzülmüş, çekilmiş diş etleri mavi mavi parlıyordu. Döşemede kayıp giden şey bıçak değil, takma dişlerinin bir damağıymış, meğer. Bir anda buz gibi oldum, onu ne için öldürmeye kalkmışım, diye düşündüm. Elim omzuma gitti, gömleğim ıslanmıştı ama kan yoktu. Kaçık ihtiyar, *ısırmıştı* beni. O öfkeli halimde boğazımdan yükselen kahkahayı zor bastırdım. Isırmıştı beni! Yere baktım, maşrapası kırılmış, parça parça olmuş, dişleri donuk donuk parlıyordu odanın öteki ucunda.

Utanarak, "Al," dedim. Dişleri olmayınca ağzında, nefret çeken görünüşü azalmış gibi geliyordu insana. Dişlerini alıp musluğa giderek suyun altına tutarken onları, pek uzaklaşamadım yanından. Başparmağıyla bastırınca bir diş fırladı damaktan; damağı ağzına yerleştirirken kendi kendine söylendiğini işittim. Sonra, çenesini oynatırken tekrar eski halini aldı.

"Sahiden öldürmeye çalışıyordun beni," dedi. Bir türlü inanamıyordu bana.

"Sen başlattın o işi. Ben öyle kavga mavga etmem," dedim. "Neden bırakmadın açıklayayım sana? Sendikaya girmek kanunlara aykırı bir şey midir?"

"Allah belasını versin o sendikanın," diye bağırdı, neredeyse boşandı boşanacak. "Allah belasını versin o sendikanın! Benim yerimde gözleri! Biliyorum benim yerime göz dikmişler! Birimiz katılsak o cenabet sendikalardan birine, banyo teknesinde bize banyo yapmasını öğretmiş bir adamın elini ısırmaya benzer bu! Nefret ediyorum ondan, onu fabrikadan attırıncaya kadar elimden geleni yapacağım, iyi bilsinler. Beni işimden attırmaya çalışıyorlar, o bok oğlu bok piçler!"

Salyalar toplanmıştı ağzının kenarlarında; nefretten kafası atmışa benziyordu.

"Çünkü laboratuvardaki o zenci delikanlılar o takıma katılmak isterler, işte bunun için! Beyaz adam kalkmış iş vermiş onlara..." Bir davada birilerini suçluyormuş gibi hırıltıyla soluyordu. "Hem de iyi işler versin onlara, sonra onlar, o nankörler gitsinler adamı arkadan vuran sendikaya katılsınlar! Böyle berbat, nankör iş görmedim ben daha. Bütün yaptıkları, işleri daha da kötü yapmak biz kalanlara!"

"Neyse, özür dilerim," dedim. "Bilmiyordum bunları ben. Buraya geçici bir iş bulmaya geldim ben, herhangi bir kavgaya da katılmak istemem. Ama bize gelince, anlaşmazlığımızı unutmaya hazırım; eğer sen de..." Elimi uzattım, omzum acıdı.

Ters ters baktı yüzüme. "Utan, utan," dedi, "bir ihtiyar adamla dövüşmekten. Senden büyük oğullarım var benim."

Elim hâlâ uzanmış dururken, "Beni öldürmeye çalışıyorsun sandım," dedim. "Beni bıçakladın sandım."

"Hoşlanmam ben de kavgadan ve karışıklıktan çok, kendim," dedi gözünü gözümden kaçırarak. Ve o bulaşık elinin benim elimle birleşip sıkışması bir işaret oldu sanki. Arkamdaki kazandan gelen tiz bir ıslık işittim ve döndüm, Brockway'in haykırdığını duyarak, "Dedim ben sana bakasın o saatlere. Büyük valflara koş, çabuk!"

"Hangisi?" diye haykırdım uzanarak.

"Beyazı, aptal, beyazı!"

Fırladım, yakaladım valfi, bütün ağırlığımla aşağı çektim kolayca geldiğini hissederek. Ama bu, gürültüyü artırmaktan başka bir işe yaramadı. Brockway'i görmek için etrafıma baktığımda güler gibi olduğunu duydum; koşarak merdivenlere doğru gidiyordu elleriyle başını tutmuş, boynunu içine çekmiş, havaya bir tuğla atmış da düşmesini bekleyen bir küçük oğlan gibi.

"Hey, bana bak! Hey, baksana!" diye bağırdım. "Hey!" Ama çok geçti artık. Şimdi yavaşlamış gibi görünen hareketlerle her şeyi birden yapmaya çalışıyordum. Tekerleğin sertleştiğini hissettim ve boş yere ters yönde döndürmeye çalıştım, açmaya çalıştım; oysa avuçlarıma yapışmıştı, parmaklarım sert ve yapışkan; döndüm, koşuyordum şimdi, saatlerden birinin üzerindeki ibrenin, kontrolden çıkmış bir deniz feneri gibi delicesine sarsıldığını gördüm, aklımı başıma toplamaya, düşünmeye çalıştım. Gözlerim oraya buraya saldırarak tankların bulunduğu odaya ve makinelere ve o kadar uzaktaki merdivenlere ve yeni, daha açık bir sesin yükseldiğini işiterek hızla bir yokuşu tırmanırmışım gibi ve aniden hızlanarak birden bembeyaz, parlayan kapkara boşluğun ıslak patlayışı içine atıldım.

Düşmeye değil de asılmaya benzer bir düşüştü bu boşluğa. Sonra büyük bir ağırlık bindi üzerime ve bir şeyler parladı; parçalanan bir makinenin altında kalır gibi oldum, başım koca bir tekerleğe sıkışmış, vücudum pis kokulu yapışkan bir sıvıyla ıpıslak. Bir yerlerde bir motor kızmış, köpürmüş bir halde boş yere dönüp duruyordu; kafamın arkasından giren şiddetli bir sancı bir süre bir karanlığın içine atıncaya kadar, yüksek sesle kazıyarak bir yerleri, sonra bir acı darbesi daha, kendime geliyorum. Ve bir açık bilinçlilik anında kör edici bir parlayışa açıyorum gözlerimi.

Kendimi kaybetmemeye çalışırken, yakınlarda bir yerde birisinin etrafa sıçrata sıçrata bir suyun içinde zorla ağır ağır yürüdüğünü duyuyorum, yaşlı boşboğaz bir sesin, "Söyledim ben onlara bu bin dokuz yüzlü genç oğlanların işe yaramadığını! Ne yaptıklarını bilmiyorlar, ne yaptıklarından haberleri yok daha," diye bağırdığını.

Konuşmaya, cevap vermeye çalıştım ama yeniden kımıldadı ağır bir şey; tastamam anlıyordum her şeyi ve tekrar cevap vermeye çalışıyordum ama simsiyah bir gölün göbeğine batıyormuş gibi oluyor, önemli bir zaferi bir daha geri gelmez bir şekilde kaybettiğim duygusuyla donmuş ve uyuşmuş kalıyordum öylece.

On Bir

Soğuk, beyaz, sert bir koltukta oturuyordu; bir adam, alnının ortasından parlayan üçüncü bir parlak gözden bana bakıyordu. Yavaşça kafatasıma dokunarak ileri uzandı, yüreklendirici bir şeyler söyledi, sanki bir çocuktum da ben. Parmakları uzaklaştı.

"Şunu al," dedi. "İyi gelir." Yuttum. Birden derim, bütün vücudum kaşındı; üzerimde yeni iş elbiseleri vardı, beyaz iş elbiseleri. Ağzımda acı bir tat vardı. Parmaklarım titriyordu.

Ucunda bir ayna olan ince bir ses, "Nasıl?" dedi.

"Ciddi bir şey olduğunu sanmıyorum. Yalnızca sersemlemiş."

"Taburcu mu edilecek şimdi?"

"Hayır, emin olmak için birkaç gün tutacağız onu burada. Gözlem altında tutmak istiyorum onu. Ondan sonra gidebilir."

Şimdi bir karyolada uzanıyordum; adam gitmiş olmasına rağmen parlak göz hâlâ benim gözlerimin içinde yanıyordu. Sessizdi ortalık, uyuşmuş gibiydim. Gözlerimi kapadım ama hemen uyandırdılar.

"Adın ne?" dedi bir ses.

"Başım..." dedim.

"Evet ama adın, adresin?"

"Başım, o yanan göz..." dedim.

"Göz mü?"

"İçte," dedim.

"Çabuk röntgene çıkarın onu" dedi bir başka ses.

"Başım..."

"Dikkatli olun!"

Bir yerlerde bir makine uğuldamaya başladı; üzerime eğilmiş adamdan ve kadından şüphe ediyordum.

Sımsıkı tutuyorlardı beni, yanıyordu ortalık ve hepsinin üstünde Beethoven'in *Beşinci Senfoni*'sinin giriş temasını duyuyordum; hep üç kısa bir uzun vızıltı, değişik yüksekliklerde boyuna, boyuna tekrarlanıyordu ve ben mücadele ediyordum, yarıp çıkmaya çalışıyordum, kalkmaya; ama sırtüstü yatar buluyordum yine kendimi, pembe yüzlü iki adam gülüyordu yukardan aşağıya.

"Uslu dur şimdi," dedi bir tanesi sertçe. "Bir şeyin kalmayacak." Gözlerimi kaldırdım, belli belirsiz iki genç kadın gördüm beyazlar giyinmiş, bana bakıyorlar yukardan. Bir üçüncüsü, bir sıcaklık çölü dalgalanıyor, halkalar ve saatlerle düzenlenmiş bir panelde oturuyor. Neredeydim? Ta altımdan bir berber sandalyesinin vuruşları geldi güm-güm ve kendimi aşağıdan gelen seslerin ta tepesine yükselmiş hissettim. Şimdi bir yüz daha vardı benimle aynı düzeyde; yakından yüzüme bakıyor ve anlamsız bir şeyler söylüyordu. Cazırtılarla, çarpan çatlatan bir zırıltı başladı; birden döşemeyle tavan arasında ezilmiş gibi oldum. Midemi ve sırtımı iki güç vahşice parçalıyordu. Kenarları soğuk, ani bir alev parladı ve içine aldı beni. Ezici elektrik basınçları arasına sıkıştırılmıştım; bir akordeoncunun elleri arasındaki bir akordeon gibi, yüklü elektrodlar arasında açılıp sıkıştırılıyordum. Ciğerlerim bir körük gibi bastırılıyor ve yeniden soluk alabildiğim her defa bağırıyordum, noktaların ritmik hareketini vurgulayarak.

"Sus, Allah'ın belası," diye emretti yüzlerden biri. "Seni yeniden ayağa kaldırmaya çalışıyoruz. Kes sesini artık!"

Buz gibi bir yetke vardı bu seste; sakinleştim ve acıyı içimde bastırmaya çalıştım. Başımın, elektrik sandalyesine oturmuş birinin giydiği çelik başlığa benzer soğuk bir maden parçası içine alınmış olduğunu fark ettim. Boşuna mücadeleye, bağırmaya çalışıyordum. Ama insanlar o kadar uzak, acı o kadar yakındı ki. Bir yüz, ışıklardan bir çember içine giriyor, çıkıyor, bir an bakıyor, sonra kayboluyordu. Burundan takma altın gözlüğüyle çilli, kırmızı yüzlü bir kadın belirdi; sonra alnına bağlanmış yuvarlak bir aynayla bir adam; bir doktor. Evet, bir doktordu, kadınlarsa hemşirelerdi. Yavaş yavaş açılıyordu ortalık. Bir hastanedeydim. Tedavi ediyorlardı beni. Her şey, acıyı dindirmek için yapılıyordu. Minnettarlık duydum içimden.

Buraya nasıl geldiğimi anlamaya çalıştım; ama bir şey gelmiyordu aklıma. Sanki yaşamaya daha yeni başlamışım gibi kafam bomboştu. İkinci yüz belirince, kalın gözlük camlarının gerisinde beni ilk kez görüyormuş gibi kırpışan gözleri gördüm.

"Bir şeyin yok, oğlum. İyisin. Yalnız biraz sabırlı ol," dedi soğuk soğuk.

Gidiyorum gibi geldi bana; ışıklar, karanlık bir köy yolunda hızla giden bir arabanın kuyruk ışıkları gibi çekiliyordu. İzleyemedim. Omzuma keskin bir acı saplandı. Görmediğim bir şeyle mücadele ederek kıvrıldım. Bir süre sonra görüşüm açıldı.

Şimdi sırtını bana dönmüş bir adam oturuyor, bir panel üzerindeki saatler, ibrelerle oynuyordu. Seslenmek istedim ona; ama *Beşinci Senfoni*'nin ritmi yüksek sesle dolanıp duruyordu kafamın içinde; adam çok açık ve çok uzak görünüyordu. Aramızda madeni çubuklar vardı; boynumu uzatıp bakınca bir ameliyat masasında değil, cam ve nikelden, sandığa benzer bir şeyin içinde yattığımı anladım, kapağı bir destekle açık duruyordu. Niçin buradaydım?

"Doktor! Doktor!" diye bağırdım.

Cevap yok. Belki işitmemiştir, diye düşündüm, tekrar çağırdım ve makinenin içime içime batan vuruşlarını yeniden hissettim; batıyordum, karşı koydum buna, başımın gerisindeki bir konuşmayı sürdüren sesleri duydum kendime geldiğimde. Parazit sesleri sessiz bir vızıltı haline geldi. Uzak bir yerden sürüklenerek gelmiş ezgiler, bir pazar havası. Gözlerim kapalı, zorla soluk alarak acıya karşı geliyordum. Sesler uyumlu bir şekilde uğulduyordu. Bir radyo muydu duyduğum, bir gramo-

fon muydu? Bir yerlerde gizlenmiş bir orgun *vox humana*'sı*
mı? Öyle ise, hangi orgdu bu, neredeydi? Birden ısındım. Göz-
lerimin gerisinde, eşyaların bomboş bir sonsuzluğuna, dupdu-
ru mavi bir boşluğa doğru yumuşak bir eğimle uzanan, göz ka-
maştırıcı kırmızı yaban gülleriyle süslü yeşil çitler belirdi. Öte-
lerden sürüklenip gelen gölgeli çim görüntüleri yazın; ünifor-
maları içinde, düzgün sıralar halinde dizilmiş konser veren bir
askeri bando gördüm, her bir müzisyenin saçı güzelce briyan-
tinli; tatlı sesli bir trompetin, yankılanan bir uzaklıktan gelir gi-
bi, boğuk sesli bir borular korosunun alıp götürdüğü "Kutsal
Kent"i çalışını duydum; yukarda bir taklitçi kuşun taklit obli-
gatosu. Başım dönüyordu. Hava, gözlerime dolan incecik be-
yaz sivrisineklerle kalınlaşmış, koyulaşmış gibi geliyordu; öy-
le kalabalık uğulduyorlardı ki, trompeti çalan soluk alınca hep-
sini çekti trompetin içine ve borusunun karnından dışarı püs-
kürttü, durgun havanın üzerindeki seslerle karışan canlı beyaz
bir bulut halinde.

Kendime geldim. Sesler hâlâ uğulduyordu üzerimde; hoşlan-
mıyordum artık onlardan. Neden gitmiyorlardı? Reziller. Ah,
doktor, diye düşündüm uyuşukluk içinde, hiç kahvaltıdan ön-
ce bir çaydan geçtin mi sen? Hiç şeker kamışı çiğnedin mi? Bi-
lirsin, doktor, av köpeklerinin, kayışlarla ve zincirlerle bağlı
kara adamları kovaladığını ilk kez gördüğüm aynı sonbahar gü-
nü büyükanam yanıma oturmuş ve gözlerini kırpıştırarak tür-
kü söylemişti:

"Koca Tanrı maymunu yarattı
Koca Tanrı balinayı yarattı
Koca Tanrı timsahı yarattı
Kuyruğunda baştan başa çürükler..."

Ya da siz hemşire, siz, pembe organze elbiseniz ve geniş ke-
narlı şapkanızla sapsarı yasemin çitleri arasında ağır ağır gezi-
nip, süpürge sapı gibi kalın, kaba Güneyli şivesiyle aşığınızla
cilveleşirken, biz küçük kara oğlanların çalılıklar içine gizlenip

(*) Her türlü sesi çıkaran orgun, verdiği insan sesi – ç.n.

221

bağıra bağıra türkü çağırdığımızı biliyor muydunuz? Öyle yüksek sesle ki durup da dinleyemezdiniz:

"Gördünüz mü Margaret'i kaynatırken suyunu?
Aman Allah, fışırtısı bastırırdı dereyi
On yedi mil ve bir çeyrek uzunu
Ama Allah, dumanından göremezdin küfeyi..."

Ama şimdi müzik, dişi bir acının uzak bir feryadı olmuştu. Gözlerimi açtım. Cam ve maden yüzüyordu üzerimde.

"Kendini nasıl hissediyorsun, oğul?" dedi bir ses.

Bir kola şişesi kadar kalın gözlük camlarının içinden bir çift göz merakla bakıyordu; alkol içinde saklanan eski bir biyoloji numunesi gibi, dışarı fırlamış, parlak ve damarlı gözler.

"Kımıldayamıyorum, çok dar burası," dedim öfkeyle.

"Oo, tedavi için gerekli bu."

"Ama açın şunu biraz" diye üsteledim. "Kramp girdi."

"Üzülme onun için, oğlum. Bir süre sonra alışacaksın. Miden, başın nasıl?"

"Midem mi?"

"Evet, başın da?"

Başımın çevresindeki, vücudumun körpe yüzündeki basıncın ötesinde hiçbir şey hissedemediğimi fark ederek, "Bilmiyorum," dedim. Ama duyularım hızla yerine geliyor gibiydi.

"Hissedemiyorum" diye bağırdım, korku içinde.

"Hah! Görüyorsunuz! Benim küçük alet her şeyi çözecek!" diye gürledi.

"Bilmem," dedi bir başka ses. "Ben hâlâ ameliyatta ısrar ediyorum. Ve özellikle bu durumda, bu... bilgiyle, bilmem ki, basit duanın etkililiğine inanmalı mıydı yoksa?"

"Saçma, bundan sonra benim küçük makineme dua et sen. Tedaviyi yapacağım ben."

"Bilmem; ama ilkel durumlarda uygulanan çözümlerin, tedavilerin yani... hıh... daha ileri durumlar söz konusuysa, hıh, aynı şekilde etkili olacağını farz etmek bir hatadır gibime geliyor. Harward bilgisiyle bir New England'lı olduğunu düşün ortada?"

"Şimdi politika yapıyorsun işte," dedi ilk ses takılarak.

"Yoo, hayır; ama bir sorun bu."

Gittikçe artan bir rahatsızlıkla dinliyordum bir fısıltı haline dönüşen konuşmayı. En basit sözleri bile sanki bir başka şeyi gösteriyordu, birçok kavramın bir zamanlar kafamda zamanla bir anlam kazanışı gibi. Benim hakkımda mı yoksa bir başkası hakkında mı konuşuyorlar, bilemiyordum. Konuşmanın bir kısmı bir tarih tartışmasına benziyordu...

"Makine, bıçağın negatif etkisi olmaksızın bir ön frontal lobotomi sonuçlarını verecek," diyordu ses. "Anlıyorsun, ön frontal lobu zedelemeden, bir tek lob, yani, ana sinir kontrol merkezlerine yeterli derecelerde basınç uygulayacağız –bizimkisi Gestalt ve anlayış– ve sonuç, kişilikte tam bir değişim, tıpkı, o ünlü peri masallarındaki kanlı bir beyin ameliyatı işleminden sonra cana yakın insanlar haline gelen caniler gibi. Ve ayrıca," diye devam ediyordu ses bir zafer edasıyla, "hasta hem fizik olarak hem de sinirsel bakımdan kesilip biçilmeden."

"Ama psikolojisinden ne haber?"

"Önemli olmadığı kesin!" dedi ses. "Hasta, nasıl gerekiyorsa o şekilde yaşayacak, tam bir bütünlük içinde. Kim ister daha fazlasını? Büyük güdüsel çatışmalar görmeyecek; dahası var, toplum onun yüzünden büyük yaralar almayacak."

Bir duruş oldu. Bir kalem cızırdadı kağıt üzerinde. Sonra, "Niçin hadım etmiyoruz, doktor?" diye sordu bir ses şakadan, içimi parçalayan bir sancı başladı bunu duyunca.

"Yine o senin kan aşkın işte," dedi ilk ses gülerek. "Nasıldı o operatörün tanımı, 'Vicdansız kasap' mı?" Güldüler.

"O kadar gülünç değil. Durumu tanımlamaya çalışmak daha bilimsel olurdu. Üç yüz yıldır gelişmekte."

"Tanımlama mı? Haydi yahu, biliyoruz bütün bunları."

"Peki niçin daha fazla akım denemiyorsunuz?"

"Önerir misiniz?"

"Tabii, niçin olmasın?"

"Ama bir tehlike yok mu?" derken gittikçe yavaşladı ses.

Uzaklaştıklarını işittim; bir sandalye çekildi. Makine uğulduyordu. Kesin olarak anladım ki, benim hakkımda tartışıyorlardı; kendimi sıktım şoklara karşı ama mahvoldum yine de. Nabız, ben topuzlar arasında açıkça dans edinceye kadar yavaş yavaş artarak hızlı ve kesik kesik geliyordu. Dişlerim takırdıyordu. Gözlerimi kapadım, haykırışlarımı bastırmak için dudaklarımı ısırdım. Sıcak bir kan doldurdu ağzımı. Gözkapaklarımın arasından, ışıkla kamaşan ellerden ve yüzlerden bir daire görüyordum. Bazıları birtakım kartlar üzerine acele acele bir şeyler yazıyorlardı.

"Bak dans ediyor," dedi birisi.

"Sahi mi?"

Yağlı bir yüz içeriye baktı. "Gerçekten ritim duygusu vardır bunlarda, öyle değil mi? Hızlan, oğlum! Hızlan!" dedi gülerek.

Ve birden şaşkınlığım kalakaldı; kızmak, öldürecek gibi kızmak istedim. Ama vücudumun içine dağılan akımın vuruşları nasılsa önledi bunu. Bir şeyler çözülmüştü. Çünkü kızma ve köpürme yeteneklerimi pek ender kullanmış olsam da, onlara sahip olduğumdan hiç kuşkum yoktu; hem kızgın olsun ya da olmasın, diyelim orospu çocuğu demişler kendisine, dövüşmesi gerektiğini bilen bir insan gibi kendimi öteki *hayal etmeye* çalıştım; ama baktım ki, daha derin bir uzaklık hissine batmışım. Öfkenin ötesindeydim. Yalnızca şaşkındım. Ve üzerimdekiler bunu hissetmişe benziyorlardı. Şoklardan kaçınmanın yolu yoktu; hızlanmış kudurmuş bir akıntı içinde karanlığın içine yuvarlandım.

Oradan çıktığımda ışıklar hâlâ oradaydı. Sönmüş, havası boşalmış hissediyordum kendimi, kalın cam dilimi altında uzanıyordum. Kolum kanadım kırılmış gibiydi. Çok sıcaktı hava. Loş, beyaz bir tavan uzanıyordu üzerimde. Gözlerim yaş içindeydi. Niçin, bilmiyordum. Endişelendirdi beni bu. Dikkati çekmek için cama vurmak istedim ama kımıldayamıyordum. Arzu denemeyecek, en ufacık bir çaba yoruyordu beni. Vücudumun belli belirsiz işlemlerini duyarak uzanıyordum. Bütün oran duygumu yitirmişe benziyordum. Vücudum nerede bitiyor, kristal ve beyaz dünya nerede başlıyordu? Düşünceler benden kaçıyor, yalnızca gerileyen bir griler tabakasıyla kendisine bağlandığım geniş klinik beyazlığı uzantısı içinde gizleniyordu.

Kanın içimdeki ağır gümbürtüsünden başka ses yoktu. Gözlerimi açamıyordum. Başka bir boyutta, yapayalnızdım sanki; bir süre sonra bir hemşire üzerime eğilip dudaklarımın arasına sıcak bir sıvıyı zorla akıtıncaya kadar. Öğürdüm, yuttum, sıvının yavaşça, belli belirsiz göğsüme aktığını hissederek. Koskoca, renkli bir kabarcık kucaklar, içine alır gibi oldu beni. Belli belirsiz anılardan izlenimler doğurarak yumuşacık eller dolaşıyordu üzerimde. Ilık sıvılarla yıkandım, etimin sonsuz sınırları içinde dolaştığını hissediyor yumuşacık ellerin. Mikropsuz, tertemiz, tüy gibi bir çarşafa sarıldım. Çatının üstüne, sis içine atılmış bir top gibi fırlatılmış, yüzüyor hissediyordum kendimi; kırılmış, parça parça olmuş bir makine yığını ötesinde gizli bir duvara çarpıyor, sonra geriye yüzüyordum. Bu ne kadar sürdü, bilmiyorum. Ama şimdi ellerin hareketlerinin üstünde dostça bir ses duyuyordum; hiçbir anlam veremediğim tanıdık sözler söylüyordu. Can kulağıyla dinledim, cümlelerin biçim ve hareketinin farkında, soru soran sesin ilerleyişiyle cevap veren sesin ilerleyişi arasındaki anlık ince farkları yakalayarak. Ama anlamları hâlâ kayıptı, kendimin de içinde kaybolduğum geniş beyazlıkta.

Başka sesler yükseldi. Cam bir *akvaryum duvarından* miyop gözlerle dışarıyı gözetleyen gizemli balıklar gibi, yüzler üşüşmüştü üzerime. Üzerimde hareketsiz asılı durduklarını, sonra ikisinin yüzerek uzaklaştığını, önce başlarının sonra balık kanadı gibi parmaklarının bir düşteymiş gibi sandığın tepesinde kımıldadığını görüyordum. Tamamen gizemli bir gidiş geliş, uyuşuk gelgitlerin kabarışı gibi. İkisinin, ağızlarıyla kızgın hareketler yaptıklarını seyrediyordum. Anlamıyordum. Yeniden çabaladılar, anlamı yine yakalayamadım. Rahatsız hissediyordum kendimi. Üzerine kargacık burgacık bir şeyler yazılmış bir kart gördüm üzerime tutulmuş. Alfabenin bütün harfleri karmakarışık, iç içe. Heyecanlı heyecanlı bir şeyler konuşuyorlardı. Nedense kendimi sorumlu hissettim. Korkunç bir yalnızlık duygusu çöktü üzerime; gizemli bir pandomim oynuyor gibiydiler. Ve onları bu açıdan görmek rahatsız ediciydi. Son derece budala görünüyorlardı, hoşlanmıyordum bundan. Doğru değildi. Doktorun birinin burnunun içindeki karayı, pisliği görebiliyordum; bir hemşirenin iki tane sarkık çenesi vardı. Başka yüzler çıktı ortaya, ağızları sessiz bir öfkeyle çalışarak. Ama hepimiz insanız, diye düşündüm ne demek istediğimi ben de anlamayarak.

Siyahlar giyinmiş bir adam geldi; delici gözleriyle, gergin ve dostça bir yüzle bana bakan uzun saçlı biri. O endişeli gözlerle bir bana bakıp bir kartımı incelerken öbürleri onun üzerine üşüştüler. Sonra büyük bir kartonun üzerine bir şeyler yazdı ve gözlerimin önüne sürdü:

ADIN NE?

Bir titreme aldı beni; sanki birden kafamın içinde sürüklenip duran belirsizliğe bir ad vermiş, onu düzene sokmuştu. Kısa süren bir utanç altında ezildim. Artık adımı bilmediğimi fark ettim. Gözlerimi kapadım ve üzüntüyle başımı salladım iki yana. Benimle konuşmak için ilk sıcak, insanca girişimdi bu ve ben karşılık veremiyordum. Yeniden çabaladım, kafamın koyu karanlığına dalarak. Faydasız; acıdan başka bir şey yoktu. Kartı yeniden gördüm, her sözcüğü yavaş yavaş, teker teker gösteriyordu:

ADIN............NE?

Yorgunluktan zayıf düşünceye kadar koyu karanlığın dibine dalarak umutsuzca çabaladım. Sanki bir toplar damar açılmıştı da gücüm dışarı çekilmişti; dilsiz dilsiz bakabiliyordum yalnız. Ama birden yeniden hareketlenerek bir başka karton gösterdi ve yazdı üzerine:

KİMSİN...............SEN?

İçimde bir şey döndü ağır bir heyecanla. Sorunun böyle soruluşu, bir sıra zayıf ve uzak ışıkları yakar gibi oldu; oysa öteki soru hemen kaybolan bir kıvılcım çaktırmıştı. Kimim ben? Sordum kendi kendime. Ama vücudumun uyuşuk damarları içinde dolaşan bir tek özel hücreyi tanımaya çalışmak gibi bir şeydi bu. Belki bu koyu karanlık, şaşkınlık ve acıdan başka bir şey değildim; ama bu, bir yerlerde okuduğum herhangi bir şeyden daha az uygun bir cevap gibi göründü.

Kart tekrar çıktı ortaya:

ANANIN ADI NE?

Ana; kimdi anam benim? Ana, siz acı çekerken feryat eden insan; ama kim? Aptallık bu kadarı, her zaman bilirdim anamın adını. Kimdi o feryat eden? Ana mı? Ama feryat makineden geldi bu kez. Bir makine mi yoksa benim anam?... Açıkçası, aklım başımda değildi benim.

Sorular soruyordu: *Nerede doğdun? Adını düşünmeye çalış.*

Boş yere, bir sürü ad düşünmeye çalıyordum; ama hiçbiri uymuyordu. Fakat şu ya da bu şekilde onların hepsinin bir parçasıymışım, onlarla birlikte batmışım, kaybolmuşum gibiydi.

Yaftada, *hatırlamalısın* yazısı okunuyordu. Ama faydasızdı. Her defasında kendimi, çevremi saran beyaz sis içinde buluyor ve adım hemen parmak uçlarımın ötesinde duruyordu. Başımı salladım, bir an için kayboldu, sonra bir arkadaşıyla, kısa boylu, yüzüme bomboş, upuzun bakıp duran, bilim adamı görünüşlü bir adamla birlikte döndü. Çocukların kullandığı bir taş tahta ile bir tebeşir parçası çıkarışını ve üzerine bir şeyler yazışını seyrettim:

ANAN KİMDİ SENİN?

Ani bir hoşnutsuzluk hissederek ve eğlenir gibi, soru-cevap oyunu oynamam ben, diye düşünerek yüzüne baktım. Peki, *sizin* yaşlı bayan nasıl bugün?

DÜŞÜN

Gözlerimi diktim; kaşlarını çatmış, uzun uzun yazıyordu. Taş tahta anlamsız adlarla dolmuştu.

Gözlerinin sıkıntıdan alev alev yandığını görerek gülümsedim. Eski Dost Yüz bir şey söyledi. Yeni gelen adam bir soru yazdı, şaşkınlıktan gözlerim açılmış bakakaldım soruya:

GEYİK GÖZLÜ TAVŞAN KİMDİ?

Karmakarışık oldu içim. Niçin düşünsündü bunu? Sözcük sözcük soruyu gösteriyordu. Derinden, ta içimden güldüm. Kendini bulmanın zevkiyle ve onu saklama arzusuyla sarhoş. Bir de baktım, Geyik Gözlü Tavşan benmişim... Ya da bir zamanlar öyleymişim, çocukken yollarda toz toprak içinde yalınayak dans edip şarkı söylediğimiz zamanlarda:

Geyik Gözlü Tavşan
Salla onu, salla onu
Geyik Gözlü Tavşan
Kopar onu, kopar onu...

Ama bir türlü kabul edemiyordum, çok gülünçtü, şu ya da bu şekilde çok tehlikeliydi. Eski bir kişiliği rasgele bulmuş olması can sıkıcıydı. Başımı salladım iki yana; dudaklarını büzdü ve sert sert süzdü beni.

OĞUL, TAVŞAN KARDEŞ KİMDİ?

Ananın zamparası, diye düşündüm. Herkes bilirdi bunların bir ve aynı şey olduğunu: Geyik Gözlü'ydü: Çok küçüktünüz siz ve iri, suçsuz gözlerin ardında gizlerdiniz kendinizi; biraz daha büyüyünce "Kardeş" olurdu. Ama ne diye oynayıp duruyordu bu çocukça adlarla? Beni bir çocuk mu sanıyorlardı? Neden yalnız bırakmıyorlardı beni? Beni makineden çıkarsınlar, çok geçmez anımsardım... Sert bir tokat indi cama; ama bıkmıştım artık onlardan. Gözlerim Eski Dost Yüze dikilince hoşlanmış göründü yine. Anlayamıyordum; ama işte oradaydı, gülüyor ve yeni asistanla ayrılıyordu oradan.

Yalnız kalınca kimliğim üzerinde kafa yormaya başladım.

Kendimle gerçekten bir oyun oynadığımdan, onların da bu oyunda yer aldığından şüphelendim. Bir tür savaş. Gerçekte benim kadar onlar da biliyordu ve ben herhangi bir nedenle yüz yüze gelmek istemiyordum onunla. Kışkırtıcıydı, kendimi kurnaz ve tetikte hissetmeme sebep oluyordu. Hemen bir anda çözerdim sırrı. Kimim ben, diye düşünürken, kendimi, yaramazlık ettiği için küçük bir oğlanı yakalamaya çalışan yaşlı bir adam gibi hayal ettim kafamda. İyi değildi. Bir soytarı gibi hissettim kendimi. Hem suçlu, hem polis olacak insan da değildim ben; ama niçin suçlu, ne bileyim.

Makineye kısa devre yaptırma yollarını kurmaya koyuldum. Kim bilir, vücudumu şöyle çevirsem iki tokmak bir araya gelirdi. Hayır, yer olmaması bir yana, elektrik de çarpabilirdi beni bu hareketle. Tüylerim ürperdi. Herkes olabilirdim de, Samson olamazdım. İsterse parçalasın hareket makineyi, kendimi yok etmeye niyetim yoktu; özgürlük istiyordum ben, yok olmak değil. Yorucuydu; çünkü ne plan kurarsam kurayım, değişmeyen bir tek kusur vardı; kendim. Kandırmanın yolu yoktu. Kimliğimi düşünebilmekten kolay değildi kaçıp kurtulmak. Kim bilir, diye düşündüm, iki şey belki de birbirinin içindedir. Kim olduğumu bulunca, kurtulacağım.

Kaçma düşüncelerim onları korkutmuş olacaktı. Yukarı bakınca birbiriyle konuşan iki doktor ve hemşire gördüm; artık çok geç, diye düşündüm ve onların kontrollerle oynayışlarını seyrederek terden bir örtü içinde uzandım, kaldım. Yine şok için bağlanmıştım; ama bir şey olmadı. Bunun yerine, kapak üzerinde gördüm ellerini; kemerleri gevşettiler ve ben daha bir şey yapamadan kapağı açtılar, beni çekerek oturttular.

"Ne oldu?" diye başladım, hemşirenin bana bakmak için durduğunu görerek.

"Şey, ha?" dedi.

Ağzım oynuyor ama ses çıkmıyordu.

"Haydi söyle, konuş," dedi.

"Hangi hastane burası?" dedim.

"Fabrika Hastanesi," dedi. "Sakin ol."

Hepsi etrafımdaydı şimdi, vücudumu gözden geçiriyorlardı

ve ben gittikçe büyüyen bir şaşkınlıkla, nedir bu Fabrika Hastanesi, diye düşünürken onları seyrediyordum.

Belimde bir kayış hissettim, baktım; doktorlardan biri beni ileri doğru sarsarak, mide tokmağına bağlanmış kordonu çekiyordu.

"Nedir bu?" dedim.

"Makası getirin," dedi.

"Tabii," dedi öbürü. "Vakit kaybetmeyelim."

Kordon sanki benden bir parçaymış gibi geri çekildim. Sonra gevşettiler onu, hemşire, bel kayışının ortasından makasla kesti, ağır tokmağı kaldırdı. Konuşmak için ağzımı açtım fakat doktorlardan biri başını salladı iki yana. Hızlı çalışıyorlardı. Tokmaklar kalkınca, hemşire alkolle ovmaya başladı beni. Sonra sandıktan dışarı çıkmam söylendi. Bir yüzden ötekine bakıyordum dönüp dönüp, kararsızlık içinde. Çünkü serbest bırakıldığımın belli olduğu şu anda bile inanamıyordum buna. Ya daha acı veren bir makineye götürüyorlarsa beni? Kımıldamayı reddederek yerimde oturuyordum, orada. Mücadele etmeli miydim onlarla?

"Kolunu tutun," dedi birisi.

"Ben kalkarım," dedim korkuyla dışarı tırmanarak.

Vücudumu stetoskopla muayene ederlerken ayakta durmamı söylediler.

Bir başkası omzumu muayene ederken, elinde kart olanı, "Oynak yeri nasıl?" dedi.

"Mükemmel," dedi öteki.

Orada bir sertlik hissediyordum ama acı yoktu.

"Şaşılacak derecede kuvvetli olduğunu söyleyebilirim," dedi.

"Drexel'i içeri çağıralım mı? Bu kadar kuvvetli olması alışılmış şey değil."

"Hayır, yalnız karta not et."

"Pekâlâ hemşire, elbiselerini verin."

"Bana ne yapacaksınız?" dedim. Hemşire, temiz iç çamaşırlarıyla beyaz bir iş tulumu verdi.

"Soru yok," dedi. "Mümkün olduğu kadar çabuk giyin."

Makinenin dışındaki hava son derece güzeldi. Ayakkabılarımı bağlamak için eğilince bayılacağım sandım; ama tuttum kendimi. Sallanarak doğruldum, yukardan aşağı süzüyorlardı beni.

"Eh oğul, tedavi edilmişe benziyorsun," dedi onlardan biri. "Yeni bir insansın. İyi başardın. Gel bizimle," dedi.

Ağır ağır çıktık odadan. Uzun beyaz bir koridordan asansöre gittik. Sonra üç kat hızla aşağıya, sıra sıra sandalyelerin bulunduğu bir kabul odasına indik. Önde bir dizi özel büro vardı, kapıları ve duvarları buzlu camdan.

"Oraya otur," dediler. "Müdür seni görecek birazdan."

Büroların birinin içinde kaybolduklarını, bir an sonra tekrar çıkıp bir kelime söylemeksizin yanımdan geçip gittiklerini görerek oturdum. Yaprak gibi titriyordum. Gerçekten serbest bırakıyorlar mıydı beni? Başım dönüyordu. Beyaz pantalonuma baktım. Hemşire buranın *Fabrika Hastanesi* olduğunu söylemişti... Nasıl bir fabrika olduğunu niçin anımsamıyordum? Ve niçin bir Fabrika Hastanesi? Evet... Belli belirsiz bir fabrika anımsıyordum; belki de yeniden oraya gönderiliyordum. Evet, başhekim yerine müdürden söz etmişti o adam; ikisi de aynı şey olabilir miydi? Belki halen fabrikadaydım. Dinledim fakat makine sesi duymadım.

Odanın öteki ucunda bir sandalye üzerinde bir gazete duruyordu; ama almayı akıl edemeyecek kadar düşüncelere dalmıştım. Bir yerlerde bir vantilatör uğulduyordu. Sonra buzlu camlı kapılardan biri açıldı; beyaz ceketli, sert görünüşlü bir adamın, elinde bir kartla beni çağırdığını gördüm.

"Gel," dedi.

Kalktım ve yanından geçerek basitçe döşenmiş, geniş bir büroya girdim. Şimdi, öğreneceğim. Şimdi, diye düşünerek.

"Otur," dedi.

Masasının yanındaki bir sandalyeye kuruldum. Sakin, araştırıcı bir bakışla süzüyordu beni.

"Adın nedir? Ha, burada varmış," dedi kartı inceleyerek. Sanki içimde biri ona sessiz durmasını söylemeye çalışıyordu; ama o benim adımı söylemişti bile. Başıma bir ağrı saplanmış gibi

"Of!" dediğimi duydum ve ayağa fırladım, deli gibi bakıyordum etrafıma; oturdum, tekrar kalktım, oturdum hızlı hızlı, anımsayarak. Niçin yaptığımı bilmiyorum bunu; ama birden dikkatle bana baktığını gördüm onun, bu kez bir daha kalkmadım.

Sorular sormaya başladı, hiç duraksamadan cevap verdiğimi işitebiliyordum; oysa, coşkusal imgelerin, hızla geriye sarılan bir ses bandı gibi, incecik, anlaşılmaz sesler çıkararak hızla değişmesi başımı döndürüyordu.

"Eh, oğlum," dedi, "tedavi edildin. Çıkaracağız seni. Nasıl buldun bu haberi?"

Birden anlayamadım. Bir stetoskopun, bir minyatür gümüş boya fırçasının yanında bir şirket duvar takvimi duruyordu. Hastaneden mi yoksa işten mi demek istemişti?...

"Efendim?" dedim.

"Bu haberi nasıl buldun, dedim?"

"Olur efendim," dedim gerçeğe benzemeyen bir sesle. "İşime dönmekten memnun olurum."

Kaşlarını çatarak karta baktı, "Çıkacaksın ama, korkarım iş konusunda hayal kırıklığına uğrayacaksın," dedi.

"Ne demek istiyorsunuz efendim?" dedim.

"Çok ciddi şeyler geçti başından," dedi. "Sanayi hayatının sertliklerine hazır değilsin. Şimdi dinleneceksin, bir iyileşme dönemine gireceksin. Kendini yeniden bulman ve gücünü yeniden kazanman gerek."

"Ama, efendim."

"Çok hızlı gitmeye çalışmamalısın. Hastaneden çıktığına sevindin, öyle değil mi?"

"Aa, tabii. Ama nasıl yaşayacağım?"

"Yaşamak?" Kaşları kalktı, indi. "Bir başka iş tut," dedi. "Daha kolay, daha sessiz bir iş. Sana daha uygun bir şey."

"Uygun mu?" Yüzüne baktım, işin içinde o da mı vardı yoksa, diye düşünerek. "Ne iş olursa yaparım, efendim," dedim.

"Sorun bu değil, oğlum. Yalnız sen bizim sanayi koşullarımız altında çalışmak için yetiştirilmemişsin. Daha sonra belki ama şimdi değil. Ve unutma, başına gelen şey için yeterli miktarda tazminat ödenecektir."

"Tazminat mı efendim?"

"Aa, tabii," dedi. "politikamız, aydınlık bir insan severliktir bizim; bizde çalışanların hepsi otomatik olarak sigortalıdır. Yalnız birkaç kağıt imzalayacaksın."

"Ne gibi kağıtlar, efendim?"

"Şirketi sorumluluktan kurtaracak bir yeminli beyan belgesi istiyorum," dedi. "Seninkisi zor bir vak'aydı, birkaç uzman çağırmak zorunda kaldık. Ama neyse, her yeni mesleğin kendine özgü tehlikeleri vardır. Büyümenin, yetişmenin, bir şeylere ayarlanmanın parçasıdır bunlar. İnsan, şansını dener; kimi hazırdır, kimi değildir."

Çizgili yüzüne baktım. Doktor muydu, fabrikanın sorumlu bir kişisi miydi, yoksa her ikisi mi, anlayamadım; koltuğunda sakin sakin oturduğu halde görüş alanım içinde ileri geri hareket ediyor gibiydi şimdi.

Kendi kendine çıktı ağzımdan. "Bay Norton'u tanır mısınız, efendim?"

"Norton mu?" Kaşları çatıldı. "Hangi Norton bu?"

O zaman soruyu soran ben değildim sanki, isim yabancı geliyordu bana. Elimi gözlerimin üzerinde gezdirdim.

"Özür dilerim," dedim. "Birden tanıyabilirmişsiniz gibi geldi bana. Bir zamanlar tanıdığım bir insandı."

"Anlıyorum. Şey..." Bazı kağıtları aldı eline. "İşte böyle oğlum. Ufacık bir kağıt parçası çok iş görebilir, kim bilir. İstersen kağıtları yanına alabilirsin. Bize postala, yeter. Onlar gelir gelmez çekin gönderilir. Bu arada, istediğin kadar düşünebilirsin, haksızlık etmediğimizi göreceksin."

Katlanmış kağıtları aldım ve bana çok uzun gelen bir süre yüzüne baktım. Sallanıyor gibiydi. Sonra titrek bir sesle, "Onu tanıyor musunuz?" dediğimi işittim.

"Kimi?"

"Bay Norton'u," dedim. "Bay Norton!"

"Oo, hayır, hayır."

"Hayır," dedim, "hiç kimse hiç kimseyi tanımaz, çok zaman önceydi."

O kaşlarını çattı, bense güldüm. "Zavallı tavşanı tertemiz

yoldular," dedim. "Acaba Bled'i tanır mısınız?"

Başını bir yana eğmiş bana bakıyordu. "Bu kimseler arkadaşların mı senin?"

"Arkadaşlarım mı? Ha, evet," dedim, "çok iyi arkadaşızdır. Ta ne zamandan beri. Ama sanırım aynı çevrelerden değiliz biz."

Gözleri açıldı. "Hayır," dedi. "Ben de sanmıyorum. Ama insanın iyi arkadaşları olması güzel şeydir."

Başımın döndüğünü hissediyordum, gülmeye başladım; yine yerinde sallanıyor gibi geliyordu bana, Emerson'u sormayı düşündüm ona ama artık boğazını temizliyor, işinin bittiğini anlatmak istiyordu bana.

Katlanmış kağıtları tulumumun cebine koydum, dışarıya doğru yürüdüm. Sandalye sıralarının gerisinde kapı çok uzak gibi görünüyordu.

"Kendine dikkat et," dedi.

"Siz de," dedim, zamanıdır, geç bile, diye düşünerek.

Birdenbire dönerek, halsiz halsiz masaya geri gittim; o, devamlı bilimsel süzüşüyle aşağıdan yukarıya bakıyordu bana. Törensel duygulara yenilmiştim; ama söyleyecek uygun bir şey de bulamıyordum şimdi. Ağır ağır elimi uzatırken dudaklarıma kadar gelen kahkahayı bir öksürükle bastırdım.

"Kısa gevezeliğimiz oldukça hoştu, efendim," dedim. Kendimi ve onun cevabını dinledim.

"Evet, gerçekten de," dedi.

Şaşırmaksızın, hoşnutsuzluk göstermeksizin ciddi ciddi sıktı elimi. Ben yere bakıyordum, o oradaydı, çizgili yüzünün ve uzanmış elinin gerisinde bir yerlerde.

"Ve gevezeliğimiz bitti artık," dedim. "Eyvallah."

Elini kaldırdı, "Güle güle," dedi ne düşündüğünü göstermeyen bir sesle.

Ondan ayrılıp dışarıya, boya kokuları tüten havaya çıkınca, kendimin dışında konuşmakta olduğumu, kendimin olmayan sözler kullanmış, kendimin olmayan davranışlar göstermiş olduğumu, içimde ta derinde yerleşmiş bir başka yabancı kişiliğin pençesinde olduğumu hissettim. Tıpkı, psikoloji dersinde okuduğum gibi bir vecit halinde, bir gün çalışırken kulak misafiri olduğu Yunan felsefesinden sayfalar okuyan bir uşak gibi. Çılgın bir filmden sahneler oynuyormuş gibiydim. Ya da kim bilir, kendimi yeni buluyorum da daha önce bastırmış olduğum duyguları sözler haline koyuyordum. Kaldırımdan yukarı doğru çıkmaya başlarken, yoksa artık korkmuyor muyum acaba, diye düşündüm. Durdum, aydınlık cadde boyunca gölge ve güneş oyunlarıyla yana yatmış görünen binalara baktım. Korkmuyordum artık. Ne önemli adamlardan, ne mütevellilerden, ne de benzeri kişilerden: çünkü biliyordum ki onlardan bekleyebileceğim bir şey olmadığına göre onlardan korkmaya da neden yok. Böyle miydi? Başım dönüyordu, kulaklarım çınlıyordu. Yürüdüm gittim.

Kaldırım boyunca binalar pembe, bir örnek ve sımsıkı yakındı birbirine. Gün bitmek üzereydi; her binanın tepesinde bayraklar sallanıyor, çökerek aşağı iniyordu. Düşeceğimi, düştüğümü hissettim ve her şeyi bana doğru sürükleyerek gelen dalgaya karşı durmaya çalışıyordum şimdi. O civardan çıkıp caddeden yukarı yürüyünce gelmiş olduğum köprüyü buldum; fakat yukardan geçen otobüse götüren basamaklar tırmanamayacağım, yüzemeyeceğim, uçamayacağım kadar dikti, onun yerine bir metro buldum.

Her şey hızla dönüyordu etrafımda. Kafam, yavaşça yuvarlanan dalgaların içinde bir parlıyor, bir bomboş oluyordu. Biz, o, onu; kafam ve ben aynı daireler içinde dolaşmıyorduk artık. Vücudum da öyle. Geçidin öte yanında, platin saçlı genç bir sarışın, istasyonun ışıkları arkasında dalgalanırken, kırmızı nefis bir elmayı ısırıyordu ufak ufak. Tren ileri atıldı. Sersem sersem, kafamın içi bomboş, o uğultunun içine daldım, alta doğru emildim ve öğle sonunun geç saatlerindeki Harlem'in içine fırlatıldım.

On İki

Metrodan çıktığımda Lenox Caddesi sarhoş bir açıyla benden uzaklaşmış, yan yatmış gibi görünüyordu; başım güm-güm öterek, vahşi, çocuk gözlerle bir o yana bir bu yana sallanan görüntüye diktim gözlerimi. Bozulmuş krema rengi tenli iki iri kadın yanımdan geçerlerken koskoca vücutlarıyla dövüşür gibiydiler; çiçekli kalçaları insanı tehdit eden alevler gibi titriyordu. Önümde, uzaktaki kaldırımda yürüyorlar, parlak, portakal rengi bir güneş dilimi kaynıyor gibiydi ve ben düştüğümü gördüm, bacaklarım eridi altımda ama kafam açık, çok açık, işini gücünü bırakıp başımda toplanan kalabalığın farkında: Bacaklar, ayaklar, gözler, eller, bükülmüş dizler, sürüyen ayakkabılar, sinirli bir heyecan ve hiç durmayan bir gidiş-geliş.

Ve iri Siyah bir kadın, *Oğul, bir şeyin yok ya, ne oldu?* diyor güçlü, kontralto bir sesle. Ve ben, *bir şeyim yok, biraz zayıfım yalnız,* diyorum ve kalkmaya çalışıyorum ve o, *açılın bakayım, açılın geriye de adam soluk alsın. Hepiniz, haydi, açılın,* diyor şimdi emredici bir tonda yankılanarak sesi, *haydi, haydi, geriye, dağılın!* Ve o bir yanımda, bir başka adam öteki yanımda kalkmama yardım ediyor ve polis, *İyi misin?* diyor ve ben cevap veriyorum. *Evet, birden zayıf hissettim kendimi, bayıldım galiba; ama iyiyim şimdi,* ve kalabalığa açılmalarını emrediyor ve adamla kadın dışında ötekiler kımıldıyor ve adam, *bir şeyin yok ya babalık* diyor ve ben başımı sallıyorum ve kadın, *nerede oturuyorsun, oğul, buralarda mı?* diyor. Ben *misafirhane,* diyorum ona ve başını sallayarak bana bakıyor. *Misafirhane, misafirhane* diyor, *hıhh! Senin durumunda zayıf ve bir süre bir kadının bakımına muhtaç birisi için tam yeri orası!* diyor. Ve ben, *bir şeyim kalmaz şimdi,* diyorum ve o *belki kalmaz, belki kalır. Ben caddenin üst yanında, köşeyi dönünce orada oturuyorum, kendine gel de gidelim, daha güçlü bulunccaya kadar kendini dinlenirsin. Ben telefon ederim misafirhaneye söylerim nerede olduğunu,* diyor. Ve ben karşı koyamayacak kadar yorgun ve o zaten tutmuş kolumdan, adama öteki kolumu tutmasını söylüyor ve ben onların kolları arasında gidiyoruz, içimden reddederek ama yine de kabul ederek onun emirlerini. *Aldırma, birçoklarına yaptığım gibi sana da bakarım, benim adım Mary Rambo, Harlem'in bu yanında herkes bilir beni, sen de duymuşsundur, değil mi?* dediğini işiterek. Ve adam, *Tabii, Ben Jenny Jackson'ın oğluyum bilirsin seni bildiğimi, Miss Mary,* diyor. Ve o, *Jenny Jackson mı, tabii bilirsin beni ve de ben seni, Ralston değil misin sen, ananın iki çocuğu yok mu, oğlan Flint, gız Laurajean, bilmez miyim seni; ben, anan ve baban bilirdik birbirimizi.* Ve ben, *iyiyim şimdi, sahiden iyiyim,* diyorum. Ve o, *böyle görünürsün de göründüğünden kötü olabilirsin,* diyor ve çekiyor beni, *işte şurada benim evim, yardım et merdivenlerden çıkarayım içeri alayım, merak etme oğul, daha önce hiç görmemiştim seni ve de benim işim değil o, benim için ne düşünürsen düşün yine sen ama zayıfsın zorla yürüyebiliyorsun hem aç da görünüyorsun, gel benimle bir şeyler yapayım sana, ihtiyacı olsaydı sen de yapmaz mıydın bunları zavallı Mary'ye, para mara istemez, işine de karışmak istemiyorum, yalnız kendine gelinceye kadar uzanmanı istiyorum sonra gidebilirsin,* diyor. Ve adam alıyor sözü, *iyi ellerdesin, babalık. Miss Mary hep yardım eder birilerine ve yardıma ihtiyacın var senin; çünkü bak benim kadar karasın ama çarşaf gibi bembeyazsın, beyazlar ne der hani; basamaklara dikkat.* Ve bir iki basamak çıkıyor ve sonra bir iki basamak daha, daha da zayıf hissediyorum kendimi, iki sıcak vücut iki yanımda, sonra serin karanlık bir odadayız; *işte yatak şurada, yatır onu, oraya, oraya haydi, tamam Ralston, kaldır bacaklarını yukarı* –örtüye mörtüye boş ver şimdi– *oraya, tamam, şimdi mutfağa git bir bardak su doldur, buz kutusunun içinde bir bardak olacaktı, sözlerini* duyuyorum. Ve adam gidiyor, o, başımın altına bir yastık daha yerleştiriyor ve *şimdi iyleşeceksin ve kendine geldiğinde bileceksin ne durumda olduğunu, şimdi, bir yudum al şu sudan bakayım,* diyor, içiyorum ve parlak camı tutan yıpranmış kahverengi parmaklarını görüyorum, eski, neredeyse unutulmuş bir ferahlık duygusu geliyor üzerime ve sözcükler kafamın içinde yankılanarak düşünüyorum; *batıyorum sanmıyorsam da bak nasıl bir çukurdayım* ve sonra yumuşak ve serin dalgası uykunun.

Uyandığımda odanın öte yanında gazete okuyor gördüm onu, sayfaya dikkatli dikkatli bakarken gözlüğü burun kemeri üzerine düşmüş; o zaman fark ettim ki gözlüğü öne doğru eğilmiş olsa da sayfaya bakmıyordu artık o, bana bakıyordu küçücük bir gülümsemeyle aydınlanarak gözleri.

"Nasıl hissediyorsun kendini?" dedi.

"Çok daha iyi."

"Ben de öyle olacağını düşünmüştüm. Hele bir kap sıcak çorba iç, daha da iyi olursun, mutfakta çorba. Epey uyku uyudun."

"Uyudum mu?" dedim. "Saat kaç?"

"Ona geliyor; uyuyuşuna baktım da, dedim ihtiyacı varmış uykuya... Yoo, kalkma daha, çorbanı içmelisin, sonra gidebilirsin" dedi odadan çıkarken.

Bir tepside bir kaseyle döndü. "Bu düzeltir seni," dedi. "Misafirhanede böyle bir servis bulamazsın, öyle değil mi? Şimdi, otur şuraya da acele etme, yavaş yavaş iç. Gazeteyi okumaktan başka işim yok benim. Arkadaştan da hoşlanırım. Sabahleyin acele yapacak işin var mı?"

"Hayır, hastayım," dedim. "Ama iş aramam gerek."

"İyi olmadığını bildim ben zaten. Niye saklamaya çalışıyorsun?"

"Kimseye yük olmak istemiyordum," dedim.

"Herkes birilerine yük olur. Üstelik hastaneden de çıkmışsın."

Yukarı baktım. Sallanan koltukta ileriye doğru eğilmiş oturuyordu, kollarını önlüklü dizlerine rahatça sarmış. Ceplerimi mi karıştırmıştı acaba?

"Nereden bildin?" dedim.

"Bak, şimdi de şüphelenmeye başladın," dedi sert sert. "Dünyanın berbat yanı bu işte bugün, kimse kimse güvenmiyor. Üzerindeki hastane kokusunu duyarım ben, oğul. Üzerinde bir köpeği bile uyutacak kadar eter kokusu var!"

"Size hastanede olduğumu söylediğimi hatırlamıyorum."

"Yo, söylemek zorunda da değilsin. Kokudan anladım ben. Şehirde tanıdıkların var mı?"

"Hayır ham'fendi" dedim. "Güney'deler hepsi. Okula gitmek için çalışmaya geldim buraya ve hastalandım."

"Ya demek öyle, yazık! Ama yaparsın bir şeyler. Ne yapmayı düşünüyorsun, kendin?"

"Şimdilik bilmiyorum; bir eğitimci olmayı istediğim için geldim buraya. Şimdi bilmiyorum."

"Neyi varmış eğitimci olmanın da istemiyorsun?"

Güzel sıcak çorbayı yudumlarken düşündüm ben de bunu. "Hiç, hiçbir şey; ama başka bir şey yapmayı düşünüyorum artık."

"Her neyse, ne yaparsan yap, inşallah ırkımıza bir yardımı olur."

"İnşallah," dedim.

"İnşallah deme, öyle yap kendin."

Ona baktım, ne yapmaya çalıştığımı, şimdiyse nerelere geldiğimi düşünerek, kocaman ciddi yüzünü görerek önümde.

"Siz gençlersiniz her şeyi değiştirecek," dedi. "Sizler, hepiniz, yol göstereceksiniz, dövüşeceksiniz de, hepimizi birazcık yukarı iteceksiniz. Bir şey daha söyleyeyim sana, bunları daha çok da Güneyliler yapacak, ateşin ne olduğunu bilen ve de nasıl yandığını unutmayanlar. Burada pek çoğu unutmuş. Kendilerine bir yer bulurlar, altta kalanın canı çıksın... Ooo, bir sürü bir şeyler yapmaktan *söz ederler* ama aslında unutmuşlardır. Hayır, sizsiniz, gençler, hatırlayacak ve öne geçecek."

"Evet," dedim.

"Ve kendine dikkat etmelisin, oğlum. Harlem yutmasın seni.

Ben New York'tayım ama New York benim içimde değil, anlıyorsun ne demek istediğimi? Bozulma."

"Bozulmam. Çok meşgul olacağım."

"Tamam şimdi, sen bir şeyler yapabilirsin gibime geliyor, dikkatli ol onun için."

Gitmek için ayağa kalktım, o da kalktı koltuğundan ve benimle birlikte kapıya geldi.

"Misafirhaneden başka bir yerde oda istersen, bana uğra bir kere," dedi. "Kiralarım ehvendir."

"Hatırlayacağım bunu," dedim.

Sandığımdan da çabuk hatırlayacakmışım. Misafirhanenin aydınlık, uğultulu bekleme salonuna girdiğim anda bir yabancılık ve düşmanlık duygusu çöktü üzerime. Herkes tulumuma dikmişti gözlerini, anladım ki artık yaşayamam orda, hayatımın o parçası bitti. Bekleme salonu, kafaları benim kafamdan çıkarıp atmış olduğum hayallerle dolu çeşitli gruptan kimselerin toplantı yeriydi: Güney'deki okullarına dönmek için çalışan kolejli oğlanlar; zenci iş imparatorlukları kurmak gibi ütopik şeyler geçirenler kafalarından, daha yaşlı ırk ilerleyişi taraftarları; kendi kendilerini papaz ilan etmiş kilisesiz ya da cemaatsiz, ekmeksiz ve şarapsız, etsiz ve kansız papazlar; izleyicileri olmayan cemaat "önder"leri; altmışında ya da daha yaşlı ama hâlâ İç Savaş yıllarının ırk ayrımı içinde özgürlük hayalleriyle avunanlar; beyefendi olma hayallerinin ötesinde hiçbir şeyi olmayan, ufak iş sahipleri ya da iki kuruş emekli maaşı olanlar; hepsi de koskoca ama karanlık bir işte parmağı var görünmeye çalışanlar; bazı Güneyli meclis üyelerinin sözümona kibar tavırlarının etkisinde, geçerlerken gübrelikte eşinen yaşlı, içi geçmiş horozlar gibi baş eğen, baş sallayanlar; hayal kırıklığına uğramış, gözü açılmış birinin hâlâ düş gördüklerinin farkında olmayanlara karşı duyduğu nefretle baktığım daha genç gürüh, Güney kolejlerinden ticaret öğrencileri; iş deyince Nuh'un Gemisi kadar kadim kurallarıyla karanlık, soyut bir oyun düşünen ama para deyince başları dönenler. Evet, birbirine benzer emelleriyle daha yaşlı grup, "tutucular", sadece hayal kurarak komisyoncular statüsünü kurma yollarını araştıran "fundamentalist"ler, "aktör"ler; ücretlerinin çoğunu Brooks Biraderler elbiseleri, melon şapkaları, İngiliz şemsiyeleri, siyah vidala ayakkabıları ve sarı eldivenleriyle Wall Street komisyoncuları arasında bir zamanlar moda olan tipten giyimlere harcayan kapıcılar ve haberciler grubu; söz hangi elbiseyle hangi kravatın bağlanacağına, tozluklar için grinin hangi tonunun uygun olduğuna, Wales Prensi'nin mevsime göre şu ya da bu vesileyle ne giydiğine, dürbün sağ omuzdan mı sol omuzdan mı sarkıtılmalı konularına gelince bağnaz ve şiddetli tartışmalara girişenler; dinsel bir görevmiş gibi *Wall Street Journal*'i satın alıp da finans sayfalarını hiçbir zaman okumayan, gazeteyi sol dirseğin altında, vücuduna sımsıkı bastırarak sol elinde –daima manikürlü ve hava açık olsun kapalı olsun eldivenli– usulüne uygun taşıyanlar (Ha, kendi üsluplarıdır bu) ve öbür elleriyle sımsıkı sarılmış bir şemsiyeyi ölçülü bir açı içinde ileri geri sallayanlar; hombourg şapkaları ve Chesterfield paltoları, deve tüyü polo paltoları ve tam modanın isteğine uygun olarak giyilen Tirol şapkalarıyla...

Gözlerini üstümde hissediyordum; hepsini gördüm, hepsini, beklediğim şeylerin olmadığını, umutlarımın sona erdiğini öğrendikleri zaman ne yapacaklarını, nasıl bakacaklarını gördüm: Umutlarını ve gururunu yitirmiş kolejliye karşı duyacakları nefreti gördüm o an. Bütün bunları görebildim ve anladım ki idareciler ve daha yaşlılar bile adam yerine koymayacaklardı beni. Bledsoe'nun dünyasındaki yerimi yitirmekle, onlara ihanet etmiş olmuyor muydum nasılsa... İş tutumuma bakarlarken bütün bunları gördüm gözlerinde.

Asansöre doğru yürümeye başladığımda bir kahkahanın yükseldiğini duydum arkamdan, döndüm, salonun alçak iskemlelerine oturmuş bir gruba bir şeyler anlatıyordu uzun uzun, tepesinde topladığı saçları yanlarda kısa kesilmiş, kırışık ensesinde kat kat yağlar toplanmış biriydi, emindim oydu; ileri atıldım düşünmeksizin o parlak, dolu ve pis şeyi yakaladım ve iki uzun adım atarak ileri doğru içindeki kahverengi, şeffaf sıvıyı başından aşağı boşalttım; odanın öteki ucundan birisi uyarmaya çalıştı onu ama çok geç. Ben de çok geç fark ettim adamın

Bledsoe değil de bir papaz, ünlü bir Babtist olduğunu; adam inanmayarak ve öfke içinde gözlerini alabildiğine açarak fırladı yerinden, bense akılları başlarına gelip de, onlar beni durdurmaya kalkamadan dışarı kaçtım.

Kimse gelmedi arkamdan, kendi yaptığıma kendim de şaşarak caddelerde dolaştım durdum. Daha sonra yağmur başladı, gizlene saklana misafirhanenin yakınına gittim ve yaptığım şeyden hoşlanmış bir hamalı eşyalarımı dışarıya kaçırması için kandırdım. Binadan "doksan dokuz yıl ve bir günlüğüne" atılmış olduğumu öğrendim.

"Gelemeyebilirdin," dedi hamal, "bu yaptıklarından sonra, yemin ederim hep seni konuşacaklar orada. Sahiden vaftiz ettin bizim Sayın Pederi!"

Böylece, o gece Mary'nin evine geri döndüm, orada küçük fakat rahat bir odada yaşadım, buz gelinceye kadar.

Bir sessizlik dönemiydi bu. Tazminat olarak aldığım parayla geçiniyor ve durmadan önderlik ve sorumluluk üzerine konuşmaları dışında onunla yaşamayı hoş buluyordum. Hatta bu bile pek fena değildi kendi paramla geçinebildiğim sürece. Fakat birkaç ay sonra param suyunu çekip de ben yeniden iş aramaya başlayınca bu konuşmaları dinlemek küçük bir bedel yerine geçmeye başladı ve onu dinlemeyi son derece sinir bozucu bulmaya başladım. O ise beni borçlarım için hiçbir zaman sıkıştırmıyordu, yemek zamanları eskisi gibi cömert besliyordu beni. "Zor günlerden geçmektesin," derdi hep. "Böyle zor günler geçirmezse nasıl adam olur insan, ve sen bir gün önemli biri olunca burada geçirdiğin bu zor günlerin sana ne kadar faydası olduğunu göreceksin."

Bense öyle bakmıyordum soruna. Yön duygumu yitirmiştim. İş aramadığım zamanlar vaktimi odamda geçiriyordum, kitaplıktan bir sürü kitap alıp okuyordum. Bazen, hâlâ param varken ya da masalara hizmet edip birkaç dolar kazanmışsam dışarıda yemek yer ve gece geç saatlere kadar caddelerde dolaşır dururdum. Mary'den başka arkadaşım yoktu, istemiyordum da. Hatta Mary'yi bile bir "arkadaş" olarak düşünmüyordum; daha fazla bir şeydi o; bir güç, geçmiş günlerimden gelme, beni karşılaşmaya cesaret edemediğim bilinmeyen bir şeye sürük-lenmekten alıkoyan sarsılmaz, tanıdık bir güç. Aynı zamanda çok acı verici bir durumdu bu; çünkü Mary durmadan benden bir şeyler, bir önderlik hareketi, anılmaya değer bir başarı bek-lendiğini hatırlatıp duruyordu; bense, bu yüzden ona kızmakla içinde hep canlı tuttuğu o bulanık umuttan dolayı onu sevmek arasında iki parça oluyordum.

Bir şeyler yapabilirdim, bundan kuşkum yoktu; ama ne yapa-caktım, nasıl yapacaktım? Hiç kimseyle bir ilişkim yoktu, hiç-bir şeye inanmıyordum. Fabrika Hastanesi'nde yakalandığım, kimliğimle ilgili sabit fikir daha büyük bir şiddetle geri dön-müştü. Kimdim ben, nasıl böyle olmuştum? Kuşkusuz, kam-pustan ayrıldığım günlerdekinden çok farklıydım, olmamak elimde değildi; ama şimdi yeni, acı verici, zıt bir ses büyümüştü içimde ve onun öç alma istekleriyle Mary'nin sessiz baskısı ara-sında suçluluk ve şaşkınlıkla gidip geliyordum. Barış ve sessiz-lik, huzur istiyordum; ama içimdeki kaynama dayanılmaz de-recedeydi. Yaşamımın, beynimi yapmaya koşullandırdığı, insa-nın kanını donduran buzun yükü altında bir yerlerde kapkara bir öfke noktası parlıyor ve öyle şiddetli kıpkızıl bir ışık saçı-yordu ki etrafa, Lord Kelvin* bilseydi onun varlığını, ölçülerini değiştirmek zorunda kalırdı. Uzakta bir yerlerde, belki Emer-son'un orada ya da Bledsoe'nun bürosundaki o gece bir patla-ma olmuş ve buzdan kapağın erimesine ve azıcık yerini değiş-tirmesine neden olmuştu. Ama bu azıcık yer değiştiriş, bu çat-lama geri alınmaz, değiştirilmez bir şeydi. New York'a geliş bel-ki de eski donma birimini devam ettirmek için bilinçsiz bir gi-rişim olmuştu ama sökmemişti; sıcak su karışmıştı katlar arası-na. Belki yalnızca bir damla ama o damla, tufanın ilk dalgasıy-dı. Bir an inanmıştım, kendimi adamıştım, kıpkızıl yanan kö-mürler üzerinde uzanmak isteyerek, kampusta kendime bir yer bulabilmek için her şeyi yapardım, sonra şaaak! Bir kopuş. Ta-mamdı, her şey bitmişti, yapacak şey kalmamıştı. Şimdi yalnız-

---

(*) Sir William Thompson, Lord Kelvin (1824-1907), ısı ve elektrik konusunda yaptığı araştırmalarla ünlü İngiliz bilgini. Özellikle, basınç sonucu buzun eri-me noktalarındaki değişkenleri bulmuştur – ç.n.

ca onu unutmak sorunu vardı. Kafamın içinde bağırıp duran bütün zıt sesler bir sakinleşse ve birlik halinde şarkıya başlasa, ahenksiz olmadıkça hangi şarkı olursa olsun aldırmazdım... Evet, belirsiz yükselişlerinden, alçalışlarından kaçardım o müziğin... Ama kurtuluş yoktu. Kızgınlıktan, öfkeden deli gibiydim; fakat kendi kendimin, o donmuş erdemin, o dondurucu ayıbın çok fazla kontrolü altındaydım. Ve ne kadar öfkeli olursam, konuşma yapmaya karşı içimdeki o eski dürtü o kadar geriye dönüyordu. Caddeler boyunca yürürken sözler, kontrol edemediğim bir mırıltı halinde dudaklarımdan dökülüyordu. Olur da bir şeyler yaparım diye korkar olmuştum. Her şey yüzüyordu kafamda. Memleketi özlemiştim.

Buz, içinde boğulmak tehlikesiyle karşı karşıya bulunduğum bir su baskını olacak gibi erirken bir gün, öğleden sonra uyandım, baktım ki, Kuzey'de ilk kışım başlamıştı.

On Üç

Önce pencereden çekilmiş ve okumaya çalışmıştım; ama kafam hep eski sorunlarıma gidiyordu. Daha fazla dayanamadığım için de evden fırladım, allak bullaktı içim; ama kızgın düşüncelerimden kurtulup ürpertici havaya koşmaya kararlıydım.

Girişte bir kadına tosladım, pis pis konuştu; ama hızımı artırmaktan başka bir işe yaramadı bu. Birkaç dakika içinde evden bir hayli uzaklaşmış, 2. Cadde'ye çıkıp kentin göbeğine gelmiştim. Caddeler buzla ve kurum lekeli karla kaplıydı, yukardan zayıf bir güneş ince bir duman içinden süzülüyordu. Isırıcı havayı hissederek başım önümde yürüyordum. Ama yine sımsıcaktım, içimden gelen bir ateşle yanıyordum. Buz zincirleri buz üzerinde dönüp dururken "pat, pat" sesleri çıkaran bir araba geçene kadar yanımdan gözlerimi hiç kaldırmadım; araba dikkatle döndü ve yine "pat, pat" sesleriyle uzaklaştı.

Soğuk havada gözlerimi kırpıştırarak, kafam, içinde geçen sıcak tartışmayla bulanık ağır ağır yürüyordum. Bütün Harlem, bir kar girdabı içinde parça parça dökülüyordu sanki. Kaybolduğumu düşündüm, bir an korku dolu bir sessizlik oldu. Kar üstüne karın yağışını duyduğumu hayal ettim. Ne anlamı vardı bunun? Gözlerim, birbiri ardından bitmek tükenmek bilmeden gelen berber dükkânları, güzellik salonları, şe-

kerci dükkânları, sandviççiler, balıkçılar ve işkembeci dük-
kânlarına dikili, vitrinlerin hemen dibinden yürüyordum; kar
taneleri birbiri içinden geçerek kendiliğinden bir perde, bir tül
meydana getiriyor, sonra tekrar bozuyordu onu. Dini eşyalar-
la dolu bir vitrinden gelen kırmızı ve altın rengi bir parıltı göz-
lerimi aldı. Camın üzerinde tutmuş bir buz tabakasının geri-
sinde, etrafları rüya kitapları, aşk pudraları, "Tanrı Aşktır" ya-
zıları, para tuzağı kutsal yağlar ve plastik bir çift zarla çevri-
li Meryem ve İsa'nın kötü boyanmış alçıdan kabartma resimle-
rini gördüm. Çıplak bir Sudanlı kölenin kara heykeli altın bir
sarığın altından dişlerini göstererek gülümsüyordu bana. Ya-
pay tel saçlardan yapılmış postişlerle, siyah derileri beyazlat-
ma mucizesini garanti eden merhemlerle süslenmiş bir başka
vitrine geçtim. "Siz de gerçekten güzel olabilirsiniz" diye bir
yazı. "Daha beyaz tenle daha büyük mutluluk kazanın. Çevre-
nizde eşsiz olun."

İçimden gelen, cama bir yumruk atmak gibi vahşi bir itişi
bastırarak adımlarımı sıklaştırdım. Bir rüzgâr çıkmak üzereydi,
kar inceliyordu. Nereye gidecektim? Bir sinemaya mı? Orada
uyuyabilir miydim? Vitrinlere bakmıyordum artık, tek başıma
yürüyordum, birden yine kendi kendime mırıldandığımın far-
kına vardım. Sonra ta aşağıda, köşede acayip bir arabanın yan-
larını tutarak ellerini ısıtan yaşlı bir adam gördüm; fırında pi-
şen tatlı patates kokusunu bana kadar getiren ince bir dumanın
kıvrım kıvrım çıktığı bir soba borusu yükseliyordu arabadan,
bir yurt özlemi saplandı içime. Bir darbe yemişim gibi derin de-
rin soluk alarak, anımsayarak, aklım boyuna geriye, gerilere gi-
derek durdum. Memlekette, ocağın sıcak külleri içinde pişirir-
dik onları, öğle yemeği için soğuk götürürdük okula, gizli gizli
yutardık en büyük kitabımız olan "Dünya Coğrafyası"nın arka-
sında, öğretmenlerden gizlenerek yumuşak kabuğu şöyle bir sı-
kıverdik miydi tatlı, yumuşak eti çıkıverirdi. Evet, şekerli olan-
larını severdik, ya da börek gibi hamur içinde yağda kızartılmı-
şını veya domuz etiyle pişirilip üzeri tatlı kahverengi olunca-
ya kadar yağda kızartılmışını... Çiğ de yerdik; ne çok tatlı pata-
tes, ne çok yıl geçmişti aradan. Ama zaman, yıllardan çok tat-

lı patatesler öncesinde sonsuz genişlemiş, bütün anımsamaların ötesinde kıvrım kıvrım yükselen duman kadar ince, uzamış gibi geliyordu.

Tekrar yürümeye başladım, "Sıcak, pişmiş Car'lina patatesleri verelim!" diye bağırıyordu adam. Bir ordu kaputuna sarılmış, ayakları çul torbalarla örtülü, başında örme bir takke olan köşedeki yaşlı adam kese kağıtlarıyla oyalanıp duruyordu. Alt tarafta bir ızgaranın içinde parlayan kömürlerden çıkan sıcaklığa doğru canlı canlı yürüdükçe arabanın kenarındaki kaba yazıyı daha iyi fark ediyordum: TATLI PATATES.

Birden acıkmış hissederek kendimi, "Kaç para senin o patatesler?" dedim. Sesinde yaşının verdiği bir titreyişle, "On sent, tatlıdırlar hem," dedi. "Kabızlık vermez hiçbiri. Sahici, tatlı, sarı patates bunlar. Kaç tane?"

"Bir," dedim, "eğer o kadar güzelse bir tane yeter."

Araştırır gibi baktı yüzüme. Gözünün köşesinde bir damla yaş vardı. Kıkırdadı ve kendi icadı fırının kıpısını açtı, eldivenli eliyle yavaşça uzandı içeri. Patatesler, bazıları şurupları fıkırdayarak, dışardan hava gelince alçak mavi bir alev çıkaran parlak kömürlerin üzerindeki tel ızgarada duruyordu. Patateslerden birini çıkarıp kapağı kapadığında, bir sıcaklık dalgası yüzümü aydınlattı.

"Buyrun beyim," dedi patatesi bir kesekağıdına koymaya çalışırken.

"Kağıt istemez, hemen yiyeceğim. Burada..."

"Teşekkürler." Onluğu aldı. "Tatlı değilse o, bir başkasını vereyim, parasız."

Daha bölmeden tatlı olduğunu biliyordum; kahverengi şurubun kabarcıkları kabuktan dışarıya çıkmıştı.

"Haydi, bölsene," dedi yaşlı adam. "Kır da biraz tereyağı vereyim sana burada yiyeceğine göre. Çok kişi eve götürür. Kendi tereyağıyla yer evde."

Böldüm ve şekerli etli kısmının soğukta tüttüğünü gördüm.

"Şuraya tut," dedi. Arabanın kenarındaki bir raftan bir çanak aldı. "Şuraya."

Tatlı patatesin üzerine bir kaşık dolusu erimiş tereyağı döktüğünü ve tereyağının hemen içeri sızdığını seyrederek söylediği yerde tuttum.

"Teşekkürler."

"Bir şey değil. Hem bir şey söyleyeyim mi sana?"

"Nedir o?" dedim.

"Ne zamandır yediğin en iyi patates değilse bu, paranı geri veririm..."

"İnandırmak zorunda değilsin beni," dedim. "Anlarım ben iyi olup olmadığını."

"Haklısın; ama güzel görünen her şey mutlaka güzel değildir," dedi. "Ama bunlar öyle."

Bir parça ısırdım, bugüne kadar yediğim tatlı patateslerin en tatlısı, en sıcağı olduğunu anladım; yurt özlemi öyle bir dalga halinde yürüdü ki üzerime kendime hakim olabilmek için arkamı döndüm. Patatesi hızlı hızlı çiğneyerek yürüdüm gittim, birden güçlü bir özgürlük duygusu kapladı içimi; sokakta yürürken bir şeyler yiyebiliyordum ya! Canlandırıcı, sevindirici bir şeydi bu. Görürlermiş, uygun bir hareket değilmiş, aldırmıyordum artık. Yerin dibine batsındı bunların hepsi; patatesin bu kadar tatlısı can suyu gibi olmuştu düşünceye karışınca. Ah, beni okuldan ya da memleketten tanıyan birisi gelseydi de görseydi böyle. Nasıl şaşırırdı! Onları bir ara sokağa çeker de patatesin kabuklarını sürerdim yüzlerine. Nasıl insanlarız biz, diye düşündüm. Sırf çok sevdiğimiz bir şeyi karşımıza çıkarmakla bu kadar küçültüyordunuz bizi, niçin? Hepimizi değil ama birçoğumuzu. Yolda yürüyüp giderken bir takım bağırsağı ya da iyi kaynatılmış domuz işkembesini sallayıp dursak yüzlerine karşı güpegündüz! Nasıl şaşırır korkardı herkes! Ve kendimi Bledsoe'ya doğru ilerlerken gördüm; misafirhanenin kalabalık oturma salonunda o sahte alçakgönüllülüğünü atmış üzerinden dikiliyormuş ayakta ve ben görüyormuşum onu orada, o da beni görüyormuş ve de görmezden geliyormuş, kızıyormuşum ve aniden çiğ, temizlenmemiş, salladıkça yere yapışkan izler saçan bağırsaklarla kamçılıyormuşum yüzünü, bir yandan da bağırıyormuşum:

"Bledsoe, utanmaz bir bağırsak yiyicisinin birisin sen! Domuz bağırsaklarından hoşlanmakla suçluyorum seni! Ha, ha!

Öyle düpedüz de yemiyorsun onları, bir kenara pısıyorsun ve gözetlenmediğini sandığın bir sırada *gizlice* yiyorsun! Sinsi bir bağırsak âşığısın sen! Pis bir alışkanlığa kapılmakla suçluyorum seni, Bledsoe! Çek onları dışarıya, Bledsoe. Çıkar dışarıya da görelim! Herkesin gözü önünde suçluyorum seni!" Ve o çekiyor onları dışarıya, metre, metre, hardal yeşiline bulanmış, kangal kangal domuz kulakları, domuz etleri ve börülce çıkarıyor, suçlayan budala gözlerle.

Vahşi bir kahkaha attım, görüntü gözümün önüne gelince gülmekten boğulacaktım neredeyse. Başkalarının önünde onu böyle suçlamak; doksan dokuz yaşında, kırk-kırk beş kilo gelen... bir gözü kör, bir ayağı sakat bir kadının ırzına geçmekle suçlamaktan daha kötüydü! Bledsoe erirdi, balon gibi sönerdi: Şöyle derinden bir içini çeker ve utançtan eğerdi başını. Bütün itibarını yitirirdi. Haftalık gazeteler saldırırlardı ona. Resminin üzerinde şöyle başlıklar çıkardı: *Kaba Köylülüğe Dönen Ünlü Eğitimci!* Rakipleri, gençliğe kötü örnek olmakla suçlarlardı onu. Başyazılar, ya tekzip etmesini ya da toplumsal hayattan çekilmesini isterlerdi. Güney'de tanıdığı o beyazlar yapayalnız bırakırlardı onu; boyuna ondan konuşurdu herkes ve mütevellilerin o kadar parası onun çöken itibarına destek olamazdı. Automat'ta bulaşık yıkayarak yaşayan bir sürgün olurdu sonunda. Çünkü Güney'de çöpçülük bile yapamazdı artık.

Çok vahşi ve çocukça şeyler bunlar, diye düşündüm; ama yerin dibine batsın hoşlandığı şeyden utanması insanın. Bundan gayrı beklemeyin benden böyle şeyler. Neysem oyum ben! Kurt gibi yedim patatesi ve yaşlı adama koştum, yirmi sent uzattım, "İki tane daha ver," dedim.

"Elbette, istediğin kadar, yeter ki olsun bende. Görüyorum, şaka değil bayağı bir patates yiyicisiymişsin delikanlı, hemen yiyicen mi?"

"Alır almaz," dedim.

"Tereyağlı mı istiyorsun?"

"Lütfen."

"Tabii, en zevklisi öyle olur. Evet beyim," dedi patatesleri uzatırken. "Kaç kişi kaldı eski patates yiyicilerinden!"

"Doğuştan işaretim vardır vücudumda benim," dedim. "Patates demek ben demek!"

"Öyleyse Güney Car'lina'dansın sen," dedi sırıtarak.

"Güney Carolina'nın sözü mü olur, benim doğduğum yerde patates için deli oluruz biz."

"Daha yemek istersen bu akşam ya da yarın gel," diye seslendi arkamdan. "Benim hanım sıcak, tatlı patates börekleriyle burada olacak."

Uzaklaşırken, sıcak patates börekleri diye düşündüm hüzünle. Belki bir tanesini yesem mide fesadına uğrardım; her zaman sevdiğim şeylerden artık utanç duymadığım şu anda bile, o böreklerden pek fazla sindiremezdim. Kendim ne arzu ediyorsam onu yapacağım yerde, yalnızca benden beklenen şeyleri yapmaya çalışmakla neleri, ne çok şey yitirmiştim? Nasıl boş, nasıl anlamsızcasına boşa harcayıştı bu kendini! Peki ya o, sevmemeniz gerektiği için, sevmemek bir incelik ve eğitim belirtisi olarak görüldüğü için değil, tatsız bulduğunuz için gerçekten sevmediğiniz şeylere ne buyrulur? Canımı sıktı bu düşünce. Nasıl bilebilirdi insan? Bir seçim sorunuydu bu. Karar vermeden önce birçok şeyi dikkatle ölçmek, tartmak zorunda kalabilirdim ve hiç alışmadığım, hiç deneme fırsatı bulmadığım için, sırf bunun için azıcık ağzımın tadını kaçıran şeyler de olabilirdi. Herkesin kabul ettiği davranışları kabul etmiştim ben de ve bunlar hayatı basitleştirmişti bize...

Ama patatesler başka, patateslerle bir alıp veremeyeceğim yoktu; ne zaman ve nerede aklıma gelirse gelsin yerdim. Tatlı patates düzeyinde devam et, birazcık sarımsı da olsa hayat tatlı olurdu. Ama sokakta patates yeme özgürlüğü, kente geldiğimde umut ettiğimden çok daha az, bir özgürlüktü. Hoş olmayan bir tat yayıldı ağzıma patatesin sonunu ısırınca, fırlatıp attım sokağa, donuktu.

Rüzgâr, bir grup oğlan çocuğunun bir ambalaj sandığını ateşe verdikleri bir yan sokağa sürükledi beni. Gri duman havaya asılmış kalmıştı; dumandan sakınmaya çalışarak başım önümde, gözlerim kapalı yürüdükçe daha da kalınlaşıyora benziyordu. Ciğerlerimde bir ağrı başladı; sonra gözlerimi silerken, ök-

süre öksüre oradan kurtulurken neredeyse ayağım takılıp dü-
şüyordum: Yaya kaldırımına, kaldırımın kenarından cadde-
ye taşınmayı bekleyen bir yığın hurda karmakarışık bir şekilde
üst üste yığılmıştı. Sonra asık suratlı kalabalığı gördüm, içinde
yaşlı bir kadının oturduğu bir koltuğu binadan dışarıya taşıyan
iki adama bakıyorlardı; kadın, güçsüz yumruklar indiriyordu
adamlara. Başı bir mendille sarılmış, ayağında erkek ayakkabı-
ları, sırtında mavi kalın bir erkek süeteri, analara benzer yaş-
lı bir kadındı. Şaşırtıcı, ürkütücü bir görüntüydü bu: Kalabalık
sessizce seyrediyor, iki beyaz adam güçlükle taşıyordu koltuğu
dışarıya, vuruşlardan sakınmaya çalışarak ve kadının yüzü, on-
ları yumruklarken öfke gözyaşları sel gibi akarken yüzünden
aşağı. İnanamıyordum gözlerime. Bir şey, bir önsezi doluyordu
içime, hızlı bir pislik, kirlilik duygusu.

Adamlar başlarını yumrukların ulağından uzaklaştırıp kol-
tuğu kaldırımın kenarına neredeyse atar gibi oturtarak tekrar
binaya doğru koşarlarken, o, "Bırakın bizi!" diye bağırıyordu,
"bizi yalnız bırakın!"

Ne diye bana bakıyor, diye düşündüm. Ne diye? Yaşlı kadın,
kaldırımın kenarına yığılmış eşyaları göstererek hıçkıra hıçkı-
ra ağlıyordu. Doğrudan doğruya bana bakarak, "Bak ne ediyor-
lar bize. Bir bak." Ve fark ettim ki, benim hurda sandığım şey-
ler gerçekte eski ev eşyalarıymış.

"Bir bak ne ediyorlar," diyordu kadın, yaşlı gözlerini yüzü-
me dikmiş.

Sıkılmış, utanmış, baktım etrafıma, hızla büyüyen kalabalığı
araştırdım gözlerimle. Yukarıdaki pencerelerden yüzler öfkey-
le seyrediyordu olanları. Şimdi iki adam merdivenin en üst ba-
samaklarında, eskimiş, neredeyse dağılacak bir konsolu taşıya-
rak tekrar göründüğünde, bir üçüncü adamın dışarıya çıktığı-
nı ve onların arkasında durduğunu gördüm; kalabalığa baktık-
ça kulağını çekiyordu sinirli sinirli.

"Sallanmayın arkadaşlar," diyordu, "Sallanmayın, bütün gün
burada kalacak değiliz."

Sonra adamlar aşağı indi konsolla ve kalabalığın sessizce yol
verdiğini, onlarınsa yorgun argın aralarından geçtiğini, hırıldı-

yarak konsolu yolun kenarına koyduklarını ve sağa sola bir kez bile bakmaksızın binaya yöneldiklerini gördüm.

Yakınımda bir adam, "Şuna bak," dedi. "Şu dayılara bir dayak atamaz mıyız biz!"

Sessizce yüzüne baktım, soğukta gerilmiş kül rengi bir yüzdü; gözleri, merdivenleri çıkan adamlara dikiliydi.

"Tabii, durdurmalıyız onları," dedi bir başka ses, "ama bu kalabalıkta yürek nerde?"

"Yürek var," dedi ince zayıf adam. "Bütün bekledikleri, birisinin başlatması. Bütün istedikleri bir lider. Ne yani, *sende* yürek yok mu mesela?"

"Kimde? Bende mi?" dedi adam. "Kimde, bende mi?"

"Evet sende."

"Bir bak," diyordu yaşlı kadın, "bir bak," yüzü hâlâ bana dönük. Arkamı döndüm. İki adamın yanına yanaştım yavaş yavaş.

"Kim bu adamlar?" dedim biraz daha yanaşarak.

"Şerifler, ya da onun gibi bir şey. Kim olurlarsa olsunlar, vız gelir."

"Ne şerifi be," dedi bir başka adam. "Bütün bunları taşıyan o herifler var ya, serbest mahkûm onlar. İşleri bitince yine tıkılacaklar içeri."

"Kim olurlarsa olsunla, bu yaşlı insanları sokağın ortasına atamazlar böyle."

"Yani onları apartmanlarından dışarı mı atıyorlar?" dedim. "*Burada* yapabiliyorlar bunu, ha?"

"Nerelisin sen, hemşerim?" dedi sallana sallana bana doğru ilerleyerek. "Nereden atıyorlar onları yani, yataklı vagondan mı? Mahkeme kararıyla çıkarılıyorlar!"

Utanmıştım; ötekiler de dönmüş bana bakıyorlardı. Hiç görmemiştim bugüne kadar tahliyenin nasıl olduğunu. Birisi alay eder gibi güldü.

"Nereliymiş?"

Bir sıcaklık dalgası bastı beni, döndüm, "Bakın, arkadaşlar," dedim, sesime öfkeli bir sertlik geldiğini duyarak. "İnsanca bir soru sordum ben. Cevap vermek istemiyorsa canınız vermezsiniz; ama beni gülünç göstermeye kalkmayın."

"Gülünç mü? Bütün siyahlar gülünçtür be! Hem kimsin sen ulan!"

"Kim olduğumu bırak, kimsem oyum. Yalnız öyle dişlerini gösterip hırlama bana," dedim daha yeni öğrendiğim bir deyimi kullanarak.

Tam o sırada adamlardan biri kolları bir sürü eşyayla dolu indi merdivenlerden aşağıya; yaşlı kadının "İncil'ime dokunma!" diye bağırarak elini yukarı doğru uzattığını gördüm. Ve kalabalık ileriye doğru kabardı.

Beyaz adamın kızgın gözleri kalabalığı dikkatle taradı. "Nerede, hanım?" dedi. "İncil filan görmüyorum ben."

Ve kadının, kitabı adamın kollarından kaptığını, sımsıkı kavrayarak feryadı bastığını gördüm. "Evinize girerler böyle, istediklerini yaparlar," diyordu. "Bassınlar evinizi, köklerinden söksünler hayatınızı! Ama bu kadarı olmaz artık. Benim İncil'ime bir şey yapamayacaklar!"

Beyaz adam göz ucuyla bakıyordu kalabalığa, "Bakın, bayan," dedi ondan çok orada toplanan bizlere, "bu işi yapmam ben bana kalsa; ama mecburum. Göndermişler beni buraya, bu iş için. Bana kalsaydı, şu Allah'ın belası soğuklar geçinceye kadar kalın derdim burada..."

"Bu beyazlar, Tanrım. Bu beyaz adamlar," diye inliyordu gözlerini göğe kaldırarak. Bir yaşlı adam beni iterek öne geçti ve kadının yanına gitti.

Elini kadının omzuna koyarak, "Şekerim, şekerim," dedi. "Suç bu baylarda değil, vekilde. İşte onda. Ben karışmam, banka yapıyor diyor o ama, biliyorsun bütün bunları yapan o. Yirmi yıldan fazladır iş yaparız onunla."

"Böyle söyleme," dedi kadın. "Bütün beyazlar, bir tanesi değil yalnız. Hepsi de düşman bize. O pis kokulu alçakların her birisi."

Boğuk, kısık sesli birisi, "Kadın haklı!" dedi. "Kadın haklı! Hepsi de öyledir onların!"

İçimde şiddetli, sert bir şey kabarıyordu, bir an kalabalığın gerisini unutmuştum. Sanki onlar, biz, bu evden atılmaya tanıklık etmekten utanıyormuşuz, sanki utanılacak bir olaya isteğimiz dışında karışan kimselermişiz gibi, kendilerine geldiğini görüyorum kalabalığın ve bunun içindir ki kaldırımın kenarına sıralanmış bu gerçeklere, bu sonuçlara dokunmamaya ya da çok sert bakmamaya dikkat ediyorduk; çünkü, utancımıza rağmen merak da etsek, büyülensek de, bütün bunların ortasında yaşlı kadın yürek dayanmaz çığlıklar atıyor da olsa, görmek istemediğimiz bir şeyin tanıklarıydık.

Gözlerimin yandığını, boğazıma bir şeylerin saplandığını hissederek yaşlılara baktım. Yaşlı kadının hıçkıra hıçkıra ağlaması garip şekilde etkiliyordu beni; ana-babasının gözlerinde yaşlar görünce hem korku hem de sevgiden ağlamaya zorlanan bir çocuk gibiydim. Korktuğum gibi, sıcak, karanlık, gittikçe yükselen bir heyecan girdabıyla yaşlı çifte doğru çekildiğimi hissederek başımı çevirdim. Onları orada kaldırımın üzerinde ağlıyor görmenin bana neler hissettirmeye başladığının farkındaydım. Gitmek istiyordum ama gitmekten utanıyordum; onlardan ayrılamayacak kadar hızla içine giriyordum olanların.

Yana döndüm ve iki adamın kaldırımın üzerine yığmaya devam ettikleri ev eşyaları yığınına baktım. Kalabalık itince beni, daha alt tarafta, oval bir çerçevenin içinden bakan yaşlı çiftin gençlik portrelerini gördüm, yüzlerindeki üzgün, gururlu ağırbaşlılığı; kafamda karanlık bir caddede heyecandan kekeleyen isterik bir sesinkine benzer bir yankılanma uyandıran acayip anıların depreştiğini hissettim. O zaman bile, o on dokuzuncu yüzyıl günlerinde bile çok az şey istemişler gibi bana baktıklarını, bana birden hem sitem hem de uyarı gibi gelen o çetin, o yalansız, eğilmez mağrur bakışları gördüm. Gözlerime, kabaca oyulmuş ve cilalanmış bir çift kemik ilişti, köy danslarında müziğe eşlik etmekte kullanılan, yüzlerini karaya boyayıp zenci şarkıları söyleyen şarkıcıların kullandığı "çalpara kemikleri"; bir ineğin, bir tosunun ya da koyunun yassı kaburgaları, ağır kastanyetler gibi ya da bir davul takımının tahta aksamı gibi birbirine çarpınca bir ses çıkaran yassı kemikler (adam müzisyen miydi yoksa?) Saksı saksı yeşil bitkiler pis karın içine sıralanmıştı, bazıları soğuktan ölecekti: Sarmaşık, tespih çiçeği, bir domates fidesi. Ve bir sepetin içinde sık dişli bir tarak, yapma saç örgüleri, bir saç kıvırma demiri, koyu kırmızı kadife zemin üzerinde gümüş harflerle "Tanrı Yuvamızı Korusun" yazıları okunan bir kart gördüm; şifonyerin üzerinde etrafa dağılmış *Büyük Fatih John* taşları, uğur taşları vardı; beyazlar bir sepet daha getirip bıraktılar, içi eritilmiş akide şekeri ve kâfuruyla dolu bir viski şişesi, bir Habeşistan bayrağı, teneke üzerine basılmış rengi atmış bir Abraham Lincoln resmi, dergiden yırtılmış bir Hollywood artistinin gülümseyen bir resmi. Bir yastık üzeride paramparça olmuş porselen tabak parçaları, *St. Louis Dünya Fuarı*'nın anısına basılmış bir tabak... Üzeri siyah kehribar ve sedefle süslü, katlanmış eski bir dantela yelpazeye bakarken donmuş kalmıştım şaşkınlıktan.

Beyaz adamlar geri dönüp ellerindeki çekmeceyi yere atınca çekmecenin içindekiler, karda ayaklarımın ucuna döküldü; kalabalık kabarmaya başladı. Eğildim, dökülen eşyaları toplayıp yerine koymaya başladım; eğrilmiş bir Mason amblemi, bir çift kararmış kol düğmesi, üç pirinç halka, uğur getirsin diye bir iplikle ayak bileğine bağlanabilecek şekilde ortasından çiviyle delinmiş bir on sentlik; üzerinde çocuk yazısıyla "Nineciğim, seviyorum seni" yazılı çok süslü bir kutlama kartı; bir kulübenin kapısına oturmuş, bir bançonun tellerini tıngırtadan siyahyüzlü beyaz adama benzeyen birinin resmi ve altında hota çizgilerini, "Eski Kulübeme Dönüyorum" liriğini taşıyan bir başka kart; işe yaramaz bir burun damlası, kararmış tokasıyla bir dizi parlak cam boncuk, bir tavşan ayağı, kaleci eldiveni şeklinde bir selüloit beyzbol sayı kartı, üzerinde yıllarca önce kazanılmış ya da kaybedilmiş bir oyun yazılı; yılların sararttığı lastik pompasıyla bir süt sağma aracı; eskimiş bir çocuk ayakkabısı ve solmuş, buruşmuş mavi bir kurdeleyle bağlı bir tutam tozlu çocuk lülesi. Kusacak gibi oldum. Elimde zamanı geçmiş üç hayat sigortası poliçesi tutuyordum, üzeri soğuk damgayla "hükümsüz" diye damgalanmış; sararmış bir gazete parçasında büyük bir zenci resmi, üstünde bir yazı: MARCUS GARVEY SINIR DIŞINA ÇIKARILDI.

Başımı çevirdim, eğildim baktım pis karın içinde gözümden kaçmış bir şey var mı diye, parmaklarım donmuş bir ayak izi içinde yatan bir şeyin üzerinde kapandı: Zamanla parçalanmış bir ince kağıt, sararmış siyah mürekkeple bir şeyler yazılı üzerinde. Okudum: *AZAD KAĞITLARI. Herkese malum ola ki, benim zencim Primus Provo, 1859 yılı Ağustos'unun bu altıncı günü, tarafımdan azat edilmiştir. İmza: John Samuels. Macon...* Sarı kağıt parçası üzerindeki bir tek damla kar eriyiğini silkerek çabucak katladım ve çekmeceye attım. Ellerim titriyor, uzun mesafe koşmuşum ya da kalabalık bir caddede çöreklenmiş bir yılana rastlamışım gibi hırıltıyla soluyordum. *Bundan daha uzundu, zamanda daha öteye gitmişti,* dedim kendi kendime; ama biliyordum ki öyle olmamıştı. Çekmeceyi yerine yerleştirdim ve sarhoş gibi kaldırımın kenarına ittim.

Ama çıkmadı dışarıya, yalnız acı bir safra suyu doldurdu ağzımı ve yaşlı çiftin eşyaları üzerine sıçradı. Döndüm, karmakarışık yığına diktim gözlerimi, bu kez gözlerimin önünde yatan şeylere değil, fakat içe doğru, dışa doğru, karanlığa dönen bir köşeye, çok-uzağa-ve-çok-önceye, anımsanan sözcükler, birbirine bağlanan, dinlenilmese bile işitilen sözsel yankılar, imgeler gibi çoğu kendi belleğimden gelmeyen şeylere bakıyordum. Ve sanki kendim, yitirmeye katlanamayacağım kadar değerli ama acı verici bir şeyden yoksun edilmiştim, almışlardı onu elimden; kahredici bir şey, insanın bir sonu, bir sökülüşü belirleyecek kısa, şiddetli acı patlamasına katlanacak yerde sonsuz acı çekmeyi yeğ tutacağı bir çürük diş gibi. Ve bu elimden alınmışlık duygusuyla birlikte belli belirsiz bir kabulün, onaylamanın şiddetli sızısı geldi: Bu ağır, eski model ütüler, dipleri yamru yumru çinko leğenler, hepsi, olmaları gerekenden çok daha anlamlı yaşıyorlar, soluk alıyorlardı içimde: *Ve neden ben, kalabalığın içinde dikilirken, bir hayal gibi görmüştüm anamı soğuk, rüzgârlı bir günde çamaşır asarken; o kadar soğuk bir gün ki, sıcak çamaşırlar daha buharları uçmadan donmuş ve kaskatı kesilmişler çamaşır ipi üzerinde ve onun elleri beyaz ve derileri yüzülmüş etek-uçuran rüzgârda ve onun saçları ağarmış başı, çıplak kararmış göğe karşı; niçin rahatsız ediyorlardı beni eşya olarak asıl anlamlarının çok ötesinde? Ve niçin onları, daracık sokakta esen soğuk rüzgârla hep sıyrılıp kal-*

kacakmış gibisine içime korku salan bir tülün gerisinden görü-
yordum şimdi?

"Ben içeri giriyorum!" diye bir çığlık hızla döndürdü beni
geriye. Yaşlı çift merdiven basamaklarındaydı şimdi; yaşlı adam
kadının kolunu tutuyor, beyaz adamlar yukardan öne doğru
eğilmişler, kalabalık sıkıştırıyor, ben her an biraz daha basa-
maklara doğru...

"İçeri giremezsiniz, bayan," diyordu adam.

"Dua etmek istiyorum," diyordu o.

"Yapamam bayan. Duanızı burada, dışarıda yapın."

"Ben içeri giriyorum!"

"Burada olmaz!"

"Bütün istediğimiz içeriye girip dua etmek," diyordu İncil'ini
sımsıkı tutarken elinde. "Böyle sokakta dua edilir mi?"

"Özür dilerim," diyordu adam.

"Hey! bırak da girsin dua etsin kadın," diye bağırdı bir ses
kalabalıktan. "Her şeylerini çıkarıp attınız kaldırıma; daha ne
istiyorsunuz, canlarını mı alacaksınız?"

"Doğru, bırakın dua etsin ihtiyarlar."

"İşte, en berbat tarafımız bu bizim, bütün bu Allah'ın belası
dualar," diye bağırdı bir başka ses.

"Geriye dönemezsiniz, anlayın," diyordu beyaz adam. "Ka-
nun çıkardı sizi evden."

"Ama bizim bütün istediğimiz içeriye girmek ve yere diz
çökmek," dedi yaşlı adam. "Yirmi yıldan fazla zamandır bura-
cıkta yaşarız biz. Anlamıyorum niçin bırakmazsınız bizi içeri
birkaç dakikalığına..."

"Bakın, size anlattım," diyordu adam. "Emir aldım. Boşuna
uğraştırıyorsunuz beni."

"Biz içeriye giriyoruz!" diyordu kadın.

O kadar ani oldu ki izleyemedim: Yaşlı kadını, İncil'ini kav-
ramış merdivenlere fırlarken gördüm, kocası arkasından ve be-
yaz adam onların önlerinde kollarını açmış direniyor. "İçeri
tıktıracağım sizi," diye bağırıyordu, "Allah'ıma, içeri tıktıraca-
ğım sizi!"

Kalabalıktan biri bağırdı, "Dokunma o kadına!"

O sırada merdivenlerin en üst basamağında adamla itişiyorlardı, kadının geriye doğru düştüğünü gördüm ve kalabalık gürledi.

"Tutun şu orospu çocuğu aynasızı!"

"Vurdu ona!" diye bağırdı bir Kızılderili kadın kulağımın dibinde. "Pis canavar, vurdu kadına!"

Adam, tabanca çekip, iki mahkûmun kolları eşyalarla dolu şaşkın şaşkın bakıştığı kapı aralığına doğru gerileyerek ve gözleri vahşi vahşi parlayarak, "Geri durun yoksa ateş ederim," diye bağırdı. "Yemin ediyorum ateş ederim! Ne yaptığınızı bilmiyorsunuz siz, ama ateş ederim!"

Duraladılar. "O dalganın içinde altı mermiden başka yok," diye bağırdı ufak bir adam. "Sona ne yapacan?"

"Ya, o zaman nereye kaçacan Allah'ın belası?"

"Bundan uzak durmanızı tavsiye ederim," diye bağırıyordu polis.

"Buraya gelip kadınlarımıza nasıl vurabilirsin sen, kaçık!"

"Kesin bu konuşmayı da saldıralım şu piçe be!"

"Aklınızı başınıza alın," diye bağırıyordu beyaz adam.

Merdivenlerden yukarı çıkmaya başladıklarını gördüm, birden başım çatlayacak sandım. Adama saldırmak üzere olduklarını anladım, hem korkmuş hem kızmıştım; bir yandan karşı geliyordum, öte yandan büyülenmiştim. Hem istiyor, hem sonuçlarından korkuyordum, gördüklerime kızmış ve bozulmuştum ama yine de korkuyla geriye sürülmüştüm; adamdan ya da bir saldırının sonuçlarından korkarak değil, şiddeti görünce içimden neyin boşanacağını bilmemek korkusuyla. Ve bunun altında, bütün yaşamım boyunca öğrenmiş olduğum bütün o yatıştırıcı, önleyici cümleler kaynayıp duruyordu. Büyük, karanlık bir çukurun kenarında ileri geri sallanıyordum sanki.

"Hayır, hayır," diye haykırdığımı işittim. "Kara Adamlar! Kardeşler! Kara Kardeşler! Böyle olmaz. Bizler kanunları sayarız. Biz kanunlara saygılı, kolay kızmayan bir halkız."

Kalabalığın içinden hızla kendime yol açarak basamaklarda durdum, öndekilerle yüz yüze, düşünmeksizin fakat içimde çarpışan coşkuların itişiyle hızla konuşarak. "Bizler kanunlara saygılı bir halkız, kolay-kızmayan bir halkız..." Durdular, dinliyorlardı. Beyaz adam bile irkilmişti.

"Doğru; ama kızdık şimdi," diye bir ses bağırdı.

"Evet haklısınız," diye karşılık verdim. "Kızgınsınız, ama akıllıca hareket edelim. Yani, şey diyorum ki... Geçen gün gazetede, akıllıca davrandığı yazılan o büyük Önder'i örnek alalım..."

"Kim be adam? Kim o?" diye bağırdı bir Kızılderili.

"Hadi be! Siktirsin bu oğlan da, yardım mardım gelmeden yakalayalım şu aynasızı..."

"Hayır, durun," diye haykırdım "Bir önderin izinden gidelim, örgütlenelim. *Örgütlenelim*. O akıllı Önder gibi birisi gerek bize, hani okudunuz onu, Alabama'da. İçinden gelen şeylere rağmen akıllıca şeyler yapma yolunu seçecek kadar kuvvetliydi o..."

"Kim be adam? Kim o?"

Tamam, diye düşündüm, dinliyorlar, dinlemek istiyorlar. Kimse gülmüyordu. Gülseler ölürdüm! Göğsümü şişirdim.

"O akıllı adam," dedim, "okudunuz onu, hani o kaçak, kurtulmuştu kalabalığın elinden de korunmak için onun okuluna koşmuştu, kanuni olan, kanuna uygun şeyi yapmayı seçecek, onu kanun ve düzen kuvvetlerine teslim edecek kadar kuvvetli olan o akıllı adam..."

"Yaa," diye çınladı bir ses. "Yaa, kıçını kırsınlar, linç etsinler diye onu, değil mi?"

Ah, Tanrım, hiç de bu değildi söylemek istediğim. Zayıf teknik işte, söylemek istediğim hiç de bu değildi.

"Akıllı bir önderdi o," diye haykırdım. "Kanunların dışına çıkmamıştı. Akıllıca bir şey değil miydi bu, şimdi?"

"Yaaa, maşallah çok akıllıymış," diye güldü adam öfkeyle. "Şimdi çekil sen yoldan da şu aynasızın üzerine atlayalım biz."

Kalabalık bağırıyordu, bense gülüyordum büyülenmiş gibi.

"Ama insanî bir şey değil miydi? Hem, kendisini korumak zorundaydı; çünkü..."

"Kıçından korkan herifin biriymiş!" diye bağırıyordu bir kadın, sesi nefretle kaynayarak.

"Evet, haklısınız. Akıllı ve korkaktı; ama ya bizler? Ne yapacağız bizler?" diye haykırdım, aldığım cevaptan heyecanlanarak. "Şu adama bakın," diye bağırdım.

"Evet, bir bakın ona!" diye bağırdı melon şapkalı yaşlı bir adam, kilisede bir vaize cevap verir gibi.

"Ve şu yaşlı çifte bakın..."

"Evet, Provo Bacı'dan, Provo Kardeş'ten ne haber?" dedi. "Allah'sız bir ayıp bu!"

"Ve bakın kaldırıma saçılmış mallarına, mülklerine. Kar içindeki eşyalarına bir bakın. Kaç yaşındasınız, efendim?" diye bağırdım.

"Seksen yedi," dedi yaşlı adam, sesi alçak ve şaşkın.

"Ne kadar? Bağır ki bizim kolay kolay kızmayan Kardeşler duysun seni."

"*Seksen yedi* yaşındayım!"

"Duydunuz mu onu? Seksen yedi yaşında. Seksen yedi ve bakın seksen yedi yılda topladığı, biriktirdiği şeyler, tavuk bağırsakları gibi dökülmüş, saçılmış karlara; bizler kanunlara saygılı, kolay kolay kızmayan bir avuç halkız, haftanın her günü öbür yanağımızı çeviririz vursunlar diye. Ne yapacağız şimdi? Siz, ben, ne yapardınız, o ne yapmalıydı? *Yapılacak şey nedir?* Ben, en akılıca şeyi, kanunlara en uygun şeyi yapalım diyorum. Bir bakın şu döküntülere! İki yaşlı insan bu döküntüler içinde, pis bir odaya tıkılmış olarak mı yaşamalıydı? Ne büyük tehlike bu, ne büyük yangın tehlikesi! Eski çatlak tabaklar, paramparça sandalyeler, koltuklar. Evet, evet, evet! Şu yaşlı kadına bakın, birisinin anası, birisinin ninesi, kim bilir. Biz onlara, "Koca Ana" deriz ve bizi şımartır onlar, bilirsiniz, hatırlarsınız bunları... Yorganlarına bakın paramparça ayakkabılarına. O da bir insanın anası, biliyorum; çünkü üzerinde "Sevgili Nineciğim..." diye yazılı bir kart gördüm... Ama biz kanunlara saygılı... Bir sepetin içine baktım, bazı kemikler gördüm, boyun kemikleri değil, kaburga kemikleri, çalpara kemikleri... Bu yaşlı çift dans edermiş bir zaman... gördüm. 'Ne iş yaparsın, Baba?' diye seslendim.

"Gündelikçi işçiyim..."

"...Gündelikçi işçi, duydunuz onu, bir de bağırsak gibi kara dökülüp saçılmış eşyalarına bakın... Nereye gitti o kadar emeği? Yalan mı söylüyor yoksa?"

"Ne yalanı, doğru söylüyor, doğru!"

"Hayır, beyim!"

"Öyleyse nereye gitti emekleri? Şu ucuz plaklara, şu çiçek saksılarına bakın; Güneyli yoksul insanlar bunlar, her şeyleri dışarı atılmış, seksen yedi yıl bir tayfunda savrulan hurdalar gibi. Seksen yedi yıl ve püff! Her şeyi silip süpürmüş. Bakın onlara, anama, babama, nineme, dedeme benziyorlar, ben size benziyorum, siz bana benziyorsunuz. Bakın onlara; ama unutmayın bizler akıllı, kanuna saygılı kişileriz. Yukarıya, kapıda kırkbeşliğiyle dikilip duran kanuna baktığınızda da hatırlayın bunu. Bakın ona, mavi çelikten tabancası ve mavi yün elbisesiyle durana, orada. Bakın ona! Mavi yün elbise giyinmiş bir tek adam ya da bir tek kırkbeşlik görmüyorsunuz orada, her birimiz için on tane var onlardan, öyle görün, on tabanca on sıcak elbise ve on şişko karın, on milyon kanun. *Kanun*, biz Güney'de öyle deriz onlara! Kanun! Ve bizler akıllı, bizler kanuna saygılı. Sayfalarının kenarları kıvrılmış İncil'iyle şu yaşlı kadına bakın. Neyi kurtarmaya çalışıyor şurada? Dini başına vurmuş, öyle yapmışlar onu; ama hepimiz biliriz ki din yürek içindir, baş için değil. 'Yürekleri temiz olanlara ne mutlu!' der Kitap. Kafadan yoksul olanlar için yok bir şey. Ne yapmaya çalışıyor o? Kafanın temizliğinden ne haber? Gözün temizliğinden, yalan söyleyemeyecek kadar her şeyi tertemiz gören gözlerden ne haber? Şu, çekmeceleri açık dolaba bakın. Seksen yedi yıl doldurmaya çalış onları da, sonra çardan çaputtan, inci boncuktan başka bir şey bulama içlerinde, üstelik kanuna karşı gelmek istesin... Ne oldu bunlara? Bizim halkımız değil mi onlar, sizin halkınız, sizin ananız babanız, benim anam babam. Ne oldu onlara?"

"Ben sana söyleyeyim ne olduğunu!" diye bağırdı irikıyım biri, kalabalığı yararak, yüzü öfkeli. "Malları alındı ellerinden, Allah'ın belası, kaçık orospu çocuğu, çekil yoldan!"

"Malları mı alındı?" diye bağırdım, elimi havaya kaldırıp son sözcüğü uzatarak ağzımda. "Güzel bir söz bu, 'Malları alındı ellerinden!', 'Malları alındı'. Seksen yedi yıl ve neleri alındı ellerinden? Bir şeyleri *yoktu* ki, bir şeyleri *olamazdı* ki, *hiçbir zaman* bir şeyleri olmadı ki. Öyleyse kimdir elinden malı alınan? Biz olmayalım? İhtiyarlar şurda, karın üstünde; ama biz de birlikteyiz onlarla. Eşyalarına bakın, ne içine tükürülesi bir şey, ne sabahları komşularla gevezelik edebilecekleri bir pencere ve biz beraberiz onlarla. Bakın onlara, ne içine girip dua edilecek bir kulübe, ne daracık bir koridor, hüzünlü şarkılar söyleyecek içinde! Bir tabanca çevrilmiş yüzlerine, onlarla birlikte bizim de yüzümüze. Dünyayı da istemiyorlar, yalnızca İsa'yı istiyorlar. Yalnızca İsa'ı istiyorlar, yalnız on beş dakika, çulu çaputu alınmış bir odada İsa'yı. Ne dersiniz Bay Kanun? On beş dakikalık İsa'mızı alabilir miyiz? Siz dünyayı almışsınız, biz de İsa'mızı alabilir miyiz?"

Adam hakaretle sallayarak tabancasını, "Emir aldım ben, Mac!" diye bağırdı. "İyi yapıyorsun, buna yanaşmamalarını söyle onlara. Kanundur bu ve mecbur olursam ateşlerim..."

"Ama ya dua?"

"İçeri giremezler!"

"Kesin mi bu?"

"Hayatınla oynarsın," dedi.

"Bakın ona," diye bağırdım kızgın kalabalığa. "Mavi çelik tabancasına, mavi yün elbisesine. Duydunuz onu, kanundur o. Biz kanunlara saygılı kişiler olduğumuz için bizi vuracağını söylüyor. Yani malımız alınmış elimizden, daha ötesi var mı, kendisini Tanrı sanıyor. Şuraya bakın, arkasını direğe dayamış, iki yanında birer suçlu. Rüzgârı duymuyor musunuz, rüzgârın bize sorduğunu, 'Ne yaptınız o kadar çalıştınız da? Ne yaptınız?' diye sorduğunu. Seksen yedi yılda elde edemediklerinize baktığınızda utanırsınız."

"Anlat onlara Kardeş," diye sözümü kesti bir yaşlı adam. "İnsanlığından utanıyor duyunca insan."

"Evet, bu yaşlı insanların bir rüya kitabı vardı ama sayfaları bomboştu; sayfa numarası vermemişlerdi onlara. *Gören Göz* diyorlardı kitabın adına. *Büyük Anayasal Rüya Kitabı, Afrika'nın*

Esrarı, Mısır'ın Hikmeti; ama göz kördü, parıltısını yitirmişti. Şaşı bir marangozunki gibi tümden perde inmişti gözlerine, tahtaları doğru biçemiyordu. Elimizdeki, avcumuzdaki tek kitap İncil; Kanun engel oluyor şimdi onu da okumamıza. Nereye gidelim biz şimdi? Nereye gidelim buradan, bir saksımız bile yok."

"O aynasızın peşine düşelim," diye bağırdı irikıyım birisi merdivenlere atılarak.

Biri itti beni. "Hayır bekleyin," diye bağırdım.

"Çekil yoldan artık."

Üzerime çullanıyorlardı ve ben geriye itişen bacaklar, lastik ayakkabılar arasına düştüm, bir tek patlama işiterek, çiğnenmiş kar soğuk soğuk bulaştı elime. Patlayan bir kağıt torba gibi bir başka tabanca sesi daha duyuldu yukardan. Nihayet ayağa kalkabildim, basamakların en üstünde, tabancalı sıkılmış yumruğun havaya, kalabalığın kımıldayan başlarının üzerine çevrilmeye zorlandığını gördüm, hemen ardından onu kara doğru sürüklemeye başladılar; sağından solundan boyuna yumruklar geliyor, korkunç bir çabanın gittikçe yükselen uğultusu duyuluyordu; yavaş yavaş binlerce şamar halinde patlayan bir hırıltı, kızgın bir küfür dalgası... Bir kadının ayakkabısının sivri topuğuyla vurduğunu görüyordum. İki sıra olmuş adamların arasında yediği yumruklarla bir o yana bir bu yana giderken şimdi ayağa kaldırılmış adamın yanından koşarak nişan alıp indirdikçe, nişan alıp indirdikçe kan çıkarıyordu vurduğu yerden; hiçbir anlam okunmayan yüzünde gözleri iki siyah çukur... Birden bir çift kelepçenin havada parladığını ve caddenin öbür yanına uçtuğunu gördüm. Bir oğlan çocuğu, polisin afili şapkası başında, kalabalıktan fırlayıp çıktı. Polis bir o yana bir bu yana çevriliyordu, sonra hızlı bir yumruk bombardımanına tutulunca caddeden aşağı koşmaya başladı. Kendimden geçmiştim heyecandan. Kalabalık arkasından saldırdı, ufacık bir deliğe girmeye, sığışmaya çalışan koca bir adam gibi birbirini iterek; kimi gülüyor, kimi küfrediyor, kimininse ağzını bıçak açmıyordu.

"Hayvan, o kibar kadına vurdu, ne çirkin şey!" diyordu Kızılderili, şarkı söyler gibi. "Kara adamlar, hiç böyle bir hayvan gördünüz mü siz? Kibar bir insan mı o, size soruyorum? Hayvan! Acısını alın ondan, kara adamlar. Bin katıyla ödetin ona! Yedi sülalesine kadar unutmasın! Vurun, bizim kara insanlarımız. Siyah kadınlarımızı koruyun! Küstah yaratığa ödetin yaptığını. Yedi sülalesine kadar unutmasın!..."

"Maldan mülkten edilmişiz," diye şarkı söylüyordum en üst perdeden, "maldan mülkten edilmişiz de dua etmek istiyoruz. Haydin girelim içeriye de dua edelim. Büyük bir dua yapalım. Ama oturacak sandalye ister bize... diz çökünce dayanacağımız. Sandalyeye ihtiyacımız olacak!"

"Şurada birkaç sandaya var," diye bağırdı kaldırımdan bir kadın. "İçeri alalım mı birkaçını?"

"Elbet," diye bağırdım, "her şeyi alın içeri. Hepsini alın, saklayın bu döküntüyü gözlerden! Geldikleri yere koyun. Yolu, kaldırımı kaplıyor, kanuna aykırı bir şey bu. Kanuna saygılıyızdır biz, temizleyin caddeyi bu döküntülerden. Göz önünden kaldırın! Saklayın, ayıplarını örtün! *Ayıplarımızı* örtün!"

"Haydi arkadaşlar," diye seslendim merdivenlerden aşağı atılıp bir sandalye yakalayarak ve tekrar geriye fırlayarak; artık karşı durmaya ya da hareketimin nereye vardığını düşünmeye çalışmıyordum. Ötekiler de geldi arkamdan, birer parça bir şey kapıp binanın içine sürüklemeye başladılar.

"Bunu çok önce yapmalıydık," diyordu bir adam.

"Namussuzum ki öyle."

"Oh, oh, ne güzel," diyordu bir kadın. "Ne *güzel*!"

"Kara adamlar, sizinle övünüyorum," diye bağırıyordu Kızılderili kadın ipince sesiyle. "Övünüyorum!"

Bayat lahana kokan küçük eve koşuyor, eşyaları yere bırakıyor sonra başka şeyler almak için geriye dönüyorduk. Erkekler, kadınlar, çocuklar herkes bir şeyler kaparak koşturuyorlardı içeri bağırarak, güle oynaya. İki suçluyu aradım ama ortadan kaybolmuşa benziyorlardı. Sonra, tekrar caddeye dönerken birini görür gibi oldum. Bir sandalyeyi içeri taşıyordu.

"Demek sen de kanuna saygılısın ha," diye bağırdım; ama baktım o değilmiş, bir başkasıymış. O da beyazdı ama bir başkasıydı.

Adam güldü bana, içeri yürüdü. Caddeye geldiğimde birçoğunu gördüm onlardan, erkek, kadın etrafta dikiliyorlar, bir mobilya parçası içeri gitmesin, alkışlıyorlar, sevinçle bağırışıyorlardı. Bir bayram yeriydi ortalık. Durdurmak istemiyordum bunu.

"Kim bunlar?" diye bağırdım basamaklardan.

"Kimler?" diye cevap verdi birisi.

"Şunlar," dedim göstererek.

"Şu beyazcıklar mı?"

"Evet, ne istiyorlar?"

"Biz halkın dostlarıyız," diye bağırdı beyazlardan biri.

"Hangi halkın dostları?" diye bağırdım. "Siz, halkın," diye cevap verirse üzerine atılmaya hazırlanarak.

"Biz bütün sıradan insanların dostlarıyız," diye bağırdı. "Yardıma geldik."

"Kardeşliğe inanırız biz," diye bağırdı bir başkası.

"Öyleyse alın şu divanı da yürüyün," dedim. Orada bulunuşlarından rahatsız olmuştum, kalabalığın işine dalıp dışarı atılmış eşyaları içeri taşımaya başladıklarında hayal kırıklığına uğradım. Nereden duymuştum onları?

"Niye bir yürüyüş yapmıyoruz?" diye bağırdı beyaz adamlardan biri yanımdan geçerken.

"Niçin yürümeyelim!" diye haykırdım kaldırıma doğru, bir an bile durup düşünmeden.

Kalabalık hemen yattı bu düşünceye.

"Haydi yürüyelim..."

"İyi bir fikir."

"Haydi bir gösteri yapalım..."

"Yürüyüşe geçelim!"

Canavar düdüklerini duydum, aynı anda polis arabalarının köşeyi döndüklerini gördüm. Polis geliyordu! Teker teker yüzlerini görmeye çalışarak kalabalığa baktım; birisi, "Polisler geliyor," diye bağırıyor, öteki cevap veriyordu, "Gelirlerse gelsinler!"

Nereye gidiyor iş, diye düşündüm, polisler arabalarından atlayıp bize doğru gelirken, bir beyaz adamın binanın içine doğru koştuğunu görerek.

"Ne oluyor burada?" diye bağırdı sarı kalkanlı bir komiser, merdivenlere doğru.

Ortalık sessizleşti. Hiç kimse cevap vermiyordu.

"Ne oluyor burada, dedim," diye tekrarladı. "Sen!" Bağırdı beni göstererek.

"Biz, biz... kaldırımı temizliyoruz bu döküntülerden," diye cevap verdim kendimi zor tutarak.

"Neymiş, neymiş?" dedi.

"Bir temizlik kampanyası," diye bağırdım, içimden gülmek geliyordu. "Şu ihtiyarlar bütün eşyalarını yığmışlar kaldırımın üzerine, biz de caddeyi temizledik..."

"Yani bir tahliye işine mi karıştınız?" diye bağırdı kalabalığın içine dalarak.

"O bir şey yapmıyordu," dedi arkamdan bir kadın.

Etrafıma baktım, merdivenler, o sırada binanın içinde olanlarla doluydu.

Kalabalık, Komiser'in etrafına kapanınca, "Biz hep beraberiz," diye bağırdı birisi.

"Yolu açın," diye emretti Komiser.

"Biz de onu yapıyoruz işte," dedi kalabalığın gerisinden birisi.

"Mahoney!" diye bağırdı, başka bir polise, "ekip çağır, gösteri var!"

"Ne gösterisi?" diye bağırdı beyaz adamlardan biri. "Gösteri mösteri yok burada."

"Ben gösteri var diyorsam, gösteri vardır," dedi Komiser. "Hem siz beyazlar ne arıyorsunuz Harlem'de?"

"Biz vatandaşız. Canımızın istediği yere gideriz."

"Hey! Başka polisler de geliyor, bakın!" diye bağırdı birisi.

"Gelsinler!"

"Müdürü gelsin isterse!"

Bu kadarı fazlaydı benim için. İş tamamen kontrolden çıkmıştı. Bütün bunlara sebep olacak ne söylemiştim? Merdivenlerdeki kalabalığın kenarından arkaya geçtim ve koridora girdim. Nereye gidecektim? Yaşlı çiftin dairesine koştum. Ama burada gizlenemem, diye düşündüm. Tekrar merdivenlere doğru döndüm.

"Hayır, o yoldan gidemezsiniz," dedi bir ses.

Döndüm hızla. Beyaz bir kızdı, kapıda dikiliyordu.

"Siz ne arıyorsunuz burada?" diye bağırdım; korkum ateşli bir öfkeye dönmüştü.

"Sizi korkutmak istememiştim," dedi. "Kardeş, çok güzel bir konuşma yaptınız. Ben yalnızca sonunu duydum ama onları harekete geçirdin, kuşkusuz..."

"Hareket," dedim, "hareket..."

"O kadar alçakgönüllü olma, Kardeş," dedi. "İşittim sizi."

"Bakın Miss, buradan çıksak iyi ederiz," dedim nihayet boğazımdaki tıkanıklığı gidererek. "Aşağıda bir sürü polis var ve daha da geliyor."

"Ya, tabii. En iyisi çatıya çıkın siz," dedi. "Yoksa birisi muhakkak gösterir sizi!"

"Çatıya mı?"

"Kolay. Binanın çatısına çık ve blokun sonundaki eve varıncaya kadar damdan dama atlaya atlaya git. Oraya gelince kapıyı aç ve sanki konuk gelmişsin gibi eve, aşağı in. Acele etsen iyi olur. Polis ne kadar uzun süre izini bulamazsa o kadar etkili olursun."

Etkili mi, diye düşündüm. Ne demek istiyordu? Ya bu "kardeş" dalgası ne oluyordu?

"Teşekkürler," dedim ve merdivenlere fırladım.

"Güle güle," dedi, sesi pürüzsüz yükseldi arkamdan. Döndüm, karanlık eşiğin görünür görünmez aydınlığında bir an gördüm beyaz yüzünü.

Bir sıçrayışta yukarı fırladım, dikkatle açtım kapıyı; çatının üzerinde birden göz kamaştırıcı güneş çıktı karşıma, soğuk bir rüzgâr esiyordu. Önümde, köşeye kadar uzun blok boyunca, binaları birbirinden ayıran alçak, üzerleri karla kaplı çite benzer duvarlar uzanıyordu; boş çamaşır ipleri titreşiyordu rüzgârda. Rüzgârın uçuşturduğu karlara bata çıka bitişik çatıya kadar gittim, sonra öteki çatıya, hızla fakat ihtiyatla. Uzakta, güneydoğuda bir hava alanından uçaklar kalkıyordu, bense koşuyordum şimdi, kiliselerin çan kulelerinin yükselip alçaldığını, bacalardan dumanların göğe doğru meyille çıktıklarını görerek ve altımda caddede, canavar düdüklerinin bağırtısını dinleyerek. Koşuyordum. Sonra bir duvara tırmanınca geriye baktım, arkamdan bir adamın geldiğini gördüm; soluk soluğa aceleyle çatıların bölme duvarlarına tırmanırken kayıyor, düşecek gibi oluyordu. Döndüm, koşmaya başladım, sıra sıra bacaları aramıza koymaya çalışarak, niçin "Dur!" diye haykırmadığına, bağırmadığına ya da ateş etmediğine şaşarak. Bir asansör yuvasını kendime siper ederek koşuyordum, sonra öbür çatıya atlıyordum, düşüyordum; ellerime buz gibi yapışıyordu kar, dizlerim çarpıyor, ayak parmaklarımla tutunmaya çalışıyordum; sonra kalkıyor, koşuyor, geriye bakıyorum, kısa siyah gölgeyi hâlâ peşimde görüyorum. Köşe bir mil ötedeymiş gibi geliyordu bana. Önümde tepeler halinde duran, aşılacak daha kaç çatı var diye saymaya çalıştım. Yediye kadar geldim; koşuyordum, bağırtıları, daha çok canavar düdüklerini işiterek ve arkama bakarak ve onu yine arkamda kısa kısa sıçrayışlarla koşar görerek, aşağı inmek için bir binanın kapısını açmaya çalışıyorum; o hâlâ arkamda, bir tahta perdenin üzerinden atlayıp kümese benzer koca bir şeyin yanından sürünerek geçerken, bir sürü kuş çıldırmış gibi havalanıyor birden, burnumun dibinden delicesine kanat çırpıp uzaklaşırlarken, şahine benzer bir cins av kuşuna benzetiyorum onları. Çılgınca bir kayış içinde yukarı, sağa, sola kanat çırptıkça güneşi kaplıyorlar ve ben tekrar koşmaya başlıyorum, arkama bakıyorum, bir an gitti artık sanıyorum ama sonra yine görüyorum onu kısa kısa sıçrayışlarla arkamda. Niçin ateş etmiyor? Niçin? Ah, memleketteki gibi olsaydı da *bütün* bu evlerdeki insanları tanıyabilseydim, görünüşlerinden, adlarından, kanlarından, geçmişlerinden utançlarından, gururlarından ve de dinlerinden tanıyabilseydim onları.

Halı döşenmiş bir koridordayım şimdi, bir köpek yaygarayı bastı çatı katında; yüreğim dışarı fırlayacakmış gibi çarparak aşağıya yöneldim. Sonra hızlandım, vücudumun içinde kırılacak bir şey varmış gibi merdivenlerin kenarından seke seke inmeye başladım. Döner merdivenden aşağı bakınca, ta aşağıda bir kapının camından sızan soluk bir ışık gördüm. Peki kıza ne olmuştu, adamı o mu takmıştı peşime? Ne işi vardı onun orada? Aşağıya sıçradım, kimse çıkmadı karşıma, girişte durdum derin derin soluyarak ve yukardaki kapının üzerinde onun elinin sesini duymaya çalışarak ve üstümü başımı düzelterek. Sonra, filmlerde gördüğüm kahramanlardan edinme bir kayıtsızlıkla sokağa çıktım. Yukardan ses gelmiyordu, köpeğin o berbat havlayışı bile susmuştu.

Uzun bir blok geçmiştim, yola değil de anacaddeye bakan bir binadan aşağı inmiştim. Bir takım atlı polis belirdi köşede, dörtnala geçtiler, atlarının nalları pat, pat, pat diye boğuk sesler çıkararak karda, adamlar eğerlerinde kalkıp oturarak ve bağırarak... Hızlandım, koşmamaya dikkat ederek ve uzaklaşarak. Korkunç bir şeydi bu. Ne söylemiştim de bütün bunlar olmuştu? Nasıl bitecekti? Birisini öldürebilirlerdi. Kafalara tabancalar indirilirdi. Köşede durdum, beni izleyen adamı, dedektifi arayarak, bir otobüs bulmaya çalışarak. Caddenin beyaz uzantısı bomboştu, kalkmış olan güvercinler hâlâ yukarda daireler çiziyordu. Adamı, aşağıyı gözetlerken yakalarım diye çatılara göz gezdiriyordum dikkatle. Bağırtılar yükseliyordu hâlâ, sonra yeniden yeşilli beyazlı bir devriye arabası lastiklerini inleterek köşeyi döndü, yanımdan geçerken hızlandı ve bir bloka doğru yöneldi. İçinde, her biri eski kahverengi yapı taşlarının içine yerleştirilmiş neon ışıklarıyla donatılmış bir düzüneye yakın cenaze levazımatçısı dükkânı bulunan bir blokun içinden geçtim. Kaldırımın kenarında süslü cenaze arabaları duruyordu, bir tanesi Gotik kemerlerine benzer pencereli, donuk sarı renkli; içine bakınca bir tabutun üzerine yığılmış cenaze çiçekleri gördüm. Hızla uzaklaştım oradan.

Kızın yüzü hâlâ gözümün önündeydi, merdivenlerin altında. Peki arkamdan çatıya geçen o adam kimdi? Beni mi kovalıyordu? Neden o kadar sessiz hareket ediyordu, hem neden yalnızca bir kişiydi? Evet, neden beni yakalamak için bir devriye arabası göndermemişlerdi? Cenaze levazımatçıları blokundan hızla dışarı, anacaddenin karını yalayan parlak güneşe çıktım, yavaşlayarak tembel bir yürüyüşe geçtim, etrafa hiç acelesi yokmuş izlenimini vermeye çalışarak. Ah ne olurdu aptal görünüşlü olsaydım, elinden düşünmek, konuşmak gelmeyen budalanın biri; kaldırımda ayaklarımı sürümeye çalıştım ama birinin gizlice arkamdan baktığını görünce hemen vazgeçtim, hiç hoşuma gitmedi bu. Tam ilerde bir arabanın durduğunu, içinden doktor çantasıyla bir adamın dışarı fırladığını gördüm.

"Koş doktor," diye bağırdı bir adam taraçadan, "sancıları başladı!"

"İyi," diye bağırdı doktor. "Biz de bunu bekliyorduk, öyle değil mi?"

"Öyle; ama umduğumuz zamanda başlamadı."

Holde kayboluşuna baktım. Ne boktan zaman, doğmak için, diye düşündüm. Köşede ışıkların değişmesini bekleyen bir sürü insanın içine karıştım. Başarıyla kaçıp kurtulduğuma kendimi tam inandırmıştım ki, arkamda yavaştan, içe işleyici bir sesin, "Ustaca bir inandırıştı o, Kardeş," dediğini duydum.

Birden gerilmiş bir yay gibi yavaş yavaş geriye döndüm, uykudaymış gibi. Kısa boylu, bir şeye benzemeyen görünüşlü, gür saçlı bir adam, yüzünde sakin bir gülümseyiş, yanımda duruyordu; hiç de polise benzer yanı yoktu.

"Ne demek istiyorsunuz?" diye sordum tembel, soğuk bir sesle.

"Korkmayın," dedi, "bir dostum ben."

"Korkacak bir şeyim yok benim, hem siz arkadaşım filan değilsiniz."

"Öyleyse bir hayranınız deyin," dedi mutlulukla.

"Neyin hayranı?"

"Konuşmanızın," dedi. "Dinliyordum."

"Ne konuşması? Ben konuşma monuşma yapmadım," dedim.

Bilmişçe gülümsedi. "İyi yetiştirilmiş olduğunuzu görüyorum. Gelin. Caddede benimle görülmeniz iyi olmaz sizin için. Gidip bir fincan kahve içelim bir yerde."

İçimdeki ses bir şey kabul etmememi söylüyordu ama şaşırmıştım; belki de bütün bunların altında gururum okşanmıştı. Ayrıca, gitmeyi reddedersem suçu kabul ediyormuşum gibi olurdu. Bir polise ya da dedektife de benzemiyordu üstelik. Blokun sonuna yakın bir yerdeki kafeteryaya kadar yanında yürüdüm; girmeden önce pencereden gözetledi içerisini bir süre. "Sen masayı tut, Kardeş. Şurada duvarın yanına otur ki sakin sakin konuşabilelim. Ben kahveleri alayım."

Sekerek, yuvarlanır gibi bir yürüyüşle salonu geçtiğini gördüm, bir masa bularak oturdum ve onu seyretmeye başladım. Kafeteryanın içi sıcaktı. Öğleden sonrayı geçiyordu vakit, masalarda üç beş müşteri dağınık dağınık oturuyordu. Adamın bildik bir tavırla yiyecek tezgâhına gittiğini ve bir şeyler ısmarladığını görüyordum. Pırıl pırıl aydınlatılmış pasta raflarını süzerken, hareketleri, en güzel pasta dilimini bulmaktan başka bir şey aramayan canlı, ufak bir hayvanın, bir fino köpeğinin hareketlerini andırıyordu. Demek duymuştu benim konuşmamı; eh, bakalım ne söyleyecek, diye düşündüm; hızlı, yuvarlana yuvarlana, sekerek, bir topuklarına bir ayakuçlarına basarak bana doğru geldiğini gördüm. Sanki bu şekilde yürümek için talim yapmıştı bir süre, bana öyle geldi ki biraz da yapmacıktı yürüyüşü; hiç de gerçek olmayan bir şey vardı bunda. Bütün bu öğleden sonra olanlarda da bir gerçekdışı yan olduğunu düşünerek hemen attım kafamdan bu düşünceyi. Etrafta beni aramaksızın, sanki benim başkasını değil de tam bu masayı seçeceğimi biliyormuş gibi doğruca masaya geldi; oysa masaların birçoğu boştu. Kahve fincanlarının üzerinde birer tabak pasta taşıyordu, ustaca koydu onları masaya, sandalyesini alırken bir tanesini benim önüme sürdü.

"Bir parça peynirli pasta seversiniz diye düşündüm," dedi.

"Peynirli pasta mı?" dedim. "Hiç duymamıştım."

"Güzeldir. Şeker?"

"Siz koyun önce," dedim.

"Hayır, siz buyrun Kardeş."

Yüzüne baktım, sonra üç kaşık şeker koydum ve şekerliği ona doğru sürdüm. Yeniden gerilmişti sinirlerim.

"Teşekkürler," dedim, bu "kardeş" dalgası yüzünden ona bir çıkış yapmak arzusunu bastırarak.

Peynir pastasını kesip iri bir parçası ağzına atarken gülümsüyordu. Benim peynirli şeyden kasten küçük bir parça alıp kibarca ağzıma sokarken ona bir kusur bulmaya çalışarak kafamda, davranışları son derece kaba, diye düşündüm.

Bir yudum kahve alırken, "Biliyor musunuz," dedi, "içerde olduğum günlerden bu yana –çok oluyor– böyle etkili bir konuşma duymamıştım. Onları çabucak harekete geçirdiniz. Nasıl yapabildiniz bunu anlamıyorum. *Bizim* konuşmacılardan birkaçı dinleyebilseydi bir! Bir iki kelimeyle hareketin ortasına attınız onları! Başkaları hâlâ boş laflarla zaman harcayıp dururdu. Bu çok öğretici tecrübe için teşekkür etmek istiyorum size!"

Sessizce kahvemi içiyordum. Yalnızca ona güvenmemekle kalmıyor, korku duymadan nereye kadar konuşabileceğimi de bilemiyordum.

Cevap vermeme kalmadan, "Buranın peynirli pastası iyidir," dedi. "Gerçekten çok iyidir. Sahi, konuşmasını nerede öğrendiniz?"

"Hiçbir yerde," diye yapıştırdım cevabı, soruyu sorar sormaz.

"O halde çok yeteneklisiniz. Doğuştan. İnsan inanamıyor."

Ne ifşa edeceğini görebilmek için bu kadarını kabul etmeye karar vererek, "Kızmıştım, o kadar," dedim.

"Öyleyse kızgınlığınız ustaca kontrol altındaydı. Etkileyiciydi konuşmanız. Niçin acaba?"

"Niçin mi? Sanırım üzülmüştüm. Ne bileyim. Belki de bir konuşma yapmak istedi canım. Kalabalık bekliyordu, bunun için de birkaç söz söyledim. İnanmayabilirsiniz ama ne söyleyeceğimi bilmiyordum..."

Kurnaz bir gülümsemeyle, "Rica ederim," dedi.

"Ne demek istiyorsunuz?" dedim.

"Huysuz, ters görünmek istiyorsunuz; ama içinizi görüyorum ben sizin. Biliyorum, ne söylemek zorunda kaldığınızı dikkatle dinledim. Çok fazla tahrik olmuştunuz. Heyecanlanmıştınız, çok."

"Herhalde," dedim. "Belki onları görmek bana bir şeyler anımsatmıştır."

Beni dikkatle seyrederek öne eğilmişti şimdi, o gülümseme hâlâ dudaklarında.

"Tanıdığınız başka insanları mı anımsatmıştı size?"

"Sanırım öyle," dedim.

"Anlıyor gibiyim. Bir ölümü seyrediyordunuz."

Çatalım düştü elimden. "Kimse öldürülmedi," dedim sinirlenerek. "Ne yapmak istiyorsunuz siz?"

"*Kentin Kaldırımlarında Bir Ölü*: Bir polis romanı adı bu, ya da bir yerlerde okuduğum bir şey..." Güldü. "Me-ca-zi konuşmayı kastediyorum ben. Yaşıyorlar onlar ama ölü olarak. Yaşarken ölü... zıtların birliği."

"Oo!" dedim. "Ne çeşit iki yanlı bir konuşmaydı bu?"

"Yaşlılar, tarımcı tiplerdi, biliyorsunuz. Sanayi koşullarının ezip parçaladığı tiplerden. Mezbeleliğe atılmış ve unutulmuş. Siz çok iyi belirttiniz bunu. 'Seksen yedi yıl ve buna karşılık hiçbir şey,' dediniz. Tamamen haklıydınız."

"Sanırım onları öyle görmek çok dokundu bana," dedim.

"Evet, tabii. Ve etkili bir konuşma yaptınız. Ama coşkularınızı bireyler üzerinde boşuna harcamamalısınız; hesaba katmayın onları."

"Kimleri hesaba katmayayım?" dedim.

"O yaşlıları," dedi acımasız bir ses tonuyla. "Üzücü bir şey, evet. Ama onlar daha şimdiden ölüdürler, müteveffa. Tarih onları atlayıp geçti. Yazık; ama onlar için yapacak hiçbir şey yok. Onlar, ağaç yeni yemişler verebilsin diye budanması gereken ölü dallara benzerler, ya da tarihin fırtınaları esip devirecek onları nasılsa. Fırtınanın devirmesi daha iyi..."

"Bakın!"

"Hayır, devam edeyim. Bu insanlar yaşlıdır. İnsanlar yaşlanır, insan türü yaşlanır. Bunlarsa çok yaşlı. Geriye bıraktıkları tek şey, dinleri. Bütün düşünebildikleri budur. Bunun için de bir kenara atılacaklardır. Ölüdür onlar, anlıyor musunuz, tarihsel durumun zorunluluğuna cevap vermekten acizdirler."

"Ama ben *seviyorum* onları," dedim. "Aşağıda, Güney'de tanıdığım insanları anımsattılar bana. Bunu hissetmek çok zamanımı aldı ama tam benim gibi kimseler onlar, yalnız birkaç yıl okula gitmişim ben, o kadar."

Yuvarlak, kırmızı kafasını salladı. "Oo, yoo, Kardeş, yanılı-

273

yorsunuz, duygusalsınız. Onlar gibi değilsiniz siz. Belki öyleydiniz ama artık değilsiniz. Yoksa o konuşmayı yapamazdınız. Belki öyleydiniz; ama geçti onların hepsi, öldü. Hemen şimdi fark etmiyebilirsiniz; ama sizin o yanınız ölü! O parçanızı, o köylü parçanızı tamamen dökmediniz ama öldü o ve bir gün tamamen atacaksınız, yeni bir şey çıkacak yerinden. *Tarih* beyninizde doğdu sizin."

"Bakın," dedim. "Ne konuşuyorsunuz anlamıyorum. Ben bir çiftlikte yaşamadım hiç, tarım okumadım. Ama o konuşmayı niçin yaptığımı biliyorum."

"Niçin öyleyse?"

"O yaşlı insanların sokağa atılmış olmasından rahatsız oldum da ondan. *Siz* ne derseniz deyin buna, beni ilgilendirmez, kızmıştım."

Omuzlarını silkti. "Bunu tartışmayalım," dedi. "Onu tekrar yapabileceğinize dair bir duygu var içimde. Belki bizim hesabımıza çalışmak isterdiniz."

"Kimin hesabına?" dedim birden heyecanlanarak. Ne yapmaya çalışıyordu bu adam?

"Bizim Örgüt hesabına. Bu bölge için iyi bir konuşmacıya ihtiyacımız var. Halkın dertlerini dile getirebilecek birisi," dedi.

"Ama kim aldırıyor ki onların dertlerine?" dedim. "Dile getirildi diyelim, kim dinler ya da aldırır?"

O kurnaz gülümseyişiyle, "Onlar varlar, yaşıyorlar," dedi. "Onlar varlar ve protesto haykırışları yükselince onu işitecek ve harekete geçecek onlardır."

Konuşma tarzında esrarlı, kendini beğenmiş bir hava vardı, sanki her şeyi hesaplamıştı; neden söz ediyorsa işte. Şu kendinden çok emin beyaz adama bak, diye düşündüm. Korktuğumu bile fark etmiyor da o kadar güvenle konuşuyor. Ayağa kalktım, "Özür dilerim," dedim, "işim var benim, başkasının dertleriyle değil kendiminkilerle uğraşmak isterim ben..."

"Ama o yaşlı çiftle ilgilendiniz," dedi küçülmüş gözleriyle. "Akrabanız mıydı yoksa onlar?"

"Tabii, hepimiz karayız," dedim gülmeye başlayarak.

Gülümsedi, gözlerini yüzümden ayırmadan.

"Cidden, akrabanız mıydı onlar?"

"Tabii, aynı fırında yanmışız" dedim.

Elektriğe çarpılmış gibiydi. "Niçin hep ırka dair sözlerle konuşursunuz sizler!" diye tersledi, gözleri çakmak çakmak. "Başka sözler de var mı?" dedim şaşkın şaşkın. "Onlar beyaz olsaydı oralarda bulunacağımı sanır mıydınız?" Pes ederek güldü. "Bunu şimdi tartışmayalım," dedi. "Onlara yardım etmekte çok etkiliydiniz. Görünmeye çalıştığınız kadar bireyci olduğunuza inanamıyorum. İnsanlara karşı görevini bilen bir insan görünüşündeydiniz ve bu görevi iyi yerine getirdiniz. Bu konuda kişi olarak ne düşünürseniz düşünün, halkınızın bir sözcüsüydünüz ve onların yararına çalışmak da ödevinizdir."

Çok karışık bir adamdı benim için. "Bakın arkadaşım, kahve ve pasta için teşekkürler. O yaşlı kimselere sizin iş teklifinizden çok ilgi duymuyorum artık. Bir konuşma yapmak istedim. Konuşmasını *severim* ben. Ondan sonra ne oldu, bir sırdır benim için. Yanlış insan seçtiniz siz. Polise bağırmaya, onunla ağız dalaşına girmeye başlayan o arkadaşlardan birini durdurup sormalıydınız..." Ayağa kalktım.

"Bir saniye," dedi, bir zarf parçası bırakıp üzerine çabuk çabuk bir şeyler karalayarak. "Fikrinizi değiştirebilirsiniz. Ötekilere gelince. Zaten tanımıyorum onları."

Uzattığı beyaz kâğıda baktım.

"Bana güvenmemekte haklısınız," dedi. "Kim olduğumu bilmiyorsunuz, elbette güvenemezsiniz. Böyle de olması gerek. Ama umudumu yitirmiyorum ben; çünkü günün birinde kendi rızanızla beni arayacaksınız ve farklı olacak o zaman. Çünkü o zaman hazır olmuş olacaksınız. Sadece şu numaraya telefon edin ve Jack Kardeş'i isteyin. Bana adınızı vermek zorunda değilsiniz, yalnız konuşmanızdan söz edin. Bu akşam karar verecek olursanız, sekiz sıralarında bir telefon edin bana."

"Pekâlâ," dedim kâğıdı alarak. "İhtiyaç duyacağım şüpheli; ama kim bilir?"

"Bu konuda düşünün, Kardeş. Durumlar kötü. Ve siz kızgın görünüyorsunuz."

"Ben yalnızca bir konuşma yapmak istemiştim," diye tekrarladım.

"Ama kızmıştınız. Ve bazen bireysel ve örgütsel kızgınlık arasındaki fark, suçla politik eylem arasındaki farka benzer," dedi.

Güldüm. "Ee, bana ne bundan? Ben ne suçlu, ne de politikacıyım, Kardeş. Yani yanlış adam seçtiniz siz. Ama yine de teşekkürler kahve ve peynirli pasta için, Kardeş."

Yüzünde sakin bir gülümsemeyle oturur bıraktım onu. Anacaddeyi geçince pencereye döndüm baktım, hâlâ oradaydı; birden aklıma geldi, çatının üzerinde beni izleyen adamın aynı kişi olduğu. Beni kovalamıyordu da, o da aynı yönde kaçıyordu. Söylediklerinden pek bir şey anlamamıştım, yalnız büyük bir güvenle konuşuyordu, onu biliyordum. Her neyse, ondan iyi koşucuydum ya. Belki de bir oyundu bu. Çok şey anladığı ve ağzından dökülen sözlerin ilk anlamlarından çok daha derin bir bilgiyle konuştuğu izlenimini veriyordu. Belki de benimle aynı yoldan kaçmasına sebep bildikleriydi, yalnızca bunlardı. Ama korkacak nesi vardı ki *onun*? Konuşmayı ben yapmıştım, o değil. Apartmandaki kız, ne kadar uzun süre bilinmez kalırsam, o kadar etkili olacağımı söylemişti; bu da fazla bir şey dememişti bana. Ama belki de bunun için koşmuştu o da. Görülmez ve etkili kalmak istiyordu. Ne üzerinde etkili? Kuşkusuz, alay ediyordu benimle! Çatıdan çatıya atlarken gülünç görünmüş olmalıydım, beyaz güvercinler fırlayınca her yanımda, bir hayaletten ürkmüş kara yüzlü bir komiğe benziyor olmalıydım. Cehenneme kadar yolu var adamın. O kadar kendini beğenmiş olmasının ne gereği vardı; onun bilmediği bazı şeyleri de ben biliyordum. Gitsin başkasını bulsun. Beni kullanmak istiyordu bir şey için. Herkes insanı kullanmak isterdi bir maksat için. Niçin istesindi *beni* bir konuşmacı olarak? Kendisi yapsaydı ya kendi konuşmalarını. Onu kafamdan tamamen çıkararak, gittikçe artan bir hoşnutluk içinde eve yöneldim.

Hava kararıyordu artık, daha da soğuyordu. Bugüne kadar gördüğümden daha soğuk. Başımı rüzgârın önünde eğerek, neydi acaba diye derin düşünceye daldım; neydi bizi, memle-

ketin o sıcak, yumuşacık havasını bıraktırıp da bu soğuğa geti-
ren ve bir daha dönmemecesine, umut etmeye, uğrunda don-
maya hatta evden atılmaya değer bir şey değilse? Üzgün hisse-
diyordum kendimi. Elindeki iki alışveriş torbasından iki bük-
lüm, gözleri, erimiş kardan çamur içindeki kaldırımda bir yaşlı
kadın geçti ve ben evlerinden atılan yaşlı çifti düşündüm. Na-
sıl bitmişti olay, neredeydiler şimdi? Ne korkunç bir heyecan-
dı o. Ne demişti o adam buna; kaldırımda bir ölü müydü, ney-
di. Sık sık olur muydu böyle şeyler? Marry için ne derdi aca-
ba görse? Ölü olmaktan, ya da New York şehri tarafından parça
parça edilmiş olmaktan çok uzaktı o. Haydi be, sen de, o bura-
da yaşamasını çok iyi biliyordu; kolej eğitimi, eğitimmiş! Gör-
müş geçirmiş olan benden çok iyi. *Bledsoe'laşmak*, tam adı buy-
du bunun. Öğütülen, parça parça edilen bendim, Mary değil.
Onu düşünmek iyileştirdi beni. Mary'yi evinden atılan yaşlı ka-
dın kadar çaresiz düşünemiyordum ve apartmana vardığımda
içimdeki sarsıntı geçmeye başlamıştı.

On Dört

Mary'nin pişirdiği lahananın kokusu fikrimi değiştirdi. Holü
kaplayan lahana kokusu ve buharıyla sarılmış dikilirken, ger-
çekte teklif edilen işi reddetmeyeceğim kafama dank etti. Laha-
na, zaten çocukluğumun kupkuru, bereketsiz günlerini olma-
dık yerde anımsatan bir şeydi; Mary ne zaman lahana pişirse bir
acı kaplardı içimi ama seslenmezdim. Bu hafta üçüncü kezdi bu
ve anladım ki, Mary parasızdı.

Bense oturmuş, bir işi reddettiğim için kendimi kutluyorum,
diye düşündüm, hem de ona ne kadar borçlu olduğumu bile bil-
mezken. İçimde bir bulantının hızla yükseldiğini hissettim. Na-
sıl yüzüne bakabilirdim onun? Çabucak odama gittim ve yatağa
uzandım, düşünmeye başladım. Öteki odaların kiracıları vardı,
işleri vardı hepsinin, Mary'nin akrabalarından yardım aldığını da
biliyordum; ama olsun, Mary, bir yaptığı yemeği ikinci gün yap-
mak istemezdi, bu lahana üzerine düşmesi son hafta, bir rastlan-
tı değildi. Neden fark etmemiştim? Çok nazikti, hiçbir zaman sı-
kıştırmazdı beni; kirayı ve pansiyon ücretini ödeyemediğim için
ondan her özür dilemeye kalkışımda, "Küçük dertlerinle rahat-
sız etme beni, oğul, ilerde bir iş bulacaksın elbet," deyişini duyar
gibiydim yatağıma uzanmış yatarken. Belki de kiracılardan biri
çıkmıştı ya da işten atılmıştı. Sonra, Mary'nin ne sorunları vardı

acaba; "onun dertlerini kim dile getirirdi", kızıl saçlı adamın dediği gibi söylersek? Aylardır girip çıkıyordum evine, yine de bir fikrim yoktu. Ne biçim bir insan oluyordum giderek? Onu o kadar sömürmüştüm ki, bana önerilen işi reddederken ona olan borcum aklıma bile gelmemişti. Hatta, o delice konuşmayı yaptığım için polis beni tutuklamaya evine gelse, başını nasıl derde sokacağımı bile düşünmemiştim. Birden, ona bakmak arzusuna kapıldım, belki de gerçekten hiç görmemiştim onu. Bir adam gibi değil bir çocuk gibi davranmaktaydım.

Buruşturulmuş kâğıdı çıkararak telefon numarasına baktım. Bir örgütten söz etmişti. Neydi adı? Sormamıştım. Ne serserilik! Kızıl saçlı adama güvenmesem bile reddettiğim işin nasıl bir şey olduğunu öğrenmeliydim, öyle değil mi? Kızgınlıktan olduğu kadar korkudan da reddetmemiş miydim acaba? Bilgisiyle beni etkilemeye çalışacağı yerde niçin açıkça söylememişti bana neyin ne olduğunu?

Sonra holün alt başından Mary'nin şarkı söylediğini duydum; içli bir şarkı söylerken bile sesi berrak ve kedersizdi. "Back Water Blues'u" söylüyordu. Sesin, bana kadar akıp gelerek etrafımı sardığını ve sakin bir borçluluk duygusu getirdiğini duya duya dinledim onu yattığım yerden. Susunca kalktım, paltomu giydim. Belki de çok geç değildi henüz. Bir telefon bulur, arardım onu; o da ne istediğini tam olarak söylerdi bana, akla yatkın bir karar verebilirdim o zaman.

Mary duydu beni bu kez. "Oğul, ne zaman geldin eve?" dedi, başını mutfaktan uzatarak. "Hiç duymadım geldiğini."

"Biraz önce geldim," dedim. "İşin vardı, rahatsız etmek istemedim."

"Öyleyse nereye gidiyorsun hemencecik, akşam yemeği yemeyecek misin?"

"Evet, Mary," dedim, "ama dışarı çıkmam gerek şimdi. Bir işim vardı da unutmuşum."

"Şuna bak! Böyle soğuk bir gecede ne işin olabilirmiş?"

"Oh, bilmiyorum, senin için bir sürprizim olabilir."

"Hiçbir şey şaşırtamaz beni," dedi. "Sen de fazla kalma dışarıda, hemen dön de midene sıcak bir şey girsin."

Bir telefon kulübesi arayarak soğukta yürürken, kendimi ona bir sürpriz yapma zorunluluğu altına soktuğumu fark ettim, yürüdükçe hafifçe heveslendim. Ne olursa olsun, benim kalabalık karşısında konuşma yeteneğimi kullanacağım bir işti bu; ücret hiç denecek kadar az bile olsa şimdikinden iyiydi. Hiç olmazsa Mary'ye olan borcumun bir kısmını ödeyebilirdim. Ve kehânetinin doğru çıktığını görmek bir mutluluk verebilirdi ona.

Lahana dumanları peşimden geliyordu sanki; kahvaltı ve hafif öğle yemeği yenilen bir yerde telefon buldum, kapısından lahana kokuları çıkıyordu dışarıya.

Jack Kardeş telefonumu alınca hiç şaşırmış görünmedi.

"Bir şeyler öğrenmek istiyordum, şey hakkında..."

"Hemen gel buraya, neredeyse biz de çıkıyoruz," dedi. Lenox Avenue'de bir yerin adresini verdi, daha ben ne istediğimi söylemeye kalmadan telefonu kapadı.

Tekrar dışarıya, soğuk havaya çıktım; hem bir şaşkınlık göstermemesine, hem de kısa, kesin konuşma tarzına içerlemiştim ama yola çıkmıştım bir kez; acele etmeden yürüdüm. Çok uzak değildi. Ben tam Lenox'un köşesine vardığımda bir araba durdu yanımda; bir sürü adam gördüm içinde, Jack de aralarındaydı, gülümsüyordu.

"Gel içeri," dedi. "Gittiğimiz yerde konuşuruz. Bir eğlenceye gidiyoruz; hoşlanırsın belki."

"Ama elbiselerim uygun değil," dedim. "Ben yarın telefon ederim size."

"Elbise mi?" diye kıkırdadı. "Bir şeyi yok elbisenin, haydi gir."

Şoförle onun oturduğu ön tarafa bindim, arkada üç adam daha vardı. Araba hareket etti.

Kimse konuşmuyordu. Jack Kardeş derin düşüncelere dalmış görünüyordu. Ötekilerse dışarıya, geceye bakıyorlardı. Bir metro vagonunda tesadüfen bir araya düşmüş yolculara benziyorduk. Nereye gittiğimizi düşünerek bir rahatsızlık hissettim; ama hiçbir şey söylememeye karar verdim. Araba, sulu, çamurlu kar üzerinde hızla gidiyordu.

Dışarıya, ilerlemekte olan geceye bakarken nasıl adamlar olduklarını düşünüyordum onların. Bir eğlenceye gider gibi davranmadıkları kesindi. Karnım açtı, akşam yemeğine zamanında dönemeyecektim. Neyse, belki de değerdi buna, hem benim hem Mary'nin açısından. Hiç olmazsa o lahanayı yemeyecektim ya!

Araba bir an trafik ışıklarında durdu; sonra şurada burada sokak lambalarıyla, yanımızdan geçen arabaların bir uzalıp bir kısalan farlarıyla aydınlanan karla kaplı uzun görüntülerin içinden hızla geçiyorduk döne döne. Şimdi kardan tamamen değişmiş olan Central Park'ın içinden hızla akıyorduk. Birdenbire bir köy sessizliğinin içine dalıvermiştik sanki; ama burada gecenin içinde bir yerlerde tehlikeli hayvanlarıyla bir hayvanat bahçesi vardı, biliyordum. Isıtılmış kafeslerinde aslanlar, kaplanlar, uykuya dalmış ayılar, yeraltına sımsıkı çöreklenmiş yılanlar. Ve, karla ve geceyle, yağan karla ve yağan geceyle örtülmüş, karanın ve beyazın altında, kül rengi sisin ve kül rengi sessizliğin altında gömülü pis su deposu da vardı. Sonra şoförün başının ötesinde, ön camın gerisinde daha büyük, daha iri görünen binalardan bir duvar görüyordum. Araba yavaşça daldı trafiğin içine, bir tepeden aşağı hızla indi.

Kentin acayip bir yerinde zengin görünüşlü bir evin önünde durmuştuk. Arabadan ötekilerle birlikte çıkıp hızla, buzlu camların arkasına yerleştirilmiş sönük ışıklarla aydınlanmış bir giriş yerine doğru giderken, kaldırıma kadar uzanmış bir tente üzerinde *Chthonian* yazısını görebildim; yüzünde tekin olmayan bir tanışıklık bulunan, resmi elbiseli bir kapıcının yanından geçtik; ses geçirmeyen bir asansöre girip dakikada bir mil hızla yukarı fırladığımızda, bütün bunları daha önce görmüşüm gibi bir duyguya kapıldım. Sonra yumuşak bir darbeyle durduk, aşağı mı indik, yukarı mı çıktık, bilemedim. Jack Kardeş önde, bir holden, üzerinde koca gözlü bir baykuş şeklinde bronzdan bir kapı tokmağı bulunan bir kapıya kadar yürüdük.

Bir an duraksadı, içeriyi dinler gibi başını uzattı, sonra elinin altında kayboldu baykuş; ben kapı tokmağı sesi çıkmasını beklerken, buz gibi soğuk ve berrak çan sesi duyuldu içerden. Az sonra kapı aralandı, şık giyimli bir kadın çıktı karşımıza; sert ve güzel yüzü birden gülümseyerek ışıdı.

"Girin Kardeşler," dedi, egzotik parfümü girişi kaplayarak.

Ötekiler geçsin diye kenarda durmaya çalışırken ben, elbisesinin üzerinde bir kesme elmas parçasının parladığını fark ettim; ama Jack Kardeş önden itti beni.

"İzninizle," dedim; ama o yerinden kıpırdamadı, sanki orada kendisinden ve benden başka kimse yokmuş gibi gülümseyişini görerek, parfüm kokulu yumuşaklığına yapışmış gibi duruyordum. Sonra geçti bu duygu; yakından ona dokunmuş olmaktan çok, bütün bunları daha önce bir yerlerde gördüğüm, yaşadığım duygusu içinde rahatsızdım. Filmlerde buna benzer sahneler görmüş, kitaplarda okumuş olmamdan mı geliyordu bu, yoksa tekrar yüze çıkmış ama derinlerde gömülü bir düşten mi geliyordu; bir türlü bilemiyordum. Her neyse, çapraşık bir durumdan dolayı, bu güne kadar ancak uzaktan seyretmiş olduğum bir sahneye girer gibiydim. Böyle pahalı bir yerde nasıl oturabilirler, diye şaşıyordum.

"Eşyalarınızı çalışma odasına koyun," dedi kadın. "Ben gidip içkilere bakayım."

Duvarları kitaplarla kaplı, eski müzik aletleriyle süslenmiş bir odaya girdik: Bir İrlanda arpı, bir avcı boynuzu, bir klarnet ve ağaçtan bir flüt, pembe ve mavi kurdelelerle boyunlarından duvara asılı duruyordu. Deriden bir divan ve bir sürü koltuk vardı.

"Paltonu divanın üzerine at," dedi Jack Kardeş.

Paltomu usulca çıkardım ve etrafıma baktım. Doğal maundan bir kitap rafının içine yerleştirilmiş bir radyonun ışığı yanıyordu; ama herhangi bir ses duyamıyordum. Geniş bir masa vardı, üzerinde gümüş ve kristal yazı takımları duruyordu; adamlardan biri gelip kitap dolabının önünde durarak kitaplara bakmaya başladığında odanın zenginliğiyle onların yoksul giyimleri arasındaki zıtlık dikkatimi çekti.

"Şimdi öteki odaya gideceğiz," dedi Jack Kardeş kolumdan tutarak.

Bir duvarında boydan boya, tavandan aşağı zengin kıvrımlarla inen kırmızı İtalyan perdelerinin sarktığı geniş bir odaya girdik. İyi giyimli birçok kadın ve erkek, gruplar halinde toplanmışlardı; kimisi büyük piyanonun yanında, ötekiler açık renk ağaç koltukların soluk bej rengi kumaşları üzerinde yayılıp oturmuşlardı. Şurada burada, birçok göz alıcı kadın görüyor ama şöyle bir göz atıyor, uzun uzun bakmaktan dikkatle kaçınıyordum. Bir iki bakış dışında kimse bana özel olarak dikkat etmediği halde, son derece rahatsız hissediyordum kendimi. Sanki görmemişlerdi beni, sanki ben burada bulunduğum halde burada değildim. Ötekiler çeşitli gruplara katılmak için uzaklaşmışlardı birden, Jack Kardeş kolumdan tutuyordu beni.

"Gel," dedi, "bir içki alalım." Odanın öteki ucuna gittik birlikte.

Bizi içeri almış olan kadın, bir gece kulübünü kaplayacak kadar geniş, özgür formda, güzel bir barın gerisinde içki karıştırıyordu.

"Bize ne vereceksin içmek için, Emma?" dedi Jack Kardeş.

"Şey, bir düşüneyim bakayım," dedi üzgün başını bir yana eğerek ve gülümseyerek.

"Düşünme, hareket et," dedi. "Çok susamış adamlarız biz. Bu delikanlı bugün, tarihi yirmi yıl öteye itti."

"Oo!" dedi kadın gözlerini dikkatle açarak. "Tanıtmalısın bana onu."

"Sabah gazetelerini oku yeter, Emma. İşler hareketlenmeye başladı. Evet, bir sıçrayış halinde." Uzun uzun güldü.

"Ne istersiniz, Kardeş?" dedi kadın, gözlerini yavaş yavaş üzerimde gezdirerek.

"Burbon!" dedim biraz yüksek sesle, Güney'de sunulan en iyi içkiyi anımsayarak. Yüzüm yanıyordu; ama bakışlarına cesaret edebildiğim kadar uzun süre cevap verdim. Güney'den tanıdığım, sert, bir-insan-olarak-size-ilgi-duymuyorum bakışları değildi bunlar, hani kara adamı bir at ya da bir böcekmiş gibi inceden inceye süzen cinsten bakış değildi; başka bir şeydi, dolaysız, ta derimin altına işlermiş gibi, nasıl-bir-insanla-birlikte-yiz-burada cinsinden bir bakıştı... Bacağımda bir yerde bir kas şiddetle atıyordu.

"Emma, burbon! İki burbon," dedi Jack Kardeş.

Bir viski şişesine uzanırken kadın, "Biliyorsunuz," dedi, "meraklıyımdır ben."

"Tabiatıyla. Daima," dedi, "meraklısındır ve merak uyandırıcı. Ama biz susuzluktan ölüyoruz."

"Sadece sabırsızlık," dedi içkileri boşaltırken. "Yani *sen* demek istedim. Söylesene bana, bu genç halk kahramanını nereden buldun?"

"Ben bulmadım," dedi Jack Kardeş. "O kendiliğinden fırladı kalabalıktan. Halk daima liderini çıkarır ortaya, bilirsin..."

"*Çıkarırmış*," dedi. "Saçma! Onları çiğner, çiğner, sonra da tükürür. Onların liderleri yapmadır, doğuştan değil. Sonra da yıkılırlar. Sen her zaman söylerdin bunu. Buyrun Kardeş."

Gözünü dikmiş bana bakıyordu. Ağır kristal bardağı aldım ve dudaklarıma götürdüm; gözlerinden kurtulmak için iyi bir özür olmuştu bu. Sigara dumanlarından hafif bir sis odanın içinde dolaşıyordu. Arkamdan bir piyanodan, yüksek perdeden hızlı ve kesik notalar geliyordu; döndüm baktım: Dişi Emma'nın alçak denemeyecek bir sesle, "Biraz daha kara olsa daha iyi olmaz mıydı, ne dersin?" dediğini işittim.

"Hişt, budalalık etme şimdi," dedi Jack Kardeş sert bir sesle. "Biz onun görünüşüyle değil, sesiyle ilgileniyoruz. Ve ben derim ki, Emma, *senin* de ilgin öyle olsun..."

Birden ateş bastı, soluksuz kaldım; odanın öbür tarafında bir pencere gördüm, oraya gittim, pencereden dışarı bakmaya başladım. Çok yüksekteydik; sokak lambaları, yol üstündeki trafik çizgileri ta aşağıda kalmıştı. Demek benim yeteri kadar kara olmadığımı düşünüyor. Ne istiyordu, kara yüzlü bir komedyen mi? Sahi, kimdi o, Jack Kardeş'in karısı mı, kız arkadaşı mı? Belki yağlı katran karası, mürekkep, ayakkabı boyası ya da kömür gibi kara görmek istiyordu beni. Neydim ben, bir insan mı yoksa işlenecek bir doğa kaynağı mı?

Pencere o kadar yüksekti ki, aşağıdaki trafiğin sesini zar zor işitebiliyordum... Kötü bir başlangıçtı bu; ama boş ver; eğer hâlâ istiyorsa, Jack Kardeş tutmuştu beni, bu Emma kadın değil. Gerçekten ne kadar kara olduğumu göstermek isterdim ona, diye düşündüm burbondan iri bir yudum alarak. Hafifti, soğuktu içki. Dikkatli olmalıydım. Çok içersem her şey olabilirdi. Bu insanlara karşı dikkatli olmak zorunda kalacaktım. Daima dikkatli. Bütün insanlara karşı dikkatli olacaktım...

"Hoş bir manzara, değil mi?" dedi bir ses; döndüm, uzun boylu, esmer bir adamdı. "Ama şimdi kütüphanede bize katılır mısınız?"

Jack Kardeş, arabada bizimle birlikte gelenler ve o zamana kadar görmediğim iki kişi daha beni bekliyordu.

"İçeri gir, Kardeş," dedi Jack. "Eğlenceden önce iş; daima iyi bir kuraldır bu, kim olursanız olun. Bir gün gelecek, kural, eğlenceyle birlikte iş diye değişecek; çünkü çalışma sevinci yeniden kurulmuş olacak o zaman. Otur."

Bütün bu konuşmanın neye dair olduğunu merak ederek tam karşısındaki koltuğa oturdum.

"Biliyor musun Kardeş," dedi. "Biz genellikle sosyal toplantılarımıza iş karıştırmayız; ama senin işinde gerekli oldu bu."

"Özür dilerim," dedim. "Daha erken aramalıydım sizi."

"Özür mü? Ne demek, biz çok mutluyuz bundan. Aylardır bekliyorduk seni. Ya da senin yaptığını yapabilecek birini."

"Ama ne...?" diye başladım.

"Ne yapıyoruz biz? Görevimiz nedir, değil mi? Çok basit, biz bütün insanlara daha iyi bir dünya kurmak için çalışıyoruz. Bu kadar basit. Birçok insan, insanlık miraslarından yoksun bırakılmış; biz de bu konuda bir şeyler yapabilmek için kardeşlik bağları içinde bir araya toplandık. Ne dersin buna?"

Sözlerinin tüm anlamını kavramaya çalışarak, "Ne diyeyim, iyi bir şey tabii," dedim. "Harika bir şey: Ama nasıl?"

"Tıpkı senin bu sabah yaptığın gibi, onları eyleme iterek... Kardeşler, ben oradaydım," dedi ötekilere, "eşsizdi. Birkaç sözle tahliyelere karşı etkili bir gösteri başlattı!"

"Ben de oradaydım," dedi bir başkası. "Dehşetti."

"Geçmişinle ilgili bir şeyler söyle bize," dedi Jack Kardeş, sesiyle ve konuşma tarzıyla doğru cevaplar istediğini belirterek. Koleje dönüşümü sağlayacak parayı kazanmak için iş aramaya geldiğimi ve bulamadığımı anlattım.

"Hâlâ oraya dönmeyi düşünüyor musun?"

"Artık düşünmüyorum," dedim. "O iş bitti artık."

"Çok güzel bu," dedi Jack Kardeş. "Orada öğrenecek pek bir şey yok senin için. Ama yine de kolej eğitimi fena bir şey değildir, öğrendiklerinin birçoğunu unutmak zorunda olsan da. Ekonomi çalıştın mı?"

"Biraz."

"Sosyoloji?"

"Evet."

"İyi, onları unutmanı tavsiye ederim. Bizim programımızı ayrıntılı olarak açıklayan şeylerle birlikte okuman için kitaplar da verilecek sana. Ama çok hızlı gitmeye başladık şimdi. Belki de Kardeşlik adına çalışmak istemiyorsundur?"

"Ama ne yapacağımı daha söylemediniz ki bana," dedim.

Gözlerini dikerek yüzüme baktı, yavaşça bardağını aldı ve iri bir yudum içti içkisinden.

"Şöyle koyalım sorunun adını," dedi. "Yeni bir Booker T. Washington olmak ister misin?"

"Ne!" Alayı görmek için yumuşak, tatlı gözlerinin içine baktım, kızıl saçlı başını hafifçe yana döndürdüğünü gördüm. "Şakayı bırakın şimdi," dedim.

"Oo, evet, ciddiyim."

"O halde ben anlamıyorum sizi." *Ben* mi sarhoştum? Ona baktım, aklı başında, ayık *görünüyordu.*

"Ne dersin bu fikre? Ya da daha iyisi, Booker T. Washington hakkında ne düşünürsün?"

"Şey, tabii, önemli bir kişiydi sanırım. Hiç olmazsa birçok kişi öyle söylüyor."

"Ama?"

"Şey..." Ne söyleyeceğimi şaşırmıştım. Yine çok hızlı gitmeye başlamıştı. Fikir, bütünüyle deliceydi ama ötekiler yine de sakin sakin bakıyorlardı bana; birisi kıvrık piposunu yakıyordu. Kibrit patladı ateş alırken.

"Ne söyleyecektin?" diye üsteledi Jack Kardeş.

"Şey, sanırım Kurucu kadar büyük değildi o, bana kalırsa."

"Ya? Peki niçin?"

"Şey, önce, Kurucu ondan önceydi ve Booker T. Washington'un yaptığı her şeyi, çok daha fazlasını hemen hemen yapmıştı. Ve ona daha çok insan inanıyordu. Booker T. Washington hakkında bir sürü tartışma duyarsınız ama Kurucu hakkında çok az kimse tartışır..."

"Hayır; ama Kurucu'nun tarihin dışında oluşundandır belki de bu. Oysa Washington hâlâ canlı bir güçtür. Fakat, *yeni* Washington yoksullar için çalışacak..."

Kristal burbon bardağımın içine bakıyordum. İnanılmaz bir şeydi bu ama garip şekilde heyecan vericiydi: Önemli olayların oluşumunda hazır bulunuyormuşum duygusuna kapıldım; sanki bir perde kalkmış ve memleketin nasıl yürüdüğüne, nasıl yönetildiğine göz atmama izin verilmişti. Ama bu adamlardan hiçbiri tanınmış değildi, en azından yüzlerini görmemiştim gazetelerde.

"Bütün eski cevapların yanlış olduğunun anlaşıldığı bu kararsızlık günlerinde, insanlar geriye, bir işaret versinler diye ölülere dönerler, diye devam etti. Geçmişte çalışmış, iş görmüş olanlardan birini çağırırlar önce, sonra bir başkasını."

Pipolu Adam sözünü kesti, "Lütfen, Kardeş" dedi, "biraz daha somut konuşsan iyi edersin."

"Lütfen sözümü kesmeyin," dedi Jack Kardeş soğuk soğuk.

"Bilimsel bir terminolojinin var olduğunu belirtmek istiyorum ben yalnız," dedi adam, sözlerini piposuyla destekleyerek. "Ne olursa olsun, burada kendimize bilim adamı diyoruz bizler. Bilim adamları gibi konuşalım öyleyse."

"Zamanı var," dedi Jack Kardeş. "Zamanı var... Anlıyorsun, Kardeş," dedi bana dönerek, "güçlük şurada, ölülerin yapacağı az şey vardır; yoksa ölü olmazlardı. Hayır! Ama öte yandan, ölülerin mutlak olarak güçsüz olduklarını düşünmek, kabul etmek de büyük bir hata olurdu. Onlar, tarihin yaşayan insanların önüne koyduğu yeni sorunlara tam cevap vermedikleri için güçsüzdürler yalnız. Ama çalışırlar cevap vermeye! Halkın, bir bunalımda çaresiz çığlıklarını duyar duymaz, ölüler cevap verir. Şu anda birçok ulusal grubun bulunduğu bu ülkede, bütün eski kahramanlar yeniden hayata çağrılıyor; Jefferson, Jackson, Pulaski, Garibaldi, Booker T. Washington, Sun Yat-Sen, Danny O'Connel, Abraham Lincoln ve saymakla bitmeyecek daha başkaları tarih sahnesine bir kez daha adım atmaya çağrılıyor. Tarihte, bir uç noktada, dünyamızın en yüksek bunalım anında durduğumuzu kuvvetle söyleyemem. İşler değiştirilmedikçe yıkım bekliyor bizi. Ve işler düzeltilmelidir. Ve halk tarafından düzeltilmelidir. Çünkü, Kardeş, insanın düşmanları dünyayı soyuyorlar, yoksullaştırıyorlar! Anlıyor musun?

"Anlamaya başlıyorum," dedim, çok etkilemişti beni söyledikleri.

"Bütün bunları söylemenin başka yolları, daha ince yolları var; ama şimdi zamanımız yok buna. Şimdi anlaşılması kolay şekilde konuşuyoruz. Bu sabah senin kalabalığa konuştuğun gibi."

Devamlı bana bakmasından rahatsızlık duyarak, "Anlıyorum," dedim.

"Yani, senin yeni Booker T. Washington olmayı isteyip istememen sorunu değildir bu, arkadaşım. Booker T. Washinton bugün Harlem'de herhangi bir tahliye olayında yeniden dirildi. Kalabalığın bilinmezliği içinden çıktı, halka hitap etti. İşte görüyorsunuz, sizinle eğlenmiyorum. Sözcüklerle de oynamıyorum. Bu olgunun bilimsel bir açıklaması vardır. Bizim bilgiç kardeşimizin de kibarca bana hatırlattığı gibi, zamanla öğreneceksiniz onu; ama adına ne dersek diyelim dünya bunalımının gerçekliği bir olgudur. Bizler, hepimiz gerçekçiyiz burada ve materyalistiz. Olayların yönünü kimin tayin edeceği sorunu vardır. İşte seni bunun için getirdik bu odaya. Bu sabah sen halkın çağrısına cevap verdin, biz de senin; halkın gerçek dili olmanı istiyoruz. Yeni Booker T. Washington olacaksın sen, hatta ondan da büyük."

Bir sessizlik oldu. Piponun ıslak çıtırtılarını duyabiliyordum. "Belki, bütün bunlar hakkında neler hissettiğini dile getirmesi için Kardeş'e izin versek iyi olacak," dedi Pipolu Adam.

"Ee, Kardeş?" dedi Jack Kardeş.

Bekleyen yüzlerine baktım birer birer.

"Bütün bunlar benim için o kadar yeni ki tam olarak bilmiyorum ne düşündüğümü," dedim. "Gerçekten bu işin adamını seçtiğinizden emin misiniz?"

"Bu seni endişelendirmesin," dedi Jack Kardeş. "Görevi yerine getireceğinden eminim ben; yalnız çok çalışman ve emirleri yerine getirmen gerekecek."

Kalkmışlardı şimdi. Bir gerçekdışılık duygusuyla savaşarak onlara bakıyordum. Kolej Öğrenci Derneği üyeliğine kabul edildiğimde arkadaşlarım nasıl bakmışlarsa onlar da öyle bakıyorlardı yüzüme şimdi. Yalnız, bu gerçekti ve şimdi benim için karar verme ya da hepiniz delisiniz deyip Mary'nin evine dönme zamanı gelmişti. Ama neyim var kaybedecek, diye düşündüm. Hiç olmazsa onlar çağırmışlardı beni, bizlerden birini, büyük bir şeyin başlangıcında; ayrıca, onlara katılmayı kabul etmesem nereye giderdim, tren istasyonunda hamallık yapmaya mı? Burada hiç olmazsa konuşma fırsatı da vardı.

"Ne zaman başlayacağım?" dedim.

"Yarın, vakit geçirmemeliyiz. Sahi, nerede oturuyorsun?"

"Harlem'de bir kadının yanında bir odada kalıyorum, kirayla," dedim.

"Ev kadını mı?"

"Bir dul," dedim. "Odaları var, kiraya veriyor."

"Tahsili nedir?"

"Çok az."

"Bugün evden atılan yaşlı çiftler gibi mi aşağı yukarı?"

"Biraz; ama kendisine daha çok bakabilecek durumda. Dayanıklı, güçlü bir kadın," dedim gülerek.

"Çok soru sorar mı? Arkadaş mısın onunla?"

"Bana karşı çok iyi," dedim. "Kiramı veremeyecek duruma gelmişken bile kalmama ses çıkarmadı benim."

Kafasını salladı iki yana. "Hayır."

"Ne oldu?" dedim.

"En iyisi sen taşın ordan," dedi. "Telefonla daha kolay bulabilmemiz için, merkeze daha yakın bir yerde bir apartman dairesi buluruz sana..."

"Ama param yok benim, hem o güvenilecek bir kişidir."

Elini sallayarak, "O iş kolay," dedi. "Çoğu işimizin sıra dışı olduğunu derhal anlayacaksın. Bu yüzden, disiplinimiz, hiç kimseyle konuşmamamızı ve farkında olmadan bilgi verebileceğimiz durumlardan kaçınmamızı ister. Yani geçmişini bir kenara koymalısın. Ailen var mı?"

"Evet."

"Mektuplaşıyor musun onlarla?"

"Tabii. Ara sıra yazarım eve," dedim soru soruş tarzına içerlemeye başlayarak. Sesi soğuklaşmış, soruşturma yapıyor gibi bir hal almaya başlamıştı.

"En iyisi sen bir ara mektup yazmayı kes," dedi. "Zaten çok meşgul olacaksın. Şurada..." Ceket cebinde bir şeyler arandı ve birden ayağa fırladı.

"Ne var?" diye sordu birisi.

"Bir şey yok, özür dilerim," dedi kapıya doğru koşarak ve işaret ederek. Bir anda kadının kapıda belirdiğini gördüm.

"Emma, sana verdiğim kağıt parçası var ya, Yeni Kardeş'e ver onu" dedi, kadın içeriye girip kapıyı arkasından kapattığında.

"Oh, sizsiniz demek," dedi anlamlı bir gülümsemeyle.

Elini tafta gece elbisesinin göğsüne soktuğunu ve beyaz bir zarf çıkardığını gördüm.

"Bu senin kimliğin," dedi Jack Kardeş. "Bu andan başlayarak kendini bu ada alıştırmaya çalış. İyice öğren; öyle ki gecenin bir yarısında bile çağrılsan bu adla cevap vermelisin. Çok geçmeden bütün ülke seni bu adla tanıyacak. Başka hiçbir çağrışa cevap vermeyeceksin, anlaşıldı mı?"

"Çalışırım," dedim.

"Ev durumunu da unutma," dedi uzun boylu adam.

"Hayır," dedi Jack Kardeş bir kaş çatışıyla. "Emma, lütfen biraz para."

"Ne kadar Jack?" dedi kadın.

Jack bana döndü. "Çok kira borcun var mı?"

"Çok," dedim.

"Üç yüz olsun, Emma," dedi.

Bu kadar paraya şaştığımı görünce, "Aldırma," dedi. "Bu parayla borçlarını ödersin, kendine elbise alırsın. Yarın sabah bana telefon et, o zamana kadar oturacak bir yer bulmuş olurum sana. Başlangıç olarak ücretin haftada altmış dolar olacak."

Haftada altmış! Söyleyecek neyim olabilirdi! Kadın odayı bir boydan bir boya geçerek masaya gitti ve parayla döndü, elime bıraktı parayı.

Anlayışlı bir tavırla, "Saklasan iyi edersin," dedi.

"Eh, Kardeşler, sanırım bu iş bitti," dedi Jack. "Emma bir içkiye ne dersin?"

"Elbette elbette," dedi Emma; bir dolaba gidip bir içki şişesiyle bir takım bardak çıkardı, her birine iki üç santim kadar beyaz bir içki koydu.

"Buyrun Kardeşler," dedi.

Jack Kardeş kendininkini alarak burnuna götürdü, derin derin kokladı. "İnsanların Kardeşliğine... Tarihe ve Değişime!" dedi bardağıma dokunarak.

"Tarihe!" dedik hep bir ağızdan.

O içtiğimiz neyse, yaktı kavurdu; gözlerimden boşanan yaşları gizlemek için başımı eğmek zorunda kaldım.

"Ooooh!" dedi birisi derin bir mutlulukla.

"Gel benimle," dedi Emma. "Ötekilerin yanına gidelim."

"Şimdi biraz eğlence," dedi Jack Kardeş. "Yeni kimliğini unutma."

Düşünmek istiyordum; ama vakit bırakmıyorlardı ki bana. Geniş odaya sürüklendim ve yeni adımla tanıştırıldım insanlara. Herkes gülümsüyor, benimle tanışmaya istekli görünüyordu, sanki hepsi de oynayacağım rolü biliyormuş gibi. Herkes coşkuyla sarılıyordu elime.

"Kadın haklarının bugünkü durumu hakkında fikriniz nedir, Kardeş?" diye bir soru sordu kocaman, siyah kadifeden İskoç şapkası takmış sade bir kadın. Fakat daha ben ağzımı açmaya kalmadan Jack Kardeş bir erkek grubuna doğru itti beni; bir tanesi sabahki tahliye olayı hakkında her şeyi bilir görünüyordu. Yakınımızda, piyanonun etrafında toplanmış bir grup, melodinin çok üstünde bir sesle halk türküleri söylüyordu. Gruptan gruba dolaşıyorduk. Jack Kardeş daima otoriter, diğerleri ise daima saygılı. Kudretli bir adam, diye düşündüm, hiç de soytarı filan değilmiş. Ama Allah kahretsindi bu Booker T. Washington dalgasını. İşi yapacaktım ama kendimden başkası olmaya niyetim yoktu. Kim olursam olayım, Kurucu'nun yaşamını örnek alacaktım. Onlar, Booker T. Washington gibi hareket ettiğimi sanabilirlerdi! Sansınlar. Ben, kendi hakkımdaki düşüncelerimi kendime saklayacaktım. Evet, konuşmamı yaptığımda gerçekte korkuyor olduğumu da saklamalıydım. Birdenbire içimde bir kahkahanın kabardığını hissettim. Bu tarih bilimi dalgasının da ne olduğunu öğrenmeliydim.

Piyanonun yanında duruyorduk; ateşli bir delikanlı Harlem topluluğunun çeşitli liderleri hakkında sorular sordu bana. Yalnızca adlarıyla tanıyordum onları; ama hepsini tanıyormuşum gibi davrandım.

"Güzel," dedi, "güzel, gelecek dönemde bütün bu güçlerle çalışmak zorundayız."

"Evet, haklısınız," dedim; içindeki buzları şakırdatarak döndürüyordum bardağı elimde. Kısa boylu, iri bir adam beni gördü ve öbürlerine durmalarını işaret etti. "Hey Kardeş," diye bağırdı, "kesin müziği çocuklar, kesin!"

"Şey, ama... Kardeş," dedim.

"Tam sana ihtiyacımız var. Seni arıyorduk biz de."

"Ya!" dedim.

"Bir zenci şarkısı ha, ne dersin Kardeş? Ya da gerçekten güzel, eski zenci iş şarkılarından biri ha? Şöyle bir şey: *Ah went to Atlanta - nevah been there befo.*" Bir elinde bardağı öteki elinde purosu kollarını bir peguen gibi iki yana açmış, şarkıyı söylüyordu. "*White man sleep in a feather bed, Nigguh sleep on teh flo...* Ha! Ha! Buna ne dersin, Kardeş?"

Jack Kardeş kalın sesiyle gürledi, "Kardeş şarkı söylemez!"

"Saçma, *bütün* zenciler şarkı söyler."

"Bilinçsiz, ırkçı şovenizmin çok çirkin bir örneği bu!" dedi Jack.

"Saçma, onların şarkı söyleyişlerini severim ben," dedi iri adam, bildiğinden şaşmaz bir edayla.

"*Kardeş şarkı söylemez!*" diye haykırdı Jack Kardeş, yüzü mosmor.

İri adam inatla bakıyordu ona. "Neden bırakmıyorsun *kendisi* söylesin şarkı söyler mi, söylemez mi...? Haydi Kardeş, canlan! Go Down, Moses, purosunu bırakıp ellerini çırparak berbat bir bariton sesle böğürüyordu. "*Way down in Egypt's land. Tell dat ole Pharaoh to let ma coloured folks sing!* Ben Zenci Kardeş'in şarkı söyleme haklarından yanayım!" diye bağırdı kavga ister gibi.

Jack Kardeş boğulacak gibiydi; elini kaldırdı, birini çağırdı. Odaların öteki ucundan iki adamın fırladığını ve kısa boylu adamı kabaca uzaklaştırdıklarını gördüm. Onlar kapının arkasında kaybolurken Jack Kardeş de arkalarından gitti, gerisinde bir ölüm sessizliği bırakarak.

Bir an orada dikildim durdum, gözlerim kapıya çivilenmiş gibi; sonra döndüm, bardak yanıyordu elimde, yüzüm patlayacakmış gibi gerilmişti. Benim yüzümden olmuş gibi neden herkes gözünü bana dikmişti? Bok mu vardı da, bakıp duruyorlardı yüzüme? Birden bağırdım, "Neniz var sizin? Hiç sarhoş görmediniz mi?" Fuayenin oralarda, kısa kalın adamın sarhoş sesi bize kadar geliyordu, "*St Louis mammieeee - with her diamond rilings...*" Bir kapı, geride bir oda dolusu şaşkın yüz bırakarak kapandı ve ses şıp diye kesildi.

Ve ben deli gibi gülmeye başladım birden.

"Yüzüme vurdu," diye soluyordum. "Bir metrelik bağırsakla yüzüme vurdu!" İki büklüm, kükreyerek; bütün oda, birbiri arkasından gelen kahkaha fırtınalarıyla aşağı yukarı inip çıkıyor gibiydi.

"Bir domuz işkembesi fırlattı," diye bağırdım; ama kimse anlamış görünmüyordu. Gözlerim doldu, zar zor görebiliyordum etrafımı. "Bir Georgia çamı gibi boylu..." Gülüyordum bana en yakın gruba dönerek. "Dut gibi sarhoş... müzikten!"

"Evet, tabii," dedi bir adam sinirli sinirli "Ha ha..."
""Rüzgârda üç çarşaf." Gülüyordum, soluk alarak şimdi ve ötekilerin sinirli sessizliğinin yavaş yavaş durulduğunu ve bütün odayı dolduran hafif dalgalar halinde gülüşmelerin başladığını, hızla bir kahkahaya; bütün boyutları, bütün şiddeti ve bütün makamlarıyla tastamam bir kahkahaya dönüştüğünü fark ettim. Herkes katılıyordu buna. Odadakiler yerlere yatıyordu gülmekten.

Bir adam, başını iki yana sallayarak, "Jack Kardeş'in yüzünü gördünüz mü?" diye bağırdı.

"Katil gibiydi!"

"Go down Moses!"

"Ne diyorum, katil gibiydi!"

Odanın öbür yanında birinin sırtını yumrukluyorlardı boğulmasın diye. Mendiller çıktı ortaya; burunlar temizleniyor, gözler siliniyordu. Bir bardak kırıldı döşemede, bir koltuk baş aşağı edildi. Acı verici kahkaha tufanına karşı koymaya çalışıyordum; biraz sakinleşince, sıkılmış, utanmış bir iyilikle bana bakarlarken gördüm onları. Ayıltıcı, kendine getirici bir şeydi bu; ama acayip bir şey olmamış gibi yapmaya kararlı görünüyorlardı. Gülümsüyorlardı. Birçoğu yanıma gelip sırtımı yumruklamak, elimi sıkmak ister gibiydi. Sanki çok duymak istedikleri bir şey söylemiştim onlara, anlamadığım bir hizmette bulunmuştum sanki. Ama işte oradaydı, yüzlerinde; yüzleri saklayamıyordu. Midem ağrıyordu. Gitmek istiyordum, bakışlarından kurtulmak istiyordum. O sırada ince ufacık bir kadın yaklaştı yanıma, elimi tuttu.

"Olanlardan dolayı özür dilerim," dedi hafif bir Yankee sesiyle, "gerçekten, sahiden özür dilerim. Kardeşlerimizden bazıları o kadar olgun değil, biliyorsunuz. Ama yine de maksatları kötü değildir. İzin verin bana onun adına özür dileyeyim sizden..."

"A, tabii, birazcık çakırkeyifti, o kadar," dedim ince New England'lı yüzüne bakarak.

"Evet, biliyorum, gösteriyordu. Dinlemesini çok sevdiğim halde, zenci kardeşlerimizden hiç istemem şarkı söylemelerini *ben*. Çünkü biliyorum çok ters bir şey olur bu. Siz bizimle birlikte dövüşmek için buradasınız, bizi eğlendirmek için değil. Sanırım beni anlıyorsunuz, değil mi Kardeş?"

Sakin sakin gülümsedim.

"Elbette anlıyorsunuz. Gitmeliyim artık, allahaısmarladık" dedi, beyaz eldivenli küçük elini uzatıp ayrılırken.

Şaşırmıştım. Ne demek istemişti yani? Başkalarının, bizleri eğlendirici kimseler, doğuştan şarkıcılar olarak düşünmelerinin bizi kızdırdığını mı sanmıştı? Ama şimdi o karşılıklı gülüşmelerden sonra bir şey rahatsız ediyordu beni: Hiç şarkı söylememiz istenemez miydi bizden? Hareketleri, bilerek ya da bilmeyerek yapılmış bir kötü niyete bağlanmadan bir hata yapma hakkı yok muydu o kısa boylu adamın. Hem, o şarkı söylüyordu, ya da söylemeye çalışıyordu. Ben isteseydim *ondan* şarkı söylemesini, ne olurdu peki? Bir misyoner gibi siyahlar giyinmiş, kalabalığın içinde kendine yol aça aça giden küçük kadına baktım. Ne işi vardı burada, Allah aşkına? Hangi tarafa oynuyordu? Amaan, ne demek istediyse istedi; güzel bir kadındı, hoşuma gitti.

Tam o sırada Emma geldi ve dansa sürükledi beni, piyano çalmaya başlamıştı; piste doğru götürdüm onu Emekli Asker'in kehanetini düşünerek ve sanki her akşam böyle dans edermişim gibi onunla, kendime çektim onu. Kendimi teslim ettiğim için artık hiçbir zaman şaşkınlık ya da bozulmuşluk gösteremeyeceğimi, buna izin olmadığını hissettim; yaşantılarımın çok ötesinde durumlarla karşılaşsam bile. Yoksa güvenilmez, değersiz biri olarak kabul edilebilirdim. Geçmiş yaşantımda –belki yalnız hayalim– hiçbir şeyin beni hazırlamadığı o görevleri bile yapmamı şu ya da bu şekilde benden beklediklerini hissettim. Yeni bir şey yoktu ki bunda; beyazlar öğrenmemeniz için akıllarına gelen her şeyi yaptıkları o şeyleri bileceğinizi ummamışlar mıydı her zaman? Yapılacak şey, hazırlanmaktı, oy verip veremeyeceğini kontrol etmek için tüm Birleşik Devletler Anayasası'nı ezberden okuması istendiğinde büyükbabamın hazırlıklı olduğu gibi. Sınavı geçerek hepsini bozum etmişti; ama yine de oy vermesini kabul etmemişlerdi ya... Neyse, bunlar farklı şeylerdi.

Bir sürü dans, bir sürü burbondan sonra Mary'nin evine geldiğimde sabahın beşine yakındı vakit. Neden bilmem, odanın hâlâ aynı olmasına şaşırdım; yalnızca, yatak örtülerini değiştirmişti Mary. İyi yürekli Mary'cik. Ayıldığımı hissettim üzüntüyle. Soyunurken, eskimiş çamaşırlarımı gördüm, onları atmak zorunda olduğumu fark ettim. Tabii, zamanıydı artık. Şapkam bile gidecekti; yeşili güneşten solmuş, kahverengi olmuştu, kışın ilk karla dökülen yaprak gibi. Yeni adım için yeni bir şapka gerekti bana. Siyah, geniş kenarlı, belki de bir melon... melon ha? Güldüm. Eh, toparlanmayı yarına bırakabilirdim. Çok şeyim yoktu; belki böylesi daha hayırlıydı. Hafif, hızlı ve uzağa gidecektim. Onlar hızlı insanlardı, olsun. Ne büyük fark vardı Mary ile onlar, kendileri için Mary'den ayrıldığım kimseler arasında. Niçin böyle olsundu, onun benden bek! ediklerinin bir kısmını yapmamı mümkün kılacak olan bu iş neden ondan ayrılmamı gerektirsindi? Jack Kardeş nasıl bir oda bulacaktı bana, niçin bırakmıyorlardı da, kendi odamı kendim seçeyim? Bir Harlem lideri olmak için başka bir yerde yaşama gerekliliği doğru gelmiyordu bana. Ama zaten hiçbir şey doğru gelmiyordu ki; onların yargılarına güvenmek zorundaydım. Bu konularda usta görünüyorlardı.

Ama nereye kadar güvenebilirdim onlara ve hangi yönden farklıydılar mütevellilerden? Her neyse, teslim etmiştim kendimi artık; parayı anımsayarak, onları çalışma sırasında öğrenirim, diye düşündüm. Dolarlar gıcır gıcırdı; bütün birikmiş kira ve pansiyon borcumu öderken Mary'nin düşeceği şaşkınlığı gözümün önüne getirmeye çalıştım. Kendisine takıldığımı sanacaktı. Ama para hiçbir zaman ödeyemezdi onun cömertliğini. Bir iş bulur bulmaz hemen ordan taşınma isteğimi hiçbir zaman anlayamayacaktı. Olur da başarı kazanırsam, nankörlüğün dik âlâsı görünecekti bu. Nasıl bakardım onun yüzüne? Karşılık olarak hiçbir şey istememişti benden. Ya da hemen hemen hiçbir şey; kendimden, onun "ırkımızın lideri" dediği bir şey çıkarmam dışında. Yalnızlık duygusuyla titredim. Ona buradan taşınacağımı söylemek zor bir iş olacaktı. Bunu düşünmek hoşuma gitmiyordu; ama insan duygusallık etmemeliydi.

Jack Kardeş'in söylemiş olduğu gibi, Tarih, hepimizden çetin görevler bekliyordu. Fakat bunlar, insanlar, zamanlarının kurbanı değil efendisi olurlarsa karşılaşacakları görevlerdi. İnanıyor muydum buna? Belki de daha şimdiden ödemeye başlamıştım. Ayrıca, şu anda da pekâlâ kabul edebilirdim, diye düşündüm, Mary gibi insanlarda sevmediğim birçok şeyin bulunduğunu. Önce, kendi kişiliklerinin nerede bitip sizinkinin nerede başladığını pek bilmezler. Onlar çoğu zaman "biz" diye düşünürler; oysa ben daima "ben" diye düşünmeye yatkınım ve bu, kendi ailemle bile birtakım sürtüşmeler doğurmuştu. Jack Kardeş ve ötekiler de "biz" diye konuşuyorlardı ama farklı, daha büyük bir "biz"di bu.

Eh, yeni bir adım ve yeni sorunlarım vardı artık. En iyisi eskiyi geride bırakmaktı. Belki de Mary'yi hiç görmemek, yalnızca, parayı bir zarfın içine koyup mutlaka bulabileceği bir yer olan mutfaktaki masanın üzerine bırakmak en iyi şey olacaktı. Bu şekilde daha iyi olur, diye düşündüm uykulu uykulu; o zaman karşısında durup heyecanlanmak, birtakım şeyleri ağzında gevelemek diye bir şey olmayacaktı... Chthonian'daki kimselerin sevdiğim bir yanı, ne hissediyorlarsa ya da ne kastediyorlarsa onu dobra dobra açıkça söyleyebiliyor görünmeleriydi. Bunu da, bunu da öğrenmeliydim... Yatak örtüsünün altına uzandım, altımda yayların gıcırdadığını işiterek. Oda soğuktu. Evin gece seslerini dinledim. Saat, boş bir acelecilik içinde tik tak ediyordu, sanki zamana yetişmek ister gibi. Sokakta bir canavar düdüğü ötüyordu.

On Beş

Sonra uyku ile uyanıklık arası, yatakta dimdik oturmuş, insanın sinirlerini ayağa kaldıran o saygısız gürültünün ne olduğunu anlamaya çalışarak, pis gri ışığın içinde bakıyordum etrafıma. Battaniyeyi kenara iterek ellerimle kulaklarımı kapadım. Birisi kalorifer borularına vuruyordu, bense öyle çaresiz bakıp duruyordum. Kulaklarım zonkluyordu. Böğürlerim şiddetle kaşınmaya başlamıştı, yırtar gibi çıkardım pijamalarımı kaşınmak için; acı birden kulaklarımdan böğrüme sıçramış gibi oldu ve vücudumu tırmalayan, kazıyan tırnaklarım altında, eski derinin kalktığı yerde, gri beneklerin belirdiğini gördüm. Bakarken, tırmalanmış yerlerden kan fışkırdığını gördüm ince çizgiler halinde; acı veriyor, zaman'la yer'i birleştiriyordu yine. Mary'nin evindeki son günümde oda soğudu, diye düşündüm ve birden yüreğimde bir sızı duydum.

Daha yüksek sesler içinde zil sesi duyulmayan saat yedi buçuğu vuruyordu, yataktan kalktım. Acele etmeliydim. Bana vereceği emirler için Jack Kardeş'e telefon etmeden önce alışveriş yapacaktım daha, sonra parayı da vermeliydim Mary'ye. Niçin susturmuyorlardı bu gürültüyü? Ayakkabılarıma uzandım çekine çekine; vuruş sanki başımın iki üç santim yukarısından geliyordu. Niçin susturmuyorlar, diye düşündüm. Ya ben niçin o kadar boş hissediyordum kendimi? Burbondan mıydı? Sinirlerim mi bozuluyordu?

Bir sıçrayışta odanın öbür ucuna gittim ve ayakkabımın topuğuyla boruya vurmaya başladım delicesine.

"Sustur şunu, eşek kafalı!"

Kafam ikiye ayrılıyordu sanki. Kendimi kaybetmiş, boruya vuruyordum; borudan yaldız parçaları fırlıyor, siyah, paslı demir ortaya çıkıyordu altından. Madeni bir şey kullanıyor olmalıydı şimdi, vuruşlar daha keskin, daha sert geliyordu.

Kim olduğunu bir bilsem, diye düşündüm, karşılık vermek için vuracak ağır bir şey arayarak. Bir bilsem!

Sonra kapının yanında daha önce hiç dikkatimi çekmemiş olan bir şey gördüm: Dökme demirden, kırmızı dudaklı, koca ağızlı, çırılçıplak bir zenci figürü; beyaz gözlerini yüzüme dikmiş, yüzünde koca bir sırıtış, tek kocaman siyah elini, avuç içi yukarda, göğsünde tutuyor. Bir kumbaraydı bu, eski bir Amerikan işi; para avcuna konup arkasındaki kola basılınca kolunu kaldırıp parayı sırıtan ağzına atan cinsten bir kumbaraydı. Bir an, öfkenin içimde kabardığını hissederek durdum, sonra fırladım ve kaptım kumbarayı; bir yandan gürültü, bir yandan Mary'ye, kendisiyle alay eden böyle bir şeyi buralarda bulundurtan aldırmazlık ya da anlayışsızlık veya her neyse o şey, kızdırıyordu beni.

Yüzündeki ifade, bir sırıtıştan çok bir boğuluşa benziyordu şimdi elimde. Gırtlağına kadar bozuk parayla dolmuş, boğuluyordu.

Fırlayıp, boruya yamru yumru demir kafayla bir darbe indirirken, nasıl gelmiş bu Allah'ın belası şey buraya diye düşünüyordum. "Sus ulan!" diye haykırdım; bir yerlere gizlenmiş olan vurucuyu kızdırmaktan başka bir işe yaramadı sanki bu. Gürültü sağır edici olmuştu. Apartmanın altında, üstünde oturan herkes katılmıştı curcunaya. Parlak parçacıkların uçuştuğunu görerek, yüzüme yaldız ve pas parçaları sıçratarak vuruşlara cevap veriyordum. Boru, vuruşlarla inliyordu sanki. Pencereler açılıyordu. Aydınlıktan, ağza alınmaz küfürler savuruyordu birtakım sesler.

299

Kim başlattı bunu acaba, diye düşündüm, kimdir sorumlusu bunun?"

"Neden, yirminci yüzyılda yaşayan sorumlu kişiler gibi davranmıyorsunuz?" diye haykırıyordum boruda bir vuruş daha yaparken. "Atın şu köylülüğü artık! Medeni olun!" Sonra bir parçalanma sesi; demir kafanın elimde dağıldığını, ufalandığını hissettim. Bozuk paralar, bir çekirge sürüsü gibi, tıngır mıngır yuvarlana yuvarlana dağıldı odanın içine. Yorgunluktan ölmüştüm, durdum.

"Dinleyin, dinleyin şunları bir!" diye bağırıyordu Mary, holden. "Ölüyü bile uyandırır bu gürültü be! Hepsi bilir halbuki, sıcaklık kesilince ya sarhoştur kapıcı, ya da karısını aramaya çıkmıştır işini bırakıp, bilirler bunu. Neden, bilir de böyle hareket eder millet, anlamam?"

Şimdi benim kapıma gelmişti, borulara inen darbelerle aynı düzende kapıyı çalıyor, "Oğul! O gürültünün birazı da senin ordan gelmiyor mu?" diye bağırıyordu.

Kararsızlık içinde, kırılmış kafanın yerdeki parçalarına, etrafa saçılmış, her çeşidinden bozuk paralara bakarak bir o yana bir bu yana dönüyordum.

"Beni duyuyormusun, oğul?"

"Ne var?" diye bağırdım, yere atılıp çılgın gibi kırılmış parçaları toplayarak; bir yandan da, "şimdi kapıyı bir açarsa, işim bitiktir," diye düşünerek...

"O patırtının birazı da senin ordan gelmiyor mu, dedim?"

"Evet doğru, Mary," diye bağırdım, "ama bir şeyim yok... Uyanığım."

Kapı tokmağının döndüğünü gördüm ve dondum. "Bana öyle geldi ki çoğu buradan geliyordu. Giyinik misin?" dediğini işittim.

"Hayır," diye bağırdım. "Giyiniyorum şimdi. Bir dakikaya kadar giyinirim."

"Mutfağa gel," dedi, "sıcak burası. Sobanın üzerinde sıcak su var, yüzünü yıkarsın... Kahve var. Tanrım, şu gürültüye bak!"

O kapıdan uzaklaşıncaya kadar donmuş gibi durdum. Acele etmeliydim. Yere diz çöktüm, kumbaranın bir parçasını aldım;

kırmızı gömlekli göğsünden bir parçaydı, üzerinde beyaz demir harflerle bir yay şeklinde BESLE BENİ yazısı vardı, bir atletin gömleğinin üzerindeki takım adı gibi. Bir el bombası gibi parça parça olmuştu heykel, boyalı demirin sivri parçaları paraların içine saçılmıştı. Elime baktım, küçük bir damla kan görünüyordu. Bu süprüntüyü gizlemeliyim, diye düşündüm kanı silerken. Hem bunu, hem de ayrıldığım haberini bir arada veremezdim ona. Sandalyeden bir gazete alarak kalınca katladım ve paraları ve kırık parçaları süpürüp bir yığın halinde topladım. Nereye gizleyebilirim, diye düşündüm, demir parçalarına, sırıtan dudağın bir parçasının donuk kırmızısına derin bir nefretle bakarken. Sıkıntıyla düşündüm; Mary ne diye böyle bir şeyi buralarda bulunduruyor yani? Niçin? Yatağın altına baktım. Tozsuzdu orası, herhangi bir şeyi gizleyecek gibi değildi. Gereğinden fazla iyi bir ev kadınıydı Mary. Peki ya paralar ne olacaktı? Allah kahretsin! Belki de benden önceki kiracı bırakmıştı bu şeyi. Neyse, kim olursa olsun, gizlenmeliydi bir yere. Dolap vardı; ama orada da bulurdu. Ben ayrıldıktan birkaç gün sonra benim şeyleri temizleyecek, bulacaktı o zaman da. Vuruşlar, apartmanda ısının olmayışını protestonun ötesine geçmişti artık, yaygara bir rumba ritmine dönmüştü:

Tak!
Tak - tak
Tak - tak
Tak!
Tak - tak!
Tak - tak!
Döşeme sallanıyordu.

"Birkaç dakika daha yaparsınız ulan orospu çocukları," dedim bağırarak, "sonra gitmiş olacağım! İnsana saygı yok ki! Uyumak isteyenler olabilir diye de mi düşünmüyorsunuz ulan! İnsan çıldırır bu gürültüden be!"

Ama paket vardı daha. Kente giderken yolda atmaktan başka yapacak şey yoktu. Sıkı bir paket yaparak paltomun cebine yerleştirdim. Mary'ye bozuk paraları da karşılayacak kadar para verecektim. Ayırabildiğim kadarını verecektim ona, gerekirse, elimdekinin yarısını. Birazını karşılardı yaptıklarının. Değerini bilirdi o bunun. Şimdi korkuyla fark ettim ki onunla yüz yüze gelmem gerekiyordu. Başka yolu yoktu. Ona ayrıldığımı söyleyip parasını verdikten sonra niçin çekip gidemeyeyim? Bir ev sahibiydi o, bense bir kiracı. Hayır, daha başka bir şeyler vardı ve ayrıldığımı ona söyleyecek kadar bile katı ve bilimsel değildim. Ona bir işim, herhangi bir işim olduğunu artık söyleyeceğim; ama şimdi olması gerek bunun.

Ben içeriye girdiğimde masaya oturmuş kahve içiyordu; sobanın üzerinde çaydanlık ıslık çalıyor, buhar fışkırıyordu yukarı.

"Vay, pek ağırsın bu sabah," dedi. "Çaydanlıktaki suyun birazını al da git yüzünü yıka. Uykulu olduğuna göre belki soğuk suyla yıkansan daha iyi olurdu ya."

"Bu iyi," dedim soğuk soğuk, baharın yüzüme çarptığını, çabucak su haline geldiğini ve soğuduğunu hissederek. Sobanın üst yanındaki saat benimkinden geriydi.

Banyoda lavabonun tıkacını taktım ve sıcak suyun bir kısmını içine dökerek musluğu açıp suyu ılıttım. Uzun süre yüzüme ılık su vurdum, sonra kuruladım ve mutfağa döndüm.

"Çaydanlığı doldur yine," dedi ben dönünce. "Nasılsın?"

"Şöyle böyle," dedim.

Üzeri emaye masaya dirseklerini dayamış, kahve fincanını iki eliyle tutarak, iş yorgunu küçük parmağı kibarca kıvrılmış, oturuyordu. Lavaboya gittim, musluğu açtım, soğuk suyun hızla elimin üzerinde aktığını hissediyor, ne yapmam gerektiğini düşünüyordum...

"Yeter oğul," dedi Mary; irkildim. "Uyan artık!"

"Burada değilim sanki," dedim. "Dalmış gitmiştim."

"Neredeyse çağır aklını da, gel biraz kahve al kendine. Benimkini bitireyim de bir şeyler hazırlayayım ikimize kahvaltı için. Sanırım dün geceden sonra bu sabah bir şeyler yiyebilirsin. Akşam yemeğine gelmedin."

"Özür dilerim," dedim. "Kahve yeter."

"Oğul, yemekten kesildin yine," diye uyardı, kahve fincanını ağzına kadar doldurarak.

Fincanı aldım, bir yudum içtim. Şekersizdi, acıydı. Bakışları, benden şeker kabına gitti, sonra tekrar bana döndü; ama bir şey söylemedi, sonra kendi fincanını döndürmeye başladı içine bakarak.

"Süzgeçler eskidi galiba," diye düşünceli düşünceli söylendi. "Bunlar kahveyle birlikte tortusunu da geçiriyor, iyiyle birlikte kötüyü de. Anlamıyorum bir türlü; süzgeçlerin en iyisi de olsa fincanın dibinde bir iki tanecik tortu buluyorum."

Gözlerimi Mary'ninkilerden kaçırarak dumanı tüten sıvıyı üflüyordum. Vuruşlar yeniden dayanılmaz olmaya başlıyordu. Bir an önce uzaklaşmalıydım. Yağlı, renkli bir girdabı fark ederek sıcak madeni yüzüne bakıyordum kahvenin.

"Bak Mary," dedim, doğrudan doğruya dalarak konuya, "bir şey hakkında konuşmak istiyorum seninle."

"Buraya bak oğul," dedi ters ters. "Gene kira mira laflarınla canımı sıkma bu sabah. Korkmuyorum ben; çünkü biliyorum ki eline geçince ödersin bana. Bu ara unut onu. Kimse açlıktan ölmez bu evde. Şansın nasıl gidiyor, bir iş uydurabildin mi?"

"Hayır, yani tam olarak değil," diye kekeledim, fırsatını yakalayarak. "Ama bu sabah birisiyle buluşacağım bir iş hakkında..."

Yüzü ışıdı. "Ooo, çok güzel. Nihayet bir şeyler bulacaksın. Biliyordum."

"Ama borçlarım," diye yeniden başladım.

"Düşünme onu. Biraz sıcak çörek ister misin?" diye sordu, kalkıp dolaba doğru giderken. "Bu soğuk havada biraz tutar mideni."

"Zamanım yok," dedim. "Ama senin için bir şeyim var benim..."

"Nedir o?" dedi, dolabın içini süzerken sesi boğuk boğuk çıkıyordu.

"Burada" dedim, parayı çıkarmak için acele acele elimi cebime attım.

"Ne? Bakayım biraz şurup olacaktı..."

"Ama bak," dedim sabırsızca, yüz dolarlık bir kağıt para çıkararak.

Sırtı hâlâ bana dönük. "Yukardaki raflardan birinde olmalı," dedi.

Dolabın yanındaki merdiveni çekip üzerine çıktı, dolabın kapaklarına tutunarak daha yukardaki raflardan birine baktı. Ben içimi çektim. Söyleyemiyordum bir türlü...

"Ama sana bir şey vermeye uğraşıyorum ben," dedim.

"Niye rahat bırakmıyorsun beni, oğul? Ne vermeye uğraşıyormuşsun bana?" dedi omzunun üzerinden bakarken.

Parayı yukarı kaldırdım. "Bunu," dedim.

Boynunu uzattı. "Oğul, ne o elindeki?"

"Para."

"Para mı? Aman Allah'ım, oğul!" dedi, bütün vücuduyla geri dönerken neredeyse dengesini yitiriyordu. "Nerden buldun o kadar büyük parayı? Piyango mu oynuyordun?"

"Bildin. Benim numaram çıktı," dedim minnetle, numaranın kaç olduğunu sorarsa ne söyleyeceğimi düşünerek. Bilmiyordum ki! Hiç oynamamıştım ki!

"Ama nasıl oldu da bana söylemedin? Bir beş sent de ben katardım hiç yoksa."

"Bir şey çıkacağını sanmıyordum," dedim.

"Aferin. Ve Allah bilir hem de ilk defa oynuyordun."

"Öyle."

"Görüyorsun, nasıl bildiydim senin şanslı biri olduğunu. Ben yıllardır oynuyorum, sen bir damla atıyorsun kovaya o kadar parayı vuruyorsun. Senin namına sevindim, oğul. Doğrusu, sevindim; ama istemem senin paranı. Bir iş buluncaya kadar sakla."

"Ama hepsini vermiyorum ki sana o paranın," dedim aceleyle. "Kabaca bir hesap."

"Yüz dolarlık bir kağıt para o ama. Şimdi alırım ben onu, bozdurmaya çalışırım, beyazlar bütün hayat hikâyemi öğrenmek isterler." Bir kahkaha attı. "Nerede doğmuşum, nerede çalışıyorum, son altı aydır neredeydim? Bütün bunları söylerim de onlar hâlâ çaldığımı sanırlar. Daha ufaklığı yok mu?"

"En ufağı bu. Al" diye yalvardım. "Yeteri kadar kaldı bana."

Şeytan şeytan baktı yüzüme, "Eminsin?"

"Sahiden" dedim.

"Eh, ben derim ki..." Dur şuradan ineyim, düşüp de boynumu kırmadan! Oğul," dedi, merdivenden inerken.

"Hay sağ olasın sen. Ama bak sana söyleyim, yalnız bir kısmını kendime ayıracağım, gerisini bir kenara koyacağım senin için. Başın sıkışınca Mary'ye gelirsin."

Parayı dikkatle katlayışını ve hep sandalyesinin arkasında asılı duran deri çantasına koyuşunu seyrederek, "Sanırım darda kalmayacağım, artık," dedim.

"Gerçekten sevindim; çünkü beni sıkıştırıp duran o faturaları ödeyebilirim artık. Ne güzel olacak, gideceğim oraya, 'laap' diye basacağım parayı önlerine, artık beni rahatsız etmeyin diyeceğim o heriflere. Oğul, şansın sahiden döndü, inan. Rüyada mı gördün numarayı?"

Canlanmış yüzüne baktım. "Evet," dedim, "ama karışık bir rüyaydı."

"Neydi numara? Allah'ım! Bu ne!" diye bağırdı ayağa kalkıp kalorifer borusunun yanındaki muşambayı göstererek.

Yukarı kattan gelen kalorifer borusundan aşağı küçük bir grup hamam böceğinin indiğini, borunun sarsılışıyla patır patır aşağıya döküldüğünü gördüm.

"Süpürgeyi getir!" diye bağırdı Mary. "Dolabın dışında, orada!"

Sandalyeden kalktım, süpürgeyi kapıp yanına koştum; süpürgeyle, ayağımla, dağılan hamam böceklerine vura vura topladım onları bir yere.

"Ne pis, ne iğrenç şeyler!" diye bağırıyordu Mary. "Masanın altındakine bak! Bak, oradaki, gidiyor, bırakma iğrenç hayvanı!"

Ezilmiş böcekleri süpürerek bir yığın halinde topladım. Mary heyecandan soluk soluğa faraşı uzattı bana.

"Bazı insanlar pislik içinde yaşarlar," dedi iğrenerek. "Azıcık dürtme bir yerlerini, hemen böcekler fırlar dışarı. Yeter ki salla birazcık."

Muşambanın üzerindeki ıslak lekelere baktım, sonra midem bulanarak faraşı ve süpürgeyi yerine bıraktım ve dışarıya yöneldim.

"Kahvaltı etmeyecek misin?" dedi. "Şunları temizler temizlemez başlayacaktım hazırlamaya."

"Zamanım yok," dedim, elim kapı tokmağında. "Görüşmem erken saatte, sonra bir iki şey daha yapmam gerek önceden."

"Öyleyse işin biter bitmez uğra da bir şeyler ye. Midende bir şey olmadan çok uzaklara gitme bu havada. Hem biraz paran var diye dışarıda yemek yiyebileceğini düşünme hemen!"

"Düşünmem. Dikkat ederim parama," dedim; ellerini yıkamak için sırtını dönmüştü.

"Eh, iyi şanslar oğul," diye seslendi. "Bu sabah gerçekten hoş bir sürpriz yaptın bana; yalansam, yılan girsin koynuma!"

Neşeli neşeli güldü; odama gittim ve kapıyı kapadım. Paltomu giyerek dolaptan toplu dövüşte ödül olarak verilen el çantamı çıkardım. Dövüş gecesi olduğu kadar yeniydi hâlâ, parçalanmış kumbarayı ve bozuk paraları içine koyup ağzını kapayınca şişti. Sonra dolabın kapağını kapadım ve oradan ayrıldım.

Vuruşlar o kadar rahatsız etmiyordu artık beni. Holden aşağı inerken, Mary hüzünlü, tertemiz, su gibi bir türkü söylüyordu; kapıyı açıp dış hole adım attığımda hâlâ duyuluyordu sesi. O zaman aklıma geldi, orada, holün soluk ışığı altında, kokusu kaybolmakta olan kâğıdı çıkardım cüzdanımdan ve dikkatle açtım. Bir titreme geldi üzerime; uzun uzun, acıyla baktım.

Gece yağan kar, gelip geçen arabaların lastikleri altında ezilmeye, yayılmaya, kirlenmeye başlamıştı bile; hava dünden sıcaktı. Kaldırımdaki yayaların içine daldım; el çantamın içindeki paketin ağırlığından sallandığını, bacağıma çarptığını hissediyordum. İlk çöp tenekesine rastlar rastlamaz parçalanmış kumbaradan ve bozuk paralardan kurtulmaya karar verdim. Bana Mary'nin evindeki son sabahımı anımsatacak böyle bir şeyin gereği yoktu.

Bir sıra tek katlı eski evin önüne dizilmiş yamru yumru çöp tenekelerine doğru yöneldim, yanlarına yaklaşınca paketi bir tanesinin içine fırlattım ve hiçbir şey olmamış gibi yürüdüm.

Tam o sırada bir kapının açıldığını, birinin bas bas bağırdığını duydum:

"Hayır, hayır, yapma! Dön de al onu!"

Döndüm, başını ve omuzlarını örten yeşil paltosuyla eşikte dikilen ufak bir kadın gördüm; paltosunun kolları, gıdasızlıktan kurumuş, zayıflamış fazladan kollar gibi gevşek gevşek sarkıyordu yanlardan.

"Sana diyorum," diye bağırdı. "Geri dön ve çöpünü al. Bir daha da kendi çöpünü benim tenekeme koyma!"

Kısa boylu sarışın bir kadındı, bir zincire bağlı, burundan takma gözlüğü gözünde, saçları kıvrılmış, iğnelerle tutturulmuş.

"Biz buraları temiz pak tutalım, sizin gibi görgüsüz zenciler ta Güney'den kalkıp gelsin berbat etsin, öyle mi?" diye bağırıyordu, öfkeden kıpkırmızı.

Gelen geçen bakmak için duruyordu. Blokun aşağısından bir evden bir apartman kapıcısı çıktı ve kaldırımın ortasında durdu; kurnaz, canı kavga ister bir tavırla yumruğunu avcunda şaklatıyordu. Duraladım; utanmış, canım sıkılmıştı. Deli miydi bu kadın?

"Sana diyorum! Evet sana! Sana söylüyorum! Al onu oradan hemen! Rosalie," diye bağırdı evin içinde, birisine, "polisi çağır, Rosalie!"

Buna gelemem işte, diye düşündüm ve çöp tenekesine doğru yürüdüm. "Ne var, bayan?" diye bağırdım kadına. "Çöpçü geldikten sonra çöp çöptür. Sokağa atmak istememiştim onu. Bazı çöplerin ötekilerden daha iyi olduğunu bilmiyordum doğrusu."

"Küstahlığı bırak," dedi. "Bıktım usandım siz Güneyli köylü zencilerin ortalığı karıştırıp başımızı derde sokmasından!"

"Pekâlâ" dedim. "Alıyorum."

Yarı dolu tenekeye uzandım, paketi aradım, çürümekte olan çöplerden çıkan pis koku burnuma doldu. Pis pis bir şeyler bulaştı elime, ağır paket ta dibe batmıştı. Küfrederek, temiz elimle kolumu sıvadım ve paketi buluncaya kadar karıştırdım tenekeyi. Sonra bir mendille kolumu sildim ve bakmak için durup sırıtan insanların arasından geçip gittim.

"Bu sana iyi bir ders olur," diye bağırıyordu ufak tefek kadın, eşikte durmuş.

Geriye döndüm ve eve doğru yürüdüm. "Yeter artık be, sarı kokona! Polis mi çağıracaksın, ne yapacaksan yap." Sesime yeni bir incelik, bir tizlik gelmişti. "Ne diyorsan yaptım işte; bir kelime daha söylersen bu sefer ben ne istiyorsam onu yapacağım."

Gözlerini aça aça baktı bana. "İnanırım yaparsın," dedi, kapıyı açarak. "İnanırım yaparsın."

"Hem de bayıla bayıla yaparım," dedim.

Kapıyı yüzüme çarparak, "Efendilik nerde, sen nerde?" diye bağırdı.

Daha sonraki çöp tenekelerinde bileğimi ve ellerimi bir gazete parçasıyla sildim, gazetenin kalanıyla paketi sardım. Bir dahaki sefere sokağın ortasına fırlatacaktım.

İki blok gidince öfkem dağıldı; ama garip şekilde yalnız hissettim kendimi. Yol kavşağında, etrafımdaki insanlar bile, her biri kendi düşünceleri içinde kaybolmuş, ayrı dünyalarda görünüyordu bana. Ve tam ışıklar değiştiğinde paketi ayaklar altında çiğnenmiş karın içine bıraktım ve hızla karşıya geçtim, "Tamam oldu bu iş," diye düşünerek.

Birisinin arkamdan bağırdığını duyduğumda iki blok ötedeydim.

"Hey, hemşerim! Hey, sen! Siz, bayım... Bir saniye durun!" Karın üzerinde hızla koşan ayakların gıcırtısını işittim. Sonra yanıma geldi. Eski elbiseli bodur bir adamdı; yüzüme gülümseyerek bakarken soludukça soğuktan beyaz beyaz dumanlar çıkıyordu ağzından.

"O kadar hızla gidiyordun ki yetişemeyeceğim sandım," dedi. "Bir şey kaybetmedin mi, şuracıkta?"

Allah kahretsin, al sana bir hayırsever daha, diye düşündüm, inkâr edecektim. "Bir şey kaybetmek mi?" dedim." "Yoo, hayır."

"Eminsin?" diyerek kaşlarını çattı.

"Evet," dedim; alnının şüpheyle kırıştığını, yüzüme bakarken gözlerine sıcak bir korku dalgasının yayıldığını gördüm.

"Ama *gördüm* ben seni. Hey arkadaş," dedi, hızla caddeden yukarı bakarken, "ne yapmaya çalışıyorsun?"

"Yapmak mı? Ne demek istiyorsun?"

"Bir şey kaybetmediğini söylüyorsun da, ben de onu söylüyorum işte. Dolandırıcılık dalgası filan mı yoksa?" Geri geri gitti, caddenin yukarısında, geldiği yerdeki yayalara telaşla baktı.

"Neler söylüyorsun Allah aşkına sen?" dedim. "Söyledim sana, bir şey kaybetmedim."

"Arkadaş, bak böyle konuşma! *Gördüm* seni. Sen ne demek istiyorsun asıl," dedi sinsice paketi çıkararak cebinden. "Para mı, tabanca mı, bir şey var bunun içinde; hem iyi biliyorum ki sen düşürdün onu."

"Ha, o," dedim. "Bir şey değil o; ben de sandım ki siz..."

"Tamam, bu ya! Demek hatırlıyorsun, öyle değil mi? Ben sanıyorum sana bir iyilikte bulunacam, sense enayi yerine koyuyorsun beni. Dolandırıcı mısın, esrar satıcısı mısın, nesin? Faka bastırmaya mı çalışıyorsun beni yoksa?"

"*Faka bastırmak* mı?" dedim. "Yanlışınız var."

"Yanlış ha, ne yanlışı! Al şu boktan şeyi," dedi, sanki ucundaki yanar fitiliyle bir bombaymış gibi paketi zorla tutuşturdu elime. "Çoluğum çocuğum var benim, arkadaş. Ben sana iyilik etmeye çalışıyorum, sen tutmuş başımı belaya sokmaya uğraşıyorsun. Polisten filan mı kaçıyorsun yoksa?"

"Bir dakika," dedim. "Hayalin iyi çalışıyor maşallah! Çöp bu be, bir şey değil!"

"Haydi haydi, babana yuttur onu," diyerek soludu. "Ne cins bir çöp olduğunu bilirim ben onun. Siz New York'lu genç zenciler hepiniz serserisiniz! Namussuzum ki öyle! İnşallah yakalarlar da tıkarlar içeri seni!"

Sanki kızamık filan varmış gibi bende fırladı gitti. Pakete baktım. Arkasından bakarken, bir tabanca ya da çalınmış eşya sandı, diye düşündüm. Birkaç adım sonra rahatça sokağa atmak üzereydim ki paketi, geriye baktığımda şimdi yanına bir başka adam daha almış beni gözlediğini, bana doğru eliyle birtakım işaretler yaptığını gördüm adamın. Hızlandım. Biraz daha beklersem polis çağıracaktı kaçık. Paketi yeniden çantanın içine attım. Kentin merkezine varıncaya kadar bekleyecektim.

Metroda, çevremdeki insanlar çirkin yüzlerini öne doğru uzatmış sabah gazetelerini okuyordu. Gözlerimi kapamış, kafamı Mary'nin söylediklerine açık tutmaya çalışarak gidiyordum. Sonra döndüm, adamın biri gazetesini indirip açılan kapıdan dışarı çıkarken birden gözüme çarptı: *Harlem'de Bir Tahliye Sırasında Şiddetli Protesto*. 42. Cadde'ye kadar zor bekledim; küçük, resimli bir gazetede ön sayfaya basılmış buldum hikâyeyi, acele acele okudum. Adım, o heyecan sırasında ortalıktan kaybolan, bilinmeyen bir "halk kışkırtıcısı" olarak geçiyordu, benden başkası olamazdı bu. Olaylar iki saat sürmüş, kalabalık, binayı boşaltmayı reddetmişti. Yeni bir kendine güven duygusuyla girdim elbiseciye.

Niyetlendiğimden daha pahalı bir elbise seçtim, onlar paçaları boyuma göre uydururken, bir şapka, bir sürü şort, ayakkabı, iç çamaşırı, çorap satın aldım ve Jack Kardeş'e telefon etmeye koştum; emirlerini, bir general gibi tak-tak-tak verdi Jack Kardeş. Doğu Yakası'nın üst yanında bir numaraya gidecektim, bir oda bulacaktım orada, odada benim için bırakılmış Kardeşlik edebiyatını okuyacaktım ve bu akşam bir Harlem mitinginde konuşma yapacağımı aklımdan çıkarmayacaktım.

Adres, İspanyol-İrlandalı karışımı bir mahallede gösterişsiz bir binanın adresiydi; ben apartman kapıcısının kapısını çaldığımda oğlanlar caddenin bir başından öbür başına kartopu oynuyorlardı. Kapıyı, yüzünde bir gülümseme olan, hoş görünüşlü küçük bir kadın açtı.

"Günaydın Kardeş," dedi. "Daireniz hazır. Bu sıralarda geleceğinizi söylemişti, ben de daha yeni inmiştim aşağıya dairenizden. Tanrım, kara bak."

Üç kat merdiven tırmandım arkasından, koca bir dairede tek başıma ne halt edeceğimi düşünerek.

"İşte burası," dedi, cebinden bir deste anahtar çıkarıp holün tam karşısındaki bir kapıyı açarak. Kış güneşinin aydınlattığı rahatça döşenmiş bir küçük odaya girdim. "Burası oturma odası," dedi övünerek, "şurası yatak odanız."

Gerektiğinden çok genişti; bir konsol, iki koltuk, iki dolap, bir kitap rafı ve üzerinde Jack'in sözünü ettiği kitapların yığılı

durduğu bir çalışma masası. Yatak odası bir banyoya açılıyordu, ufak bir de mutfağı vardı. "Umarım seversiniz, Kardeş," dedi ayrılırken. "Bir şeye ihtiyacınız olursa zili çalın lütfen."
Daire tertemizdi, düzenliydi, sevmiştim; özellikle küveti ve duşuyla banyoyu. Çabucak küveti doldurdum ve daldım içine. Sonra kendimi arınmış ve canlanmış hissederek Kardeşlik'in kitapları ve broşürleri üzerinde kafa yormak üzere oturma odasına gittim. Çantam, içindeki kırık şeyle duruyordu masanın üzerinde. Daha sonra atardım paketi; şimdi şu akşamki mitingi düşünmeliydim.

On Altı

Saat yedi buçukta Jack Kardeş ve ötekiler beni aldılar, bir taksiyle Harlem'e yollandık. Daha önce olduğu gibi hiç kimse, tek bir kelime konuşmuyordu. Yalnız, köşede, romla yıkanmış tütün doldurduğu piposunu gürültüyle çekip duran bir adam vardı; pipo yanıp söndükçe karanlıkta kırmızı yuvarlak bir şey parlıyordu. Gittikçe artan bir sinirlilik içinde gidiyordum arabada; taksi alışılmadık derecede sıcak geliyordu. Bir yan sokakta indik, karanlıkta dar bir aralıktan aşağı, koskoca ahıra benzer bir binanın arkasına vardık. Öteki üyeler gelmişlerdi.

"İşte geldik," dedi Jack Kardeş. Karanlıkta bir arka kapıdan, tavandan kordonlarla asılmış çıplak ampullerin aydınlattığı bir giyinme odasına doğru götürdü bizi; tahta sıraların, kapaklarının üzerine adların kazındığı bir sıra çelik dolabın bulunduğu küçük bir odaydı burası. Her yana sinmiş ter, tentürdiyot, kan ve vücudu ovuşturmak için kullanılan alkol kokan bir soyunma odası; anıların yavaş yavaş su yüzüne çıktığını hissettim.

"Bina doluncaya kadar burada kalacağız," dedi Jack Kardeş. "Sonra ortaya çıkacağız, tam, sabırsızlıkları son haddeye varınca!" Sırıttı bana. "Bu arada sen ne söyleyeceğini düşün. Bıraktığım şeylere baktın mı?"

"Bütün gün," dedim.

"İyi. Ama ben yine derim ki, sen bizlerin söylediklerini dikkatle dinle. En son sen konuşacaksın."

Öteki adamlardan ikisini kollarından tutup köşeye doğru götürdüğünü görerek başımı salladım. Tek başımaydım; ötekiler notlarını inceliyorlar, birbirleriyle konuşuyorlardı. Rengi atmış duvara iliştirilmiş yırtık bir fotoğrafa bakmak için odanın öbür ucuna gittim. Ödül kazanmış eski bir şampiyonun, gözlerini ringde kaybetmiş popüler bir boksörün dövüş anında çekilmiş bir resmiydi. Tam da bu meydanda olmalı, diye düşündüm. Yıllar olmuştu. Fotoğraf, öyle esmer ve öyle dayak yemiş bir adamın fotoğrafıydı ki, şu ya da bu millettendir diyemezdiniz. İri ve sarkık kaslarıyla iyi bir adama benziyordu. Babamın anlattığı hikâyeyi anımsadım: Hileli bir dövüşte nasıl kör oluncaya kadar dövüldüğünü, rezaletin nasıl örtbas edildiğini ve boksörün bir körler evinde nasıl öldüğünü. Kim düşünürdü buraya geleceğimi? İşler nasıl karışıyordu birbirine! Garip şekilde üzgün hissettim kendimi, gittim bir sıranın üzerine çöktüm. Ötekiler alçak sesle konuşmalarına devam ediyorlardı. Ani bir öfkeyle onları seyrettim. Neden sonuncu olacakmışım *ben*? Ben çıkmadan adamakıllı bıktırırlarsa ya halkı! Belki daha konuşmaya başlamadan ıslıklarla indirilecektim kürsüden... Ama belki de öyle olmaz, diye düşündüm, kuşkularımı bir yana bırakarak. Belki de benim konuşma tarzımla onlarınki arasında tam bir zıtlık yaratarak etkiliyebilirdim dinleyenleri. Kim bilir strateji buydu belki... Her neyse, onlara güvenmeliydim. Zorunluydu bu.

Yine bir huzursuzluk yapıştı yakama. Bir yersizlik duygusuna kapıldım. Kapının ötesinden, uzakta sandalyelerin çekildiğini, mırıltıların geldiğini duyabiliyordum. Küçük küçük endişeler dönüp duruyordu içimde; ya yeni adımı unutursam, ya dinleyenler tanırsa beni. Öne doğru eğildim, yeni mavi pantalonumun farkına vardım birden. Peki ne biliyorsun bunların senin bacakların olduğunu? Adın ne? diye düşünüyordum. Acı acı şakalaşıyordum kendimle. Saçmaydı bu; ama sinirlerimi yatıştırdı. Çünkü kendi bacaklarıma ilk kez bakıyormuşum gibiydi; kendi istemleriyle beni tehlikeye ya da güvenliğe götürebilecek bağımsız nesnelerdi bunlar. Tozlu döşemeye baktım. Sonra, uzun bir bilinç susmasından dönüyormuşum, sanki aynı zamanda bir tünelin iki ucunda duruyormuşum gibi oldu. Burada, eski bir dövüş meydanında, bir sırada oturup dururken kendimi kampüs kadar uzak bir yerden görüyormuş gibi oluyordum; yeni mavi elbiseler giymiş, kısık fakat sert sesle kendi aralarında konuşan bir grup heyecanlı insandan uzakta, odanın bir köşesinde otururken; ama aynı zamanda uzakta sandalye gürültüleri, gittikçe artan insan sesleri, bir öksürme duyabiliyordum. Ta içimden bütün bunların farkındaymışım gibiydi; ama gördüğüm şeylerde rahatsız edici bir belirsizlik, rahatsız edici biçimsiz bir nitelik vardı, tıpkı, yeni yetişme döneminde çekilmiş bir fotoğrafta kendinizi görür gibi: Bomboş bir ifade, özelliksiz bir sırıtış, koca koca kulaklar, sivilceler, "ergenlik şişkinlikleri" sürüyle ve hepsi de ayna gibi parlıyor. Bu, yeni bir dönemdi farkındaydım, yeni bir başlangıç ve kendimin yabancı gözlerle bakan bu parçasını alıp, kampüstan, hastanedeki makineden, o ilk kör dövüşünden şimdi geride kalmış olan bütün o şeylerden uzak tutmalıydım daima. Belki de benim o kayıtsızca gözleyen ama hiçbir şeyi kaçırmadan her şeyi gören parçam, o kötü niyetli, boyuna tartışan kısmımdı hâlâ; o aykırı ses, büyükbaba yanım; huysuz, ters, inanmayan yanım, daima iç uyumsuzlukların belirtisi olmuş olan hain ben. Ne olursa olsun, onu daima baskı altında tutmak zorunda olduğumu biliyordum. Zorunluydum buna. Çünkü eğer bu akşam başarı kazanırsam, büyük bir şeye doğru yola çıkmış olacaktım. Bir daha dikiş yerlerinden ayrılıp parçalanmak yok, unutulmuş acıları anımsamak yok bir daha... Hayır, diye düşündüm, yerimde kımıldayarak, beni ta memleketten buralara getiren aynı bacaklar bunlar. Ama yine de bir yenilik var onlarda. Yeni elbise bir yenilik veriyordu bana. Giysiler, yeni ad ve yeni durumlardı. Düşünceye gelemeyecek kadar ince bir yenilikti bu; ama vardı. Başka biri oluyordum yavaş yavaş.

Kürsüye çıkıp ağzımı açar açmaz bir başkası olacağımı hissediyordum belli belirsiz ve bir korku dalgası içinde. Belki bir zamanlar herhangi bir kimsenin olan ya da hiç kimsenin olmayan yapma bir adla hiç kimse olmayacaktım artık. Başka bir kişilik. Az kimse tanıyordu beni şimdi; ama bu akşamdan sonra... Ne haber? Belki de yalnızca, birçok kimse tarafından tanınmak, aranmak, üzerine dikilmiş o kadar gözün odak noktası olmak, belki de bu, bir insanı farklı yapmaya yeterdi; tıpkı, gittikçe enine boyuna büyüyen bir oğlan çocuğunun bir gün erkek oluşu gibi: Kalın sesiyle bir erkek; benim sesim daha on ikimdeyken de böyle kalındı ya. Ya kampustan birisi karışmışsa dinleyiciler arasına? Ya da Mary'nin ordan, hatta Mary'nin kendisi? "Hayır, hiçbir şeyi değiştirmez bu," dediğini işittim içimdeki benin hafif bir sesle, "geçti bütün bunlar." Adım değişikti; emir altındaydım. Mary'ye sokakta rastlasam bile tanınmadan geçip gitmek zorundaydım yanından. Sarsıcı bir düşünce. Birden ayağa kalktım, soyunma odasından dışarıya, koridora çıktım.

Paltosuz, soğuktu dışarısı. Girişte, tepede zayıf bir ışık yanıyordu karları parıldatarak. Koridorun karanlık tarafına yürüdüm, asit fenik kokan bir tahta perdenin yanında durdum; geriye, koridora bakınca daha ben doğmadan önce yanmış bir spor alanı olan terk edilmiş büyük bir çukuru anımsadım. Hep geride kalmıştı bunlar; sıcaktan eğri büğrü olmuş kaldırımın kenarından on beş metrelik keskin bir yar ve zemin kattaki, anlaşılmaz şekilde bükülmüş, paslanmış demir çubuklarıyla bir beton iskelet. Mezbelelik olarak kullanılırdı çukur; bir yağmur yağmasın, toplanan yağmur sularıyla leş gibi kokardı. Şimdi hayalimde kaldırımın kenarında durmuş, çukurdan öteye bakıyordum; ambalaj sandıklarından ve ezilmiş teneke levhalardan yapılmış bir gecekonduyu geçiyor, gerilere doğru uzanan bir demiryoluna geliyordum. Kapkara, dibi görünmeyen su hareketsiz öylece duruyor çukurda; gecekonduyu geçince güneşte parlayan raylar üzerinde bir hat değiştirme makinesi tembel tembel yatıyor; bacasından tüy gibi beyaz bir dumanın yavaşça, kıvrılarak süzüldüğü kulübeden bir adam çıkıyor, yukarıya, kaldırıma çıkan patikaya tırmanmaya başlıyor. Kamburu çıkmış, kapkara, kupkuru bir adam, ayakkabılarından, şapkasından ve kollarından paçavralar sallanıyor; bana doğru geliyor ayaklarını sürüye sürüye, insanı korkutan bir asit fenik bulutu getirerek beraberinde. Çukurla demiryolu alanı arasındaki kulübede tek başına yaşayan frengilidir bu, paçavralarını yıkamak için ilaç ve yiyecek almak için para dilenmeye çıkar caddeye ancak. Hayalimde, parmakları yenmiş, ufalmış bir eli bana doğru uzattığını görüyorum ve kaçıyorum oradan; karanlığa soğuğa ve bugüne doğru geriye kaçıyorum.

Caddeye, tünel gibi karanlığın içinden koridorun ötesine doğru bakınca titredim: Sokak lambasının, karları ışıl ışıl parlatan yuvarlak ışığın altında üç atlı polis görünüyordu hayal gibi; atlarını yularlarından tutmuş, atların ve adamların başları bir ihanet konuşması yapar gibi birbirine doğru eğilmiş, eğerlerin derileri ve üzengileri pasparlak. Üç beyaz adam ve üç kara at. Sonra bir araba geçti; atları ve adamları açıkça belirterek, gölgeleri karın parlaklığıyla karanlığın ortasından düşler gibi uçarak. Ordan ayrılmak için geriye dönerken, atlardan biri başını sertçe arkaya doğru salladı, uzun eldivenli elin şiddetle aşağıya doğru çekildiğini gördüm. Sonra vahşi bir kişneme duyuldu ve at karanlığın içine doğru atıldı, madenin kesik kesik, çılgın şakırtısı ve tırnakların boğuk pat-patları kapıya kadar izledi beni. Jack Kardeş'in haberi olması gerekti bundan, belki.

Ama içerde hâlâ birbirleriyle görüşüyorlardı. Ben de geriye gittim ve bir sıraya oturdum.

Kendimi çok genç ve tecrübesiz ama aynı zamanda garip şekilde yaşlı hissederek seyrediyordum onları, içimde sessizce seyreden ve bekleyen bir yaşlılık. Dışarıda, dinleyiciler sabırsızlanmaya başlamıştı; tahliye günündeki korkudan bir şeyler anımsatan uzak, arı oğulu gibi bir uğultu. Hayaller birbirini kovalıyordu kafamda. Tavuk kümesi tellerinden bir çitin dışında, tulumu içinde ayakta dikilen bir çocuk vardı, bir elma ağacına zincirlenmiş siyah beyaz kocaman bir köpeğe bakıyordu. Efendiydi o, buldog; ona dokunmaya korkan çocuk da bendim. Oysa o, sıcaktan dilini çıkarmış soluyor, salyalar gümüşsü gümüşsü sarkıyordu çenesinden; şişman, iyi huylu bir adam gibi yüzüme bakıyordu sanki sırıtarak. Ve kalabalığın sesi şiddetlenir, yükselirken ve sabırsızlanan el çırpmaları halinde yayılırken, Efendi'nin alçak, boğuk hırlayışını düşünüyordum. Kızgın olduğu zaman da, yemeği önüne getirildiği zaman da, tembel tembel sinek kaparken de, bir yabancıyı parçalarken de aynı sesle havlardı. Severdim ama güvenmezdim yaşlı Efendi'ye; hoşnut etmek istiyordum ama güvenmiyordum kalabalığa. Sonra Jack Kardeş'e baktım ve sırıttım: Tamam bulmuştum; bilmiyorum nasıl, bir oyuncak bulteryere benziyordu.

Bağırtılar ve el çırpmaları bir şarkı haline gelmişti artık; Jack Kardeş'in konuşmayı kestiğini ve kapıya doğru fırladığını gördüm, "Tamam Kardeşler," dedi, "bu işaret bize."

Soyunma odasından topluca çıktık, uzaktan gelen gürültülerin dolduğu yarı karanlık bir geçitten aşağı indik. Sonra biraz daha aydınlandı ortalık, hafif duman bulutunu yangına çeviren bir projektör gördüm. Sessiz sessiz yürüyorduk: Jack Kardeş, grubun başını çeken çok kara iki zenciyle iki beyaz adamın arkasında ve kalabalığın gürültüsü daha da alevlenerek üzerimizde yükselir gibi. Diğerlerinin dörderle kolda yürüdüğünü fark ettim; bense en arkada tek başımaydım, talim yapan bir takımın sağa-sola-çark neferi gibi. İlerde eğri bir parlaklık, salonun katlarından birine giriş yerini gösteriyordu; şimdi biz geçerken içerdeki kalabalık gürledi birden. Sonra hızla yine karanlığa daldık ve tırmanmaya başladık, gürleme altımızda kalır gibi oldu, bir meyilden aşağı, mavi parlak bir ışığın içine yürüdük; meyilin her iki yanında bir eğri çizerek uzanan sıralar halinde bulanık yüzler görebildim, sonra birden gözlerim kamaştı ve önümdeki adama bindirdiğimi hissettim.

Dengemi bulmama yardım ederken, "İlk defasında hep böyle olur," diye bağırdı, sesi o gürleyişin içinde kayboldu. "Projektörden!"

Bizi yakalamıştı artık projektör, önümüzü aydınlatarak salonunun içine doğru yolumuzu gösteriyordu, tüm ışığı içine almıştı bizi; kalabalık yerinden oynadı o zaman. Ve şarkı, bir roket gibi fırladı, yürüyüş temposunda el çırpmalarıyla:

John Brown çürüyor mezarında
Yatmış upuzun
John Brown çürüyor mezarında

Yatmış upuzun
John Brown çürüyor mezarında
Yatmış upuzun
Ruhu yürüyor önümüzde!

Şuna bak, diye düşündüm, eski şarkıları yeni yapıyorlar bunlar. Önce, en yukardaki balkonda durmuş aşağıyı seyredermişim gibi uzaktaydım. Sonra seslerin titreyişi içine yürüdüm dopdolu, canlı ve belkemiğim boyunca bir elektrik akımının geçtiğini hissederek. Katlanan sandalyelerde oturan insan sıralarının arasında bırakılmış bir koridordan geçerek salonun önüne yakın bir yerde bayraklarla süslenmiş bir platforma doğru uygun adım yürüdük; platformda, biz geçerken ayağa kalkan bir sıra kadının önünden geçtik. Jack Kardeş bir baş işaretiyle sandalyelerimizi gösterdi ve ayakta karşıladık alkışları.

Altımızda, üstümüzde dinleyiciler vardı, sıra sıra yüzler... Geniş bir tas şeklindeki arenayı ağzına kadar insan doldurmuş. Sonra polisleri gördüm, rahatsız oldum. Ya beni tanırlarsa? Duvarın yanındaydı hepsi. Önümdeki adamın kolunu dürttüm, döndü, şarkının bir mısrası donmuş kalmıştı ağzında.

"Nedir bu kadar polis?" dedim, sandalyesinin arkalığına doğru eğilerek.

"Aynasızlar mı? Endişelenme. Bu gece bizi korumaları emredildi. Bu toplantının büyük politik önemi var!" dedi hemen arkasını dönerek.

Kim emretti onlara bizi korumalarını, diye düşündüm. Şarkı bitiyordu artık; bina alkışlarla, bağırışlarla inliyordu, gerilerden bir şarkı daha başlayıp yayılıncaya kadar ortalığa sürdü bu:

Kalmadı soyulacak tarafı, artık, soyulmuşların!
Kalmadı soyulacak tarafı, artık, soyulmuşların!

Dinleyiciler sanki bir tek kişi olmuşlardı, soluk alışları, ağızlarından çıkan heceler hep birbirine uygun. Jack Kardeş'e baktım. Önde, yukarda bir mikrofonun yanında duruyordu, ayakları kirli çadır bezi kaplanmış platformda sapasağlam gerilmiş, bir o yana bir bu yana bakıyor; duruşu, çok sevdiği çocuklarının şarkısını dinleyen şaşkın, hayran bir baba gibi ağırbaşlı ve iyi yürekli. Elinin, selâmlamak için yukarı kalktığını gördüm; dinleyiciler gürledi birden. Bir fotoğraf makinesinin mercekleri gibi yaklaşıyor ve sahneye dikiyorum gözlerimi, sıcağı, heyecanı, sesin ve alkışın içimde güm güm ettiğini hissederek; gözlerim yüzden yüze hızla kayarcasına, birini, eski yaşamdan birini arayıp uçarak; platformdan gerilere gittikçe yüzlerin daha da belirsizleştiğini görerek.

Konuşmalar başlamıştı. Önce zenci bir papazın duası; sonra bir kadın, çocukların durumu üzerine bir konuşma yaptı. Sonra ekonomik ve politik durumun çeşitli yanlarına dair konuşmalara geçildi. Anlaşılması güç, kesin terimler yığınından şurada bir cümle, burada bir kelime yakalamaya çalışarak dikkatle dinliyordum. Çok heyecanlı, büyük bir gece oluyordu. Konuşmalar arasında şarkılar alevleniyor, Güney'in yeniden canlanışındaki marşlar, bağırışlar kadar kendiliğinden, aniden patlıyordu ortalıkta. Nasılsa uyabiliyordum hepsine, bedenimde hissediyordum hepsini. Ayaklarım kirli çadır bezi üzerinde otururken, bir senfoni orkestrasının vurmalı sazlar bölümünde dolaşırmış gibiydim. Öyle içime işliyordu ki bu durum, çok geçmeden kendi kendime cümleler tekrarlayıp ezberlemeyi bıraktım, coşkunun beni alıp götürmesine ses çıkarmadım.

Birisi ceketimin kolunu çekiyordu; sıram gelmişti. Jack Kardeş'in önünde beklediği mikrofona doğru yürüdüm, paslanmaz çelikten yapılmış tek parça bir kafes gibi etrafımı saran ışık spotları içine girdim. Durdum. Işık o kadar kuvvetliydi ki dinleyicileri, insan yüzlerinden oluşan o geniş tası göremiyordum artık. Sanki dinleyicilerle aramızda yarı geçirgen bir perde vardı, kendileri görünmeksizin beni görebiliyorlardı; alkışlamalarından anlıyordum bunu. Hastanedeki makinenin sert, mekanik yalıtışını hissettim, hoşuma gitmedi bu. Ayakta durmuş, Jack Kardeş'in beni dinleyicilere tanıtışını dinliyordum zorla. Sonra bitirdi sözünü ve yüreklendirici bir alkış koptu. Ve, anımsıyorlar, bunlardan bazıları oradaydı, diye düşündüm.

Mikrofon acayip ve sinir bozucuydu. Nasıl yaklaşacağımı bilemiyordum, sesim pürüzlü, ıslıklı çıkıyordu; birkaç kelimeden sonra durdum. Kötü bir başlangıca doğru gidiyordum, bir şeyler yapmak gerekiyordu. Platforma en yakın oturan, yüzleri belli belirsiz dinleyicilere doğru eğildim. "Özür dilerim, millet," dedim. "Şu ana kadar beni bu pırıl pırıl elektrikli makinelerin o kadar uzağında tuttular ki tekniğini öğrenemedim... Ve doğrusunu söyleyeyim size, ısıracakmış gibi geliyor bana! Şuna bakın bir, çelikten bir insan kafatası sanki! Soyulmaktan mı ölmüş dersiniz?"

İşe yaradı bu konuşma; onlar gülerlerken birisi geldi ve ayarladı mikrofonu. "Çok yakın durma," diye öğüt verdi.

"Şimdi nasıl?" dedim, sesimin salon üzerinde kalın ve titrek yayıldığını işittim gürler gibi. "Daha iyi, değil mi?"

Ufak bir alkış dalgası oldu.

"Görüyorsunuz, bir fırsat verilsin, oluyormuş. Siz o fırsatı verdiniz bana, gerisi bana kalıyor!"

Alkışlar kuvvetlendi ve aşağıdan öndeki sıralardan bir adamın sesi çın çın öttü salonda, "Seninle beraberiz, Kardeş. Sen ürküt kuşları, yakalaması bizden!"

Bütün istediğim buydu. Bir bağlantı kurmuştum, o adamın sesi bütün oradakilerin sesiydi sanki. Gergindim, sinirliydim. Herhangi bir kimse, yabancı bir dilde konuşmaya çalışan herhangi bir kimse olabilirdim. Çünkü broşürlerden bir tek sözcük ya da cümle gelmiyordu aklıma. Ta gerilere, geleneğe gitmeliydim ve bu bir politik toplantı olduğuna göre memleketteyken o kadar sık işittiğim politika tekniklerinden birini seçtim: Eski, bana gösterdikleri davranıştan bıktım usandım, girişini seçtim. Yüzlerini göremiyordum, bunun için de mikrofonla, bana eşlik eden önümdeki sesle konuşmaya başladım.

"Bilirsiniz, buraya toplanmış olan bizlerin akılsız, sersem olduğunu düşünenler vardır," diye bağırdım. "Haklı değil miyim, söyleyin?"

"Tam isabet, Kardeş," diye bağırdı bir ses. "Tam isabet."

"Evet, bizim akılsız olduğumuzu sanır onlar. Bize 'sıradan

halk' derler. Ama deminden beri, dinleyerek, bakarak, neremiz *sıradanmış* anlamaya çalışarak oturuyordum şurada. Bana sorarsanız, yalan söylemekten, gerçeği tersine çevirmekten dolayı suçludurlar onlar; bizler sıra dışı kimseleriz!"

"Bir isabet daha," diye bağırdı o ses, gök gürültüsü içinde; gürültüyü susturmak için elimi kaldırarak durdum.

"Evet biz sıra dışı insanlarız. Nedenini de söyleyeceğim size. Bize akılsız diyorlar, bize akılsız davranışı gösteriyorlar. Peki ne yapıyorlar bu akılsızlarla? Düşünün, bakın etrafınıza! Bir sloganları, bir politikaları var. Jack Kardeş'in 'teori ve pratik' diye adlandıracağı şeyleri var. Bu, 'enayiye eşit fırsat verme!' politikasıdır: 'Soy onu'dur bu! 'Yerinden attır!' 'Boş kafasını tükrük hokkası, sırtını kapı paspası yerine kullan'dır. 'Parçala onu'dur! 'Gündeliğini elinden al'dır! 'Protestosunu onu korkutup sindirecek cırlak bir boru yerine kullan'dır. 'Düşüncelerini ve umutlarını ve sade, basit emellerini çıngır çıngır öten incecik bir zille çal!' Hani 4 Temmuz'da çalınan küçük, çatlak zil! Yalnız, sar onu, sesini boğ! Çok yüksek çıkmasın sesi! Durma, zamanında çal onu, bırak budalaları step dansı yapsınlar yumuşak ayakkabılarıyla! Büyük Kurtlu Elma dansını. Şikago Savuş buradan. 'Kışşt Sinek Rahat bırak Beni'yi!"

"Ve bizi bu kadar sıra dışı yapan şey nedir bilir misiniz?" diye fısıldadım kısık bir sesle. *"Bunları biz yaptırırız onlara!"*

Derin bir sessizlik oldu. Duman, projektörün ışığı içinde kaynıyordu.

"Bir isabet daha," diye bağırdığını duydum sesin kederli kederli, "karşı çıkmak boşuna!" Ve düşündüm, benimle beraber mi yoksa bana karşı mı?

"Soyulma! Soyulma'dır bunun açıkçası!" diye devam ettim. "Erkekliğimizi ve kadınlığımızı elimizden almaya çalışırlar! Çocukluğumuzu ve gençliğimizi... Çocuk ölümleri oranı üzeride bacının verdiği istatistikleri duydunuz. Sıra dışı doğmakla şanslı olduğumuzu biliyor musunuz? Onlar, *soyulmuşluğumuzun nefretini* bile elimizden almaya çalıştılar! Başka bir şey söyleyeyim size; direnmezsek, çok geçmeden yapacaklar da bunu! Bu günler soyulma günleri, yuvasız kalma mevsimi, evlerden atılma zamanı. Başlarımızın içindeki beyinleri bile alacaklar elimizden! Ve bizler o kadar sıra dışı kimseleriz ki görmüyoruz bile bunu! Belki çok kibarız, kim bilir. Belki tatsızlıklara dönüp bakmak istemiyor canımız. Onlarsa bizim kör olduğumuzu sanıyorlar, sıra dışı kör. Ve ben şaşmıyorum buna. Düşünün, her birimizin birer gözümüzü almışlar daha doğar doğmaz. Bu yüzden bugün, düz *beyaz* çizgiler içinde görebiliyoruz ancak. Biz, tek gözlü fareler ulusuyuz. Hiç gördünüz mü böyle bir görüntü ömrünüzde? Böyle sıra dışı bir görüntü!"

"Bir çiftçi karısı da yok evde üstelik!" diye bağırdı ses, acı gülüşmeler arasında. "Bir isabet daha!"

Öne doğru edildim. "Biliyorsunuz, dikkatli olmazsak, kör yanlarımıza kıyacaklar ve 'lap' diye gidecek gören son gözümüz de ve yarasalar gibi kör olacağız sonra! Bir şeyler göreceğiz diye korkanlar var. Belki de bunun için dostlarımızdan birçoğu buradalar bu gece, mavi çelik tabancaları, mavi yün elbiseleriyle, her şeyleriyle! Ama ben, direnmezsek, bir tek gözün, direnmeden kaybetmeye yeteceğine inanıyorum; sanırım sizin inancınız da bu. Öyleyse birleşelim. Hiç dikkat ettiniz mi, benim tek gözlü dilsiz Kardeşlerim, iki tam kör insanın nasıl bir araya geldiğini ve yardımlaşarak yürüdüklerini, hiç gördünüz mü? Sendelerler, şuna buna çarparlar ama tehlikelerden de sakınırlar; geçinip giderler. Sıra dışı insanlar, bir araya gelelim. İki gözümüz olunca bizi bu kadar sıra dışı yapan şeyin ne olduğunu görebiliriz, bizi *kimin* bu kadar sıra dışı yaptığını görürüz! Şu ana kadar, yolun karşılıklı iki yanında yürüyen bir çift tek gözlü insan gibiydik. Birisi taş atmaya başlıyor ve biz hemen birbirimizi suçlamaya, aramızda kavga etmeye çalışıyoruz. Ama yanılıyoruz! Çünkü üçüncü bir taraf var ortada. Geniş, kül rengi caddenin ortasından sağa sola taşlar atarak koşan anasının gözü biri daha var; o işte! Her şeyi o yapıyor! Daha geniş yer istediğini söylüyor, buna da kendi *özgürlüğü* diyor. Ve biliyor bizi kör tarafımızdan yendiğini, bizi aptallaştırıncaya kadar, sıra dışı budalalara döndürünceye kadar ateş ediyor. Gerçekte, gerçekte onun özgürlüğü bizi böyle kör etti! Susun şimdi, isim söylemeyin!" diye bağırdım elimi kaldırarak. "Cehennem̦e kadar yolu var, derim bu herifin! Haydi, diyorum elele tutuşalım! Bir bağlaşma yapalım! Ben sizi gözeteceğim, siz beni gözeteceksiniz! İyi yakalarım ben ve iyi atıcıyımdır!"

"Hiç isabet yok, Kardeş. Bir tane bile!"

"Bir mucize yaratalım," diye bağırdım. "Yağma edilmiş gözlerimizi geri alalım! Görmeyen gözümüzü geri isteyelim, birleşelim ve görüşümüzü yayalım. Köşenin oraya bir göz atın, bir fırtına geliyor. Caddeye bakın, bir tek düşman var. Göremiyor musunuz yüzünü?"

Tabii bir duruş oldu ve alkış koptu; ama kopar kopmaz farkına vardım ki sözcüklerin akışı durmuştu. Tekrar dinlemeye başladıklarında ne yapacaktım? Işık perdesinin arasından bir şeyler görebilmek için zorlayarak kendimi ileri doğru eğildim. Benimdi bütün bunlar, orada ışığın ötesinde oturmuşlar; onları kaybedemezdim. Ama birden, sözcüklerin geri geldiğini, açıklamamam gereken bir şeyin söylenmek üzere olduğunu hissederek çırılçıplak, çaresiz buldum kendimi.

"Bana bakın!" Sözcükler ta karın boşluğumdan koparak geliyordu. "Uzun süre yaşamadım ben burada. Koşullar çok zor, umutsuzluğu öğrendim. Güney'den geliyorum; buraya gelir gelmez tahliye diye bir şey gördüm. Her şeyden şüphelenir olmuştum. Ama bana bakın şimdi, garip bir şey oluyor. Önünüzdeyim. İtiraf etmeliyim..."

Ve birden Jack Kardeş'i yanımda buldum, mikrofonu ayarlar gibi yapıyordu. "Dikkatli ol," diye fısıldadı. "Daha başlamadan söndürme geleceğini."

Mikrofona doğru eğilerek, "İyiyim, bir şeyim yok," dedim.

"İtiraf edebilir miyim?" diye bağırdım. "Sizler benim arkadaşlarımsınız. Ortak bir mirastan yoksulluğu paylaşıyoruz ve derler ki itiraf iyiymiş ruh için. İzniniz var mı?"

"Fena değil, Kardeş," diye bağırdı ses. "İyi gidiyorsun."

Bir karışıklık, bir patırtı vardı arkamda. Kesilinceye kadar bekledim, sonra hızlı hızlı devam ettim.

"Sükût ikrardan gelir," dedim, "onun için söyleyeceğim, itiraf edeceğim!" Omuzlarım dikilmiş, çenem ileri doğru fırlamıştı; gözlerimi dosdoğru ışığa dikmiştim. *"Şu anda garip tansığa benzer bir şey oluyor içimde... şurada karşınızda dikilip dururken!"*

Sözcüklerin kendi kendilerini oluşturduğunu, *yavaşça* yerlerini bulduklarını hissedebiliyordum. Işık, bir şişenin içinde hafifçe sallanan sıvı sabun gibi renk renk kaynaşır görünüyordu.

"Bakın, tamamlayayım. Garip bir şey. Dünyanın başka hiçbir yerinde göremeyeceğimi iyi bildiğim bir şey. Gözlerinizi üzerimde hissediyorum. Damarlarınızdaki kanın akışını duyuyorum. Ve şimdi, şu anda, sizin kara ve beyaz gözleriniz üzerime dikiliyken, hissediyorum ki... hissediyorum ki..."

Sessizlik içinde öyle bir tökezliyordum ki, balkonda bir yere asılmış, zamanı kemiren koca saatin çalışmasını duyabiliyordum.

"Nedir o, oğul, ne hissediyorsun?" diye bağırdı tiz bir ses.

Sesim boğuk bir fısıltı haline gelmişti. "Hissediyorum, bir anda hissediyorum ki daha *insanlaşmışım.* Anlıyor musunuz? Daha insanı. İnsan olmuşum demiyorum; çünkü insan olarak doğdum. Ama daha insanım şimdi. Daha güçlü hissediyorum kendimi, bir şeyler yaptırabilecek gibi hissediyorum kendimi! Tarihin yarı karanlık koridorunu daha keskin, açık ve daha uzak görebildiğimi hissediyorum ve o koridorda savaşçı Kardeşlik'in ayak seslerini duyabiliyorum! Hayır, bekleyin, durun da itiraf edeyim... Duygularımı dile getirmek için acele ediyorum... Hissediyorum ki burada, uzun, umutsuz ve görülmemiş derecede kör bir yolculuktan sonra yuvama gelmişim... Yuvama! Gözleriniz üzerimde, hissediyorum ki gerçek ailemi buldum ben! Gerçek halkımı! Gerçek memleketimi! Hayalinizdeki ülkenin yeni bir yurttaşıyım ben, kardeşlik toprağınızın bir yerlisi. Bu gece, burada bu eski dövüş salonunda, hissediyorum ki, *yeni,* doğmak üzeredir; canlı eski ise yeniden gelmektedir hayata. Her birinizin içinde, benim içimde, hepimizin içinde."

"KARDEŞLER! KIZ KARDEŞLER!"

"GERÇEK YURTSEVERLER BİZLERİZ! YARININ DÜNYA-
SININ YURTTAŞLARI!
BİR DAHA SOYULMAYACAĞIZ ARTIK!"

Gök gürültüsü gibi bir alkış koptu. Donup kalmış, hiçbir şey
göremeyerek, vücudum o gürleyişle titreyerek öylece duruyor-
dum. Belirsiz bir hareket yaptım. Ne yapmalıydım, el mi salla-
malıydım onlara? Gözlerim ışıktan yanarak, bağırışları, sevinç
çığlıklarını, tiz ıslıkları göğüslüyordum. İri bir damla gözyaşı-
nın yüzümden aşağı yuvarlandığını hissettim, sıkılarak sildim.
Ötekiler aşağı inmeye başlamıştı. Her şeyi berbat etmeden, ne-
den hiç kimse yardım etmiyordu bu ışıktan çıkmama? Ama
gözyaşlarıyla birlikte alkışlar daha bir hızlandı; başımı kaldır-
dım, şaşırmıştım, sel gibi akan gözyaşlarımı tutamıyordum.
Ses, dalgalar halinde yükseliyor gibiydi. Döşemeyi, ayaklarıyla
dövmeye başlamışlardı; bense gülüyordum, başımı eğiyordum
artık sıkıntı duymadan. Daha da yayıldı ses, gerilerden parçala-
nan bir tahta sesi geldi. Yorulmuştum; ama hâlâ alkışlıyorlardı.
Gözlerimin önünde kırmızı noktalar uçuşuyordu. Birisi elim-
den tuttu ve kulağıma eğildi.

"Başardın, Allah kahretsin! Başardın!" Teşekkür edip elimi
pençe gibi elinden kurtarırken, sözlerindeki gizleyemediği şid-
det, nefret ve hayranlık karışımı şaşırttı beni.

"Teşekkürler," dedim, "ama onları öteki arkadaşlar getirdi
buraya."

Titriyordum; beni boğmak istermiş gibi bir hali vardı. Göre-
miyordum, karmakarışıktı her şey; birden biri hızla döndürdü
beni, dengemi kaybettim ve kendimi sıcak bir kadın yumuşak-
lığı içine çekilir buldum.

"Oh, Kardeş, Kardeş!" diye bağırıyordu bir kadın sesi kula-
ğımın dibinde, "Küçük Kardeş!" ve dudaklarının sıcak, nemli
ağırlığını duydum yanaklarımda.

Bulanık birtakım şekiller birbirine çarpıyordu etrafımda. Körebe oyununda olduğu gibi sendeliyordum. Ellerimi sıkıyorlar, sırtıma vuruyorlardı. Yüzüm, coşku öpüşlerinden tükrük içindeydi; bir dahaki sefere projektörün karşısında dururken kara gözlük takmanın akıllıca bir iş olacağını düşündüm. Kulakları sağır eden bir gösteriydi bu. Bağırırlarken, sandalyelere vururlarken, ayaklarıyla döşemeyi döverlerken bıraktık onları. Jack Kardeş çekti aldı beni kürsüden. "Gitme zamanı geldi," diye bağırdı. "İşler gerçekten kıpırdanmaya başladı. Örgütlenmeli bütün bu güç!"

Bağıran kalabalık içinden çıkardı beni; aralarından sendeleyerek geçerken eller dokunmaya devam ediyordu bana. Sonra karanlık geçite girdik ve sonuna gelince kırmızı noktalar zayıfladı gözlerimde, yeniden görmeye başladım. Jack Kardeş kapıda durdu.

"Dinle onları," dedi. "Ne yapacaklarını söylememizi bekliyorlar yalnız!" Hâlâ gürleyen alkışları duyabiliyordum gerimizde. Sonra öbürlerinin çoğu konuşmalarını kestiler ve bizi karşıladılar; alkışlar, kapanan kapının gerisinde boğuldu.

"Eh, ne dersiniz?" diye sordu Jack Kardeş heyecanla. "Bir başlangıç olarak nasıl?"

Gergin bir sessizlik vardı havada. Hızlı bir korku içinde, siyah-beyaz bir yüzden ötekine bakıyordum. Acımasızdılar, taş gibi.

"Eee?" dedi Jack Kardeş, sesi birden sertleşmişti. Birisinin ayakkabılarının gıcırtısını işitebiliyordum.

"Eee?" diye tekrarladı.

Sonra Pipolu Adam ağzını açtı, konuştu; o konuşurken, gerginliğin, sinirliliğin sözcük sözcük arttığını hissediyordum.

"Çok yetersiz bir başlangıç," dedi sakin sakin, piposunun bir hareketiyle "yetersiz" sözcüğünün üzerine basarak. Dosdoğru bana bakıyordu, bense şaşırmıştım. Ötekilere baktım. Hiçbir şey anlaşılmıyordu yüzlerinden, duygusuzdu yüzleri.

"Yetersiz!" diye patladı Jack Kardeş. "Hangi sözümona düşünce yolu getirdi sizi bu parlak fikre?"

"Ucuz iğnelemelerin zamanı değil şimdi, Kardeş," dedi Pipolu Kardeş.

"İğneleme mi? Siz yapıyorsunuz onu. Hayır, iğnelemelerin

zamanı değil şimdi, budalalıkların da. Ne de düpedüz boktan maskaralıkların! Mücadelede bir kilit noktasıdır bu; işler daha yeni hareketlenmeye başladı ve birden umutsuzluğa kapıldınız sizler. Başarıdan mı korkuyorsunuz? Ne var? Tam yapmak için uğraştığımız şey değil mi bu?"

"Tekrar, kendinize sorun. Siz büyük bir lidersiniz. Kristal topunuzun içine bakın."

Jack Kardeş küfretti.

"Kardeşler!" dedi birisi.

Jack Kardeş küfretti ve bir başka Kardeş'e döndü. "Siz," dedi, kara kuru adama, "bana burada neler döndüğünü söyleyecek yürek var mı sizde? Köşe başı soyguncusu mu olduk?"

Sessizlik oldu. Birisi ayaklarını sürüdü yerde. Pipolu Adam bana bakıyordu şimdi.

"Yanlış bir şey mi yaptım?" dedim.

"Yapabileceğinin en kötüsünü," dedi soğuk soğuk.

Sersemlemiştim, tek kelime söyleyemeden bakıyordum yüzüne.

"Boş ver," dedi Jack Kardeş, birden sakinleşerek. "Peki sorun nedir, Kardeş? Çözelim şuracıkta. Nedir şikâyetiniz?"

"Bir şikâyet değil, bir fikir. Eğer hâlâ izin veriliyorsa fikirlerimizi ifade etmeye," dedi Pipolu Kardeş.

"Tamam, fikriniz," dedi Jack Kardeş.

"Benim fikrime göre, konuşma kızgın, isterik, politik bakımdan sorumsuz ve tehlikeliydi," diye yapıştırdı. "Bundan da kötüsü, *yanlıştı!*" Yanlış sözcüğünü, düşünülebilecek en iğrenç bir suçu tanımlayan bir terimmiş gibi söylemişti ve ben belli belirsiz bir suçluluk hissederek, ağzım açık, bakakalmıştım ona.

"Demeek," dedi Jack Kardeş, bir bir yüzlerine bakarak onların, "bir toplantı yapıldı burada ve kararlar verildi. Tutanaklar tutuldu mu Başkan Kardeş? O bilgece tartışmalarınızı kaydettiniz mi?"

"Toplantı moplantı olmadı, fikir hâlâ ortada," dedi Pipolu Kardeş.

"Toplantı yapılmadı ama ona benzer bir şeyler oldu ve daha olay sonuçlanmadan kararlara varıldı."

"Ama Kardeş," diye araya girmeye çalıştı biri.

"Çok parlak bir operasyon," diye devam etti Jack Kardeş, artık gülümsüyordu. "Tarihin önünde ustaca bir Nijinsky* sıçrayışının kusursuz bir örneği. Ama inin aşağı, Kardeşler, inin aşağı yoksa diyalektiğinizin üzerine kıç üstü düşeceksiniz; tarihsel dönem henüz o kadar ilerlemedi. Gelecek aydan sonraki ay, belki; ama şimdi değil. Peki siz ne düşünüyorsunuz, Wrestrom Kardeş?" diye sordu, Supercago biçim ve iriliğindeki bir arkadaşa.

"Kardeş'in konuşmasının geriye dönük ve reaksiyoner olduğunu düşünüyorum!" dedi.

Cevap vermek istedim ama yapamadım. Beni kutlarken sesinin o kadar anlaşılmaz çıkması boşuna değilmiş demek. Kinden kıpkızıl gözleriyle geniş yüzüne baktım kaldım yalnız.

"Ya siz?" dedi Jack Kardeş.

"Ben konuşmayı sevdim," dedi adam. "Gerçekten etkileyici bir konuşmaydı."

"Ya siz?" Ondan sonraki adama sordu Jack Kardeş.

"Bir hata olduğu görüşündeyim ben."

"Ama neden?"

"Çünkü halka, akılları yolundan ulaşmaya çalışmalıyız biz..."

"Tamam öyle," dedi Pipolu Kardeş. "Bilimsel yaklaşmanın antiteziydi konuşma. Bizimkisi mantıki bir bakış. Topluma bilimsel yaklaşmanın savunucularıyız bizler; bu gece yapılan bu konuşmayı benimsersek daha önce söylenmiş olan her şeyi yıkmış olacağız. Dinleyiciler düşünmüyor, yalnızca delicesine bağırıyorlar."

"Doğru, bir güruh gibi davranıyorlar," dedi iri Zenci Kardeş.

Jack Kardeş güldü. "Peki, bu güruh," dedi, "bize *karşı* bir güruh mu, yoksa bizim *yanımızda* bir güruh mu? Bizim kaskatı bilimcilerimiz nasıl cevaplandırır bu soruyu?"

Ama daha onlar cevap vermeye kalmadan o devam etti. "Belki doğrusunuz, belki gerçekten bir güruhtur; fakat öyle de ol-

_____

(*) Vaslav Nijinsky (1890-1950) Polonya asıllı, ünlü Rus bale sanatçısı. 1930'lara kadar çağının en büyük dansörü sayıldı. Sonra aklî melekelerini yitirdi ve ölümüne kadar uzun yıllar deli olarak yaşadı – ç.n.

sa bizimle beraber gelmek için kaynayan bir güruh, değil mi? Ve siz kuramcılara söylememem gerekir; bilim, *deneye* dayandırır yargılarını, bilirsiniz bunu hepiniz! Deney daha akışını tamamlamadan önce sonuçlara atılmaya hazırlanıyorsunuz sizler. Gerçekte, bu gece burada olan şey, deneydeki bir adımı temsil etmektedir. *Başlangıç* adımını, enerjinin serbest kalışını. Sizi neden ürküttüğünü anlayabiliyorum bunun –ikinci adımı başaramamaktan korkuyorsunuz sizler– çünkü bu enerjiyi örgütlemek size kalıyor. Evet, örgütlenecek bu enerji ve bir boşluk içinde tartışıp duran bir avuç korkak, kenarda kalmış kuramcı tarafından değil, dışarı çıkıp halka yol göstermekle örgütlenecek!"

Bir yüzden ötekine dönerek, kızıl saçları dimdik havada, deli gibi savaşıyordu; ama bu meydan okuyuşu hiç kimse karşılamadı.

"Mide bulandırıcı bir şey," dedi beni göstererek. "Yeni Kardeş'imiz, sizin 'bilim'inizin iki yıldır yapamadığı şeyi içgüdüyle başardı; oysa sizin hepinizin ona sunabildiği tek şey yıkıcı bir eleştiri oluyor."

"Yanlış anlaşılmasın, rica ederim," dedi Pipolu Kardeş. "Konuşmasının tehlikeli yapısını göstermek yıkıcı bir eleştiri değildir. Ondan çok daha başka bir şeydir. Bizler gibi yeni Kardeş'imizin de bilimsel olarak konuşmayı öğrenmesi gerekir. Eğitilmelidir kendisi!"

"Nihayet aklınıza gelebildi demek!" dedi Jack Kardeş, ağzını aşağıya doğru bükerek. "*Eğitim.* Her şey yitirilmemiş demek. Kızgın fakat etkili konuşmacımız ehlileştirilebilirmiş demek. Bilimciler bir olanağın farkına vardı nihayet! Çok güzel, iş düzelmiştir; belki bilimsel olarak değil ama düzelmiş yine de. Yeni Kardeş'imiz önümüzdeki birkaç ay, sıkı bir çalışma ve kuram öğrenimine başlayacak Hambro Kardeş'in yönetiminde. Tamam," dedi ben konuşmaya yeltenirken. "Bunu sana daha sonra söylemek istiyordum."

"Ama uzun bir zaman bu," dedim. "Neyle geçineceğim o zamana kadar?"

"Ücretin devam edecek," dedi. "Bu arada, Kardeş'imizin bilimsel rahatlığını bozacak bilimsel olmayan konuşmalar yapmakla suçlanmayacaksın artık. Harlem'in tamamen dışında kalacaksın. Belki o zaman, eleştiride olduğu kadar örgütlenmede de hızlı olup olmadığınızı göreceğiz siz Kardeşler'in. Sıra sizde şimdi, Kardeşler."

"Jack Kardeş haklı sanırım," dedi kısa boylu, kel bir adam. "Ve bizlerin, hepimizin halkın coşkusundan korkmamamız gerektiğini sanıyorum. Yapmak zorunda olduğumuz şey o coşkuyu en iyi şeyi yapacak kanallara sokmaktır."

Ötekiler susuyorlardı; Pipolu Kardeş baş eğmez bir tavırla bana bakıyordu.

"Haydi," dedi Jack Kardeş, "çıkalım buradan. Gözümüzü gerçek amaçtan ayırmazsak kazanma şansımız şimdiye kadar olduğundan çok fazla. Ve unutmayalım ki bilim, satranç oyunu değildir, satranç bilimsel olarak oynanabilirse de. Hatırlayacağımız bir başka şey, eğer kitleleri örgütleyeceksek, önce kendimizi düzene sokmak gereklidir. Yeni Kardeş'imizin yardımıyla işler değişti; elimize geçen fırsatı kullanmamazlık edemeyiz. Bundan ötesi size bağlıdır."

"Göreceğiz," dedi Pipolu Kardeş. "Yeni Kardeş'imize gelince, Hambro Kardeş'le birkaç konuşmanın kimseye zararı olmayacaktır."

Dışarı çıkarken, Hambro, diye düşündüm, kimdir bu Allah'ın cezası? Beni işten atmadıkları için şanslıydım yine de. Eee, demek yeniden okula gidecektim?

Dışarıya, geceye çıkınca grup dağılmaya başladı, Jack Kardeş bir kenara çekti beni. "Endişelenme," dedi. "Hambro Kardeş'i ilgi çekici bulacaksın; aslında bir eğitim dönemi geçirmen de kaçınılmaz bir şey. Bu geceki konuşman bir sınavdı senin için, parlak bir başarı kazandın, şimdi daha ciddi işler için hazırlanacaksın. İşte adres; sabahleyin ilk olarak Hambro Kardeş'i gör. Kendisi durumu biliyor."

Eve vardığımda yorgunluktan bitkindim. Sıcak bir duş alıp yatağa kendimi zor attığımda bile sinirlerim hâlâ gergindi. O hayal kırıklığı içinde istediğim tek şey uyumaktı; ama aklım gelip gidip toplantıya takılıyordu. Gerçekten olmuştu. Şanslıydım. Her şeyi yerli yerinde söylemiştim, benden hoşlanmışlardı. Ya da yanlış şeyleri doğru yerlerde söylemiştim. Her neyse, Kardeşler'imizi saymazsak hoşlarına gitmişti bu ve bundan sonra yaşamım farklı olacaktı. Daha şimdiden farklıydı zaten. Çünkü o anda, dinleyicilere ne söylemişsem gerçekten düşündüğüm şeylerdi; bu şeyleri söyleyeceğimi başlangıçta bilmiyor olmuş olsam bile iyi bir çıkış yapmak, Kardeşlik'in bana olan ilgisini sürdürmek için bir şeyler söylemek istemiştim ben yalnızca. Ortaya çıkan sonuç hiç hesapta yoktu; sanki içimdeki bir başka ben yönetimi ele almış ve konuşmayı o yapmıştı. İyi ki öyle yapmıştı, yoksa işten atılabilirdim.

Tekniğim bile farklıydı şimdi; beni kolejden tanıyan hiç kimse konuşmamı tanıyamazdı. Ama öyle de olması gerekirdi; çünkü yeni bir insandım şimdi. Çok modası geçmiş bir tarzda konuşmuş olsam bile, değişmiştim ve şimdi, karanlıkta yatakta huzursuz uzanıp dururken, yüzlerini açıkça göremediğim o bulanık seyirci kitlesine sevgiye benzer bir şey duyuyordum. Ta ilk sözcükten başlayarak benimle birlikteydiler. Başarılı olmamı istemişlerdi, neyse ki ben de onlar için konuşmuştum, sözlerimi anlamışlardı. Ben onlarındım. Kalktım oturdum karanlıkta, ellerim dizlerimde, düşünceler yerini bulmuştu. Kim bilir, "kendini vermek ve bir işe ayrılmak" dedikleri şey de buydu belki. Ehh, öyleyse kabulümdü. Olanaklarım birdenbire genişlemişti. Kardeşlik'in konuşmacısı olarak yalnızca kendi grubumu değil, çok daha geniş bir grubu temsil ediyordum. Dinleyiciler karışıktı, istekleri ırk isteklerinden daha geniş bir alanı kaplıyordu. Onlara iyi hizmet etmek için ne gerekiyorsa yapacaktım. Bir daha fırsat verirlerse bana, elimden geleni yapacaktım. Başka nasıl koruyabilirdim kendimi dağılmaktan?

Karanlıkta oturmuş, konuşmayı adım adım anımsamaya çalışıyordum. Daha şimdiden, bir başkasının ifadesi gibi görünüyordu bana. Fakat biliyordum ki benimdi, yalnızca benim, bir stenografçı kaleme almış olsaydı, yarın bir göz atardım ona.

Sözcükler, cümleler sıçrıyor, sekip duruyordu kafamın içinde; o mavi bulutu yeniden görüyordum. "Daha insanî oldum" demekle neyi kastetmiştim? Daha önceki bir konuşmacıdan kaptığım bir cümle miydi bu, yoksa bir dil sürçmesi mi? Bir an büyükbabamı düşündüm; ama çabucak sildim kafamdan. Eski kölenin insanlıkla ne ilgisi olabilirdi? Belki de kolejde edebiyat dersinde Woodridge'in söylediği bir şeydi. Capcanlı görebiliyordum onu, sözcüklerle yarı sarhoş, nefret ve heyecan dolu, Joyce'dan, Yeats'den ve Sean O'Casey'den alıntılarla dolu, karatahtanın önünde bir aşağı bir yukarı gidiyor; incecik, sinirli ve kusursuz dolaşıyor, sanki hiçbirimizin göze alamayacağı, anlamlardan meydana gelmiş bir yüksek telde yürüyormuş gibi. Sesini duyar gibiydim: "Stephen'ın sorunu, tıpkı bizim sorunlarımız gibi, ırkının yaratılmamış bilincini yaratma sorunu değil, *yüzünün yaratılmamış özelliklerini* ortaya çıkarma sorunuydu. Görevimiz, kendimizi bireyler haline getirmektir. Bir ırkın bilinci, gören, değerlendiren ve kaydeden bireylerinin yeteneğidir... Biz kendimizi yaratırken ırkı yaratırız, sonra bakarız ki çok daha önemli bir şey yaratmışız: Bir kültür yaratmış oluruz. Var olmayan bir şey için bir bilinç yaratmaya çalışarak boşuna niçin zaman harcamalı? Çünkü görüyorsunuz, kan ve deri düşünemez!"

Ama hayır, Woodridge değildi. "Daha insani..." Eskisinden daha az bir şey olduğumu, örneğin, daha az zenci olduğumu mu kastetmiştim, ya da daha az farklı biri olduğumu mu; memlekette, Güney'deyken olduğumdan daha az sürgün olduğumu mu?... Ama bütün bunlar olumsuz şeyler. Daha çok olmak üzere azalmak? Belki de buydu; ama hangi yönde daha insani? Woodridge bile böyle şeylerden söz etmemişti. Tahliye olayında beni yakalamış, eline geçirmiş olan sözcükleri söyleyişimde olduğu gibi bir kez daha gizemli bir şey meydana geliyordu.

Bledsoe'yu ve Norton'u, yaptıklarını düşündüm. Beni karanlığa atmakla, hayal edeceğimden çok daha büyük ve önemli bir şeyi başarma olasılığını göstermişlerdi bana. Bir yol vardı önümde, arka kapıdan geçilerek gidilmeyen, yalnızca kara ve beyazla sınırlı olmayan, insan bir süre yaşayabilse, gerektiği kadar çalışabilse, olası en yüksek ödüllere götürebilecek olan bir yol. Büyük kararların alınışında bir rol oynayabilme; ülkenin, dünyanın gerçekte nasıl işlediğini, o sırrı görebilmenin yoluydu bu. Orada karanlıkta uzanmış dururken, ilk kez, bir ırkın bir üyesi olmaktan daha büyük bir şey olabilme olanağını bir an görebildim. Düş değildi bu, olanak vardı. Yalnız çalışmam, öğrenmem ve yaşamaya devam etmem gerekiyordu tepeye tırmanabilmek için. Elbette çalışacaktım Hambro'yla. Bana ne öğretecekse hepsini, hatta daha fazlasını öğrenecektim. Hele bir yarın olsun. Bu Hambro'yla ne kadar çabuk biterse işim, görevime o kadar çabuk başlıyabilirdim.

On Yedi

Dört ay sonra, Jack Kardeş bir araba gezintisine hazırlıklı olmam için, gece yarısı beni aradığında bayağı heyecanlandım. Neyse ki uyanıktım ve giyiniktim, o birkaç dakika içinde arabasıyla geldiğinde kaldırımın kenarında umutla bekliyordum. Onu direksiyonun gerisinde paltosuyla, kamburu çıkmış otururken gördüğümde, belki ne zamandır beklediğim şey oluyor diye düşündüm.

"Nasılsınız epeydir, Kardeş?" dedim arabanın içine girerken.

"Biraz yorgun," dedi. "Uyku yok, bir sürü sorun."

Sonra arabayı yola koyunca sessizleşti, ben de soru sormamaya karar verdim. İyi öğrendiğim bir şeydi bu. Düşüncelerine dalmış, gözlerini yola dikmiş görünce onu, Chthonian'da geçen bir şey olmalı diye düşündüm. Belki Kardeşler beni sınamak için toplanmış bekliyorlardı. Eğer öyleyse, güzel; ne zamandır bekliyordum böyle bir sınavı...

Ama Chthonian'a gidecek yerde beni Harlem'e getirmişti; arabayı park etmek üzere olduğunu gördüm dışarı bakınca.

"Bir içki içeriz," dedi arabadan çıkarak ve neon ışıklarından bir boğa başının El Toro Bar diye gösterdiği bir yere yönelerek.

Hayal kırıklığına uğramıştım. İçki miçki istemiyordum; kendimle bir görev arasında yatan ikinci adımı atmak istiyordum. Bir öfke kabarışıyla arkasından ben de daldım içeri.

Bar sıcak ve sessizdi. Yabancı içkiler her zamanki gibi sıra sıra dizilmişti raflara, geride bira bardaklarına yumulmuş. İspanyolca bir şeyler tartışan dört adamın bulunduğu yerde yeşil ve kırmızı ışıklarla aydınlatılmış bir otomatik pikap "Media Luz"u çalıyordu. Garsonu beklerken, bu araba gezintisinin amacını çıkarmaya çalışıyordum.

Hambro Kardeş'le çalışmalarıma başladıktan sonra Jack Kardeş'i çok az görmüştüm. Yaşamım çok sıkı bir şekilde düzenlenmişti. Fakat, eğer bir şey olacak olursa Hambro Kardeş'in bana bildireceğini bilmeliydim. Bunun için de her zamanki gibi sabahleyin onu görmeliydim. Bu Hambro, diye düşündüm, ne fanatik bir öğretmen! Uzun boylu, dostça davranan bir avukat; Kardeşlik'in baş kuramcısı, sert bir çalıştırıcı olduğunu göstermişti. Kendisiyle yaptığımız günlük tartışmalar ve sıkı okuma programı arasında, kolejdeyken hiçbir zaman gerekli bulmadığım kadar çok çalışıyordum. Gecelerim bile düzenlenmişti; her akşam, bölgelerden birinde ya da öbüründe bir toplantıda, bir mitingde buluşuyorduk (ama konuşmamdan beri Harlem'e ilk gelişimdi bu); konuşmacılarla birlikte kürsüde oturur, ertesi gün onunla tartışmak için notlar alırdım. Her fırsat, bir inceleme konusu oluyordu, bazen mitinglerin arkasından gelen eğlenceler bile. Bu eğlenceler sırasında, konukların konuşmalarında ortaya çıkan ideolojik davranışlar üzerinde kafamdan notlar tutmak zorundaydım. Ama çok geçmeden yöntemi, onun içinde öğrenmiştim: Yalnızca Kardeşlik'in politikasının birçok yönünü ve çeşitli sosyal gruplaşmalara yaklaşma tarzını öğrenmekle kalmıyor, bütün kente yayılmış üyelerle tanışıyor, konuşuyordum; her gün biraz daha fazla. Tahliye olayında oynadığım rol çok canlıydı belleklerde; konuşma yapmam yasaklanmış olduğu halde etrafa bir kahraman gibi tanıtılmaya alışmıştım artık.

Ama bu süre, daha çok dinleme zamanıydı benim için; bir konuşmacı olduğum için gittikçe sabırsızlanıyordum. Artık Kardeşlik'in tartışmalarının çoğunu o kadar iyi biliyordum ki, inandıklarım kadar inanmadıklarımı da uykumda tekrarlaya-bilirdim; ama görevim hakkında hiçbir şey söylenmiyordu daha. Bu yüzden bu gece yarısı telefonunun herhangi bir eylemin başlamak üzere olduğu anlamına geldiğini ummuştum...

Jack Kardeş, yanımda hâlâ düşüncelere dalmış oturuyordu. Başka bir yere gitmek ya da konuşmak için hiç acelesi yok gibi görünüyordu; ağır kanlı garson içkilerimizi hazırlarken beni niçin buraya getirdiğini boşu boşuna çözmeye çalıştım. Önümdeki panelde –çok yerde bir ayna bulunurdu onun yerinde– bir boğa güreşinden bir sahne görüyordum: Boğa yakından saldırıyor adama, adam kat kat olmuş kırmızı pelerini vücuduna o kadar yakın sallıyor ki, adam ve boğa sakin, doğal bir hareket girdabında birbirine karışmış, bir olmuş görünüyorlar. Barın üst kısmına, aslından daha büyük, pembe ve beyaz bir kız hayalinin, bir bira reklamından aşağıya bakarak gülümseyişine bakarken, doğal güzellik, diye düşündüm; bira reklamının üzerindeki takvim nisanın birini gösteriyordu. Sonra, içkilerimiz önümüze konunca Jack Kardeş canlandı, kendisini rahatsız eden şeyi hemen şu anda çözmüş ve aniden rahatlamış gibi birden değişti havası.

"Hey kendine gel," dedi şakacı bir tavırla dirsek vurarak bana. "Soğuk çelik uygarlığının karton hayalinden başka bir şey değil o."

Onun şakalaştığını işitmekten mutlu, güldüm. "Ya şu?" dedim boğa güreşi sahnesini göstererek.

"Barbarlığın dik âlâsı," dedi, garsona bakıp sesini bir fısıltı haline indirerek. "Boş ver sen. Hambro Kardeş'le çalışmanı nasıl buldun?"

"Oo, iyi," dedim. "Çok sıkı bir insan; ama kolejde onun gibi öğretmenlerim olsaydı bir iki şey öğrenmiş olurdum. Çok şey öğretti bana; ama arenadaki konuşmamı beğenmeyen Kardeşler'i doyuracak kadar çok mu, bilmiyorum. Bilimsel konuşalım mı?"

Bir gözü öbüründen daha parlak ışıyarak güldü. "Kardeşler için endişelenme," dedi. "Başaracaksın. Hambro Kardeş'in senin hakkındaki raporları hep çok iyi."

"Bak, güzel şey bunu duymak," dedim, barın ta öbür ucunda bir boğa güreşi sahnesi daha fark ederek; bunda matador, simsiyah boğanın boynuzlarında havaya savrulmuştu. "İdeolojinin hakkından gelmek için çok çalıştım."

"Hakkından gel ama fazla özenme ona," dedi. "O senin hakkından gelmesin dikkat et. Kupkuru ideoloji gibi, halkı uykuya daldırmanın da anlamı yoktur. İdeal olan, ideolojiyle bir şeyler anlatma, telkin etme arasında bir orta yer bulmaktır. Halkın duymak istediği şeyi söyle; ama bunu bizim istediklerimizi yapabilecekleri bir şekilde söyle." Güldü. "Şunu da unutma, kuram daima pratikten sonra gelir. Önce eylem göster, sonra kuramını yap; bu da bir formüldür, son derece etkili bir formül!"

Beni görmüyormuş gibi bakıyordu yüzüme; benimle eğleniyor muydu yoksa benimle birlikte mi gülüyordu, söyleyemezdim. Yalnız, güldüğünden emindim.

"Evet," dedim. "Gerekli olan her şeyi iyice öğrenmeye çalışacağım."

"Öğrenebilirsin," dedi. "Ve Kardeşler'in eleştirisi endişelendirmesin seni artık. İdeoloji mi istiyorlar, ver biraz onlara, seni kendi başına bırakırlar; yalnız, tabii arkanı sağlam şeye dayayacaksın ve istenen sonuçları çıkaracaksın ortaya. Bir içki daha?"

"Teşekkürler, yeteri kadar içtim."

"Emin misin?"

"Elbette."

"İyi, şimdi gelelim senin göreve: Yarın, Harlem bölgesinin baş konuşmacısı olacaksın..."

"Ne!"

"Evet. Komite dün karar aldı."

"Ama hiçbir fikrim yoktu."

"Başarırsın. Dinle şimdi. Tahliye olayında başlattığın şeyi sürdüreceksin. Onları canlı tut. Harekete geçir onları. Mümkün olduğu kadar çok kişi katılsın bize. Yaşlı üyelerden bazıları yol gösterecek sana; ama şimdilik ne yaparsan kendin yapacaksın. Hareket serbestliğin olacak ve Komite'nin sıkı disiplininden çıkmayacaksın."

"Anlıyorum," dedim.

"Hayır, tam anlayamazsın," dedi, "ama anlayacaksın. Disiplinin önemini gereğince değerlendirmezlik etme, Kardeş. Yaptığın şeylerden dolayı tüm Örgüt'e cevap verebilmeni sağlar o. Çok sıkıdır ama onun çerçevesi içinde işini yapmakta tam bir özgürlüğe sahipsin. İşine gelince, çok önemlidir. Anlıyor musun?" Ben, evet dercesine başımı sallarken, gözleri bütün yüzümü doldurur gibiydi. "Artık gitsek iyi olur, sen de uyursun biraz," dedi bardağını başına dikerek. "Bir askersin artık, sağlığın Örgüt'ten soruluyor."

"Hazır olacağım," dedim.

"Biliyorum olacağını. O halde yarın görüşürüz. Harlem bölgesinin Yürütme Komitesi'yle sabah saat dokuzda karşılaşacaksın. Yerini biliyorsun tabii?"

"Hayır Kardeş, bilmiyorum."

"Ya? Doğru, öyleyse bir dakika benimle birlikte gel. Birisini görmem gerek orada, sen de çalışacağın yere bir göz atarsın. Dönerken seni eve bırakırım," dedi.

Bölge Bürosu kiliseden bozma bir yerdeydi; zemin katta bir rehinci dükkânı vardı, ışıkları söndürülmüş caddede kör kör parlayan, yağma mallarla tıklım tıklım doluydu vitrinleri. Üçüncü kata çıktık merdivenle, yüksek, Gotik tavanlı geniş bir odaya girdik.

"Şurada," dedi Jack Kardeş, geniş odanın öbür ucuna yönelerek: Bir sıra küçük küçük oda gördüm, bir tanesinde ışık vardı yalnız. Kapıda bir adamın belirdiğini ve topallayarak ileri çıktığını gördüm.

"İyi akşamlar, Jack Kardeş," dedi.

"Vay. Tarp Kardeş. Tobitt Kardeş'i burada bulurum diyordum."

"Biliyorum. Buradaydı ama gitmesi gerekti," dedi adam. "Size bu zarfı bıraktı, bu gece geç saatte size telefon edeceğini söyledi."

"İyi iyi," dedi Jack Kardeş. "Bak, yeni bir Kardeş, tanıştırayım."

"Tanıştığımıza sevindim," dedi Kardeş gülümseyerek. "Arenadaki konuşmanızı duydum. İyi şeyler söylediniz gerçekten."

"Teşekkürler," dedim.

"Yani sevdindi o konuşmayı, değil mi, Tarp Kardeş?" dedi Jack.

"Bana göre zararsız çocuk," dedi adam.

"Eh, çok şeyler duyacaksınız daha ondan, yeni konuşmacınız."

"Güzel," dedi adam. "Bazı değişiklikler göreceğiz o halde."

"Doğru," dedi Jack Kardeş. "Gel şimdi onun bürosuna bakalım da, gideceğiz biz."

"Tabii, Kardeş," dedi Tarp, önümden topallaya topallaya yürüyüp karanlık odalardan birine girdi, ışığı yaktı. "İşte burası."

Küçük bir büroydu; bir telefonuyla bir yazı masası vardı, masanın üstünde bir daktilo, rafları kitap ve broşürlerle dolu bir kitap dolabı, eski denizci işaretleriyle işaretlenmiş koskoca bir dünya haritası ve bir tarafında Kolomb'un kahramanca bir pozu.

"Bir şeye ihtiyacın olursa, Tarp Kardeş'i gör," dedi Jack Kardeş. "O her zaman buradadır."

"Teşekkürler, olur," dedim. "Sabahleyin yerleşirim."

"Evet, biz de gitsek iyi olacak, biraz uyuyabilirsin sen de. İyi geceler Tarp Kardeş. Sabahleyin her şeysi hazır mı bir bakarsın."

"Hiçbir şey için endişelenmesin, Kardeş. İyi geceler."

"Tarp Kardeş gibi insanları buraya çektiğimiz içindir ki kazanacağız," dedi arabaya binerken. "Vücutça yaşlı ama inanç bakımından çetin bir delikanlıdır o. En nazik, en tehlikeli durumda güvenilebilir ona."

"Gördüklerimin içinde en iyisine benziyor," dedim.

"Göreceksin," dedi ve benim kapıya gelinceye kadar süren bir sessizliğe daldı.

Komite üyeleri, ben oraya vardığımda, yüksek Gotik tavanlı salonda toplanmış, birleştirilmiş iki küçük masanın etrafındaki açılır kapanır iskemlelere oturmuştu.

"İyi," dedi Jack Kardeş, "zamanında geldin. Çok iyi, liderlerimizin dakik olması hoşumuza gider."

"Kardeş, daima dakik olmaya çalışacağım," dedim.

"İşte, Kardeş ve Kız Kardeşler," dedi. "Yeni konuşmacınız bu. Şimdi başlıyabiliriz. Herkes burada mı?"

"Tod Clifton Kardeş'ten başka herkes burada," dedi birisi. Kızıl saçlı başı şaşkınlıkla sarsıldı. "Eee?"

"Gelecek," dedi, genç bir Kardeş. "Bu sabah saat üçe kadar çalıştık."

"Böyle de olsa zamanında gelmeliydi. Pekâlâ," dedi Jack Kardeş ve bir saat çıkardı. "Başlayalım. Çok az zamanım var; ama gerekli olan da o, azıcık zaman. Hepiniz biliyorsunuz son günlerin olaylarını ve yeni Kardeş'imizin bu olaylarda oynadığı rolü. Kısacası, bu zamanın boşuna harcanmadığını görmek için burada toplanmış bulunuyorsunuz. İki şey yapmamız gerekiyor: Davranışımızın etkililiğini artıracak yöntemleri planlamak ve şu anda ortaya çıkmış olan enerjiyi örgütlemek. Bu, üye sayımızda hızlı bir artışı gerektirir. Halk tamamen uyanmıştır; onları eyleme götüremezsek, pasifleşecekler, ya da sinikleşecekler. Yani ilk darbeyi hemen indirmemiz, hem de sert indirmemiz gerekiyor!"

"Bu amaçla," dedi, başıyla beni göstererek, "Kardeş'imiz bölge sözcüsü olarak atanmıştır. Sizler ona sadakatle destek olacaksınız, onu Komite'nin yetkesinin yeni aracı olarak göreceksiniz..."

Bir iki alkış duyuldu, kapının açılmasıyla birlikte onlar da kesildi; iskemle dizilerinin aşağısına doğru bakınca, benim yaşımda, şapkasız bir delikanlının salona girdiğini gördüm. Kalın bir süeter, spor pantolon vardı üzerinde; ötekiler de baktılar, bir kadının zevkle içini çektiğini duydum. Delikanlı rahat, uzun zenci adımlarıyla karanlıktan aydınlığa doğru geliyordu; çok kara, çok yakışıklıydı. Odanın ortasına kadar gelince, onun Kuzey müzelerindeki heykellere, beyaz dölden ev çocuklarının, kara dölden avlu çocuklarının ortak bir namludan ateşlenen mermilerin izlediği yivler kadar birbirinin aynı adlar, yüz çizgileri ve karakter izleri taşıdıkları Güney kentlerinde canlı olarak bazen rastlanan, siyah mermerden kesilmiş gibi keskin yüz çizgilerine sahip olduğunu gördüm. Yaklaşmış, upuzun gövdesiyle öne doğru eğik, rahat, kollarını dimdik masanın üzerine uzatmış dururken, masanın ağacının koyu damarları üzerinde geniş gergin ellerini, adaleli, süeterli kollarını, rahat rahat soluk aldıkça köşeli, yumuşak bir çeneye doğru yükselen göğsünün eğrisini gördüm; taş üstüne kadifenin, kemik üstüne granitin ustalıkla uyuştuğu Afro-Anglo-Sakson yanağının üzerinde X şeklinde yapıştırılmış bir bant vardı.

Orada öylece öne doğru eğilmiş duruyor, hepimize yabancı bir uzaklık duygusu içinde bakıyordu. Dostça bir çekiciliğin altında söz haline gelmemiş bir soru yattığını hissettim bu bakışta. Olası bir rakip olduğunu sezinleyerek, dikkatle, kim olduğunu merak ederek süzüyordum onu.

"Ha, evet Tod Clifton Kardeş geç kalmıştı," dedi Jack Kardeş.

"Gençlik liderimiz geç kaldı. Neden acaba?"

Delikanlı yanağını gösterdi ve gülümsedi. "Doktora gitmem gerekti," dedi.

Jack Kardeş, kara deri üzerindeki çapraz banda bakarak, "Nedir o?" dedi.

"Milliyetçilerle ufak bir çatışma. Kışkırtıcı Ras'ın adamlarıyla," dedi Clifton Kardeş. Işıl ışıl, sevecen bakışlarla onu süzen kadınlardan birinin derin derin nefes alışını duydum.

Jack Kardeş birden bana dönerek, "Kardeş, Ras'ı duymuş muydun? Kendisine 'kara milliyetçi' diyen vahşi bir adamdır."

"Hatırlamıyorum," dedim.

"Yakında duyarsın. Otur, Clifton Kardeş, otur. Dikkatli olmalısın. Örgüt için değerli bir insansın. Kendini tehlikeye atmamalısın."

"Bu kaçınılmazdı," dedi genç adam.

"Aynı şey," dedi Jack Kardeş, herkese fikirlerini sorarak tekrar tartışmaya döndü.

"Kardeş, tahliyelere karşı mücadeleye devam edecek miyiz?" dedim.

"Senin sayende yol gösterici bir çıkış oldu onlar."

"Peki neden kavgayı hızlandırmıyoruz?"

Yüzümü inceledi. "Teklifin nedir?"

"Çok dikkat çektiğine göre, neden bütün topluluğa ulaşmaya çalışmıyoruz bu konuda."

"Peki nasıl başlayacağız buna?"

"Ben, belli topluluk liderlerinin desteğini almamızı teklif ediyorum."

"Bunun bazı güç tarafları var," dedi Jack Kardeş. "Liderlerin çoğu bize karşı."

"Ama söylediklerinde doğru bir yan var sanıyorum Kardeş'in," dedi Clifton Kardeş. "Bizi sevsinler ya da sevmesinler, ya bu konuda onlardan destek alabilirsek? Konu bir topluluk çıkışı, partizanca bir çıkış değil."

"Elbette," dedim, "Bana da öyle görünüyor. Tahliyeler konusunda bu kadar coşku varken, topluluğun en önde gelen yararlarına karşı geliyor görünmeksizin bize karşı çıkmayı göze alamazlar..."

"Böylece onları açmazda bırakmış oluruz," dedi Clifton.

"Oldukça kurnaz bir düşünce," dedi Jack Kardeş.

Ötekiler de kabul ettiler.

Jack Kardeş gülümseyerek, "Bilirsiniz," dedi, "biz hep bu liderlerden uzak durmuşuzdur; ama daha geniş bir cephede ilerlemeye başlar başlamaz, katılık, silkilip atılması gereken bir yük oluyor sırtımızda. Başka teklif var mı?" Etrafına bakındı.

"Kardeş," dedim, birden aklıma gelmişti: "Harlem'e ilk geldiğimde beni etkileyen ilk şeylerden biri, bir merdiven üzerinde konuşma yapan bir adam olmuştu. Çok sertti ve aksanlı konuşuyordu; ama dinleyicileri bir hayli coşkundu... Niçin biz de çalışmamızı sokağa çıkarmayalım aynı şekilde?"

Birden gülümseyerek, "Demek karşılaştın onunla," dedi. "Şey, Kışkırtıcı Ras'ın Harlem'de tekeli vardır. Ama şimdi biz daha geniş cepheli olduğumuza göre bir deneme yapabiliriz. Komite'nin istediği şey sonuç almaktır!"

Demek Kışkırtıcı Ras oymuş, diye düşündüm.

"Sızdırıcı'yla, yani Kışkırtıcı'yla demek istiyorum, başımız belaya girecek," dedi iri bir kadın. "Serserilerini salacak ve akın kara olduğuna inandırmaya çalışacak herkesi."

Güldük.

"Kara insanlarla beyaz insanları bir arada görmesin, deli oluyor," dedi bana dönerek.

Clifton Kardeş, yanağına dokunarak, "Buna dikkat ederiz," dedi.

"Pekâlâ ama şiddet yok," dedi Jack Kardeş. "Kardeşlik Örgütü şiddete, teröre ve nasıl olursa olsun saldırgan kışkırtmaya karşıdır. Anlıyor musunuz, Clifton Kardeş?"

"Anlıyorum," dedi.

"Herhangi bir saldırgan sertliğe izin vermeyeceğiz. Anlıyor musunuz? Resmilerin ya da bize saldırmayanların üzerine saldırmak yok. Şiddetin her şekline karşıyız, anlıyor musunuz?"

"Evet, Kardeş," dedim.

"Pekâlâ, bunu böylece açıkladıktan sonra sizden ayrılabilirim artık," dedi. "Ne yapacaksınız, bakalım. Öteki bölgelerden gereken desteği, yardımı fazlasıyla göreceksiniz. Bu arada, hepimizin disiplin altında olduğumuzu da unutmayın."

O ayrıldı ve biz işleri bölüştük. Ben, herkesin en iyi tanıdığı yerde çalışmasını teklif ettim. Kardeşlik Örgütü ile topluluk liderleri arasında bir bağlantı olmadığı için kendime böyle bir bağlantı kurma görevini verdim. Sokak toplantılarımızın hemen başlamasına, Tod Clifton Kardeş'in dönüp bütün ayrıntıları benimle birlikte tekrar gözden geçirmesine karar verildi.

Tartışma sürerken, onların yüzlerini inceliyordum ben. Karası, beyazı, tümü birden inançla dolu, tam bir anlaşma içinde görünüyorlardı. Ama ben onları tip tip ayırmaya kalkınca boşuna uğraştığımı fark ettim. Güneyli çamaşırcı kadınlara benzeyen biri kadın işlerinden sorumluydu; soylu, ideolojik terimlerle konuşuyordu. Boynunda karaciğer bozukluğu lekeleri olan utangaç görünüşlü adam, yürekli bir doğruluk ve hevesle konuşuyordu eylem konusunda. Şu gençlik lideri Tod Clifton Kardeş'se, ömründe hiç kırkıcı görmemiş bir İran koyununun yapağısına benzeyen saçları dışında iki dirhem bir çekirdek bir züppeye, cin gibi bir oğlana benziyordu. Hiç yabancı gelmiyorlardı bana; ama tıpkı Jack Kardeş ve öbürleri nasıl bugüne kadar görmüş olduğum bütün beyazlardan farklıysalar onlar da farklı kimselerdi. Düşte gördüğümüz tanış kimseler gibi tamamen değişiktiler. Eh, diye düşündüm, ben de farklıyım; konuşma bitip eylem başlayınca görecekler. Yalnız, kimsenin düşmanlığını üzerime çekmemeye dikkat etmeliyim. Bu durumda herhangi birinin benim sorumlu yerine getirilişime gücenmesi çok normaldi.

Ama Tod Clifton Kardeş, sokak toplantılarını tartışmak üzere büroma geldiğinde hiçbir gücenme belirtisi görmedim, tersine, toplantının stratejisine vermişti kendini bütünüyle. Yerli yersiz sorular sorarak mitingleri bozmaya çalışan kimselere ne yapmak gerektiğine, bize saldırılırsa ne yapacağımıza, kendi üyelerimizi kalabalığın geri kalanından nasıl ayırabileceğimize dair büyük bir dikkatle bilgi verdi bana. Görünüşteki bütün züppece özelliklerine rağmen konuşması netti; işini iyi bildiğine dair hiçbir kuşku kalmadı içimde.

Sözlerini bitirince, "Nasıl başarabilecek miyiz, ne düşünüyorsun?" dedim.

"Büyük bir şey olacak, arkadaş," dedi. "Garvey'den beri en büyük şey olacak."

"Emin olmak isterdim," dedim. "Ben hiç görmedim Garvey'i."

"Ben de," dedi, "ama anlıyorum ki Harlem'de çok büyük bir kimseymiş."

"Eh, bir Garvey değiliz, o da göçüp gitmiş."

"Hayır; ama güçlü bir adamdı herhalde," dedi ani bir tutkuyla. "Bütün bu halkı harekete getirebilmek için bir şeyler olması gerek adamda! Bizim halkımız öldür Allah kımıldamaz. Çok şey olmalıydı onda!"

Yüzüne baktım, gözleri içine dönmüştü sanki; sonra gülümsedi. "Endişelenme," dedi. "Bilimsel bir planımız var ve sen de ateşlersin onları. İşler o kadar kötü ki dinlerler, *dinleyince* de takılırlar peşimize."

"Umut ederim," dedim.

"Gelecekler. Sen benim kadar hareketin içinde bulunmadın; üç yıl oluyor, değişikliği hissedebiliyorum ben. Harekete hazırlar."

"Hislerin seni yanıltmıyordur umarım," dedim.

"Yanıltmaz yanıltmaz," dedi. "Yeter ki onları bir araya toplayabilelim."

Akşam, neredeyse kış akşamları kadar soğuktu hava, köşe iyi aydınlatılmıştı, bütün zenci kalabalık birbirine kenetli, doldurmuştu ortalığı. Merdivenin üzerindeydim, etrafımı Clifton'un Gençlik Örgütü'nden bir grup sarmıştı; sırtlarının, enselerine doğru kaldırılmış yakalarının ötesinde, kuşkulu, meraklı ve kararlı yüzler görebiliyordum kalabalıkta. Vakit erkendi, trafiğin gürültüsüne karşı sesimi duyurmaya çalışıyordum; heyecanlandıkça sesim açılıyor, yanaklarımda, ellerimde havanın rutubetli soğuğunu duyuyordum. Kendimle halk arasındaki ortak nabız atışını hissetmeye başlamıştım; kesik kesik, kuvvetli alkışlarla cevap vermeye, beni onaylamaya başlamışlardı ki, Tod Clifton'a ilişti gözüm, bir şey gösteriyordu. Kalabalığın başları üzerinden ve karanlık dükkân önlerinin, göz kırpan neon ışıklarının ordan yirmi kadar öfkeli insanın hızlı hızlı bize doğru geldiğini gördüm. Aşağıya baktım.

"Başımız belada, konuşmaya devam et," dedi Clifton. "Çocuklara işareti ver."

"Kardeşler, eylemin zamanı gelmiştir," diye bağırdım. Şimdi, Gençlik Örgütü'nden olanların ve daha bazı yaşlıların kalabalığın gerisine doğru kaydığını, ilerleyen grubu karşılamaya yöneldiğini görüyordum. Sonra karanlıkta bir şey uçtu havada ve sertçe alnıma çarptı. Kalabalığın merdiveni arkaya doğru yıkarak dalgalandığını, birbirine sokulduğunu hissettim; uzun cambaz ayakları üzerinde kalabalığın üstünde sendeleyerek giden bir adama benziyordum. Sonra arkası üstü caddeye düştüm, merdivenin yere çarparken çıkardığı sesi duydum. Bir panik havası içinde dönüp duruyorlardı şimdi; birden Clifton'u gördüm yanımda. "Kışkırtıcı Ras bu," diye bağırdı. "Ellerini kullanabilir misin?"

"Yumruklarımı kullanırım!" dedim. Canım sıkılmıştı.

"İyi, tamam öyleyse. İşte sana fırsat. Haydi görelim seni reis!"

İleri fırladı; fırlamadı, hızla dönüp duran kalabalığın içine daldı sanki, ben de yanında; kalabalığın kapı aralıklarına öbek öbek sokuluşunu ve karanlıkta oraya buraya çarpışını görerek.

"İşte Ras orada," diye bağırdı Clifton. Ve sonra bir camın kırıldığını duydum, sokak karanlığa gömüldü. Birisi sokak lambasını parçalamıştı, o loşluk içinde Clifton'un karanlık bir vitrinde parlayan kırmızı bir neon ışığına doğru yöneldiğini gördüm, başımın üzerinden bir şey uçtu. Sonra bir adam, elinde uzun bir boruyla koştu, Clifton'u onun yanında gördüm, başını sakınarak aşağı eğildi, adama yaklaştı, bileğini yakaladı ve talim sırasında geriye dönüş yapan bir asker gibi adamın bileğini bükerek birden geriye döndü ve yüz yüze geldik; adamın dirseğinin arka tarafı gerilmiş Clifton'un omzunda, ayak parmaklarının ucuna kalkmış, bağırıyordu; sonra yavaşça düzelterek kolunun üzerine yere bıraktı adamı Clifton.

Kuru bir "pat" sesi duydum, adamın yere yıkıldığını gördüm; boru kaldırımın üzerine yuvarlandı, sonra birisi mideme sert bir yumruk vurdu, birden benim de kavgaya karıştığımı anladım. Dizlerimin üzerine düştüm, yuvarlandım, tekrar ayağa kaldırıldım ve onu gördüm. "Ayağa kalk, Tom Amca," diyordu, sımsıkı yapıştım ona. Onun da elleri vardı, benim de ve maç ortadaydı; ama o, o kadar şanslı değildi. Düşmüyor, yenilmiyordu; iki güzel yumruk yapıştırdım, başka yerde dövüşmeye karar verdi. Dönerken bir çelme taktım ve uzaklaştım.

Dövüş, karanlığa, sokak lambalarının paramparça edildiği köşeye doğru geriliyordu; hırıltıların, çekişmelerin, ayak seslerinin ve vuruşların dışında ortalık sessizdi. Göz gözü görmüyordu karanlıkta, bizimkileri onlardan ayıramıyordum, bu yüzden de dikkatle, görmeye çalışarak ilerliyordum. Karanlıkta, caddenin üst yanında biri bağırıyordu, "Dağılın! Dağılın!" Aynasızlar, diye düşündüm Clifton'a bakınarak. Neon lambası bir garip parlıyordu, etrafta koşuşmalar, küfürler vardı; bir dükkânın girişinde kırmızı bir BURADA ÇEK BOZULUR işareti önünde ustaca dövüştüğünü gördüm onun. Oraya doğru koştum, başımın üzerinden birtakım şeylerin uçuştuğunu ve camlara çarparak parçaladığını duyuyordum. Clifton'un kolları, Kışkırtıcı Ras'ın midesine kısa, usta darbeler indirerek çalışıyor, onu vitrinlere üzerine yıkmamaya ya da yumruklarıyla camlara vurmamaya dikkat ederek hızlı ve ne yaptığını bilerek dövüşüyordu; Ras, yağmur gibi inen sağların solların etkisiyle sarhoş bir boğa gibi bir o yana bir bu yana sallanıyordu. Yanlarına yaklaştığımda Ras başını gizlemeye çalışarak kaçıp kurtulmaya uğraşıyordu; Clifton'un onu tekrar içeriye soktuğunu, yere çökerttiğini gördüm, elleri giriş yerinin karanlık döşemesinde, topuklar yarışa kalkmaya hazırlanan bir koşucu gibi geriye, kapıya dayanmış. Tam o sırada ileri fırlayarak kendisine doğru gelmekte olan Clifton'u yakaladı, bir tos vurdu karnına, şiddetli bir soluk veriş sesi duydum, Clifton sırtüstü yatıyordu; Ras'ın elinde bir şey parladı, ilerliyordu, şimdi elinde bıçağıyla giriş yerini tamamen dolduran kısa, kalın bir beden ihtiyatla ileri doğru yürüyordu. Hızla döndüm, uzun boruya bakındım, yerlere atılmış, ellerimin dizlerimin üstünde sürünüyor, oraya bakıyorum, buraya bakıyorum; birden ayağa kalktığımda Ras'ın yere eğilmiş olduğunu görüyorum, bir eli Clifton'un yakasında, öteki elinde bıçak Clifton'a bakıyor, kızgın bir boğa gibi hızlı hızlı soluyarak. Donup kalıyorum, bıçağı geriye doğru kaldırdığını ve yarı yolda durduğunu görerek; çekiyor ve yeniden duruyor, göz açıp kapayıncaya kadar oluyor bütün bunlar. Birden ağlamaya başlıyor, hızla hızlı konuşuyor aynı zamanda; ben, rahatlamış, ilerliyorum yavaş yavaş.

"Ulan!" diye söyleniyor Ras, "Öldürmeliyim seni. Allah'ın belası, seni öldürmeliyim de dünya rahatlasın. Ama *karasın*, *ulan*. Niye sen karasın, ulan? Niye sen kara, ulan? Namussuzum öldürmeliyim seni. Kimse vuramaz Kışkırtıcı'ya, kimse lan, Allah'ın belası!"

Bıçağı tekrar kaldırdığını gördüm; ama bu kez de kullanmadan indirirken aşağı, Clifton'u caddeye itti ve üstüne bastı, hıçkıra hıçkıra ağlıyordu.

"Neden sen bu beyazlarla? Neden? Ne zamandır gözlüyorum ben seni. Diyorum kendime, 'Çok geçmez gelir aklı başına, usanır. Bu dalgadan çıkar.' Neden senin gibi iyi bir çocuk onlarla olsun?"

Biraz daha ilerliyorum, henüz suç işlememiş bıçağı hâlâ elinde, vitrin ışığının parıltısından gözyaşları kıpkırmızı, Clifton'un üzerinde dururken yüzünün kızgın kızıl yaşlarla parladığını görüyorum.

"Sen benim kardaşımsın, ulan. Kardaşlar aynı renk olur; ne demeye bu beyaz adamlara *kardaş* dersin sen? Bok herif! Bok, ulan bu, boktan bir iş! Kardaş dediğin aynı renk. Biz Afrika

Ana'nın oğulları, unuttun mu? Sen karasın KARA! Sen, *Allah'ın belası*, ulan!" diyordu bıçağıyla işaret ederek. "Senin saçların çirkin! Senin *dudakların* kalın! Sana *pis kokuyon* diyorlar! Senden nefret ediyorlar, ulan. Sen Afrikalı, AFRİKALI! Niye onlarlasın? Bırak o bokları ulan. Seni satıyorlar. Eski boktan usuldür bu. Bizi köle ediyorlar, unuttun mu bunu? Kara adama nasıl iyilik düşünür onlar? Nasıl senin kardaşın olur onlar?"

Yanına yanaşmıştım şimdi, boruyu sertçe indirdim; acıdan bileğini tutarken o, bıçağın karanlığa doğru uçtuğunu gördüm ve yerinde dimdik durarak kısık, küçük gözleriyle bana baktığını görünce tekrar kaldırdım boruyu, birden korku ve nefretle yanarak.

"Sen de ulan," dedi Kışkırtıcı, "Allah'ın ufak kara şeytanı! Allah'ın belası kurnaz sıçan! Nereliyim sanıyon da beyazlarla gidiyon? Ben bilirim, Allah'ın belası; bilmez miyim? Ta Güney'densin sen! Trinidad'dansın sen! Barbados'dansın! Jamaika, Güney Afrika'dansın ve beyaz adamın tekmesi kıçında daha, kalçana kadar; Kara halka ihanet ederek neyi inkâra çalışıyon? Niye bize karşı *dövüşüyon*? Siz *genç* arkadaşlar. Siz çok okumuş kara delikanlılar; duyuyorum kalabalıkları ayaklandırıyormuşsun. Niye kölecilere gidiyon? Nasıl okumaktır bu? Ne cins bir kara adam ki bu, anasını ele veriyor?"

"Kes sesini," dedi Clifton, ayağa sıçrayarak, "kes sesini!"

"Ne kesi, ulan," diye bağırdı Ras, yumruklarıyla gözlerini silerek. "Konuşurum! Vur boruyu kafama ama Allah aşkına dinle Kışkırtıcı'yı sen! Bizimle gel, arkadaş. Kara halkı, şanlı, ayağa kaldıralım. *Kara Halkı*. Ne yapıyorlar onlar, para mı veriyorlar sana? Kim ister o lanet şeyi? Onların paralarından kara kan damlar, arkadaş. Pistir o! Onların parasını almak boktan bir iş, arkadaş. Şerefsiz alınan para, bombok bir iş!"

Clifton saldıracak oldu. Tuttum, yapma der gibi başımı sallayarak. Kolundan çekerek, "Haydi gidelim," dedim. "Adam kaçık."

Ras yumruklarıyla kalçalarını döverek: "*Ben* mi kaçık, ulan? *Bana* kaçık diyorsun ha? Bir ikinize, bir de bana bakın; bu mudur *akıllılık*? Şurada durmuşuz üç kara gölge! Üç kara adam, beyaz köleci yüzünden durmuş dövüşüyoruz sokakta! Bu mudur akıllılık? Bilinç bu mudur, bilimsel anlayış? Yirminci yüzyılın modern kara adamı bu mudur? Lanet olsun, ulan? Bu mudur kendine saygı; kara karaya karşı? İhanet edesiniz diye ne veriyorlar size, karılarını mı? Bununla mı kandırıyorlar?"

Dinleyerek, anımsayarak ve birden büyük dövüşün dehşeti içinde yaşayarak, "Gidelim," diyorum; ama Clifton benden kurtulmuş gergin, büyülenmiş gibi bakıyor Ras'a.

"Gidelim," diye tekrar ettim. Oysa o orada öylece bakarak duruyordu.

"Elbet, sen git," dedi Ras, "ama o, hayır. Sen zehirlenmişsin ama o gerçek bir kara adam. Afrika'da bu adam bir reis olur, bir kara kral! Burada damarlarında kan olmayan o lanet karılara saldırıyor diyorlar ona. Bu adam onlara beyzbol sopasıyla bile dokunabilirse, adam değilim; tüh! Ne deliliktir bu? Beşikten mezara kadar vur kıçına tekmeyi, sonra da *kardaş* de ona, ha? Matematiğe sığar mı? Mantık mı bu? Bak bir, arkadaş; gözlerini aç," dedi bana. "Şu Allah'ın belası dünyayı yerinden oynatmaz mıyım? Japonya'da bilirler beni, Hindistan'da, bütün zenci memleketlerinde. Gençlik! Aydınlar! Bu adam doğuştan prens! Gözleriniz nerede? Kedinize saygınız nerede? Onlar, o Allah'ın belası insanlar için çalışıyorsunuz, ha? Onların günleri sayılı, zamanı neredeyse geldi de siz aylak aylak dolaşırsınız, sanki on dokuzuncu yüzyıldaymış gibi. Anlamıyorum sizi. Ben mi cahilim? Cevap verin bana, arkadaş?"

"Öyle," diye parladı Clifton. "Öyle lan, öyle!"

"Kaçığım sanıyorsunuz, kötü İngilizce konuşuyorum da ondan mı? Allah belasını versin, bu benim anadilim mi ulan, Afrikalı'yım ben! Sahiden kaçığım mı sanıyorsunuz?"

"Evet, evet!"

"Buna inanıyorsunuz ha?" dedi Ras. "Ne yapıyorlar size, kara arkadaş? O pis kokulu karılarını mı veriyorlar?"

Clifton yine davrandı, yine engel oldum ve Ras yine yerinden kımıldamadı, başı kıpkızıl parlayarak.

"Karılarını? Allah belasını versin ulan! Eşitlik bu mudur? Kara adamın özgürlüğü bu mudur? Sırtınıza iki pat, pat, önünüze suyu çıkmış iki orospu? Sürfeler! Sizi bu kadar ucuza mı satın alıyorlar ulan? Ya benim halkıma ne *yapıyorlar*? Beyin yok mu sizde? Bu karılar süprüntü, ulan! İçleri geçmiş! Yüksek sınıftan beyaz adam kara adamdan nefret eder, bilirsiniz, nedeni kolay. Bu süprüntüleri kullanır da siz kara delikanlılara kirli işlerini yaptırmak isterler. Onlar size ihanet ediyorlar ve de kara halka ihanet ediyorlar. Size oyun oynuyorlar, arkadaş. Bırak kendi aralarında dövüşsünler. Bırak yesinler birbirlerini. Biz örgütlenelim –örgütlenmek gibisi var mı?– ama karalar örgütlenelim biz. KARALAR! Canı cehenneme o orospu çocuğunun! O, alır o orospulardan birini ve gelir kara adama, senin özgürlüğün şunun uyuz bacakları arasında duruyor der; ama o, *o* hırsız dölü, bütün iktidarı ve sermayeyi alır ve kara adama bir şey bırakmaz. Kendisi kara adamlardan piçler ordusu kurarken, güzel beyaz kadınlara, 'Kara adam ırz düşmanıdır,' der ve kilit altında ve de cahil tutar onları.

Ne zaman usanacak kara adam bu çocukça hainlikten? Seni de avladı, sen de inanmıyorsun artık kara aydınlarına, ha? Bu kadar ucuza oynatmayın kendinizle siz gençler. İnkâr etmeyin kendinizi! Sizi meydana getirmek için bir milyar galon kara kan harcandı. Kendi içinde tanı kendini, insanlar arasında birer kralsınız siz! Bir insan insan olduğunu bir şeysi olmayınca tanır, çırılçıplak kalınca; kimse söylemez bunu ona. Bir seksen, bir doksan adamlarsınız, arkadaş. Gençsiniz ve de zekisiniz. Karasınız ve güzelsiniz; söyletmeyin onlara farklı olduğunuzu! Öyle olmayaydın, ölmüştün arkadaş. Ölmüş! Seni öldürürdüm arkadaş. Kışkırtıcı Ras kaldırdı bıçağını ve uğraştı; ama yapamadı. Neden yapmıyorsun? Soruyorum kendime. Şimdi yapacam, diyorum! Ama bir şey diyor bana, 'Hayır, hayır! Kara kralını öldürebilirsin sonra!' Ve ben diyorum, evet, evet! Sonra sizin hakaretinizi yutuyorum. Ras senin kara imkanlarını gördü içinde arkadaş. Ras kara kardaşını beyaz esircilere kurban etmez. *Ağlar* onun yerine. Ras bir insandır, beyaz adam söylemesin ona insan olduğunu isterse ve Ras *ağlar*. Peki niye görmüyorsun karalık görevini arkadaş ve katılmıyorsun bize?"

Göğsü inip kalkıyordu, sert sesine yalvaran bir hava gelmişti. Bir kışkırtıcıydı, doğru, kaba, delice yalvarışındaki güzel sözler beni de etkilemişti. Orada dikiliyor, bir cevap bekliyordu. Ve birden büyük bir kargo uçağı geçti alçaktan, binaların üzerinden. Motorundan çıkan alevleri görmek için yukarı baktım; üçümüz, sessiz, durmuş seyrediyorduk.

Kışkırtıcı birden yumruğunu uçağa doğru salladı ve bağırdı, "Cehenneme kadar yolu var, bir gün bizim de olacak uçaklarımız! Cehenneme kadar yolu var!"

Uçak güçlü uçuşuyla gürültü içinde geçip giderken binaların üzerinden, o orada durmuş, yumruğunu sallıyordu. Sonra kayboldu, gitti; gerçeğe benzemeyen caddeye baktım. Şimdi, karanlıkta blokun ötesinde dövüşüyorlardı ve biz yalnızdık burada. Kışkırtıcı'ya baktım. Kızgın mıyım, şaşkın mı, bilemiyordum.

"Bak," dedim başımı sallayarak, "akıllıca konuşalım. Bundan sonra her gece caddelerin köşelerinde olacağız biz ve de belaya hazırlıklı olacağız. Bela istemiyoruz, özellikle seninle; ama kaçmayacağız da..."

"Allah belanı versin ulan," dedi ileri sıçrayarak. "Harlem burası. Benim bölgem, kara adamın bölgesi. Beyazlar buraya gelsin de zehrini saçsın, bırakır mıyız sanıyorsun? Gelsinler, tıpkı şimdiki gibi, gelsinler de gürültü patırtı çıkarsınlar ha? Akıllıca konuş arkadaş, Ras'la konuşurken kafanı kullan!"

"Akıl dersen bu," dedim, "ve sen de bizi dinle, biz nasıl seni dinlediysek. Her gece burada olacağız biz, anlıyorsun. Burada olacağız ve bir dahaki sefere Kardeşler'imizden birini bıçakla kovala sen –beyaz olsun, kara olsun– unutmayacağız."

Başını salladı iki yana, "Ben seni unutmayacağım, ulan."

"Sakın ha, unutmanı istemem; çünkü unutursan bela çıkar. Yanılıyorsun, görmüyor musun sayıca azaldığını? Kazanmak için dosta ihtiyacın var..."

"İşte akıllıca bir söz. Kara dostlara. Sarı ve kahverengi dostlara!"

"Kardeşçe bir dünya isteyen bütün insanlara," dedim.

"Budalalık etme, ulan. Onlar *beyaz*, kara halkla dost mu olur onlar? İstediklerini alırlar, sonra sana karşı dönerler. Nerde senin kara zekân?"

"Böyle düşünürsen tarihin gerisinde kalır, kaybolursun," dedim. "Kafanla düşünmeye başla artık, heyecanlarınla değil." Clifton'a bakarak hiddetle başını salladı. "Bu kara herif bana beyinden, düşünmekten söz ediyor. Ben ikinize de soruyorum, uyanık mısınız, uyuyor musunuz yoksa? Nedir sizin geçmişiniz, nereye gidiyorsunuz? Ama boş ver, kokmuş ideolojiniz sizin olsun, alın da sırtlanlar gibi kendi bağırsaklarınızı yiyin. Yeriniz neresi sizin, ulan. Hiçbir yerdesiniz! Ras cahil değildir, korkmaz da Ras. Hayır! Ras, Kara Ras burada olacak ve kara halkın özgürlüğü için dövüşecek, beyazlar istediklerini alıp yüzünüze gülerek çekip giderken ve siz pis pis kokarken ve ağzınıza, yüzünüze dolmuş beyaz sürfelerden boğulurken."

Karanlık caddeye kızgın kızgın tükürdü. Kırmızı ışıkta pespembe uçtu tükrük.

"Benim için hava hoş," dedim. "Yalnız söylediğimi unutma. Haydi gidelim, Clifton Kardeş. Bu adamın içi irinle dolu, kara irinle."

Yürüdük, ayağımın altında cam kırıklarının gıcırdadığını duydum.

"Belki öyle," dedi Ras. "Ama enayi değilim ben! Kara adamla beyaz adam arasındaki şeylerin, baştaki beyaz adamın yazdığı kanlı kitaplardaki boktan yalanlarla düzeleceğini düşünen okumuş kara enayilerden değilim ben. Bu beyaz adam, uygarlığını kursun diye üç yüz yıl kara adamın kanı aktı, bir dakikada silinemez bu. Kana kan ister! Unutmayın bunu. Ve unutmayın ki ben sizin gibi değilim. Ras gerçek çıkışları tanır, kara olmaktan da korkmaz o. Ne de beyaz adamlar adına hainlik yapar. Unutmayın bunu: Ben, beyaz halk adına kara halka ihanet eden bir kara hain değilim."

Ben daha cevap vermeye kalmadan Clifton karanlıkta geriye döndü hızla ve bir patırtı duydum, Ras'ın devrildiğini ve Clifton'un sık sık soluduğunu gördüm; Ras, upuzun yatıyordu caddede, iri bir kara adam; BURADA ÇEKLER BOZULUR yazısının ışığı vurmuş üzerine, yüzünde kızıl gözyaşları.

Ve yine, Clifton ciddi ciddi bakarken ona, sessiz bir soru sorar gibiydi.

"Gidelim," dedim. "Gidelim!"

Canavar düdüklerinin bağırışı içinde, Clifton sessiz sessiz kendi kendine küfrederken yürüdük, ayrıldık oradan.

Sonra karanlıktan çıktık ve kalabalık bir caddeye geldik, bana döndü. Gözlerinde yaşlar vardı.

"Bu yanlış yola sürüklenmiş zavallı orospu çocuğu," dedi.

"Senin için iyi şeyler düşünüyor," dedim. Karanlıktan çıktığımıza, o kışkırtıcı sesten kurtulduğumuza seviniyordum.

"Herif kaçık," dedi Clifton. "Bıraksan deli edecek insanı."

"Nerden almış o adı?" dedim.

"Kendi kendine verdi. Sanırım öyle. *Ras*, Doğu'da bir saygı unvanıdır." Ras'ı taklit ederek, "Habeşistan, kanatlarını veriyor, filan demedi bu akşam yine. Konuşurken başını kaldırmış sallayan bir kobra yılanını taklit eder bazen... Bilmiyorum... Bilmiyorum..."

"Onu gözden uzak tutmamamız gerekecek," dedim.

"Evet, iyi olur," dedi. "Dövüşü bırakmayacak... Bıçağını elinden aldığın için teşekkürler."

"Korkmana gerek yoktu," dedim. "Kralını öldürmezdi o."

Ciddi söylediğimi sanarak döndü yüzüme baktı, sonra gülümsedi.

"Bir an gidiyorum artık sandım."

Bölge bürosuna yönelmiş giderken Jack Kardeş'in dövüşe ne diyeceğini düşünüyordum.

"Örgüt'le yenmek zorunda kalacağız onu," dedim.

"Hakkından geliriz. Ama Örgüt için de kuvvetlidir. Ras," dedi Clifton. "Örgüt için de tehlikelidir."

"Örgüt'e girmez o," dedim. "Kendisini bir hain kabul eder o zaman."

"Hayır," dedi Clifton, "Örgüt'e girmez... Duydun mu ne söylüyordu? Duydun mu nasıl konuşuyordu?"

"Tabii duydum," dedim.

"Bilmiyorum," dedi. "Bazen insan tarihin dışına atılmalı gibime geliyor..."

"Ne?..."

"Dışarı atılmalı, arkasını dönmeli... Yoksa birini öldürebilir, delirebilir."

Cevap vermedim. Belki haklı, diye düşündüm ve birden Kardeşlik Örgütü'nü bulduğum için çok mutlu hissettim kendimi.

Ertesi sabah yağmur yağıyordu; ötekilerden önce bölgeye geldim, oturup büromun penceresinden dışarıyı seyrettim: Bir binanın dışarıya çıkıntılı duvarının ötesinde, tuğlalarının ve badanasının bir örnek görünüşünü geçince, yağmurda upuzun ve incecik yükselen bir sıra ağaç gördüm. Yakınlarda bir ağaç vardı, gövdesine ve yapışkan tomurcuklarına yağmurun vuruşunu görebiliyordum. Ağaçlar, arkamdaki uzun blokun etrafını çeviriyor, bir sıra düzensiz arka bahçenin önünde dallarından yağmur damlayarak upuzun yükseliyordu. Öyle geliyordu ki, bana, yıkık dökük çitleri temizle ordan, çim ek, çiçek ek, güzel bir park olurdu. Tam o sırada solumdaki bir pencereden bir kese kâğıdı uçtu havada ve sessiz bir el bombası gibi patladı; ağaçların içine dağıldı çöpler, sırılsıklam ve içi boşalmış, "laap" diye yeri buldu. İğrenerek baktım, güneş bir gün bu arka bahçeleri de aydınlatacak, diye düşündüm. İşlerin gevşediği bir sırada topluluğu bir temizlik kampanyasına sürmeye değerdi doğrusu. Her şey, dün geceki kadar heyecanlı olamazdı ya.

Tekrar masaya gelip yüzüm haritaya dönük oturmuştum ki Tarp Kardeş göründü.

"Günaydın oğul, bakıyorum erkenden iş başındasın," dedi.

"Günaydın. O kadar yapacak işim var ki, erken başlasam iyi olur diye düşündüm," dedim.

"Yaparsın," dedi. "Ama ben buraya senin vaktini almaya geldim. Duvara bir şey asmak istiyorum."

"Tabii, tabii. Yardım edebilir miyim sana?"

"Hayır, ben yaparım," dedi. Haritanın altında duran bir iskemleye çıkarak topal ayağıyla, tavanın oymasından aşağıya bir çerçeve astı, dikkatle düzeltti ve aşağıya inerek masanın yanına gelip durdu.

"Oğul, kimdir o, biliyor musun?"

"Elbette," dedim, "Frederick Douglass."

"Evet efendim, ta kendisi. Çok şey biliyor musun hakkında?"

"Çok değil. Büyükbabam anlatırdı onu."

"Yeter o kadar. Büyük bir adamdı. Ara sıra bir göz atarsın ona. Bütün ihtiyaçların tamam mı, kağıt filan gibi şeyler?"

"Evet, var Tarp Kardeş. Douglass'ın portresi için de teşekkürler."

"Bana teşekkür etme oğul," dedi kapıdan. "O hepimizindir."

Frederick Douglass'ın portresini karşıma almış oturuyordum şimdi, ani bir acıma hissederek, büyükbabamın sesinin yankısını anımsayarak ve duymak istemeyerek. Sonra telefonu aldım ve topluluk liderlerini aramaya başladım.

Mahkûmlar gibi sıraya dizildiler: Papazlar, politikacılar, çeşitli uğraşlardan kimseler; Clifton haklı çıkıyordu. Tahliye kavgası öyle çarpıcı, öyle canlı bir çıkıştı ki, birçok lider, adamlarının kendilerini takmadan bize kayacaklarından korkuyordu. Ne kadar önemsiz olursa olsun hiçbirini atlamadım: Kodamanlar, doktorlar, emlakçılar ve gösteriş düşkünü papazlar. O kadar hızlı ve o kadar kolay gidiyordu ki, sanki ben yapmıyordum bunları da benim yeni adımı taşıyan biri yapıyordu. Misafirhane müdürünün derin bir saygıyla bana seslendiğini duyunca neredeyse gülecek oldum telefonda. Adım yayılıyordu etrafa. Çok garip, diye düşündüm; ama onlar için işler normal olarak o kadar gerçekdışıydı ki, bir şeye bir ad vermenin onu öyle yapmaya yeteceğini sanıyorlardı. Ama ben, ne olduğumu düşünüyorlarsa oydum...

İşimiz o kadar iyi gitti ki, bir iki pazar sonra topluluk üzerindeki nüfuzumuzu perçinleyen bir gösteri yaptık. Heyecanla çalışıyorduk. Ve şimdi, Mary'nin yanındaki son günlerimin çatışmaları ve çekişmeleri beni bir iç huzura ve dengeye kavuşturarak topluluğun mücadeleleri içine kaymıştı. Hatta oradan oraya dolaşmaların ve konuşmaların hayhuyu daha iyiye doğru gitmeye itiyordu beni; en vahşi düşüncelerimin öcü alınıyordu.

İşsiz Kardeşler'imizden birinin, Wichita-Kansas'lı eski bir talim başçavuşu olduğunu öğrenince, bir seksenlik adamlardan bir talim takımı kurdum: Görevleri, kabaralı ayakkabılarıyla şimşekler çaktırarak sokaklarda uygun adım yürümekti. Yürüyüş gününde, köy yolundaki bir köpek kavgasından daha hızlı toplarlardı kalabalığı etraflarında. Çabuk Ayaklı Halk diyorduk bunlara, ilkbahar tozunda 7. Cadde'den aşağı çeşitli şekiller alarak yürürlerken, sokaklar birden canlanırdı. Topluluk güler ve alkışlardı, polisse apışıp kalırdı. Ama onların gülünç görünüşleri çekerdi halkı; Çabuk Ayaklı Takım'sa ayaklarını sürüyerek geçer giderdi. Sonra bayraklar, sancaklar ve üzerine sloganlar yazılı kartonlar gelirdi ve kadın bando şefleri takımı: Cakalı cakalı yürüyen, yürürken fır fır dönen, bulabildiğimiz en güzel kızlardan kurulu bir takım gelirdi. On beş bin Harlemliyi sloganlarımızın peşinden caddeye çeker, sonra Broadway'den Belediye Sarayı'na kadar yürütürdük. Gerçekten de kentin dilindeydik.

Bu başarılarla, baş döndürücü bir hızla ileri itilmiştim. Adım, havasız bir odadaki duman gibi yayılıyordu. Oradan oraya koşturup duruyordum. Burada, şurada, her yerde, kentin şu başında, bu başında konuşmalar yapıyordum. Gazetelere yazılar yazıyor, yürüyüşlerin, yardım kampanyalarının başında gidiyordum, daha neler. Kardeşlik Örgütü ise benim adımı her tarafta duyurmak için elinden geleni yapıyordu. Makaleler, telgraflar ve birçok mektuplaşmalar benim imzamla gidiyordu; bazılarını ben yazıyordum bunların ama çoğunu başkaları. Basında, Örgüt'le birlikte, hem sözle, hem de resimle tanıtılıyor, reklam ediliyordum. Bir bahar sabahı geç saatte işe gelirken saydım, tam elli kişi selâmladı beni: İki tane ben olduğunun farkına vardım birden: Gecede birkaç saat uyuyan, düşünde bazen büyükbabamı, Bledsoe'yu, Brockway'i ve Mary'yi gören eski ben, kanatsız uçmuş olan ve yüksek tepelerden dalan ben ve Kardeşlik Örgütü adına konuşan, kendi kendimle yarışa girmişçesine ötekinden her gün biraz daha önemli olan ünlü, yeni ben.

O kesin günlerde yine de seviyordum işimi. Gözlerimi açık, kulaklarımı kirişte tutuyordum. Kardeşlik Örgütü dünya içinde bir dünyaydı ve ben onun bütün sırlarını keşfetmeye ve gidebileceğim kadar ilerilere gitmeye kararlıydım. Sınır mınır tanımıyordum önümde, tüm ülkede bir tek Örgüt'tü ve ben onun içinde ta tepeye kadar ulaşabilirdim; gerçekten istiyordum oraya ulaşmayı. Sözcüklerden kurulu bir dağa tırmanmak demek de olsa bu. Çünkü etrafımdaki bütün o bilim laflarına rağmen inanmaya başlamıştım ki sözcükler, konuşulunca daha bir büyü kazanıyordu. Bazen oturur, Douglass'ın portresi üzerine düşen zayıf ışık oyunlarını seyrederdim; konuşarak, kölelikten ta devlet görevine kadar, öyle hızlı yükselişinin ne sihirli bir şey olduğunu düşünürdüm. Belki de, derdim, bana da buna benzer bir şeyler oluyor. Douglass Güney'den kaçmak, tersanelerde iş bulmak için gelmişti Kuzey'e; benim gibi, adını değiştirmiş, gemici elbiseleri içinde iriyarı birisi. Gerçek adı neydi? Her neyse, kendisini Douglass olarak tanıtmış ve öyle olmuştu. Ve umduğu gibi, bir tekne yapıcısı olarak değil de bir konuşmacı olarak. Belki de büyünün anlamı, beklenilmeyen değişimlerde yatıyordu. Büyükbabam çok kere söylerdi, "Saul diye başlarsın, Paul diye bitirirsin. Delikanlıyken Saul'sundur; ama bırakırsın hayat yontsun birazcık kafanı. Paul olmaya çalışırsın o zaman; ama arada sırada yine Saul'luk ettiğin de olur."

Hayır, insan nereye doğru gittiğini hiçbir zaman söyleyemezdi, kesin bir şeydi bu. Tek kesin şey. Oraya nasıl gideceğini de söyleyemezdi insan; varınca bir bakardı ki, doğru yere gelmiş. Çünkü bir konuşmayla başlamamış mıydım ve bana kolej bursunu kazandıran da bu konuşma değil miydi; Bledsoe'nun yanında kendime bir yer kazanmayı ve en sonunda bir ulus lideri olarak ortaya atılmayı ummamış mıydım? Bir konuşma yapmıştım, beni bir lider yapmıştı bu; yalnız umduğum tipten bir liderlik değildi bu. Böyle olmuştu işte, ne yapalım. Haritaya bakarken, şikâyet yok, diye düşündüm, Kızılderilileri aramaya başladın ve buldun onları, farklı bir kolunu, parlak bir yeni dünyada da olsa buldun. Durup da düşünürse insan, dünya bir tuhaftı; ama yine de bilimle kontrol altındaydı. Kardeşlik'teyse hem bilim hem dünya kontrol altındaydı.

Böylece bir süre, tek başıma, hemen içinde bulundukları

anda ve önemsiz olgularda, örneğin bulutlarda, yoldan geçen kamyonların numaralarında, metro vagonlarında, düşlerde, gazetelerin resimli romanlarında, kaldırımlarda ayaklar altında ezilmiş hayvan pisliklerinin şekillerinde kaderlerinin ipuçlarını gören o kumar hastaları gibi, ben de bir yoğunluk içinde yaşadım. Kardeşlik'in insanın etrafını saran, kucaklayan düşünce sisteminin etkisi altındaydım. Örgüt, dünyaya yeni bir şekil, banaysa hayati bir rol vermişti. Gevşek uçlar tanımıyorduk, her şey bilimle kontrol edilebilirdi. Yaşam, örneklerden ve disiplinden başka bir şey değildi ve işlediği zaman disiplinin de güzelliği vardı. İyi de işliyordu.

On Sekiz

Sırf Bledsoe'nun mütevellisinden esinlendiğim, elimin değdiği bütün kağıtları okumadan edememe yönündeki alışkanlığım, zarfı bir kenara atmamı önledi. Damgasızdı, sabah postasında en önemsiz şey gibi görünmüştü ilkin.

Kardeş.
Sizi yakından gözlemekte olan bir dostun öğüdüdür bu. Çok hızlı gitmeyin. Halk için çalışmaya devam edin ama bizlerden biri olduğunuzu hatırlayın; fazla büyürseniz onların sizi budayacaklarını unutmayın. Güneylisiniz siz, bu dünyanın bir beyaz adamlar dünyası olduğunu bilirsiniz. Bunun için de bu dost öğüdünü tutun ve yavaş gidin ki zenci halka yardıma devam edebilesiniz. Onlar sizin çok hızlı gitmenizi istemezler, daha olmazsa budarlar sizi. Kafanızı kullanın...

Ayağa fırladım; kağıt, zehirli bir yılan gibi kıvrılıyordu elimde. Ne demek istiyordu? Kim gönderebilirdi böyle bir şeyi?

"Tarp Kardeş!" diye seslendim, bana tanıdık gelen ama kimin olduğunu çıkaramadığım titrek el yazısını tekrar bakarken. "Tarp Kardeş!"

"Ne var, oğul?"

Başımı kaldırıp bakınca bir şok daha geçirdim. Sabahın kül rengi ilk ışıklarında kapının çerçevesi içinde büyükbabam gözlerini dikmiş bana bakıyor gibiydi. Bir an soluğum kesildi sanki, sonra bir sessizlik oldu, rahat rahat beni süzerken hırıltılı soluğunu duyabiliyordum.

"Ne var, nedir?" dedi, topallayarak odaya girerken.

Zarfa uzandım. "Nereden geldi bu?" dedim.

"Nedir o?" dedi, zarfı sakin sakin alırken elimden.

"Damgasız."

"Ha, evet, ben de gördüm," dedi. "Herhalde birisi dün gece geç saatte kutuya bırakmış olmalı, öbür mektuplarla birlikte çıkardım. Sana ait değil mi yoksa?"

"Hayır," dedim gözlerimi kaçırarak. "Ama, tarih atılmamış. Ne zaman geldiğini merak etmiştim de... Niçin bakıp duruyorsun yüzüme?"

"Bir hayalet görmüş gibisin de ondan. Hasta mısın?"

"Yok bir şey," dedim. "Hafif bir rahatsızlık."

Biçimsiz, pis bir sessizlik vardı ortada. O öylece dikiliyordu orada, gözlerine tekrar bakmaya zorladım kendimi; büyükbabam gitmişti, araştırıcı sakin bir yüz kalmıştı geriye. "Bir saniye otur, Tarp Kardeş," dedim. "Burada olduğuna göre, sana bir soru sormak istiyorum."

"Elbet," dedi kendini bir sandalyeye bırakarak.

"Hadi, sor."

"Tarp Kardeş, sen buralardasın epeydir, üyeleri tanırsın; ne hissediyorlar benim hakkımda?"

Başını dikti. "Şey, elbet, senin iyi bir lider olacağını düşünüyorlar."

"Ama?"

"Aması maması yok, düşündükleri şey bu ve de bunu söylüyorum ben sana."

"Ama ya ötekiler?"

"Kim ötekiler?"

"Benim hakkımda pek iyi düşünmeyenler?"

"Hiç böylelerini duymamışım, oğul."

"Ama *bazı* düşmanlarım olmalı," dedim.

"Elbet, herkesin vardır herhal; ama ben burada, Kardeşlik Örgütü'nde seni sevmeyen herhangi birini işitmemişim. Buradakileri diyorsan, *onlar* senin tam bu işin adamı olduğunu düşünüyorlar. Sen başka türlü mü duydun?"

"Yo; ama merak ediyordum. Ne zamandır onlara o kadar güveniyordum ki, desteklerini benden esirgemesinler diye bir kontrol edeyim diye düşündüm."

"Eh, endişelenmenin gereği yok. Bu zamana kadar, elini attığın hemen her şey halkın istediği şey oldu. Bazılarının direndiği şeyler bile, şunu al mesela," dedi masamın yanındaki duvarı göstererek.

Bir grup kahraman tipleri gösteren sembolik bir afişti: Malından mülkünden edilmişliğin geçmişini gösteren bir Amerikalı Kızılderili çifti; bugününü gösteren (işçi tulumlu) sarışın bir Kardeş'le yol gösteren bir İrlandalı Kız Kardeş; geleceğini gösteren çeşitli ırklardan bir grup çocuğun ortasında Tod Clifton Kardeş ve genç beyaz bir çift (yalnızca Clifton'u ve kızı göstermenin akıllıca bir şey olmayacağı hissedilmişti); deri renklerinin parladığı, kontrastları yumuşak bir renkli fotoğraftı bu.

"Ee?" dedim, üzerindeki yazıyı okuyarak.

"Mücadeleden Sonra: Gelecek Günlerin Amerika'sında Gökkuşağı,"

"Sen ilk teklif ettiğinde bunu, üyelerden bazıları sana karşıydı."

"Tamamen doğru."

"Elbet ve Gençlik Örgütü üyelerinin metroya gidip peklik ilacı reklamlarının, şunun bunun yerine bunu asmalarına kıyameti koparmışlardı; ama bugün ne yapıyorlar, biliyor musun?"

"Herhalde benim aleyhime kullanıyorlardı onu; çünkü çocuklardan bazıları tutuklanmıştı," dedim.

"Senin aleyhine mi kullanıyorlar? Peh, gidip orada burada övünüyorlar bunlarla. Ama benim asıl söyleyeceğim şuydu: Bu gökkuşağı resimlerini alıyorlar da evlerinde 'Tanrı Yuvamızı Korusun', 'Rab'bin Duası' gibi şeylerin yanına duvarlarına asıyorlar. Deli oluyorlar onun için. Çabuk Ayaklılar ve bütün öbürleri için de aynı şey. Endişelenme sen, oğul. Fikirlerinden bazılarına karşı durabilirler; ama kabul edildikten sonra onlar, tamamen seninle birlikteler. Varsa düşmanların, dışarda, senin birden bire sıçrayışını, yıllarca önce yapılması gereken bazı şeyleri yapmaya başlayışını görüp de kıskanan kimselerdir. Hem ne diye aldırasın, bazı kimseler çekiştirmeye başladı diye seni? Bir yerlere geldiğinin işaretidir bu."

"Öyle olduğuna inanmak isterdim Tarp Kardeş," dedim. "Halkı yanımda bulduğum sürece yaptığım şeylere inanacağım."

"Tamam," dedi. "İşler sertleşince, ne bileyim, senin destek bulduğunu gösterir." Sesi birden kesildi ve masanın öbür ucunda karşımda, göz seviyesinde oturmasına rağmen yukardan aşağı bana gözünü dikmiş bakıyordu, döndü.

"Ne var, Tarp Kardeş?"

"Sen Güneylisin, değil mi oğul?"

"Evet," dedim.

Sandalyesinde yarım döndü, bir eli çenesinde otururken öbür elini cebine daldırdı. "Şu anda aklıma gelenleri nasıl söyleyeceğimi bilemiyorum oğul. Anlarsın, ben buraya gelmeden önce uzun süre oradaydım ve geldiğimde hâlâ peşimdeydiler. Yani demek isterim ki, kaçmam gerekmişti, koşa koşa gelmek zorundaydım."

"Ben de, bir bakıma," dedim

"Senin de peşindeler miydi demek istiyorsun?"

"Tamamen öyle değil, Tarp Kardeş, yalnız öyle hissediyorum."

"Pek aynı şey değil yani," dedi. "Şu topallığımı görüyorsun?"

"Evet."

"Hep topal değildim ben, şimdi de gerçekten topal sayılmam; çünkü doktorlar bu bacakta herhangi bir şey bulamıyorlar. Bir çelik parçası filan gibi bir şey söylüyorlar. Ben demek isterim ki, bu topallığı bir zinciri sürükleyip durduğum için kaptım ben."

Yüzünde göremiyordum, konuşmasında duyamıyordum ama yine de biliyordum ki ne yalan söylüyor, ne de beni şaşırtmaya çalışıyordu. Başımı salladım.

"Elbet," dedi. "Kimse bilmez bunu, yalnız romatizmalarım var sanırlar. Ama o zincirdi işte bu, bir daha alıkoyamadım, ve on dokuz yıl sonra bile bacağımı sürümeden edemiyorum."

"On dokuz yıl!"

"On dokuz yıl, altı ay ve iki gün. Ve yaptığım da çok bir şey değildi; yani yaptığım zaman fazla bir şey değildi. Fakat o kadar zaman sonra bir başka şeye döndü ve o zaman söyledikleri kadar kötü bir şey gibi görünmeye başladı. Bütün o geçen zaman *yaptı* onu kötü. Hayatımdan başka her şeyle ödedim onu. Karımı, oğullarımı ve birazcık toprağım vardı; onları kaybettim. Yani iki adam arasında tartışmayla başlayan bir şey, hayatımın on dokuz yılına denk gelen bir suç olup çıktı."

"Ne yapmıştın Allah aşkına, Tarp Kardeş?"

"Benden bir şey almak isteyen bir adama, olmaz, dedim; işte, olmaz deyişim nelere mal oldu. Hatta şimdi bile borç tamamen ödenmiş değil; onların deyişine göre *hiçbir zaman* da ödenmiş olmayacak."

Bir acı saplandı boğazıma, kör bir umutsuzluk hissettim. On dokuz yıl! Şimdi karşımda oturmuş sessiz sessiz konuşuyordu; kuşkusuz, ilk kez anlatmaya çalışıyordu bunu bir başkasına. Ama niçin bana, diye düşündüm, niçin beni seçti?"

"Olmaz dedim," dedi. "Olmaz ulan, dedim. Ve zinciri koparıp da kaçana kadar, olmaz deyip durdum."

"Ama nasıl?"

"Arada sırada köpeklerin yanına yaklaşmama izin verirlerdi, nasılı bu. O köpeklerle arkadaş oldum ve bekledim. Oralarda insan gerçekten öğreniyor beklemeyi. On dokuz yıl bekledim, sonra bir sabah nehir taştığında ayrıldım oradan. Nehir kenarındaki setler yıkılınca boğulanlardan birini ben sandılar; ama ben zinciri kırmış ve kaçmıştım. Elimde uzun sapsarı bir kürek, çamurun içinde dinleniyordum ve de soruyordum kendime, Tarp, becerebilir misin? Ve içimden evet, diyordum; bütün o su ve çamur, yağmur evet diyordu ve tüydüm."

Birden öyle neşeli güldü ki irkildim.

"Bugüne kadar şöyle anlatırım böyle anlatırım dediğimden daha iyi anlatıyorum," dedi; cebini araştırarak ince muşambadan yapılmış tütün kesesine benzer bir şey, onun içinden de mendile sarılı bir şey çıkardı.

"O zamandan beri özgürlüğü arıyorum, oğul. Ve bazen de

doğru şeyler yaptım. Şu zor şartlara kadar çok iyi yaptım, sağlığı pek iyi olmayan bir adam olduğumu düşünürsen. Ama en iyi şartlarda bulunduğum zamanlar da bile aklımdan çıkmıyordu. O on dokuz yılı unutmak istemediğim için bir yadigâr, bir hatırlatıcı diye şuna bağlandım sanki."

Elindeki şeyi açıyordu şimdi, yaşlı ellerini seyrediyordum. "Bunu sana vermek istiyorum, oğul. İşte," dedi, bana doğru uzatarak. "Birisine vermek için garip bir şey; ama şunun içinde bir sürü anlamlı şey saklıdır sanırım ve bizim gerçekte neye karşı dövüştüğümüzü hatırlamana yardımı olur. Onu tam deyişiyle düşünemiyorum; ancak iki kelime, *evet* ve *hayır*; ama bundan çok daha fazla anlamı var..."

Elini masanın üzerine koyduğunu gördüm. "Kardeş," dedi. İlk kez "Kardeş" diyordu bana. "Almanı istiyorum onu. Sana uğur getirir umarım. Neyse, kaçmak için törpülediğim zincirdir o."

Elime aldığım, kalın, kara, yağlı bir çelik parçasıydı, törpülenmiş, açılmak için bükülmüş, bazı yerlerinde içe doğru zorlanmış; üzerinde bir baltanın keskin ağzıyla yapılmışa benzeyen işaretler gördüm. Bledsoe'nun masasının üzerinde gördüğüme benzer bir halkaydı; yalnız o düzgün, parlak olduğu halde Tarp'inki kaçışın ve şiddetin izlerini taşıyordu, inatla, teslim olmadan önce saldırılmış ve elde edilmişçesine.

Yüzüne baktım: O, anlaşılmaz, dile gelmez bir bakışla seyrederken beni, başımı salladım. Bunun üzerine soracak daha fazla bir şey bulamayarak, halkayı parmaklarımın eklem yerlerine doğru kaydırdım ve sertçe vurdum masaya.

Tarp Kardeş yüksek sesle güldü. "Hiç aklıma gelmeyen bir şekilde de kullanılabiliyormuş," dedi, "Çok güzel, çok güzel."

"Peki niçin bana veriyorsun onu, Tarp Kardeş?"

"Çünkü mecburum, sanırım. Şimdi, söyleyemeyeceğim şeyi söyletmeye çalışma bana. Konuşmacı sensin, ben değil," dedi ayağa kalkıp kapıya doğru topallaya topallaya giderken. "Bana uğur getirdi, sana da uğur getirir sanırım. Yanında sakla ve ara sıra bak ona. Tabii, bir gün bıkarsan ondan, geri ver bana."

"Yo, hayır," diye seslendim arkasından. "İstiyorum onu, sanırım anlıyorum da. Teşekkürler, bunu bana verdiğin için." Yumruğumun üzerindeki kara maden kuşağına, imzasız mektubun üzerine baktım. Ne istiyor, ne de ne yapacağımı biliyordum onu; ama elbette saklayacaktım. Çünkü Tarp Kardeş'in onu verişi çok derin bir anlam taşıyordu, saygı duymalıydım buna. Kendi babasının saatini oğluna aktaran babayla, bu eski moda cep saatini saat olduğu için değil de kendisini atalarıyla birleştiren, bugününün en heyecanlı anını gösteren, bulutsu ve kaotik geleceğine bir somutluk ışığı veren babaca davranışın sözle anlatılamayan ciddiyeti ve ağırbaşlılığındaki hava yüzünden kabul eden oğlun durumuna benzer bir şeydi belki de. Kuzey'e geleceğime memlekete dönmüş olsaydım, babamın da, dedemin uzun, tırtıklı kurma kollu eski model Hamilton'unu bana vereceğini anımsadım. Eh, kardeşim alacaktı onu artık, zaten hiçbir zaman istememiştim ya. Ne yapıyorlardı şimdi, uzun uzun düşündüm, birden bir sıla özlemi duyarak.

Pencereden gelen hava sıcak sıcak vuruyordu enseme; sabah kahvesinin kokusuyla birlikte, gırtlaktan gelen bir sesin yarı gülen, yarı ciddi bir edayla şarkı söylediğini duydum:

"Sabah gelme erken olur
Öğlen gelme sıcak olur
Serinliğinde akşamın
Gel de yıka günahlarımı..."

Bir dizi anı yüze çıkmaya başladı, kovaladım. Anının zamanı değildi, bütün imgeleri geçmiş zamana aitti çünkü.

Mektup için Tarp Kardeş'i içeri çağıralı ve o dışarı çıkalı ancak birkaç dakika olmuştu; ama bana yılların kuyusuna dalmışım gibi geliyordu. Bir an için durumumun kesinliğini, güvenliğini tamamen sarsmış olan yazıya sakin sakin bakıyordum şimdi; karşılarında, düştüğüm panikten utanacağım Clifton ya da ötekilerden herhangi biri olacağına Tarp Kardeş'in orada bulunuşuna ve onu çağrışıma sevindim. Oysa o, aklım, güvenim yerine gelmiş olarak ayrılmıştı yanımdan; belki Tarp'ın gözlerinden büyükbabamın baktığını görür gibi oluşumun verdiği korkudan, belki yalnızca sesindeki rahatlıktan, sükunetten ya da hikâyesinden ve zincir halkasından, dünyaya bakışımı yerine getirmiş, düzeltmişti.

Haklı o, diye düşündüm; yazıyı kim göndermişse, aklımı karıştırmaya çalışıyor benim. Bir düşman, eski Güneyli güvensizliğime, beyazların ihanetlerine dair korkumuza dokunmak yoluyla benim inancımı yıkarak ilerlememizi durdurmaya çalışıyor. Sanki Bledsoe'nun mektuplarından başıma gelenleri öğrenmiş de, bu bilgiyi sadece beni değil tüm Kardeşlik Örgütü'nü de yıkmak için kullanmaya çalışıyordu. Ama olamazdı hayır, bugün beni tanıyanların hiçbiri o hikâyeyi bilmezdi. Pis bir rastlantıdan başka bir şey değildi bu. Bir geçirseydim o budala gırtlağı elime. Şurada, Kardeşlik Örgütü diye koca ülkede bir tek yer vardı özgür olduğumuz, yeteneklerimizi kullanmak için en büyük cesaretin verildiği bir tek yer; oysa o kalkmış onu yok etmeye çalışıyordu. Hayır, çok büyümesinden endişe duyduğu şey ben değildim, Kardeşlik Örgütü'ydü. Büyümekse, Kardeşlik Örgütü'nün tam istediği şeydi. *Daha fazla* kişiyi örgütleme konusunda fikir bildirmemi isteyen emirler almamış mıydım daha yeni? "Beyaz adamın dünyası" ise Kardeşlik Örgütü'nün karşı durduğu düşüncenin ta kendisiydi. Biz, bir kardeşlik dünyası kurmaya adamıştık kendimizi.

Peki kim göndermişti onu, Kışkırtıcı Ras mı? Hayır, ona benzemiyordu. O daha dobra dobra konuşurdu, karalarla beyazlar arasında herhangi bir işbirliğine kesin olarak karşıydı o. Başka biriydi bu, Ras'dan daha sinsi biri. Ama kim, diye şaşıyordum, elimdeki işlere döndükçe bilinç altına itmeye çalışarak bu soruyu.

Sabah, dertlerine çare bulmak için benden akıl isteyen kimselerin sorularına cevap vermekle başladı; büyük salonun her bir köşesinde toplanan küçük Komite toplantıları için talimat almak üzere üyeler girip çıkıyorlardı. Kendisini dövdüğü için hapse atılmış olan kocasını kurtarma yollarını arayan bir kadını henüz göndermiştim ki, Wrestrum Kardeş girdi odaya. Selâmına karşılık verdim. Masamın üzerini huzursuz gözlerle tararken bir koltuğa rahatça kurulduğunu gördüm. Kardeşlik Örgütü'nden yetkili bir kişi gibi görünürdü ama görevinin ne olduğu tam olarak belli değildi. Herkesin işine burnunu sokan bir kimse gibi gelirdi bana hep.

Yerine henüz yerleşmişti ki, masamın üzerine gözünü dikerek, "Ne var orada, Kardeş?" dediğini duydum, bir yığın kâğıdın durduğu yere doğru elini uzatarak.

Koltuğumda yavaşça geriye kaykıldım gözlerinin içine baka baka. Herhangi bir karışmayı daha başlangıçta durdurmaya kararlı, soğuk soğuk, "Benim işler," dedim.

"Ben şunu diyorum," dedi, eliyle göstererek; gözlerinde bir parıltı vardı. "Şuradaki."

"Bu da mı?" dedi, Tarp Kardeş'in ayak halkasını göstererek.

"O, kişisel bir hediye, Kardeş," dedim. "Size nasıl bir yardımım dokunabilir?"

"Size sorduğum bu değil, Kardeş. Nedir o?"

Halkayı aldım elime ve ona doğru tuttum; pencereden giren yan ışıkta maden, yağlı ve garip şekilde deriye benziyordu şimdi. "İncelemek ister misiniz, Kardeş? Üyelerimizden biri prangada on dokuz yıl taşımış onu."

"Hayır, hayır, aman!" diye irkilerek geri çekildi. "Yani, hayır teşekkür ederim, demek istedim. Aslında, Kardeş, böyle şeyleri ortalarda bulundurmamamız gerekir, sanırım!"

"Siz öyle mi sanıyorsunuz," dedim. "Peki niçin?"

"Çünkü aramızdaki farkları dramatize etmemiz gerektiğini sanmıyorum ben."

"Hiçbir şeyi dramatize etmiyorum ben, kişisel malım bu benim, tesadüfen masamın üzerinde duruyor."

"Ama görebilirler!"

"Doğru," dedim. "Ama hareketimizin neye karşı çarpıştığını hatırlatan iyi bir şey bu sanırım."

"Hayır efendi!" dedi başını iki yana sallayarak, "Hayır efendi! Kardeşlik Örgütü için kötünün kötüsü bir şey; çünkü biz insanların, ortak olarak sahip olduğumuz şeyleri düşünmelerini istiyoruz. Kardeşlik için en iyisi budur. Bizdeki, bu ne kadar farklı olduğumuzu gösterme alışkanlığını değiştirmek zorundayız. Kardeşlik Örgütü içinde hepimiz kardeşiz."

Keyiflenmiştim. Farkları unutmak ihtiyacından daha derin bir şeyden açıkça rahatsız olmuştu. Gözlerine korku oturmuştu. "Ben bunu hiç böyle düşünmedim, Kardeş," dedim, demiri iki parmağım arasında sallayarak:

"Ama onu düşünmek istiyorsun," dedi. "Kendimizi disipline sokmalıyız. Kardeşlik'e yararı olmayan şeyler kökünden sökülmelidir. Düşmanlarımız var biliyorsun. Kardeşlik'e zararı dokunmasın diye yaptığım her şeye, söylediğim her söze dikkat ederim ben; çünkü çok güzel bir hareket bu, Kardeş ve onu böyle sürdürmek zorundayız bizler. Kendimizi gözetlemeliyiz, Kardeş. Ne demek istediğimi anlıyorsun? Çoğu kez unutuveriyoruz bunun, içinde bulunmanın bir ayrıcalık, şerefli bir şey olduğunu. Yanlış anlamaya neden olmaktan başka işe yaramayan şeyler söyleyiveriyoruz daha çok."

Nedir onu dürten, böyle konuşturan, diye düşündüm; bütün bunların en ilgisi vardı benimle? Bana o notu gönderen bu adam olabilir miydi? Demiri bıraktım elimden ve kağıt yığınının altından imzasız notu arayıp buldum ve içeriye vuran güneş, sayfayı aydınlatacak, el yazısını açıkça gösterecek şekilde bir ucundan tutarak kaldırdım. Dikkatle yüzüne bakıyordum. Masanın üzerine eğilmişti şimdi, sayfaya bakıyordu; ama gözlerinde bir tanıma izine rastlamadım. Rahatlamış olmaktan çok hayal kırıklığına uğrayarak mektubu zincirin üzerine bıraktım.

"Aramızda kalsın, Kardeş," dedi, "aramızda Kardeşlik'e gerçekten inanmayanlar var."

"Yaa?"

"Allah kahretsin ki öyle! Onu kendi gayeleri doğrultusunda kullanmak için Örgüt'teler onlar. Bazıları Kardeş diyor yüzüne karşı; daha sen arkanı döner dönmez, kara orospu çocuğusun sen! Gözden uzak tutmalısın onları."

"Hiç böylesiyle karşılaşmadım, Kardeş," dedim.

"Karşılaşırsın. Zehir dolu etrafımız. Kimileri elini bile sıkmak istemiyor senin, bazıları seni burada görmekten hoşlan-

mıyor; ama Allah kahretsin, Kardeşlik Örgütü içinde mecbur-
lar buna!"

Yüzüne baktım. Kardeşlik'in herhangi bir kimseyi benim eli-
mi sıkmaya zorlayabileceği hiç aklıma gelmemişti ve bundan
için için hoşlanıyor olması şaşırtıcı, iğrenç bir şeydi.

Birden güldü. "Evet, Allah kahretsin, mecburlar buna! Ben,
hiçbir şeyi yanlarına komam onların! Eğer kardeş olacaklarsa ol-
sunlar! Ha, haksızlık da yapmam ama," dedi; birden bir üstünlük
havası gelmişti yüzüne. "Dürüstümdür. Her gün kendi kendime
sorarım, 'Kardeşlik'e karşı bir şey yapıyor musun?' diye ve bir şey
varsa, sök at; kuduz köpeğin ısırdığı yeri dağlayan bir insan gibi
ben de yakarım o bulduğum şeyi. Bu kardeş olma işi tam zamanlı
bir iş. Yüreğin temiz olacak; vücudun, kafan disipline girmiş ola-
cak. Kardeş, ne demek istediğimi anlıyor musun?"

"Evet, anlıyorum sanırım," dedim. "Bazı insanlar dinlerini de
böyle düşünürler."

"Din mi?" Gözlerini kırpıştırdı. "Senin ve benim gibi kimse-
ler hep kuşkulanırlar," dedi. "Öyle çürümüşüz ki, bazılarımız
Kardeşlik'e bile inanmıyor. Ve hatta bazıları öç almak bile isti-
yor! İşte bunu söylüyorum ben. Söküp atmalıyız bunu içimiz-
den! Öteki kardeşlerimize güvenmeyi öğrenmeliyiz. Ne olursa
olsun, onlar *başlatmadılar mı* Kardeşlik'i? *Onlar* gelip uzattı-
dılar mı ellerini biz kara adamlara ve 'Hepinizi kardeşimiz ola-
rak kabul ediyoruz' demediler mi? Böyle yapmadılar mı? Öyle
değil mi şimdi? Bizi örgütlemeye onlar başlamadılar mı, savaşı-
mızı vermemize ve daha nelere onlar yardım etmediler mi? El-
bet yaptılar bunları ve biz yatıp kalkıp hatırlamalıyız bunları.
Kardeşlik. Her saniye gözümüzün önünden ayırmamamız gere-
ken bir sözcük bu. Ha, seni bugün niçin görmeye geldiğime ge-
tirdi bu beni, Kardeş."

Geriye çekildi, koca elleriyle dizlerini yakaladı. "Bir planım
var, seninle konuşmak istiyorum onun üzerine."

"Nedir o, Kardeş?" dedim.

"Şey, şöyle. Sanıyorum biz, ne olduğumuzu gösterecek bir
şey bulmalıyız. Sancak filan gibi bir şeylerimiz olmalı, biz ka-
ra Kardeşler için."

"Anlıyorum," dedim ilgilenerek. "Ama niçin önemli geliyor bu size?"

"Kardeşlik Örgütü'ne yardımı olur da ondan, hepsi bu. Önce, hatırlarsan, halkımıza dikkat et; bir yürüyüş yaparken, bir cenaze töreninde, bir dansta ya da bunun gibi şeylerde daima bayrağa, sancağa falan benzer şeyler taşırlar, anlamı olsun olmasın. Daha bir önemli gösterir o şeyi bunlar. Halkı durup baktırır, dinletir. 'Ne oluyor burada,' derler. Ama biliyorsun, ben de biliyorum ki, hiçbirinin doğru dürüst bir bayrakları yok, belki Kışkırtıcı Ras hariç; o da kendisinin Habeşistanlı ya da Afrikalı olduğunu ileri sürüyor. Ama hiçbirimizin doğru dürüst bayrağı yok; çünkü o bayrak bizim değil. Gerçek bir bayrak istiyorlar, başkalarının olduğu kadar kendilerinin de olan bir bayrak. Ne demek istediğimi anlıyorsun?"

"Evet anlıyor gibiyim," dedim, her bayrak geçmişte içimde hep bir ayrı olmak, bir kenarda bırakılmış olmak duygusunun uyandığını anımsayarak. Kardeşlik Örgütü'nü buluncaya kadar, *benim* yıldızımın o bayrakta bulunmadığının bir hatırlatıcısı olmuştu bu duygu...

"Elbet, bilirsin," dedi Wrestrum Kardeş. "Herkes bir bayrak istiyor. Kardeşlik'i gösteren bir bayrağa ihtiyacımız var, takacak bir işarete ihtiyacımız var."

"Bir işaret mi?"

"Bilirsin, bir iğne ya da düğme gibi bir şey."

"Bir rozet mi yani?"

"Tamam! Üzerimize takabileceğimiz bir şey, bir iğne ya da onun gibi bir şey. Ki bir Kardeş bir Kardeş'e rastlayınca tanıyabilsin onu. Öyle bir şeyimiz olsaydı Tod Clifton Kardeş'in başına gelen şey olmazdı..."

"Ne olmazdı?"

Geriye yaslandı. "Bilmiyor musun?"

"Ne demek istediğini anlamıyorum."

"Öyle bir şey ki unutulsa daha iyi," dedi öne doğru yaklaşarak; iri elleri sımsıkı yumruk yapılmış ve ileriye doğru uzatılmış. "Ama anlıyor musun, bir açık hava toplantısı vardı, bazı serseriler toplantıyı dağıtmaya çalışıyorlardı; Tod Clifton Kardeş, kavgada bizim Beyaz Kardeşler'den birini yakaladı ve yanlışlıkla dövdü *onu*, serserilerden biri sanmış. İyi değil böyle şeyler, Kardeş, *hiç* iyi değil. Ama bu rozetler olursa böyle şeyler olmaz bir daha."

"Demek öyle oldu," dedim.

"Elbet oldu. O Clifton Kardeş var ya, kızınca azgınlaşır, bilirsin... Peki benim fikrime ne diyorsun?"

"Komite'nin dikkatine sunulması gerekir sanırım," dedim ihtiyatla. O sırada telefon çaldı. "Özür dilerim, bir dakika Kardeş," dedim.

Yeni resimli dergilerden birinin yayın müdürüydü arayan, "en başarılı gençlerimizden biriyle" bir röportaj yapmak istiyordu.

"Çok övücü bir şey bu," dedim, "ama korkarım bir röportaja zaman ayıramayacak kadar meşgulüm. Ama size, bizim Gençlik Liderimiz Tod Clifton'la röportaj yapmanızı salık veririm; çok ilginç bulacaksınız onu."

"Hayır, hayır!" diyordu Wrestrum şiddetle başını sallayarak. O sırada editör, "Ama biz sizi istiyoruz. Siz..." dedi.

"Biliyor musunuz," diye sözünü kestim, "bizim işimiz çok ters ve aykırı kabul ediliyor, özellikle bazıları tarafından."

"İşte biz de bunun için istiyoruz sizi ya! Bu aykırılıkla tanındınız siz; bizim işimiz de bu gibi konuları okuyucularımızın gözleri önüne sermek."

"Ama Clifton Kardeş de öyle," dedim.

"Hayır, efendim; aradığımız adam sizsiniz ve de gençliğimize sizin hikâyenizi anlatmamıza izin vermeniz onlara karşı bir borçtur sizin için!" dedi; Wrestrum Kardeş'in ileri doğru eğildiğini görüyordum.

"Başarıya giden yolda cesaretlendirilmeleri gerektiğini hissediyoruz. Nihayet, siz de mücadele ede ede tepeye doğru tırmananların sonunculardansınız. Bulabildiğimiz bütün kahramanlara ihtiyacımız var."

"Aman, rica ederim," diye güldüm telefonda, "ben kahraman filan değilim; bir makinede bir dişliyim yalnızca. Biz, Kardeşlik Örgütü içinde birlikte çalışırız," dedim, Wrestrum Kardeş'in onaylarcasına başını salladığını görerek.

"Ama halkımız arasında buna ilk olarak dikkati çekenin siz olduğunu da inkâr edemezsiniz, edebilir misiniz yani?"

"Clifton Kardeş, benden en az üç yıl eskidir bu işte. Ayrıca, o kadar da basit değil bu. Bireylerin pek önemleri yoktur; topluluğun istediği, topluluğun yaptığı önemlidir. Burada herkes kendi kişisel hırslarını ortak başarı uğruna gizler, ortaya çıkarmaz."

"Güzel! Çok güzel. Halk bunu duymak istiyor. Halkımız bunu birisinin kendisine söylemesini istiyor. Ne diye izin vermiyorsunuz bana, muhabirimizi göndereyim size? Yirmi dakikaya kadar orada olmasını sağlarım."

"Çok zorluyorsunuz; ama ben de çok meşgulüm," dedim.

Wrestrum Kardeş, ne söyleyeceğimi bana anlatmaya çalışarak boyuna elini kolunu sallayıp durmasaydı reddedecektim. Tersine, razı oldum. Belki de küçük, dostça bir reklamın pek zararı olmaz, diye düşündüm. Böyle bir dergi, bizim sesimizin ulaşamadığı yerlerde yaşayan birçok çekingen canın eline geçiyordu. Yalnız, geçmişim hakkında çok az şey söylemeyi aklımdan çıkarmamalıydım.

Telefonu yerine koyarak ve merakla gözlerinin içine bakarak, "Özür dilerim, sözünüz yarım kaldı," dedim. "Fikrinizi en kısa zamanda Komite'nin dikkatine sunacağım."

Daha fazla konuşmasın diye ayağa kalktım, o da kalktı ama devam etmek için can attığı besbelliydi.

"Şey, ben de başka Kardeşler'i görecektim," dedi. "Yakında görüşürüz."

"İstediğin zaman," dedim, bazı kağıtlarla uğraşıyormuş gibi yaparak elini sıkmadım.

Dışarı çıkarken, eli kapının çerçevesinde, geri döndü, kaşlarını çatarak, "Ve Kardeş, masanın üzerindeki o şey için söylediklerimi unutma. Böyle şeyler karışıklık yaratmaktan başka işe yaramaz. Gözden uzak tutulmalıdır."

Gidince rahatladım. Neydi o, ancak bir kısmını duyabildiği bir karşılıklı konuşmada ne söyleyeceğimi bana anlatmaya kalkışı! Clifton'u da sevmiyordu, besbelli. Nefret ediyordum *ondan*. Ya o bilek zinciri üzerine söylediği o budalaca laflar, o korku neydi öyle! Tarp on dokuz yıl takmıştı onu da yine gülebiliyordu, ya bu koca...

Sonra unuttum gitti Wrestrum Kardeşi, ta iki hafta sonra, stratejiyi tartışmak üzere kentin merkezindeki karargâhımızda yapılacak bir toplantıya çağrılışımıza kadar.

Herkes benden önce oradaydı. Sıcak ve sigara dumanı dolu odanın bir yanına sıralar dizilmişti. Böyle toplantılar, çoğunlukla boks maçları ya da sohbet toplantıları havasında olurdu; ama şimdi herkes susuyordu. Beyaz Kardeşler huzursuz, Harlemli Kardeşler'den bazıları ise kavgaya hazır görünüyorlardı. Nedenini düşünmek için zaman bile bırakmadılar bana. Geç kaldığım için özür bile dileyemeden daha, Jack Kardeş tokmağını masaya vurdu ve ilk sözlerini bana yöneltti.

"Kardeşler, çalışmalarınız ve son günlerdeki davranışlarınızla ilgili ciddi bir yanlış anlama var galiba bazı Kardeşler arasında," dedi.

Boş boş baktım yüzüne, bir ilgi kurmaya çalışarak.

"Özür dilerim Jack Kardeş," dedim, "ama anlamıyorum. Çalışmamda bir aksaklık mı var demek istiyorsunuz?"

"Öyle görünüyor," dedi, tarafsız bir yüz ifadesiyle. "Daha demin bazı suçlamalar yapılıyordu..."

"Suçlamalar mı? Herhangi bir emri yerine getirmekte kusur mu etmişim?"

"Bu konuda bazı şüpheler var gibi. Ama bırakalım bunu Wrestrum Kardeş anlatsın," dedi.

"Wrestrum Kardeş mi!"

Bir darbe yemiştim sanki. Son konuşmamızdan beri ortalıkta görünmüyordu. Masanın öbür ucunda, kaçırmaya çalıştığı yüzüne baktım; başı önünde gevşek gevşek kalktı, cebinden kıvrılmış bir kağıt sarkıyordu.

"Evet Kardeşler," dedi, "suçlamalarla geldim karşınıza, bunu yapmak zorunda kalışım hiç hoşuma gitmese de. Ama ne zamandır işlerin gidişini takip etmekteydim ve eğer acele durdurulmazsa bu gidiş, bu Kardeş'in Örgüt'ü güç duruma düşüreceği kanısına vardım."

Bazı itiraz sesleri duyuldu.

"Evet, öyle dedim ve bilerek söyledim bunu. Şuradaki Kardeş, hareketimizin bugüne kadar karşılaştığı tehlikelerin en büyüklerinden birini teşkil etmektedir."

Jack Kardeş'e baktım; gözleri kıvılcım saçıyordu. Önündeki bir bloknota bir şeyler yazarken bir gülüş izi görür gibi oldum yüzünde. Vücudumu ateş basmıştı.

"Daha açık ol, Kardeş," dedi Garnett Kardeş, bir Beyaz Kardeş. "Bunlar ciddi suçlamalar ve hepimiz biliyoruz ki Kardeş'in çalışmaları çok parlak olmuştur bugüne kadar. Açık ol."

"Elbet, açık olacağım," diye patladı Wrestrum; birden çekti kâğıdı cebinden, açtı ve masanın üzerine attı, "Ne demek istediğim işte burada?"

Bir adım ileri attım; bir dergi sayfasından bakan bir resmimdi bu benim.

"Nereden geldi bu," dedim.

"İşte," dedi. "Sanki görmemişsin gibi yap bakalım."

"Ama gerçekten görmedim ki," dedim. "Gerçekten görmedim şu ana kadar."

"Şu Beyaz Kardeşler'e yalan söyleme, yalan söyleme."

"Yalan söylemiyorum. Daha önce ömrümde görmedim onu. Ama tut ki gördüm, ne varmış onda?"

"Ne olduğunu sen bilirsin!" dedi Wrestrum.

"Bana bak, ben bir şey bilmiyorum. Ne var dilinin altında senin? Hepimiz buradayız işte, eğer söyleyecek bir şeyin varsa, lütfen söyle de kurtul."

"Kardeş, bu adam bir... bir... bir oportünisttir! Görmek istiyorsanız şu yazıyı okuyun yeter. Bu adamı, Kardeşlik hareketini kendi bencil çıkarları uğruna kullanmakla suçluyorum."

"Peki bizim için ne söylüyor?" dedi Jack Kardeş dergiyi göstererek.

"Söylemek mi?" dedi Wrestrum. "Hiçbir şey söylemiyor. Hep ondan söz ediyor. O ne düşünür, o ne yapar; ilerde ne yapacak? Daha kendisi adını bile duymadan önce bu hareketi kuran, ilerleten biz geri kalanlar için bir tek kelime yok. Yalan söylediğimi sanıyorsanız, bakın. İşte bakın!"

Jack Kardeş bana döndü. "Doğru mu?"

"Okumadım," dedim. "Benimle röportaj yapıldığını unutmuş gitmiştim ben."

"Ama şimdi hatırlıyorsun onu?" dedi Jack Kardeş.

"Evet, hatırlıyorum. Ve randevu verildiğinde o da benim büromda bulunuyordu tesadüf eseri."

Sessizdiler.

"Berbat, Jack Kardeş," dedi Wrestrum, "hepsi burada, ak kağıt üzerine yazılı şurada. Herkese, bütün Kardeşlik hareketinin kendisi olduğu fikrini vermeye çalışıyor."

"Öyle bir şey yapmıyorum ben. Editörü, Tod Clifton Kardeş'le röportaj yapması için kandırmaya çalıştım, biliyorsun bunu. Ne yaptığım hakkında bu kadar az şey biliyorsun madem, neden söylemiyorsun Kardeşler'e ne *dolaplar* çevirmeye çalıştığını."

"Ben, iki taraflı oynayan birini gözler önüne sermeye çalışıyorum, başka bir şey yaptığım yok. Seni gözler önüne seriyorum. Kardeşler, bu adam Allah'ın belası bir... oportünisttir!"

"Pekâlâ," dedim. "Elinden gelirse ser gözler önüne beni; ama iftirayı bırak."

"Evet, seni sereceğim ortaya," dedi çenesini dışarı çıkararak, "şimdi yapacağım. Söylediklerimin hepsini yapmaktadır o, Kardeşler. Ve bir şey daha söyleyeyim size; o, işleri öyle ayarlıyor ki, üyeler o söylemedikçe yerlerinden kıpırdamıyorlar. Birkaç hafta önce Philly'deydi biliyorsunuz, o günleri hatırlayın. Bir toplantı yapmaya çalıştık, ne oldu? Yalnızca iki yüz kişi geldi. Onları öyle eğitmeye çalışıyor ki kendisinden başka kimseyi dinlemiyorlar."

"Ama Kardeş, çağrının yanlış kaleme alındığına karar vermemiş miydik o toplantı için?" diyerek bir Kardeş sözünü kesti.

"He ya biliyorum; ama öyle değildi o..."

"Ama Komite gözden geçirdi çağrıyı ve..."

"Biliyorum, Kardeşler, Komite'nin kararlarını tartışmak değil amacım. Ama, Kardeşler, bana yine öyle geliyor; çünkü siz *bilmezsiniz* bu adamı. Karanlıkta çalışır o, bir fesat hazırlıyordur kafasında..."

"Nasıl bir fesat?" dedi Kardeşler'den biri, masanın üzerinden *eğilerek*.

"Bir fesat işte," dedi Wrestrum. "Kentin yukarısındaki hareketi kontrol altına almak istiyor. Bir *diktatör* olmak istiyor o!" Vantilatörlerin uğultusundan başka çıt yoktu odada. Yeni bir ilgiyle bakıyorlardı ona.

İki Kardeş birlikte, "Bunlar çok ciddi suçlamalardır, Kardeş," dedi.

"Ciddi mi? Ciddi olduklarını biliyorum. Yoksa getirir miydim buraya? Bu oportünist, azıcık fazla eğitim görmüş diye kendisinin herkesten daha iyi olduğunu sanıyor. Jack Kardeş'in küçük... küçük bireyci dediği şeydir o!"

Yumruğuyla toplantı masasına vurdu; gözleri küçücük, yusyuvarlak görünüyordu gergin yüzünde. Bir yumruk atmak isterdim o yüze. Artık gerçek yüzüne değil de maskeye benziyordu: Gerisinde gerçek yüzünün belki de güldüğü, hem bana hem de ötekilere güldüğü bir maskeye. Çünkü söylediği şeye inanamazdı, onun için de imkansızdı bu. Fesatçı olan kendisiydi; ama Komite'dekilerin yüzlerine ciddi ciddi bakarak yakayı ele vermiyordu. Şimdi birçok Kardeş hep bir ağızdan konuşmaya başlamıştı; Jack Kardeş masaya vurdu düzeni sağlamak için.

"Kardeşler, lütfen!" dedi Jack Kardeş. "Teker teker konuşulsun. Bu yazı hakkında ne biliyorsun?" dedi bana.

"Çok şey değil," dedim. "Derginin editörü telefon ederek röportaj için muhabir gönderdiğini söyledi. Muhabir bir iki soru sordu. Küçük bir makineyle birkaç resim çekti. Bütün bildiğim bu."

"Muhabire önceden hazırlanmış bir şey verdin mi?"

"Bizim resmi yayınlarımızdan birkaç parça dışında hiçbir şey vermedim. Ne soracağı, ne de yazacağı şeyler hakkında hiçbir şey söylemedim ona. Herkesin yapacağı gibi, işbirliği yapmak istedim. Benim hakkımda yazılan bir yazı hareketimize dostlar kazandıracaksa bunun benim görevim olduğunu düşündüm."

"Kardeşler, bu iş önceden *düzenlenmişti*," dedi Wrestrum. "Ben size söyleyeyim, o muhabiri bu oportünist çağırmıştı oraya. Kendisi çağırmış, ne yazacağını kendisi söylemişti ona."

"İğrenç bir yalan bu," dedim. "Sen oradaydın ve Clifton Kardeş'le röportaj yapsınlar diye kandırmaya çalıştım onları, biliyorsun!"

"Kim yalancı?"

"Yalancının, gevezenin, alçağın birisin sen. Yalancısın sen ve kardeş değilsin bana."

"Şimdi de küfrediyor. Kardeşler, duydunuz onu."

"Kendimizi kaybetmeyelim," dedi Jack Kardeş sakin sakin.

"Wrestrum Kardeş, ciddi suçlamalar yaptın. İspat edebilir misin bunları?"

"İspat edebilirim. Bütün yapacağınız şey dergiyi okumaktır, kendi kendinize ispat edersiniz o zaman."

"Okunacaktır. Başka?"

"Bütün yapacağınız, Harlem'dekileri dinlemektir. Bütün konuştukları o. Hiçbir zaman, bizlerin yaptıklarından hiçbir şey. Size söylüyorum Kardeşler, bu adam Harlem halkı için bir tehlike teşkil etmektedir. Atılmalıdır!"

"Ona Komite karar verir," dedi Jack Kardeş. Sonra bana dönerek, "Savunmanda ne söyleyeceksin sen, Kardeş?" dedi.

"Savunmamda mı?" dedim. "Hiçbir şey. Savunacak bir şeyim yok benim. Görevimi yapmaya çalıştım. Eğer Kardeşler bilmiyorlarsa bunu, artık çok geç onlara anlatmak için. Bunun gerisinde ne var, bilmiyorum; ama tek tek dergi yazarlarını kontrol edecek durumda da değilim. Ve bugün buraya yargılanmaya geldiğimi de bilmiyordum."

"Yargılanma filan değil bu," dedi Jack Kardeş. "Mahkemeye verilirsen ve umarım hiçbir zaman verilmezsin, bilirsin o zaman. Şimdi, bu bir ivedi durum olduğuna göre, Komite, odayı terk etmenizi ve söz konusu röportajı okur ve tartışırken dışarıda beklemenizi rica ediyor."

Odayı terk ettim, boş bir büroya gittim öfke ve nefretle kaynayarak. Wrestrum, Kardeşlik Örgütü Komiteleri'nin en yükseklerinden biri önünde, Güney'i hatırlatmıştı bana ve çaresiz, çırılçıplak hissetmiştim kendimi. Ötekilerin önünde çocukça bir ağız dalaşına zorladığı için beni boğabilirdim onu. Ama aktörlerin birbirine ağız dolusu sövdüğü vodvillerdeki tiplere benzeyerek de olsa onun anladığı dilden dövüşmeliydim onunla. İmzasız mektuptan söz etse miydim acaba; ama bölgenin tam desteğine sahip olmadığım anlamında yorumlanabilirdi bu. Clifton burada olsaydı, bu soytarıya nasıl davranılacağını bilirdi. Sırf kara olduğu için mi ciddiye alıyorlardı onu? Sahi onlara ne olmuştu? Bir soytarıyla uğraştıklarını görmüyorlar mıydı? Ama gülselerdi, hatta gülümseselerdi ölürdüm orada, diye düşündüm; çünkü sadece ona değil bana da güleceklerdi aynı şekilde... Ama bir gülselerdi, daha az gerçekdışı olurdu; ne lanet yerdeyim ben böyle?

Bir Kardeş seslendi, "Girebilirsiniz artık!" Kararlarını duymak için içeriye girdim.

"Evet," dedi Jack Kardeş, "hepimiz okuduk yazıyı, Kardeş ve sevinerek söyleyebilirim ki oldukça zararsız bulduk onu. Doğru, Harlem bölgesinin öteki üyelerine daha çok söz verilmiş olsaydı daha iyi olurdu tabii. Ama bunda senin suçun olduğuna dair bir delil bulamadık. Wrestrum Kardeş yanılmış."

Yumuşak tavırları ve gerçeği görmek için boşuna zaman harcamış oldukları düşüncesi içimdeki öfkeyi daha fazla tutmama engel oldu.

"Bence bile bile yanılmakla suçludur," dedim.

"Suçlu değil, fazla gayretkeş," dedi.

"Bana hem suçlu, hem de fazla gayretkeş görünüyor," dedim.

"Hayır, Kardeş, suçlu değil."

"Ama onuruma saldırdı o benim."

Jack Kardeş gülümsedi. "Sırf samimi olduğu için, Kardeş. Kardeşlik'in iyiliğini düşünerek."

"Ama niçin bana iftira etsin? Sizi anlamıyorum Jack Kardeş. Düşman değilim ben, onun da çok iyi bildiği gibi. Ben de bir kardeşim," dedim; onun gülümsediğini gördüm.

"Kardeşlik'in birçok düşmanı var; bizler kardeşçe yanılmalara karşı bu kadar kaba ve sert olmamalıyız."

O zaman, Wrestrum'un yüzündeki budala, utanmış, bozulmuş ifadeyi, gördüm ve rahatladım.

"Pekâlâ Jack Kardeş," dedim. "Beni suçsuz bulduğunuz için sevinmem gerekir herhalde."

"*Dergideki yazıdan* dolayı," dedi parmağıyla havayı biçerek. Kafamın gerisinde bir şey gerildi, ayağa fırladım.

"Yazıdan dolayı mı! Öteki uydurmalara inandığınızı mı söylemek istiyorsunuz? Herkes Şerlok Holmes mu okuyor bugünlerde yoksa?"

"Bu, Şerlok Holmes'luk bir mesele değil," diyerek ters ters söylendi. "Hareketin birçok düşmanları var."

"Şimdi de bir düşman oldum" dedim. "Herkese ne oldu böyle? Hiçbiriniz beni tanımıyormuş gibi davranıyorsunuz."

Jack masaya bakıyordu. "Kararımızı öğrenmek istiyor musun, Kardeş?"

"Aa, tabii," dedim. "Evet, istiyorum. Her çeşit garip davranışa ilgi duyarım ben. Kim istemez; delinin biri, ülkede en iyi kafalar diye baktığım bir oda dolusu insana kendisini ciddiye aldırır da, kim istemez? Tabii, tabii istiyorum kararınızı duymayı. Yoksa aklı başında bir insan gibi davranır ve çıkar giderdim buradan!"

"Ben birkaç söz söyleyebilir miyim Kardeş'e?" dedi Macafee Kardeş. "Ama sizin de hareketin birçok düşmanı olduğunu anlamanız gerekir. Çok doğru bu, bizler kendi kişisel duygularımız zararına da olsa Örgüt'ü düşünmek zorundayız. Kardeşlik Örgütü bizim hepimizden büyüktür. Onun güveni söz konusu olunca birey olarak hiçbirimizin sözü olmaz. Ve emin olun ki, hiçbirimiz kişi olarak size karşı iyi niyetten başka his beslemiyoruz. Olağanüstü bir çalışma gösterdiniz. Bu yalnızca Örgüt'ün güvenliği sorunudur; bu tür suçlamalarda tam bir araştırma yapmak da bizim sorumluluğumuzdur."

Birden bomboş hissettim kendimi; söylediklerinde bir mantık vardı, kabul etmek zorunda hissettim kendimi. Hatalıydılar; ama hatalarını keşfetmek zorunluluğundaydılar da. Bırak öyleyse; suçlamalardan hiçbirinin doğru olmadığını anlayacaklar ve ben temize çıkacaktım. O kafalarına taktıkları bu düşman meselesi neydi, peki? Sigara dumanı içindeki yüzlerine baktım, başlangıçtan beri böyle ciddi kuşkularla karşılaşmamıştım. Şu ana kadar, çalışmamla yönetim arasında ömrümce tanımadığım bir bütünlük buluyordum; o saçma sapan kolej günlerimde bile yoktu bu bütünlük. Kardeşlik, insanların kendilerini bütünüyle verebileceği bir şeydi; onun gücü ve de benim gücüm buydu; tarihin akışını mutlaka değiştirecek olan şey de bu bütünlük duygusuydu. Bütün varlığımla inanmıştım buna; ama şimdi, içimden onaylamakla birlikte bu inancı, kendimi daha fazla savunmaktan alıkoyan yakıcı, kavurucu bir acı hissediyordum. Orada sessizce durmuş, bekliyordum kararlarını. Birisi, parmaklarıyla trampet çalıyordu masanın üzerinde. İnce kağıtların kuru hışırtısını duyuyordum.

Masanın ucundan Tobitt Kardeş'in sesi duyuldu; ama arada sigara dumanı vardı, yüzünü göremedim: "Komite'nin dürüstlüğüne ve aklına güven," dedi.

"Komite," diye soğuk soğuk, kesin bir sesle başladı Jack Kardeş, "Komite, bütün suçlamalar temize çıkıncaya kadar Harlem'de etkinlik dışı kalmak ya da merkezde bir görevi kabul etmek şıklarından birini sizin seçiminize sunmaya karar verdi. İkincisini seçerseniz şimdiki görevinizi derhal bırakacaksınız."

Bacaklarım tutmuyordu. "İşimden mi ayrılacağım, onu mu demek istiyorsunuz?"

"Harekete başka yerde yararlı olma yolunu seçmezseniz, evet."

"Ama göremiyor musunuz," dedim yüzlerine teker teker bakarak ve bomboş bir kesinlikten başka bir şey göremeyerek gözlerinde.

"Göreviniz, faal kalmaya karar verirseniz," dedi Jack Kardeş, bir yandan tokmağına uzanarak, "kentin merkezinde, Kadın Sorunu üzerine konferanslar vermek olacak."

Birden başımın bir topaç gibi döndüğünü hissettim.

"Ne üzerine!"

"Kadın Sorunu. Benim 'Birleşik Devletlerde Kadın Sorunu' adlı kitabım kılavuzluk eder size bu konuda. Ve şimdi, Kardeşler," dedi gözleriyle masayı tarıyarak, "toplantı bitmiştir."

Tokmağın kulaklarımdaki yankısını duyarak, "Kadın Sorunu"nu düşünerek, yüzlerinde herhangi bir sevinme belirtisi arayarak, hole çıkarlarken acaba birisi gülmemek için kendini tutuyor mu diyerek, seslerini dinleyerek dikiliyordum orada; onur kırıcı şakanın hedefi olmuşum duygusuyla mücadele ederek, daha da kötüsü, yüzlerinde farkında olma hali de görmeyerek dikiliyordum orada.

Kafam, görevi kabul etmem için umutsuzca mücadele ediyordu. Hiçbir şey değiştirmezdi işleri. Yerimi değiştirecekler ve araştıracaklardı; bense hâlâ inanarak, hâlâ disipline boyun eğerek kararlarını kabul edecektim. Oturup durmanın zamanı değildi şimdi; Örgüt'ün, hakkında hiçbir şey bilmediğim bazı cephelerine (daha yüksek Komiteler ve hiç ortalarda görünmeyen liderler, bizim ilgilerimizin çok uzağında görünen sempatizan ve bağlaşık gruplar) tam yaklaşmaya başlarken; iktidar ve yetkenin hâlâ bir gizlilik içinde benden saklanan sırlarının belirmeye başladığı bir sırada eli kolu bağlı durmanın zamanı değildi. Hayır, öfkeme ve nefretime rağmen tutkularım kolayca teslim olmayacak kadar büyüktü. Neden kısıtlayacaktım kendimi, neden ayıracaktım onlardan? Bir *sözcüydüm* ben; neden kadınlar hakkında ya da herhangi bir başka konuda konuşmayayım? Hiçbir şey, ideolojimizin kapsamı dışına düşmezdi, her şeye dair bir politika vardı ve benim ilgi duyduğum asıl şey, hareket içinde ileriye doğru yürümekti.

Bir topaç gibi şiddetle döndürülüyorum duygusuyla ama bir yandan da içimde iyimserlik gittikçe büyüyerek, binadan ayrıldım. Harlem'den uzaklaştırılmış olmak bir darbeydi; ama beni olduğu kadar onları da incitecek bir darbe; çünkü Harlem'in istediklerine giden yolun *benim* istediklerimden geçtiğini öğrenmiştim. Kardeşlik Örgütü'ne yararım, kendi temaslarımın bana olan yararından farklı değildi; topluluğun umutlarını ve nefretlerini, korkularını ve arzularını belirtmedeki tam açıklığıma ve dürüstlüğüme bağlıydı bu. İnsan, topluluğa konuşur gibi Komite'ye de konuşabilirdi. Hiç kuşkusuz, merkezde de aynı şeyler yürüyecekti. Yeni görev, bir meydan okumaydı. Harlem'de olmuş olanların ne kadarının benim çabamla, ne kadarınınsa halkın kendinin halis istekleriyle olduğunu öğrenmek için bir fırsattı. Ve, ne de olsa, diyordum kendi kendime, bu görev Komite'nin iyi niyetinin bir kanıtıdır. Çünkü toplumumuzda aksi halde tabu olarak bırakacağım bir konu üzerinde ko-

nuşmak üzere beni seçmekle hem bana, hem Kardeşlik'in ilke-
lerine inançlarını bir daha onaylamış olmuyorlar mıydı; sıra ka-
dınlara bile geldiğinde araya hiçbir çizgi çizmediklerini ispatla-
mış olmuyorlar mıydı? Bana karşı yapılan suçlamaları araştır-
mak zorundaydılar; ama verdikleri görev, bana olan inançları-
nı yitirmediklerinin hiç de duygusal olmayan bir yolda belirtili-
şiydi. Fikrin kafamda donmasına izin vermemiştim; ama bir an,
benim çoktan öldü sandığım eski Güneyli geri kafalılığım nere-
deyse yok edecek gibi olmuştu mesleğimi.

Harlem'den ayrılmanın da üzülünecek tarafları yok değildi;
gidip de kimseye allahaısmarladık diyemezdim, hatta Tarp Kar-
deş'e ya da Clifton'a bile; hele, topluluğun içinde en aşağı grup-
lar hakkındaki bilgileri kendilerine borçlu olduğum ötekilere
hiç. Kağıtlarımı çantama soktum ve kentin merkezine, bir top-
lantıya gidiyormuşçasına ayrıldım büromdan.

On Dokuz

lk konferansıma bir heyecan duygusuyla gittim. Konunun, dinleyicilerin ilgisini çekeceği şaşmaz bir şeydi, gerisi bana kalıyordu. Ah, otuz santim daha uzun, elli kilo daha ağır olsaydım, göğsümün üzerinde ONLARIN HEPSİNİ BİLİYORUM BEN yazısı, karşılarında dururdum da onlar, her nasılsa biçime girmiş ve evcilleşmiş ilk Arapoğlu'ymuşum gibi dehşete düşerlerdi benden. Paul Robeson* nasıl rol yapmak zorunda değilse ben de konuşmak zorunda kalmazdım artık; beni görür görmez heyecandan titrerlerdi yalnız.

Oldukça iyi gitti, onlar kendi coşkularıyla bir başarıya döndürdüler bunu; konferansın sonundaki soru yağmuru ise kafamda hiç kuşku bırakmadı. Benim uçarı heveslerim ve şüphelerimle bile daha önceden kestiremediğim gelişmeler ancak toplantı dağıldıktan sonra oldu. Ben dinleyicilerle vedalaşıyordum o göründüğünde: Yaşama sevinci ve kadın doğurganlığı rolünü bilerek oynuyormuş gibi canlı, cıvıl cıvıl bir kadındı. Dediğine göre, onun sorunu, ideolojimizin bazı cepheleriyle ilgiliymiş.

"Gerçekten biraz karışık," diyordu ilgiyle, "ve zamanınızı da almak istemem ama, öyle hissediyorum ki..."

(*) Ünlü zenci sanatçı – ç.n.

"Oh, hayır," dedim ötekilerden ayırıp giriş yerinin yanında kısmen çözülmüş olarak sarkan bir yangın hortumunun yanına doğru götürürken onu. "Rica ederim," dedim.

"Ama Kardeş," dedi, "vakit öyle geç ki, hem siz yorulmuşsunuzdur. Benim sorum bir başka zamana kalabilir..."

"O kadar yorgun değilim," dedim. "Ve sizi rahatsız eden bir şey varsa onu çözmek için elimden geleni yapmak görevimdir benim."

"Ama oldukça geç," dedi. "Belki meşgul olmadığınız bir akşam bize gelirsiniz. Daha uzun konuşabiliriz o zaman. Tabii, eğer..."

"Eğer?"

"Eğer," diye gülümsedi, "bu akşam bize uğramaya kandırabilirsem sizi. Şunu da söyleyeyim, güzel bir de kahve yapardım size."

"Öyleyse emrinizdeyim," dedim kapıyı iterek.

Dairesi kentin daha iyi bölgelerinden birindeydi; koskoca oturma odasına girince şaşkınlığımı saklayamamıştım herhalde.

"Görebilirsiniz Kardeş." Kardeş sözcüğüne verdiği sıcaklık rahatsız ediciydi. "Kardeşlik'in tinsel değerleri ilgilendiriyor beni gerçekten. İçinde en küçük bir çabam olmadan ekonomik güvenim ve boş zamanım var. Ama neye yarar, gerçekten o kadar şey bozukken bu dünyada? Demek istiyorum ki tinsel ve coşkusal güven ve adalet yokken?"

Yüzüme istekle bakarak, paltosunu çıkarıyordu, bir kurtarıcı mı, garip İngilizce'siyle bir Püriten mi, düşünüyordum. Jack Kardeş'in varlıklı üyeleri kendine özgü tanımlamasını anımsayarak; o, bu varlıklı kimselerin, Kardeşlik Örgütü'ne paraca yardım ederek politik bakımdan kurtuluş aradıklarını söylerdi. Bana göre biraz hızlı gidiyordu, ciddi ciddi bakıyordum yüzüne.

"Bu konuda çok derin düşünmektesiniz, görüyorum," dedim.

"Çalışıyorum," dedi, "ve beni en çok şaşırtan nedir biliyor musunuz? Ama siz rahatınıza bakın ben eşyalarımı kaldırırken."

Küçük, hoş, etine dolgun bir kadındı, simsiyah saçlarının arasında belli belirsiz bir beyaz tel; parlak kırmızı bir ev elbisesi içinde yeniden göründüğünde öyle çarpıcıydı ki, irkilmiş diyebileceğim gözlerimi başka yana çevirdim.

"Ne güzel bir oda burası," dedim, parlak kiraz rengi mobilyanın üzerinden gerçek boyda bir yağlıboya çıplak resme, pembe bir Renoir'a bakarken. Şurada burada asılı başka tablolar da vardı; geniş duvarlar sıcak doğal renklerle canlı canlı parlıyordu sanki. İnsan ne söyler bütün bunlara, diye düşündüm, bir abanoz ağacı üzerine yerleştirilmiş parlak pirinçten bir soyut balığa bakarken.

"Beğendiğinize sevindim, Kardeş," dedi. "Biz de severiz; ama şunu da söyleyeyim, Hubert, bu odanın tadını çıkaracak kadar zaman bulamıyor. Çok meşgul."

"Hubert mi?" dedim.

"Kocam. Ne yazık ki gitmek zorundaydı. Sizinle tanışmaktan çok memnun olurdu; ama boyuna koşturup durur işte. İş, bilirsiniz."

Ani bir huzursuzlukla, "Başka türlüsü olmuyor sanırım," dedim.

"Evet, öyle," dedi. "Ama biz Kardeşlik'i ve ideolojisini tartışacağız, değil mi?"

Sesinde, gülümsemesinde öyle bir şey vardı ki, bana hem rahatlık hem bir heyecan duygusu veriyordu. Yabancılık duyduğum şey yalnızca servetin ve görkemli yaşamın gerisindeki şeyler değil, onunla burada birlikte bulunmak ve gittikçe derinleşen bir konuşmaya dalma ihtimalini sezmemdi; sanki, yakışıksız şekilde görülmez ve göze çarpacak kadar karışık, anlaşılmaz şeyler, inceden dengeli bir uygunluğa ulaşıyordu. Zengin ama insan, diye düşündüm, rahat ellerinin yumuşak hareketlerini seyrederken.

"Hareketin birçok cepheleri vardır," dedim. "Yalnız, nereden başlayalım? Belki de benim gücümün dışında bir şey bu."

"Oh, o kadar derin bir şey değil," dedi. "Eminim benim küçük ideolojik yanlışlarımı, eksiklerimi düzeltirsiniz. Ama şuraya, divana oturun, Kardeş; daha rahattır."

Oturdum, bir kapıya doğru gitti; elbisesinin kuyruğu, bir Şark halısı üzerinde iç gıcıklayıcı bir şekilde sürünüyordu arkasından. Sonra geri döndü ve gülümsedi.

"Belki de kahve yerine şarap ya da süt isterdiniz?"

"Teşekkür ederim, şarap," dedim, süt fikrini garip şekilde yavan bularak. Hiç de bunu beklemiyordum, diye düşündüm. Üzerinde iki bardak ve bir şişe olan tepsiyle döndü, önümüzdeki alçak bir sehpaya koydu tepsiyi; şarabın ahenkle bardakların içine dökülüşünü duyabiliyordum, bir tanesini önüme koydu.

Gülümseyen gözleriyle bardağını kaldırarak, "Bu hareket için," dedi.

"Hareket için," dedim.

"Ve Kardeşlik için."

"Ve Kardeşlik için."

"Çok güzel bu," dedim. Gözlerini hemen hemen kapatmış gibiydi, çenesini yukarıya, bana doğru kaldırmıştı. "Ama ideolojimizin hangi yönünü tartışacağız?"

"Hepsini," dedi, "onun bütününü kucaklamak istiyorum. Hayat onsuz öyle korkunç boş ve karışık ki. İçtenlikte inanıyorum ki, yalnızca Kardeşlik hayatı yeniden yaşanır hale getirebilme umudunu verir insana. Oh, biliyorum, hemen kavranamayacak kadar geniş bir felsefe o; buna rağmen o kadar hayati ve canlı ki, insan hiç olmazsa anlamak için çaba göstermek istiyor. Aynı düşüncede değil misiniz siz?"

"Tabii, evet," dedim. "*Benim* bilebildiğim en anlamlı şey."

"Oh, ne kadar sevindim benimle aynı düşüncede olduğunuza. Sanırım bunun için, sizin konuşmanızı duyunca heyecandan titriyorum; hareketin canlı nabız atışlarını duyuruyorsunuz, nasıl ediyorsanız. Gerçekten şaşırtıcı bir şey. Bana öyle bir güven hissi veriyorsunuz ki; ama..." Garip, anlaşılmaz bir gülümsemeyle kendi sözünü kesti. "İtiraf edeyim ki korkutuyorsunuz da beni."

"Korku mu? Herhalde ciddi söylemiyorsunuz," dedim.

"Gerçekten," diye tekrarladı, ben gülerken. "O kadar güçlü, o kadar... o kadar *ilkel*!"

Odanın içindeki havanın bir kısmının odadan kaçtığını, odanın tuhaf bir sessizliğe gömüldüğünü hissettim. "İlkel demek istemiyorsunuz, değil mi?" dedim.

"Evet, *ilkel*; hiç kimse söylemedi mi size, Kardeş, sesinizde zaman zaman tamtam vuruşlarının duyulduğunu?"

"Tanrım," diye güldüm, "ben de derin düşüncelerin vuruşları hissediliyor sanırdım."

"Elbette, haklısınız," dedi. "Gerçekten ilkel demek istemiyorum. *Güçlü*, kuvvetli demek istiyor olmalıyım. İnsanın kafasını olduğu kadar coşkularını da yakalayıveriyor. Ne isterseniz onu deyin siz, öyle çıplak bir güç var ki onda, doğruca içine işliyor insanın. Böylesine bir canlılığı düşünürken bile titriyorum."

Yüzüne baktım, o kadar yakındı ki, artık o münasebetsiz beyaz teli değil bir tek koyu siyah saç görebiliyordum. "Evet," dedim, "coşku var sesimde; ama o coşkuyu ortaya çıkaran, sorunlara bilimsel yaklaşmamızdır gerçekte. Jack Kardeş'in söylediği gibi, Örgüt olmasa bizler bir hiçiz. Ve yalnızca ortaya çıkarılmaz coşku, yöneltilir, bir kanala sokulur; etkili oluşumuzun gerçek kaynağı budur. Neyse, bu nefis şarap coşkuyu çıkarabiliyor ortaya; ama bir şeyi düzenleyebileceğini sanmam doğrusu."

İncelikle öne doğru eğildi, kolu divanın arkalığında. "Evet, sizse her ikisini de yapabiliyorsunuz konuşmalarınızda. İnsan hemen karşılık vermek *zorunda kalıyor*, söylediğiniz şeyin kavramını açıkça kavramasa bile. Ne söylediğinizi biliyorum yalnız ve böylesi çok daha ilham verici oluyor."

"Doğrusunu isterseniz, onlar benden etkilendiği kadar ben de dinleyicilerden etkileniyorum. Dinleyicilerin ilgisi yardım eder bana, görevimi en iyi şekilde yapmam için."

"Önemli bir yan daha var," dedi. "Beni çok ilgilendiren bir şey. Kadınlara kendilerini ifade etmeleri için tam bir fırsat veriyor, çok önemlidir bu, Kardeş. Sanki her gün 366. günmüş* gibi; ki böyle olması da gerek. Kadınlar mutlaka erkekler kadar özgür olabilmelidirler."

Ve ben gerçekten özgür olsaydım, diye düşündüm bardağımı kaldırırken, çıkıp giderdim buradan.

"Bu akşam her zamankinden iyiydiniz. Kadının harekette

(*) Bir eski Amerikan geleneğine göre, şubat ayının 29 çektiği yıllarda genç kızlar erkeklere evlenme teklif eder – ç.n.

bir şampiyon olması zamanıdır artık. Bu akşama kadar sizi hep azınlık sorunları üzerinde konuşurken dinlemiştim."

"Bu yeni bir görev," dedim. "Fakat bundan sonra en çok ilgilendiğimiz konulardan biri de Kadın Sorunu olacaktır."

"Bu çok güzel, zamanı da. Bir şey, kadınlara hayata sımsıkı bağlanma fırsatını vermeli. Lütfen, devam edin, fikirlerinizi söyleyin bana," dedi, ileriye doğru yanaşarak, eli hafifçe kolumda.

Ve ben, konuş denince, devam ettim konuşmaya kendi coşkumla ve şarabın sıcaklığıyla başımı almış gidiyordum. Ve kendisine dair bir soru sormak için döndüğümde burnumun ucuna kadar eğildiğini, gözlerinin yüzümde olduğunu fark ettim.

"Devam edin, lütfen devam edin," dediğini işittim. "O kadar güzel açıklıyorsunuz ki. Lütfen."

Birbirimize doğru sürüklenirken gözkapaklarının pervane kanatları gibi hızlı çarpışının, dudaklarının yumuşaklığı haline geldiğini görüyordum. Bir düşünce ya da bir kavram yoktu bunda, tertemiz, incecik bir sıcaklık vardı; sonra bir zil çaldı ve silkindim, ayağa fırladım, o da benimle kalkarken zilin bir daha çaldığını işittim. Kırmızı elbise kat kat, halının üzerine düşüyor ve o, "Her şeyi o kadar güzel canlandırıyorsunuz ki," diyor, zil tekrar çalıyor. Kımıldamaya, apartmandan dışarı çıkmaya çalışıyorum, şapkamı arıyorum, öfke dolduruyor içimi, düşünüyorum "Deli mi bu kadın?" diye. "Duymuyor mu zili?", mantıksızca hareket ediyormuşum gibi şaşkın dururken önümde. Ve şimdi birden kolumu kuvvetle sıkıyor ve "Bu taraftan, şurası," diyor, zil çalıp dururken neredeyse sürüklüyor beni, kapıdan geçiyoruz, kısa bir holden bir yatak odasına; gülümseyerek yüzüme bakıyor, ne düşündüğümü anlamaya çalışıyor, "Benim odam burası," diyor, bense kaba bir güvensizlikle bakıyorum ona.

"Sizin mi? *Sizin* mi? Ama zil?"

"Aldırma," diye inliyor, gözlerimin içine bakarak.

"Ama mantıklı olun," diyorum onu kenara iterek. "Ya şu kapı?"

"Oh, tabii, telefonu diyorsun, değil mi, sevgilim?"

"Ya seninki, kocan?"

"Şikago'da."

"Ama gelmez mi?"

"Hayır, sevgilim, gelmeyecek."

"Ya gelirse!"

"Ama, Kardeş, sevgilim, konuştum ben onunla, biliyorum."

"Ne yaptın? Nasıl bir oyun bu?"

"Oh, zavallı sevgilim! Oyun moyun değil, gerçekten. Korkacak hiçbir şey yok, yalnızız. Şikago'da o, kaybolmuş gençliğini arıyordur muhakkak," diyor ve kendini tutamayıp gülmeye başlıyor; kendisi de şaşıyor buna. "İnsanın ruhunu yükseltici şeylerle, özgürlük, zorunluluk, kadın hakları falan filan gibi şeylerle hiç ilgisi yoktur onun. Bilirsin, sınıfımızın hastalığı Kardeş, sevgilim."

Odaya doğru bir adım attım; solumda bir başka kapı daha vardı, krom ve fayans pırıltıları gördüm aradan.

"Kardeşlik, sevgilim," dedi, küçük elleriyle pazularımı yakalayarak. "Öğret bana, konuş bana. Kardeşlik'in güzel ideolojisini öğret bana." Ve ben hem ezmek, parçalamak istiyordum onu, hem de onun yanında kalmak; ama ikisini de yapamayacağımı biliyordum. Beni mahvetmeye mi çalışıyordu, bir tuzak mıydı bu, elinde fotoğraf makineleri ve demir çubuklarla kapının dışında bekleyen, hareketin gizli bir düşmanı tarafından hazırlanmış bir tuzak mıydı?

"Telefona cevap vermelisin," dedim zorlama bir sakinlikle, ellerimin ona dokunmasını önlemeye çalışarak; çünkü bir dokunsaydım ona...

"Ama devam edeceksin?" dedi.

Başımı salladım; bir söz söylemeksizin geri döndüğünü, üzerinde geniş oval bir ayna olan bir tuvalet masasına gittiğini, fildişi renkli bir telefonu kaldırdığını gördüm. Ve o anda aynaya düşen hayalde, onun aceleci haliyle koskoca beyaz yatak arasında dikilip duran kendimi gördüm; gerilmiş, sarkmış kravatımla, suçlu bir duruşla yakalamıştım kendimi. Yatağın arkasında, denizin kabarışı gibi hayallerimizi ileri geri atıp duran, zamanı, yeri ve durumu delicesine çoğaltıp duran bir başka ayna. Bana dönüp, neredeyse fısıltıyla, *özür dilerim*, sonra telefona sabırsızca, "Evet benim," derken görüşüm bir açılıyor, bir bulanıyordu, sanki öfkeli bir körük çalışıyormuş gibi; sonra yine bana dönüyor, telefonun ahizesini eliyle örterken gülümseyerek, "Kardeşimmiş, bir saniye almaz," diyor. Hanımının sırtını yıkamaya banyoya çağrılan erkek uşakların, efendilerinin karılarını paylaşan şoförlerin, Reno'ya giden zengin karıların özel kompartımanlarına çağrılan yataklı vagon görevlilerinin unutulmuş hikâyeleriyle fır fır dönüyor başım, düşünüyorum. Ama hareket bu, Kardeşlik bu. Ve şimdi gülümsüyor, "Evet, Gwen, canım. Evet," diyor, boş eli saçını düzeltecekmiş gibi kalkar ve ani bir hareketle kırmızı elbisesi bir tül gibi kayarken aşağıya. Ve soluğum kesiliyor benim, cömert kıvrımlarıyla küçücük çıplak vücudun aynadaki incecik ve sımsıkı hayalini görünce. Kısacık bir düş anı, sonra birden gerçeğe dönüş ve parlak kırmızı giysinin üzerinde, gülümseyerek bakan şeytani gözlerini görüyorum yalnızca.

Kızgınlık ve yakıcı bir heyecan arasında paramparça kapıya yöneliyorum, telefonun kapanış sesini duyuyorum yanından geçerken ve bana sarılarak kıvrılışını hissediyorum onun ve kaybediyorum kendimi, ideoloji ile biyoloji, görev ve arzu arasındaki çatışma çözülmez bir biçimde karışıyor birbirine. Kırsınlar kapıyı isterlerse, gelsin, kim gelirse gelsin, diye düşünerek yanaşıyorum ona.

Uyanık mıyım, düş mü görüyorum bilemedim birden. Ölüm sessizliği vardı ortalıkta; ama bir gürültü duymuştum, iyi biliyordum, odanın öbür ucundan gelmişti, hafif iç çekişleriyle uzanıyordu yanımda o. Acayip bir şey. Bin bir türlü şey dönüyordu kafamda. Bir ormandan bir boğa sürmüş çıkarmıştı beni. Bir tepeye doğru koşuyordum; tepe boyuna yükseliyordu. Aynı sesi işittim yine, baktım; holün loş ışığında dikildiği yerden ne ilgi ne de şaşkınlık duyarak bakıp duruyordu yüzüme bir adam. Yüzü anlamsız, bomboş, gözlerini dikmiş bana. Sonra yanımda kıpırdandığını duydum kadının.

"Oh, merhaba, canım," dedi, sesi uzaklardan geliyordu.
"Çok erken döndün?"
"Evet," dedi adam, "erken uyandır beni, yapacak çok işim var."
"Unutmam, canım," dedi uykulu uykulu. "İyi uykular..."
"İyi geceler, size de," dedi kısa, kupkuru bir gülüşle.
Kapı kapandı, orada karanlıkta bir süre uzandım, soluk so-
luğa. Acayipti. Uzandım, vücuduna dokundum. Cevap yok.
Üzerine eğildim, sıcak ve temiz soluğunun esintisini yüzüm-
de duyarak. O kadar tehlikeden sonra çok geç varılmış ve şim-
di bir daha dönmemek üzere kaybolacak değerli bir şeyin, tatlı
bir acının heyecanını tadarak uzatmak istiyordum bu anı. Ama
sanki hiç uyanmamış gibiydi o; sanki uyandırırsam şimdi, bağı-
racak, çığlık atacak gibi geliyordu bana. Aceleyle yataktan kay-
dım, elbiselerimi bulmaya çalışırken gözlerimi biraz önce ışı-
ğın geldiği o karanlık yerden ayırmamaya çalışıyordum. Oraya
buraya çarpa çarpa bir sandalye buldum, boş bir sandalye. El-
biselerim neredeydi? Ne budalalık! Ne diye sokmuştum kendi-
mi böyle bir duruma? Çıplak çıplak etrafımı yoklaya yoklaya
karanlığın içinde elbiselerimin olduğu sandalyeyi buldum, ace-
leyle giyindim ve yavaşça kaydım dışarı, yalnız holden gelen
loş ışığa bakmak için kapıda durarak bir an. Sessiz, gülümse-
mesiz uyuyordu, düşte bir güzel kadın, simsiyah başının üzeri-
ne atılmış fildişi bir kol. Kapıyı kapayıp holden aşağı giderken,
adamın, adamların, kalabalıkların beni durdurmak için önüme
çıkmasını bekleyerek küt küt atıyordu yüreğim. Sonra merdi-
venlere geldim.

Binada çık yoktu. Giriş yerinde kapıcı kestiriyordu; kolalı
önlüğü, soluk alıp verdikçe çenesinin altında bükülüyor, beyaz
başı çıplak. Terden sırılsıklam, adamı gerçekten gördüm mü,
yoksa düşledim mi hâlâ kesin olarak bilemeyerek ulaştım cad-
deye; o beni görmeden ben onu görmüş olabilir miydim? Ya da
beni görmüş de çok incelmiş, çürümüş, fazla uygarlaşmış oldu-
ğu için sesini çıkarmamış olabilir miydi? Her adımda içimde-
ki korku daha da büyüyerek hızla yürüyordum caddeden aşağı.
Niçin bir şey söylememişti, tanımamıştı beni, küfretmemişti?
Saldırmamıştı üzerime? Ya da hiç olmazsa karısına sövüp say-

mamıştı? Ya böyle bir baskıya nasıl bir tepki göstereceğimi öğrenmek için bir deneme idiyse bu? Öyleydi, tabii öyleydi, düşmanlarımızın bize vahşice saldıracağı bir noktaydı bu. Ecel terleri dökerek yürüyordum. Ne diye karıştırırlar karılarını her şeye? Dünyada değiştirmek istediğimiz her şeyle aramıza bir kadın koyuyorlardı: Sosyal, politik ya da ekonomik yoldan. Ne diye, lanet olsun, ne diye sanki sınıf mücadelesini kıç mücadelesiyle bozmakta direniyorlardı, hem bizi hem kendilerini, bütün insani nedenleri alçaltarak?

Ertesi gün hep iğne üstünde oturur gibi planın açıklanmasını bekleyerek bitkin durumdaydım. Şimdi artık adamın kapı eşiğinde olduğundan emindim; elinde çanta olan bir adamdı, içeri bakmış ve beni gördüğüne dair kesin bir belirti göstermemişti. Kayıtsız bir koca edasıyla konuşan fakat bana Kardeşlik Örgütü'nden önemli bir kişiyi hatırlatır gibi olan bir adam: O derece tanış birisi ki onu tanıyamayışım deli ediyordu beni. İşim, dokunulmamış duruyordu önümde. Her telefon sesi korkuyla dolduruyordu içimi. Tarp'ın bilek zinciriyle oynuyordum.

Saat dörde kadar telefon etmezlerse kurtuldum demektir, dedim kendi kendime. Ama hâlâ bir işaret yoktu. Hatta bir toplantı çağrısı bile. Nihayet ben çevirdim onun numarasını, sesini duydum, mutlu, neşeli ve ihtiyatlı; ama ne geceden ne adamdan bir tek söz yok. Ve sesini bu kadar sakin ve neşeli duyunca konuyu bir türlü açamayacak kadar şaşırmıştım. Belki de çok incelmiş ve uygarlaşmış yolu buydu bunun? Belki kocası da oradaydı ve anlayış sahibi kimselerdi, kadına her türlü hakkı tanıyorlardı.

Tartışmayı daha da ilerletmek için dönecek miyim, bilmek istiyordu.

"Evet, elbette," dedim.

"Oh, Kardeş," dedi.

Denendiğim ve kaybettiğim düşüncesini bir türlü atamayarak kafamdan, sevineyim mi, üzüleyim mi bilemeden telefonu kapadım. Ertesi hafta durumu bir türlü çözemeden geçti, hatta daha da karıştı kafam; çünkü nereye ayak bastığımı kesin olarak bilemiyordum. Jack Kardeş'le ve ötekilerle ilişkilerimde herhangi bir değişiklik oldu mu, olmadı mı diye araştırdım ama onlar da hiçbir belirti göstermediler. Göstermiş olsalardı bile kesin anlamını bilemezdim bunun; çünkü daha önceki suçlamalarla ilgili olabilirdi bu. Suçlulukla suçsuzluk arasında kapana kısılmıştım; öyle ki, ikisi de aynı görünüyordu şimdi. Sinirlerim devamlı gergin bir haldeydi; yüzüme sert, hiçbir şey belli etmeyen bir ifade gelmişti, Jack Kardeş'in ve ötekilerin yüzlerine benzemeye başlamıştı. Sonra biraz rahatladım; yapılacak işler vardı ve bekleme oyununu oynamaya devam edecektim. Suçuma ve ikircikli halime rağmen yapayalnız suçlu bir kara Kardeş olduğumu unutmayı, bir oda dolusu beyazın içine kendinden emin, uzun adımlarla girmeyi öğrendim. Çene yukarda, çok yaygın olmayan bir gülümseme; el sert, sıcak bir sıkış için boylu boyunca ileri uzatılmış. Bütün bunlarla birlikte, herkese hoş görünmek için bir gurur ve yere kadar eğilme alçakgönüllülüğü karışımı. Kendimi konferanslara verdim, kadın haklarını savunuyor, destekliyordum; kızlar etrafımda dolanıp durdukları halde biyolojik şeylerle ideolojik şeyleri dikkatle birbirinden ayrı tutmaya çalışıyordum. Kolay olmuyordu bu; çünkü bütün Kız Kardeşler ideolojik olan şeyin hayatta gerçekten ilgiye değer şeyler için gereksiz bir örtüden başka bir şey olmadığı konusunda anlaşmış (ve benim de bunu kabul ettiğimi düşünüyorlarmış) gibiydiler.

Kentteki dinleyicilerin çoğunun, ne zaman ortada görünsem biraz da o güne kadar bilmedikleri, duymadıkları bir şey bekler gibi olduklarını fark ettim. Onların önüne daha ilk çıktığım anda sezebilmiştim bunu, *söyleyebileceğim* şeylerle de pek ilgisi yoktu bunun. Çünkü daha önlerine çıkar çıkmaz ve onlar bana gözlerini çevirir çevirmez, garip bir boşalmaya, rahatlığa girer gibi oluyorlardı; gülmekten, ağlamaktan ya da herhangi bir belli, apaçık duygudan dolayı değil. Anlayamadım bunu. Ve suçum büyüyordu. Bir defasında bir konunun ortasında, önümdeki yüzler denizine baktım ve düşündüm; Biliyorlar mı? Öyle mi? Ve neredeyse berbat oluyordu konferansım. Ama bir şeyi iyi biliyordum artık; kendilerini hikâyeler anlatarak eğlendiren öteki kara Kardeşler'e karşı davranışları aynı değildi, onlar daha ağızlarını bile açmadan gülmeye başlarlardı. Hayır, başka bir şeydi bu. Bir çeşit umma, bir bekleyiş hali, kendilerini haklı çıkarmaya benzer bir şeyi dileyiş, sanki benden, herhangi bir başka konuşmacıdan, ya da eğlendiriciden daha fazla bir şey olmamı bekliyorlarmış gibi. Benim kendi anlayışımın ötesinde, dışında bir şey oluyormuş gibiydi. En anlamlı, en etkileyici sözlerimden daha açık, daha büyüleyici bir dilsiz oyunu oynuyordum. Buna eşlik ediyordum ama eşikteki adamın sırrını nasıl çözemediysem, bunu da öyle anlayamıyor, kavrayamıyordum. Belki de, diyordum kendi kendime, sesindedir bu. Sesinde ve sende Kardeşlik'e olan inançlarının canlı bir kanıtını görme arzularında ve kafaca rahatlamak için artık düşünmüyordum onu.

Son bir gece, yeni bir seri konferans için notlarımı hazırlarken uyuya kalmıştım ki, bir telefonla karargâhta ivedi bir toplantıya çağrıldım. Bir kadın mı kaydıracaktı ayağımı! Ne söyleyecektim onlara, onun ne kadar dayanılmaz birisi olduğunu, benim de bir insan olduğumu mu? Ne ilgisi vardı bunun sorumlulukla, Kardeşlik'i yayma işiyle?

Gitmekten başka çare yoktu; geç vardım oraya. Bunaltıcı derecede sıcaktı oda; üç küçük vantilatör ağır havayı serinletmeye çalışıyordu. Kısa kollu gömlekli Kardeşler, üstünde dışı terlemiş bir sürahi buzlu suyun bulunduğu, çizik içinde bir masanın etrafında oturuyorlardı.

"Kardeşler, özür dilerim, geç kaldım," dedim. "Yarınki konferansla ilgili son bir iki ufak iş vardı da."

"Bilseydin daha fazla ağrıtmamış olurdun başını, Komite'ye de zaman kaybettirmemiş olurdun," dedi Jack Kardeş.

"Ne demek istediğinizi anlamıyorum," dedim birden alevlenerek.

"Bundan sonra Kadın Sorunu'yla ilgilenmeyeceksin demek istiyor. Bitti o iş artık," dedi Tobitt Kardeş. Bir saldırıya karşı hazırdım; ama daha ben cevap vermeye kalmadan Jack Kardeş ürkütücü bir soruyla ilk ateşi açtı yüzüme.

"Tod Clifton Kardeş'e ne oldu?"

"Clifton Kardeş mi? Haftalardır görmedim onu. Merkezde çok meşguldüm ben. Ne olmuş?"

"Ortadan kayboldu," dedi Jack Kardeş, "*ortadan kayboldu!* Gereksiz sorularla vakit geçirme. Bunun için çağrılmadın buraya."

"Ama ne zaman öğrendiniz bunu?"

Jack Kardeş masaya vurdu. "Bildiğimiz tek şey gittiği. Biz işimize bakalım şimdi. Sen, Kardeş, derhal Harlem'e döneceksin. Bir bunalımla karşı karşıyayız burada; çünkü Clifton Kardeş yalnızca kaybolmadı, görevini de yapamadı. Öte yandan, Kışkırtıcı Ras ve onun ırkçı haydut tayfası bundan yararlanıyor ve kışkırtmalarını gittikçe artırıyorlar. Tekrar oraya döneceksin ve topluluktaki eski gücümüzü yeniden kazanmak için önlemler alacaksın. İstediğin destek sana verilecek; yarın sana bildirilecek bir strateji toplantısı için bize verilmek üzere bir rapor hazırlayacaksın. Ve lütfen," tokmağıyla kuvvetlendirerek sözünü, "geç kalma!"

Benim şahsi sorunlarımdan hiçbiri tartışılmadığı için öyle rahatlamıştım ki, polisin bu kayboluştan haberdar edilip edilmediğini bile sormak aklıma gelmedi. İşin içinde bir bit yeniği vardı; çünkü Clifton ortadan kaybolmayacak kadar sorumluluk sahibi bir kişiydi, kaybolmakla eline geçecek hiçbir şey yoktu. Kışkırtıcı Ras'la bir ilişkisi var mıydı işin? Ama olamaz gibi geliyordu bu; Harlem en güçlü olduğumuz yerlerden biriydi, daha bir ay önce, ben öteki göreve aktarıldığımda Ras bize saldıracak olsa, caddede kuyruğuna teneke bağlayıp kovarlardı. Komite'yi kızdıracağımı bilmesem Clifton'la ve bütün Harlem üyeleriyle ilişkilerimi daha sıkı yürütürdüm bu süre içinde. Şimdi aniden derin bir uykudan uyanmış gibiydim.

Yirmi

Caddeler gözüme garip görünecek kadar uzak kalmıştım onlardan. Buradaki yaşayış ritmi daha yavaştı ama bir bakıma daha hızlıydı; sıcak gece havası içinde farklı bir gerilim vardı. Yaz kalabalığı içinden bölgeye değil, Barrelhouse'ın Jolly Dolar Meyhanesi'ne doğru gidiyordum: 8. Cadde'nin üst yanında karanlık bir bar ve ızgaracıydı burası; en iyi ilişki kurduğum kişilerden biri olan Maceo Kardeş akşam birasını içmek üzere çoğu zaman bu saatlerde burada bulunurdu.

Dışarıdan pencereden bakınca iş elbiseleri içinde adamlar ve bara yaslanmış birkaç sarhoş kadın görebildim; barla tezgâh arasındaki koridorda siyah ve mavi noktalı gömlekli birkaç adam oturmuş kebap yiyordu. Bir grup kadın ve erkek gerideki otomatik pikabın başına toplanmıştı. Ama içeriye girdiğimde Maceo Kardeş'in bunların arasında olmadığını gördüm, bir bira içip beklemeye karar vererek bara yanaştım.

"İyi akşamlar, Kardeşler," dedim, daha önce buralarda gördüğüm iki adamın yanına yaklaşırken; garip garip baktılar bana, uzun boylusunun kaşı sarhoş sarhoş kalktı ötekine bakarken.

"Bok herif," dedi uzun boylusu.

"Ne diyon lan senin akraba falan mı yoğsa?"

"Has'tir, nerden akrabam olurmuş o Allah'ın belası!"

Döndüm ve yüzlerine baktım, oda birden dumanlı geldi.

"Sarhoş herhal," dedi ikinci adam. "Belkim senin akraban zannediyor kendini."

"Öyleyse viskisi söylettiriyor ona bu boktan yalanı. Akrabam olsa bile kabul etmezdim. Hey, Barrelhouse!"

Uzaklaştım, barın öteki ucuna gittim, şüpheyle bakmaya başladım onlara. Sarhoşa benzemiyorlardı, kızdıracak bir şey de söylememiştim, kim olduğumu bilmediklerinden emindim. Ne oluyordu öyleyse? Kardeşlik selâmı, "Ver elini birader," ya da "Barış ne güzel şey," gibi tanıdık bir şeydi.

Barrelhouse'ın barın öteki ucundan yuvarlana yuvarlana geldiğini gördüm, beyaz önlüğü belindeki kuşakla öyle sıkıca bağlanmıştı ki, ortasında bir oluk olan madeni bira varillerini dönmüştü; beni görünce gülümsedi.

"Vay, bizim Kardeşcik değilse kahrolayım," dedi elini uzatarak. "Kardeş, nereye kayboldun ne zamandır?"

"Merkezde çalışıyordum," dedim, bir minnet *hissi duyarak.*

"Güzel, güzel," dedi Barrelhouse...

"İşler nasıl, iyi mi?"

"Hiç sorma, Kardeş. İşler kötü. Çok kötü."

"Yazık. Bir bira versen bana, iyi olur," dedim, "şu beylerin işini gördükten sonra." Aynadan seyrediyordum adamları.

"Elbette," dedi Barrelhouse, bir bardağa uzanıp bira doldururken. "Sen ne dır dır edip duruyorsun, moruk?" dedi uzun boylu adama.

"Buraya bak, Barrel, bir şey sormak istiyoruz sana," dedi uzun boylusu. "Şuradaki sarhoş kimin kardeşiymiş onu öğrenmek istiyorduk? İçeriye giriyor, herkese kardeş demeye başlıyor."

"O benim kardeşim," dedi Barrel, köpüklü bardağı uzun parmakları arasında tutarak. "Bir diyeceğin var mı?"

"Bak, arkadaş," dedim. "Bu bizim konuşma tarzımız, size kardeş derken kötü bir şey geçmedi aklımdan. Özür dilerim, siz yanlış anladınız beni."

"İşte biran, Kardeş," dedi Barrelhouse.

"Demek senin kardeşin ha, Barrel."

Geniş göğsünü barın kenarına bastırırken gözleri kısıldı Barrel'in, birden hüzünlendi bakışları. "Keyfin yerinde, Mac Adams ha?" dedi sıkıntılı sıkıntılı. "Biran güzel, değil mi?"

"Helbet," dedi Mac Adams.

"Soğuk mu?"

"Helbet; ama Barrel..."

"Pikaptaki müzik de kıyak mı?"

"Ee n'olacak, evetse; ama..."

"İyi, temiz, tatlı havamızı da sevdin, değil mi?"

"Helbet; ama ben sana bunu söylemiyordum ki?" dedi adam.

"Evet; ama ben sana söylüyorum işte," dedi Barrelhouse üzgün üzgün. "Ve seviyorsan *sev*; otur oturduğun yerde, öteki müşterilerime sataşmaya başlama. Şu adam topluluğumuza senin hayatın boyunca yapamayacağın iyiliği yapmıştır."

Mac Adams gözlerini kısarak, "Hangi topluluk," dedi. "Beyaz hastalığına tutulup buradan ayrıldığını duyuyorum..."

"Her şey *duyabilirsin*," dedi Barrelhouse. "Burada erkekler helasında biraz kağıt var. Git de kulaklarını sil onunla."

"Kulaklarımı boş ver sen."

"Aman, sen de, Mac," dedi arkadaşı. "Boş ver. Özür dilemedi mi adam?"

"Kulaklarımı boş ver dedim ben," dedi Mac Adams. "Sen yalnız kardeşine söyle de dikkat etsin akrabam dediği kimselere. Onun politikasından hoşlanmayanlarımız olabilir."

Birinden ötekine baktım. Kendimi sokak kavgalarının ötesinde düşünüyordum ben, topluluğa dönerken yapacağım en kötü şeylerden biri bir dalaşmaya girişmek olurdu. Mac Adams'a baktım, öteki adamın onu bardan aşağı ittiğini görünce sevindim.

"Şu Mac Adams da kendini haklı sanıyor," dedi Barrelhouse. "Hiç kimsenin hoşlanmadığı bir herif. Ama boş ver, kendini böyle sanan bir sürü kişi var şimdi."

Şaşkın şaşkın başımı salladım. Böylesi bir düşmanlığa daha önce rastlamazdım hiç. "Marceo Kardeş'e ne oldu?" dedim.

"Bilmiyorum, Kardeş. Bugünlerde pek düzenli gelmiyor. İşler değişiyor gibi buralarda. Pek para dönmüyor ortalıkta."

"İşler herhalde kötü. Ama neler oluyor buralarda, Barrel?" dedim.

"Ha, nasıl olduğunu bilirsin, Kardeş; İşler sıkılaştı, sizinkiler yoluyla iş bulan çok kimse kaybetti işlerini. Nasıl olduğunu bilirsin sen."

"Bizim Örgüt'teki kişileri mi söylüyorsun?"

"Birçoğu onlardan. Mesela Maceo Kardeş gibileri."

"Ama niçin? İyi çalışıyorlardı."

"Elbette, sizler onlar için dövüştüğünüz sürece. Ama siz durduğunuz dakika, halkı sokağa atmaya başladılar."

Yüzüne baktım, kocaman içten bir adam vardı karşımda. Kardeşlik Örgütü'nün çalışmasını durdurması inanılır şey değildi; ama o da yalan söylemiyordu ya. "Bir bira daha ver bana," dedim. Geriden birisi çağırdı onu, bir bardağa bira doldurdu, götürdü.

Biramı bitirmeden Maceo Kardeş'in geleceğini umarak yavaş yavaş içiyordum. Gelmeyince Barrelhouse'a el ettim ve bölgeye gitmek üzere oradan ayrıldım. Belki Tarp Kardeş açıklıyabilirdi; ya da hiç olmazsa Clifton hakkında bir şeyler söyleyebilirdi bana.

Karanlık blokun içinde yürüyerek 7. Cadde'ye çıktım, aşağı yöneldim. İşler ciddileşmeye başlıyordu. Yol boyunca Kardeşlik'in eylemlerine dair bir tek belirti görmedim. Sıcak bir ara sokakta kaldırım boyunca kibrit çakan bir çifte rastladım; düşürdükleri parayı arar gibi diz çökmüşlerdi, kibritler soluk soluk parlıyordu yüzlerinde. Sonra kendimi garip şekilde tanıdık bir blokta buldum, sırtımdan ter boşandı: Neredeyse Mary'nin kapısına gelmiştim yürüye yürüye, döndüm ve hızla uzaklaştım.

Barrelhouse, bölgenin karanlık pencereleri için hazırlamıştı beni; ama içeriye girdiğimde karanlık koridorda Tarp Kardeş'i boş yere çağıracağım hiç aklıma gelmezdi. Uyuduğu odaya gittim, orada da yoktu; sonra karanlık holden eski çalışma odama gittim ve kendimi masanın gerisindeki sandalyeye bıraktım, bitkindim. Her şey elimden kaçıyor gibi geliyordu bana ve kaçan şeyleri kontrol altına alacak hızlı, toplayıcı bir hareket düşünemiyordum. Clifton'la ilgili bilgi almak için Bölge Komitesi'nden kime telefon edebilirim diye düşünmeye çalıştım; ama bundan da vazgeçtim. Çünkü, kendi halkımdan nefret ettiğim için işimin değiştirilmesini kendim istediğime inanan birisini seçersem, ortalığı daha da karıştırmış olurdum. Benim dönüşüme içerleyen kimseler de bulunabilirdi; bunun için de onlardan hiçbirine bana karşı bir şeyler hazırlayabilme fırsatı vermeden önce hepsini birden derhal karşıma almak en iyisiydi. En iyisi Tarp Kardeş'le konuşmaktı, inanırdım ona. Gelince işlerin durumu hakkında bana bir fikir verebilir, belki de Clifton'a gerçekten ne olduğunu anlatabilirdi.

Ama Tarp Kardeş gelmedi. Dışarıya çıktım, bir bardak kahve aldım ve geceyi bölge kayıtlarını inceleyerek geçirmek üzere geri döndüm. Sabahın üçüne doğru Tarp hâlâ dönmeyince, odasına gittim, yokladım. Boştu oda, yatak bile gitmişti. Yapayalnızım, diye düşündüm. Bana söylenmeyen çok şey olmuştu buralarda; üyelerin ilgisini yalnızca söndürmekle kalmayıp, kayıtlara göre, onları küme küme oradan uzaklaştıran bir şeyler olmuştu. Barrelhouse Örgüt'ün savaşı durdurduğunu söylemişti. Tarp Kardeş'in ayrılışı için bulabildiğim tek açıklama da buydu benim. Clifton'la ya da öteki liderlerden bazılarıyla anlaşmazlığa düşmemişse tabii. Masama dönünce onun hediyesi olan Douglass'ın resminin de gittiğini fark ettim. Cebimde bilek zincirini aradım, hiç olmazsa bunu yanıma almayı unutmamıştım. Belgeleri bir kenara ittim; işlerin neden böyle olduğuna dair hiçbir şey söylemiyorlardı bana. Telefonu alarak Clifton'un numarasını çevirdim, zil boyuna çalıp duruyordu. Nihayet vazgeçtim ve koltuğumda uyumaya başladım. Strateji toplantısına kadar hiçbir şey yapılamazdı. Bölgeye dönmek, bir ölüler kentine dönmek gibi bir şeydi.

Uyandığım zaman holde bir hayli üye olduğunu gördüm şaşkınlıkla; nasıl bir yol izleneceğine dair Komite'den hiçbir emir olmadığı için de onları gruplara ayırdım Clifton Kardeş'in aranması için. Hiçbiri kesin bir bilgi veremedi. Clifton Kardeş kaybolduğu zamana kadar her günkü gibi düzenli olarak gelmişti bölgeye. Komite üyeleriyle herhangi bir bozuşma, tartışma yoktu, her zamanki gibi seviliyordu. Kışkırtıcı Ras'la herhangi bir çatışma olmamıştı; oysa Ras, son hafta gittikçe daha etkin olmaya başlamıştı. Üye ve etki kaybına gelince, eski uyandırma, harekete geçirme tekniklerimizin rafa kaldırılmasını emreden yeni bir çalışma programının sonucuydu bu. Şaşkınlıkla öğrendim ki, yerel konulardan, daha ulusal ve uluslararası genişlikteki konulara doğru kaydırılmıştı ağırlık. Öyle hissediliyordu ki, şu anda Harlem en önemli yeri tutmuyordu ilgi bakımından. Ne çıkaracağımı bilemedim bundan; çünkü kentin merkezinde böyle bir program değişikliği olmamıştı. Clifton unutulmuştu; şimdi yapacağım her şey Komite'den bir açıklama almama bağlı gibi görünüyordu. Gittikçe artan bir sıkıntı içinde strateji mitingine çağrılmayı bekliyordum.

Böyle toplantılar, çoğunlukla saat bir sıralarında olurdu ve çok önceden haber verilirdi bize. Ama on bir buçuğa kadar hiçbir haber gelmemişti, endişeliydim bayağı. On ikiye doğru, rahatsız bir yalıtılmışlık duygusu sardı içimi. Bir şeyler hazırlanıyordu; ama ne, nasıl, niçin? Nihayet karargâha telefon ettim; ama liderlerden hiçbirini bulamadım. Nedir bu, diye şaştım; sonra öteki bölgelerin liderlerini aradım, aynı sonuç. Artık iyi biliyordum ki toplantı yapılıyordu. Ama niçin bensiz? Wrestrum'ın suçlamalarını araştırmışlar ve doğru olduğuna karar mı vermişlerdi? Ben merkeze gittikten sonra üyelik düşmüşe benziyordu. Yoksa o kadın meselesi miydi? Her ne ise, şu an, beni toplantının dışında bırakacak zaman değildi; işler çok acildi bölgede. Karargâha koştum.

Ben vardığımda toplantı halindeydiler, tam umduğum gibi ve hiç kimsenin rahatsız etmemesi için haber bırakmışlardı. Bana haber vermeyi unutmuş olmadıkları açıktı. Öfke içinde ayrıldım binadan. Pekâlâ, diye düşündüm, beni çağırmaya karar verdiklerinde arasınlar da bulsunlar. Önce daha baştan, yerimi değiştirmemeleri gerekti; şimdi pisliği temizlemem için geri çağrıldığıma göre mümkün olduğu kadar yardım etmeliydiler bana. Merkezde koşup durmayacaktım artık, Harlem Komitesi'ne danışmadan gönderecekleri herhangi bir çalışma raporunu da kabul etmeyecektim. Sonra bütün bunlara rağmen, bir çift yeni ayakkabı satın almaya karar verdim, 5. Cadde'ye yürüdüm.

Hava sıcaktı, kaldırımlar, isteksiz isteksiz işlerine dönen öğle kalabalığıyla doluydu. Çarpışmalardan, hızlı adımlardan ve yazlık elbiseleri içinde sokakta gevezelik eden kadınlardan sakınmak için kaldırımın kenarına yakın bir yerden gidiyordum; bir rahatlık duygusuyla girdim, deri kokan, serinletilmiş ayakkabı mağazasına.

Kavurucu sıcağa tekrar çıktığımda yeni yazlık ayakkabılar içinde hafif hissettim ayaklarımı; kışlık ayakkabıları çıkarıp altı lastik papuçları giymekten duyduğum eski çocukluk zevkini, hemen bunun arkasından civarlara yaptığımız yarışları, ayaklarımız hafiflemiş, hızlı, yüzer gibi bir duyguyla yaptığımız yarışları anımsadım. Eh, diye düşündüm, son yarışını da yaptın, bölgeye dönsen iyi olur, belki telefon ederler. Hızlanmıştım şimdi, karşıdan gelen, yüzlerine güneş vurmuş insanlar kalabalığını yarıp giderken hafif ve biçimli hissediyordum ayaklarımı. 42. Cadde'deki kalabalığa dalmamak için 43'ten döndüm, işte orada ortalık kaynamaya başladı.

Taptaze şeftali ve armut yığılı bir küçük yemiş arabası kaldırımın kenarına yakın duruyor; patates burunlu, parlak siyah İtalyan gözlü, sağlıklı bir adam olan satıcı, büyük beyaz-portakal rengi çizgili tentesinin altından bilerek bir bana, bir caddenin karşı tarafındaki binanın yanında toplanmış kalabalığa bakıyordu. Neyi vardı bu adamın, diye düşündüm. Sonra caddenin öbür yanına geçtim, sırtları bana dönük oturan grubun yanından geçtim. Kesik kesik, kurnazca konuşan bir ses, anlamını yakalayamadığım birtakım sözler söylüyordu; tam oradan geçmek üzereydim ki oğlanı gördüm. Clifton'un yakın bir arkadaşıydı, hemen tanıdım; ince, kahverengi bir oğlandı, şimdi arabaların tepelerinden, karşı taraftaki postanenin yakınındaki bloktan aşağı uzun boylu bir polisin yaklaşmasını gözlüyordu dikkatle. Belki bir şeyler biliyordur, diye düşündüm; etrafına bakındı, beni gördü, birden şaşırarak durdu.

"Hey, merhaba," diye seslendim; oysa kalabalığa doğru dönüp ıslık çalınca bana da aynı şeyi yapmamı mı söylüyor yoksa başka birine işaret mi veriyor anlamadım. Sağa sola baktım, binanın yanında büyük bir mukavva kutunun bulunduğu yere gittiğini ve askı kayışlarını omuzlarına taktığını gördüm; beni görmezlikten gelerek polise doğru bir kez daha baktı. Şaşırmıştım, kalabalığa daldım, ön sıraya kadar ite kaka ulaştım, ayaklarımın ucunda, içinde bir şeyin çılgınca hareket ettiği bir karton parçası gördüm. Oyuncağa benzer bir şeydi; bir kalabalığın büyülenmiş gözlerine, bir aşağıya baktım, bu kez o şeyi daha açık gördüm. Hiç böyle şey görmemiştim. Turuncu siyah renkli ince kâğıttan yapılma, ince düz karton yuvarlaklardan baş ve ayaklarıyla sırıtkan bir oyuncak bebekti bu. Gevşek tutturulmuş eklem yerleri acayip bir mekanizmayla aşağı yukarı oynuyor, omuzlarını sallıyor, birtakım çılgınca duygusal hareketler yapıyordu; siyah maskeye benzeyen yüzüyle tamamen ilgisiz bir danstı bu. Zıplayan, sıçrayan bir kukla değil; ama ne, diye düşünüyordum, bebeğin, herkesin önünde alçaltıcı bir rol oynayan birisinin vahşice savunuşu ile kendini oraya buraya atışını, hareketlerinden acayip bir zevk alıyormuş gibi dans edişini görünce. Ve halkın kıkırdayışının altında, buruşan kâğıdın hışırtısını duyabiliyordum; aynı tonda ağız ucuyla mırıldanan bir ses devam ediyordu:

"Salla! Salla!
Sambo'dur bu, dans eden bebek, bayanlar, baylar.
Sallayın onu, uzatın boynundan ve bırakın yere,
karışmayın gerisine, Evet!
Güldürür sizi, iç çektirir size, iç...
Dansı özletir size, dans eder.
Buyrun, bayanlar, baylar, Sambo,
Dans eden bebek
Çocuğunuza alın. Sevgilinize götürün, nasıl sever sizi nasıl sever
Canınız hiç sıkılmaz onunla. Tatlı tatlı ağlatır sizi.
Gözünüz yaşarır gülmekten.
Sallayın, sallayın, bozulmaz.
Sambo'dur o, dans eden Sambo, zıplayan,
Sambo, büyüleyen Sambo Boogie Woogie kâğıt bebek.
Ve topu topu yirmi beş sent, bir çeyrek dolar...
Bayanlar, baylar, neşelendirir sizi, yaklaşın, tanışın onunla
                                                    Sambo..."

Bölgeye dönmem gerektiğini biliyordum; ama sırıtan bebeğin cansız, kemiksiz sıçrayışı tutuyordu beni orada, gülenlere katılmak arzusuyla iki ayağımla üzerine atlamak arzusu arasında mücadele ediyordum; birden ikiye katlandı ve konuşanın ayak başparmağının ucuyla, bebeğin ayaklarını meydana getiren yuvarlak kartona bastırdığını, kara, iri bir elin aşağı indiğini ve parmaklarının bebeğin başını ustaca kaldırdığını, bıraktığında bebeğin yeniden dansa başladığını gördüm. Ve birden sesin, ele uymadığını gördüm. Sanki sığ bir havuza yürümüştüm de dibi yok olmuştu havuzun, sular boyumu aşmıştı. Yukarı bakıyordum. "Hayır, sen olamazsın..." diye başladım. Ama gözleri bilerek benden başka yere bakıyordu, beni görmeksizin. Elim ayağım tutulmuştu, ona bakıyordum, düş görmüyordum hayır, duyuyordum:

"Nedir onu mutlu kılan, nedir onu dans ettiren,
Bu Sambo'yu, bu Jambo'yu. Bu zıp zıp zıplayan neşeli çocuğu?
Bir oyuncak mı o yalnız, bayanlar baylar, Sambo'dur o,
dans eden bebek, yirminci yüzyılın harikası.
Şu rumbaya bakın, şu güzele, Sambo-Boogie'dir o,
Sambo-Woogie, yemek istemez, ekmek istemez, katlanır uyur,
dertlerinizi alır götürür.
Ve de soyulmuşluğunuzu; gururlu gülümsemenizin gün
ışığında yaşar.
Hepsi hepsi yirmi beş sent, kardeşçe bir çeyrek dolar; çünkü
benim de bir şeyler yememi ister.
Keyiflenir bir şeyler yediğimi görünce benim.
Alırsın sallarsın onu... gerisini ona bırak,
Teşekkür ederim, bayan..."

Clifton'du bu: Ayaklarını oynatmadan bacaklarını büküyor, dizlerinin üzerinde ileri geri gidip geliyordu, sağ omzu yukarı kalkmış, kolu dimdik, dans eden bebeği gösteriyor ağzının köşesinde söylenip dururken.

Tekrar duyuldu ıslık, hızla gözcüsüne, kartonlu çocuğa bir göz attığını gördüm.

"Kim ister küçük Sambo'dan, tabanları yağlamadan?
Konuşun bayanlar baylar, kim ister küçük....?

Bir ıslık daha. *"Kim ister Sambo'yu, dans eden, zıplayan? Haydi acele edin bayanlar, baylar. Küçük Sambo için, neşe dağıtıcısı için ehliyet istemez. Neşeye vergi yok, öyleyse haydi konuşun, bayanlar baylar..."*
Bir saniye karşılaştı gözlerimiz, küçümser gibi gülümsedi, sonra tekrar konuşmaya başladı. İhanete uğramış hissettim kendimi. Oyuncak bebeğe bakıyor, boğazımın sıkıldığını hissediyordum. Topuklarımın üzerinde geriye doğru yaylanırken soğukkanlılığımın gerisinde öfke kaynıyordu, yere çömeldim. Bir beyazlık parladı, bir gazete parçasına iri yağmur damlaları vururken çıkan sese benzer bir ses çıktı, bebeğin geri geri gittiğini, paramparça, farbalalı bir bezin içine doğru çekildiğini gördüm; nefret dolu başı, uzamış boynunun üzerine ters dönmüş, hâlâ gökyüzüne doğru sırıtarak. Kalabalık kızarak bana döndü. Islık tekrar duyuldu. Kısa boylu, koca göbekli bir adamın önce aşağıya doğru, sonra şaşkınlıkla bana doğru baktığını, bir beni bir bebeği gösterip, geriye doğru kaykılarak gülmeye başladığını gördüm. Halk benden geriye doğru çekildi. Clifton'un kartonlu çocuğun durduğu binaya adım adım yaklaştığını ve bir sürü bebeğin bir karton kutuya çılgınca doldurulduğunu gördüm; kalabalık kendinden geçmiş gülüyordu.
"Sen, Sen!" diye başladım; ama iki bebeği kaptığını ve ileri fırladığını gördüm onun yalnız. Ama şimdi gözcü daha yakına gelmişti. Bebekleri toparlayarak karton kutunun içine atıp uzaklaşırken yaklaşan polisi başıyla göstererek, "Geliyor," dedi.
"Bayanlar, baylar, gelin Sambo'cuk köşenin oraya gidiyor" diye bağırıyordu Clifton. "Büyük gösteri başlayacak..."
O kadar hızlı olmuştu ki bütün bunlar, bir saniye içinden ortada bir ben, bir de mavi puantiyeli elbiseli yaşlı bir kadın kalmıştık geriye. Bir bana baktı kadın, sonra tekrar kaldırıma baktı, gülümseyerek. Bebeklerden birini gördüm. Baktım kadın hâlâ gülümsüyordu, ayağımı kaldırdım ezmek için, "Oh, hayır!" diye bağırdığını işittim. Polis tam karşıdaydı, bu kez yere

eğildim, aldım bebeği ve aynı hareketlerle yürüdüm gittim. Garip şekilde ağırlıksızdı elimde, nabız atışlarını duyacakmış gibiydim. Fırfırlı kağıttan yapılmıştı. Tarp Kardeş'in bilek zincirinin bulunduğu cebime attım ve ortadan kaybolmuş kalabalığın peşinden gittim. Ama Clifton'la bir daha karşılaşamadım. Görmek istemiyordum onu. Kendimi kaybedebilir, saldırabilirdim üzerine. Öteki yöne gittim. 6. Cadde'ye doğru, polisin yanından geçerek. Ne de güzel buldum onu ya, diye düşündüm. Ne olmuştu Clifton'a? O kadar yanlış, o kadar umulmayan bir şeydi ki bu! Kardeşlik Örgütü üyeliğinden, buraya, bu kadar kısa zamanda nasıl olur da düşebilirdi? Madem bu kadar gerilere düşecekti, ne diye bütün Örgüt'ü arkasından sürüklemeye çalışmıştı. Onu tanıyan, üyemiz olan kişiler ne düşünürdü? Sanki tarihin dışına düşmeyi kendisi seçmişti. Ras'la dövüştüğü gece nasıl söylemişti bunu? Bunu düşünerek kaldırımın ortasında durdum. "Dalmak" demişti o. Ama biliyorduk ki kendimizi ancak Kardeşlik Örgütü içinde tanıtabilirdik, içleri bomboş Sambo bebekler olmaktan ancak böyle kurtulabilirdik. İnsanı olan her şeyin böyle iğrenç bir şeklide katlanışı! Tanrım! Bir yandan da toplantıya çağırılmayışım kafamı kurcalıyordu! Bin kez de olsa umurumda olmazdı; niçin çağırılmadığım önemli değildi. Unutabilir ve bütün gücümle Kardeşlik'e bağlanırdım umutsuzca. Çünkü ondan kopmak, dalmak demekti... Dalmak! Bebekler, nerden bulmuşlardı onları? Neden bu yolu seçmişti bir çeyrek dolar kazanmak için? Niçin elma ya da şarkı sözleri satmıyor ya da ayakkabı boyacılığı yapmıyordu?

Dolaşırken metroyu geçtim, köşeyi dönerek 42. Cadde'ye çıktım, buna kafamda bir anlam vermeye çalışarak. Güneşi tam karşıdan alan kalabalık kaldırıma çıkan köşe başına geldiğimde, elleriyle yüzlerini gölgelemeye çalışan sıra sıra insanla karşılaştım. Trafik, ışıklara uyarak bir duruyor, bir yürüyordu; caddenin öte yanında birkaç yaya, Bryant Parkı'ndaki ağaçların iki adamın arkasında yükseldiği blokun ortasına doğru geriye bakıyordu. Bir grup güvercinin ağaçlardan döne döne uzaklaştığını gördüm ve olay, onlar havada hızla daireler çizerken, o kadar ani, o trafik gürültüsü içinde geçti ki! Yine de kafamda sessiz ve yavaşlatılmış hareketlerle oynatılan bir film gibi kalmış.

Önce bir polisle bir ayakkabı boyacısı sandım onları; sonra bir durma oldu trafikte, güneşte parlayan tramvay raylarının karşı tarafında Clifton'u tanıdım. Şimdi iş arkadaşı yoktu yanında, Clifton kutuyu sol omzuna asmıştı, polis yavaş yavaş arkasından gidiyordu. Benim yoluma doğru geliyorlardı; gazeteci kulübesini geçtiler, asfaltta rayları, kaldırımın kenarında bir yangın musluğunu ve uçuşan kuşları görüyor, git arkasından, cezası neyse öde, diye düşünüyordum... Tam o sırada polis itti arkasından, ileriye doğru sendeledi Clifton, bacağına çarparak sallanan kutuyu durdurmaya çalışıyordu, omzunun üzerinden bir şeyler söyledi ve yürümede devam etti; güvercinlerden biri aşağıya caddeye doğru salındı, sonra tekrar havalandı, güneşin göz kamaştırıcı ışığında bembeyaz yüzen bir tüy bırakarak. Polisin kara gömleği içinde kuvvetle ileri doğru çıkarak Clifton'u tekrar ittiğini gördüm, daha sert sallamıştı bu kez kolunu; Clifton başı önünde ileriye doğru sendeledi dengesini bulana kadar, tekrar döndü omzunun üzerinden bir şeyler söyledi geriye. İkisi de bugüne kadar çok gördüğüm uygun adımlarla yürüyordu; ama Clifton gibi birinden hiç görmemiştim. Ve polisin ağzını aça aça bağırdığını ve ileriye saldırdığını görebiliyordum; kolunu ileri salladı, tutturamadı. Clifton aniden ayak parmakları üzerinde, sağ kolu havada hafif kıvrık, bir dansör gibi dönünce, dengesini kaybetti ve düştü; Clifton, gövdesiyle ileri ve sola doğru bir hareketle kutunun askılarından kurtuldu, bacağını ileri attı, sol eliyle aşağıdan yukarıya doğru bir yumruk sallayınca polisin şapkası caddeye fırladı, ayakları havaya kalktı, bir sağa bir sola sallanarak kaldırımın üzerine düştü kıç üstü. Clifton, paldır küldür tekmeledi kutuyu kenara ve sol ayağı ilerde, sağ eli yukarda, bekleyerek çömeldi yere. Arabaların hızla geçişleri arasında polisin dirseklerine dayanarak sarhoş gibi başını kaldırmaya çalıştığını, iki yana sallandığını ve ileri doğru uzattığını görebildim. Ve trafiğin o devamlı, ağır gürültüsüyle yer altından geçen metronun sarsıntısı arasında bir yerde, birbiri arkasından patlamalar işittim ve her bir güvercinin sesle sersemlemiş gibi delicesine daldığını gördüm. Polis şimdi oturduğu yerde doğrulmuş, Clifton'dan gözünü ayırmaksızın dizleri üzerine kalkıyordu, güvercinle kurşun gibi dalıyorlardı ağaçların içlerine; Clifton hâlâ polisin karşısında, sonra iki büklüm oluyor birden.

Dua eden bir insan gibi dizlerinin üzerine öne düştü, tam o sırada şapkasının kenarı aşağıya doğru kıvrık iriyarı bir adam gazeteci kulübesinin köşesinden bağırarak, itiraz ederek çıktı. Kımıldayamıyordum. Güneş, başımın iki santim yukarısından acı acı haykırıyor gibiydi. Biri bağırıyordu. Birkaç adam caddeye çıktı. Polis ayakta dikiliyor, aşağıya Clifton'a bakıyordu şimdi şaşırmış gibi, tabancası elinde. Birkaç adım attım, kör gibi, düşünmeksizin yürüyordum şimdi; ama kafam her şeyi capcanlı kaydediyordu. Karşıya geçtim, kaldırıma çıkmak üzereyim, Clifton'u daha yakından görüyorum şimdi; aynı durumda yatıyor, bir tarafına dönük, gömleğinde koca bir ıslaklık büyüyor gittikçe, basamıyorum ayağımı kaldırıma. Arabalar vızır vızır geliyor arkamdan; ama beni kaldırımın üzerine çıkaracak adımı atamıyorum bir türlü. Orada öylece duruyordum, bir ayağım caddede, öteki kaldırımın kenarında, düdüklerin ince çığlıklarını duyarak; kütüphane tarafından iki polisin daha, koca göbeklerini sallaya sallaya koştuklarını görüyorum. Dönüp Clifton'a bakıyorum yine; polis elindeki tabancasını sallayarak uzaklaşmamı işaret ediyor, sesi değişmiş, bir oğlan çocuk gibi çıkıyor.

"Geriye, öteki tarafa," diyor; birkaç dakika önce 43. Cadde'de yanından geçtiğim polisti. Ağzım kupkuru.

"Arkadaşım benim o, yardım etmek istiyorum..." dedim nihayet kaldırıma çıkarak.

"Yardıma ihtiyacı yok onun, delikanlı. Karşı tarafa geç!"

Polisin saçları yüzünün iki yanından sarkıyordu, üniforması kirlenmişti; heyecansız, ikircikli, yaklaşan ayak seslerini duyarak seyrediyordum onu. Her şey yavaşlamış gibiydi. Kaldırımda yavaş yavaş bir kan birikintisi oluşuyordu. Gözlerim sulanmıştı. Başımı kaldırdım. Polis merakla bakıyordu bana. Parkın üzerinde, korku dolu kanat çırpışları duyuyordum; ensemde, bana bakan gözlerin ağırlığını. Çilli burnu ve Slav gözleriyle yuvarlak kafalı, elma yanaklı bir oğlanın yukarda, parkta bir çitin üzerinden eğilmiş bana baktığını, döndüğümü görünce arkasındaki birisine ince bir sesle bir şeyler söylediğini görüyorum, yüzü heyecandan parlayarak... Ne demek bu, diye düşündüm, tekrar hiç istemediğim şeye dönerek.

Polisler üç kişi olmuştu şimdi, birisi kalabalığı gözetliyor, ötekiler Clifton'a bakıyordu. İlk polis, şapkasını giymişti artık.

"Bak, delikanlı," dedi açık açık, "bugün yeteri kadar belaya girdi başım; karşı tarafa geçiyor musun, geçmiyor musun?" Ağzımı açtım fakat tek kelime çıkmadı. Diz çöktüm. Polislerden biri Clifton'u inceliyor, küçük bir deftere bir şeyler yazıyordu.

"Ben onun arkadaşıyım," dedim, not alan çevirdi kafasını, yüzüme baktı.

"Suyu ısınmış onun, hemşerim," dedi. "Arkadaşın markadaşın yok artık."

Ona baktım.

"Hey, Mickey," diye seslendi yukardaki çocuk, "herif üşüttü galiba!"

Önüme baktım. "Doğru," diye söylendi diz çökmüş olan polis. "Adın ne?"

Söyledim. Clifton'a dair soruları elimden geldiği kadar cevaplandırdım araba gelinceye kadar. Bu kez hemen geldi ama. Onu içeri taşırlarken uyuşmuş gibi seyrettim; bebek kutusunu da yanına koydular. Sonra araba gitti ve ben metroya doğru yola koyuldum.

"Hey bayım!" diye sesleniyordu oğlan o tiz sesiyle. "Arkadaşın ne güzel biliyormuş yumruklarını kullanmasını. Pat küt! Bir, iki ve polis kıç üstü yerde!"

Ölüye bu son saygı belirtisine başımı eğdim, güneş altında, sahneyi kafamdan silmeye çalışarak uzaklaştım.

Metronun medivenlerini hiçbir şey görmeden sallana sallana indim, kafam dalmış gitmişti. Metro serindi, öteki taraftan geçen trenlerin gürültüsünü duyarak, her tren geçişte hafif hava esintisini duyarak bir sütuna yaslandım. Neden bir insan, isteye isteye tarihin dışına atlasın ve pis işlere dalsındı; düşünüp duruyordum. Neden silahlarını bıraksın elinden, sustursun sesini, kendisini "tanıtma" fırsatını veren biricik ömrü terk etsindi? Peron sarsıldı ve aşağıya doğru baktım... Kağıt parçaları uçuşuyordu geçitte, tren geçtikten sonra da hemen yere düşüyorlardı tekrar. Neden çekip gitmişti? Neden perondan aşağı atlayıp, trenin altına düşme yolunu seçmişti? Neden tarihin dışına uzanarak hiçliğe, çehresiz yüzlerin, sedasız seslerin boşluğuna atılma yolunu seçmişti? Bir adım geriye çekilip, ona kitaplarda okunmuş, yarı yarıya unutuluş gözlerin uzaklığından bakmak istedim. Çünkü tarih insanların yaşamlarının örneklerini kaydeder derler. Kim kimle yatmış, sonuç ne olmuş, kim dövüşmüş, kim kazanmış ve arkasından yalan uydurmak için kim yaşamış. Her şey, usulüne uygun şekilde kaydedilirmiş, öyle diyorlar; yani önemli olan her şey. Ama tam olarak değil; çünkü gerçekte, yalnızca bilinenler, görülenler, duyulanlar, ve yalnızca kaydedenin önemli bulduğu olaylar, kaydedenlerin iktidarlarını sürdürmelerini sağlayan yalanlar yazılır. Ama polis, Clifton'un tarihçisi, yargıcı, tanığı ve celladı olabilirdi ve onu seyreden kalabalıkta tek Kardeş'tim ben. Ve ben, savunmanın tek tanığı, ne onun suçunun büyüklüğünü, ne de suçunun ne olduğunu biliyordum. Neredeydi bugün tarihçiler? Ve nasıl yazarlardı bunu?

Trenler içeri dışarı dalıp çıkarlarken, mavi kıvılcımlar çıkararak, ben orada dikilip duruyordum. Bizim hakkımızda, biz gelip geçici kimseler hakkında ne düşünürlerdi acaba? Kardeşlik Örgütü'nü bulmadan önceki halimde olanlar; bilgiççe bir sınıflandırmaya girmeyecek kadar meçhul, en hassas ses kaydedicilerin alamayacağı kadar sessiz, en karışık, en iki anlamlı sözlerle anlatılamayacak kadar karışık, iki anlamlı ve tarihsel belgeleri imzalayamayacak kadar, hatta imzalayanları alkışlayamayacak kadar tarihsel karar merkezlerinden uzak tünel kuşları. Romanlar, tarih kitapları ya da başka kitaplar yazmayan bizler, ya bizler diye düşündüm Clifton'u anımsayarak ve tünelin içinde ani soğuk bir hava esince gittim bir sıraya oturdum.

Peronun aşağısından bir grup insan geldi, bazıları zenci. Evet, diye düşündüm, ya Güney'den, yaylarından kopmuş, kutu içindeki kuklalar gibi bu kalabalık kente kopup gelmiş olanlar; o kadar ani kopmuşuz ki yaylarımızdan, hava hortumları düğümlenmiş derin deniz dalgıçları gibi yürür olmuşuz? Ya orada, peronda sessiz, sakin bekleyenler; o kadar sessiz ve sakin ki, o hareketsizlikleri için de hiç uymuyorlar bu kalabalığa, ya onlar? Aynı sessizlikleri içinde gürültülü dikilenler; sakinlikleri içinde bir korku çığlığı kadar haşin olanlar? Ya şu anda peron boyunca gelen, ince uzun bıçak gibi ütülü, yaza hiç uygun düşmeyen elbiseleri içinde omuzlarını sallayarak sert sert yürüyen, kolalı yakaları enselerine kadar çıkmış; ucuz, birbirinin aynı fötr şapkaları yağlı dalgalı saçları üzerinde ciddi bir resmiyetle yerleştirilmiş üç oğlan... Sanki daha önce hiç görmemişim böylelerini: Ağır ağır yürüyorlar, omuzları sağa sola sallanıyor, bacakları, bileklerine sımsıkı oturmuş paçalardan yukarda balon gibi genişleyen pantolonları içinde ta kalçadan ileri fırlıyor; ceketleri uzun ve kalçaları oturmuş, omuzlar doğma büyüme bir Batılı'ya bile büyük gelecek kadar geniş. Vücutları; öğretmenlerimden birinin bir zamanlar bana söylediği gibi, "Modele uysun diye çarpıtılmış Afrika heykellerinden birine benziyorsun" gibi bu çocuklar ya? Ama hangi modele, kimin modeline?

Bir çeşit cenaze törenindeki dansörler gibi, sağa sola salınarak, ileriye giderek, kara yüzleri esrarlı, metro peronunda yavaş yavaş bir oraya bir buraya gidişlerine, ağır nalçalı ayakkabıların yürüdükçe ritmik bir ses çıkarışına bakakaldım. Herkes görmüş ya da sessiz gülüşlerini işitmiş, saçlarındaki ağır yağ kokularını koklamış olmalıydı; kim bilir belki de onları hiç görmemişlerdi. Çünkü tarihsel zamanın dışında adamlardı onlar, dokunulmamış, Kardeşlik'e inanmayan, hiç kuşkusuz onun adını bile duymamış. Ya da kim bilir Clifton gibi onun gizemlerini anlaşılmaz bir şeklide reddetmiş olabilirlerdi; yüzlerinde kılın kıpırdamadığı geçiş dönemi insanları.

Kalktım ve arkalarından gittim. Onlar geçerlerken, alışverişe çıkmış, elleri paketli kadınlar; ince, kendinden çizgili keten kumaştan elbiseleri içinde hasır şapkalı sabırsız adamlar peronda yan yana duruyorlardı. Birden düşündüğümü fark ettim; ötekileri gömmeye mi yoksa gömülmeye mi, hayat vermeye mi yoksa almaya mı geliyorlar? Ötekiler görüyorlar mı onları, düşünüyorlar mı, şu onlarla konuşabilecek kadar yakınlarında duranlar örneğin? Hatta onlar cevap bile verseler, alışılmış elbiseleri içinde şu sabırsız iş adamları, elleri kolları dolu yorgun ev kadınları anlar mıydı onları? Ne söylerlerdi? Çünkü oğlanlar, çekici yerel güzelliklerle dolu, argolu bir geçiş dili konuşuyorlardı, geçici şeyler düşünüyorlardı, belki de aynı düşleri düşlemelerine rağmen. Zamanın dışında insanlardılar; Kardeşlik Örgütü'nü bulamadıkları sürece. Çok geçmeden bu dünyadan göçecek ve unutulacak zaman dışı insanlar... Ama kim bilirdi (artık öyle şiddetle titremeye başladım ki, bir çöp kutusuna dayanmak zorunda kaldım) kim bilirdi onların kurtarıcılar, gerçek liderler, değerli bir şeyin taşıyıcılarından başka bir şey olmadıklarını? Tarihin sınırları dışında yaşadıkları için onların değerine alkış tutacak birinin olmadığı ve kendileri de onu anlamadıkları için nefret ettikleri rahatsız edici, ağır bir yükün taşıyıcıları... Ya Jack Kardeş yanılıyorsa? Ya tarih bir laboratuvar deneyinde bir güç olacak yerde bir kumarbazsa ve bu oğlanlar da onların zarlarıysa? Ya tarih aklı başında bir yurttaş değil de paranoid hilelerle dolu bir deliyse ve bu oğlanlar da onun adamları, büyük sürprizi ise! Kendi intikamı ise? Çünkü dışarıdaydılar, Sambo ile, dans eden kağıt bebekle karanlıktaydılar; kendine egemen bir yer yapacağına tarihin güçlerinden kaçan, kurtulan benim düşmüş Kardeş'im Tod Clifton'la (Tod, Tod) onu kaçırıyorlardı.

Bir tren geldi. Arkalarından içeriye girdim. Birçok boş yer vardı, üçü de birlikte oturdular. Ortadaki direğe tutunarak, vagonun uzunluğunca bakarak ayakta duruyordum. Bir yanda karalar içinde beyaz bir rahibe vardı, dudakları kıpır kıpır oynuyordu; koridorun tam karşısında kapının önünde ayakta duran, baştan aşağı beyaz giymiş bir başka rahibe daha, karalığını ve kara ayaklarının çıplaklığını dikkate almazsak ötekinin noksansız bir kopyası. Rahibeler birbirine bakmıyordu, gözleri İsa'yı çarmıhta gösteren boyunlarındaki haçlardaydı; güldüm ve çok zaman önce Altın Gün'de duyduğum bir dörtlük dile geldi kafamda:

Ekmek ve Şarap,
Ekmek ve Şarap,
Haçınız ağır değil
Benimki kadar...

Ve rahibeler başları önlerinde gidiyorlardı metroda. Oğlanlara baktım. Yürüyüşleri kadar resmi tavırlarla oturuyorlardı. Zaman zaman birisi penceredeki hayaline bakıyor, şapkasının kıvrımına şöyle bir dokunuyor, ötekiler sessizce seyrediyorlar onu, gözleriyle izliyorlardı. Trenin sarsıntısıyla sarsılıyor, başımın üstündeki vantilatörlerin sıcak havayı üzerime üflediğini hissediyordum. Bu çocuklara göre ben neyim, diye düşünüyordum. Belki de Douglass gibi bir rastlantı. Belki de her yüzyıl veya daha fazla zamanda bir onlar gibi, benim gibi adamlar toplumda ortaya çıkıyorlardı oraya buraya sürüklenerek; ama tarihin mantığına göre bizim, benim on dokuzuncu yüzyılın ilk yarısında ortadan kaybolmuş, mantıken yok olmuş olmamız gerekirdi. Belki de onlar gibi olmamız gerekirdi. Belki de onlar gibi ben de geriye atılmış bir şeydim, yüzlerce yıl önce ölmüş ve şimdi yalnızca, kaynağının bir parça kurşun olduğunu anlayamayacak kadar boşluğun içinde hızla yol alan ışık nedeniyle yaşayan ufacık bir göktaşıydım... Budalaca şeylerdi, bunlar. Oğlanlara baktım; birisi öbürünün dizine vurdu hafifçe. Ötekinin iç cebinden kıvrılmış üç dergi çıkardığını, ikisini öbürlerine verdiğini, bir tanesini kendisi için alıkoyduğunu gördüm. Ötekiler dergilerini sessizce aldılar ve okumaya daldılar. Birisi dergisini yüzüne kadar kaldırdı, bir an capcanlı bir sahne gördüm: Parlayan raylar, yangın musluğu, yere düşmüş polis, dalışa geçmiş kuşlar ve ortada, yerde iki büklüm Clifton. Sonra bir çizgi roman kitabının kapağını gördüm ve Clifton'un bunları benden daha iyi tanıyacağını düşündüm. Her zaman tanırdı o onları. Trenden çıkıncaya kadar yakından izledim onları; omuzları sallanıyor, ağır nalçalı ayakkabıları ses çıkarıyor uzaklaşırken, trenin duruşunun o kısacık sessizliği içinde gizli mesajlar yolluyordu.

Metrodan çıktım, omuzlarımda ağır bir taş, bir dağ taşımışım gibi zayıf, yorgun daldım sıcak havanın içine; yeni ayakkabılarım ayaklarımı acıtıyordu. Şimdi, 125. Cadde'nin kalabalığı içinden yürürken acı duyarak farkına vardım, o oğlanlar gibi giyinmiş öteki adamların, kara egzotik renkli çorapları, kentin merkezindeki modaların gerçeküstü çeşitliliğinde elbiseleri içindeki kızların. Onlar her zaman oradaydılar; ama ben nasılsa görememiştim onları. En başarılı günlerimde bile gözden kaçırmıştım onları. Tarihin yivinin dışındaydı onlar ve onları, hepsini bu yivin içine almaksa benim görevimdi. Yüzlerindeki çizgilere baktım, bir tanesi bile Güney'den tanıdığım kimselerden ayrı değildi. Unutulmuş adlar dolaşıyordu kafamın içinde, düşlerde unutulmuş sahneler gibi kalabalıkla birlikte yürüyordum; terden sırılsıklam, trafiğin ezici gürültüsünü, ağır, insana baygınlık veren bir zenci havasını bas bas bağırtan bir plakçı dükkânın hoparlörünün gittikçe yükselen sesini dinliyerek. Durdum. Kaydedilmesi gereken şeyler bunlar mıydı yalnız? Gelmiş geçmiş zamanların tek gerçek hikâyesi miydi bu, trompetlerle, trombonlarla, saksafon ve davullarla bas bas bağırtılan bir hava; tumturaklı, yetersiz sözlerle dolu bir şarkı? Dalıp gidiyordu kafam. Sanki şu kısacık blokta bugüne kadar tanımış olduğum herkesten uzağa, ötelere yürümeye zorlanıyormuşum gibi geliyordu bana; hiç kimse gülümsemiyor, adımı seslenmiyordu. Hiç kimsenin gözüne çarpmıyordum. Telaşlı bir yalıtılmışlık içinde yürüyordum. Köşenin yakınında birkaç çocuk ok gibi fırladı bir ucuzcu dükkânından, elleri çubuk şekerlerle dolu; tam gerilerinde bir adamla koşarlarken kaldırıma düşürüyorlardı şekerleri. Bana doğru geldiler, çarparak geçtiler; adama çelme takıp düşürmek arzusunu zor bastırdım içimde, daha ilerde bir yaşlı kadın ayağını ileri atıp, ağır torbasını sallayınca daha da şaşırdım. Adam yere düştü, kadın muzaffer bir edayla başını sallarken kaldırım boyunca kayarak gitti adam. Bir polis ortaya çıkıp da dağıtıncaya kadar, adama saldırmaya kalkışan kalabalığı seyrettim kaldırımın kenarında durup. Ve bir tek adamın hiçbir şey yapamayacağını bildiğim halde sorumlu hissettim kendimi. Bütün çalışmalarımız devede kulaktı, büyük değişiklik yaratmamıştı. Ve benim hatamdı bütün bunlar. Hareket o kadar gözlerimi bağlamıştı ki, ortaya ne çıkardığını ölçmeyi unutmuştum. Uyuyakalmıştım, düş görüyordum.

Yirmi Bir

Bölgeye döndüğümde gençlik üyelerinden küçük bir grup, şakalaşmalarını kesip beni selâmladı; ama haberi veremedim. Yalnızca başımı sallayarak odama gittim, kapıyı kapadım seslerine ve dışarıdaki ağaçlara dalarak oturdum. Ağaçların bir zamanki taze yeşilleri kararmıştı, kuruyordu şimdi; aşağılarda bir yerde bir seyyar satıcı, zilini şıngırdatıp bağırarak çamaşır ipi satıyordu. Sonra, hep unutmak için mücadele ettiğim halde sahne yine geldi gözümün önüne; ölüm sahnesi değil, bebekler. Neden kendimi kaybedip bebeğe tükürdüm, diye düşünüyordum. Clifton beni görünce ne hissetmişti? O tekdüze konuşması gerisinde benden nefret ediyor olmalıydı; ama görmezlikten gelmişti beni. Evet, benim politik budalalığımla eğlenmiş olmalıydı: Kafam kızmış, çok kişisel hareket etmiştim, bebeklerin, onun değersizliğini belirteceğim yerde, kalabalığı eğitmek fırsatını yakalamışken. Eğitme fırsatını kaçırmazdık; ama ben yapamamıştım işte. Bütün yapabildiğim onları daha da yüksek sesle güldürmek olmuştu... Toplumsal geriliğe yardım etmiş, kışkırtmıştım... Sahne değişti: Güneşin altında yatıyordu o, bu kez, gökyüzünde yavaş yavaş giderek yazı yazan bir uçağın bıraktığı bir duman izi gördüm; cırtlak yeşil elbiseli iri bir kadın yakınımda duruyor, bana "Oh, Oh!" diyordu...

Döndüm, haritanın karşısına geçtim, cebimden bebeği çıkardım, masamın üzerine fırlattım. Midem kabarıyordu. Böyle bir şey için ölmek! Pis bir duyguyla tekrar aldım bebeği, kıvrık kağıda baktım. Eklenmiş mukavva ayak sarkıyor, kumaş, mukavva ve zamktan yapılmış uzayıp kısalabilen bacakları aşağı çekiyordu. Yine sanki canlı bir şeymiş gibi nefret ettim ondan. Neydi onu dans eder gibi gösteren? Mukavva eller yumruklarda iki kattı, parmakları turuncu bir boyayla çizilmişti; iki yüzlü olduğunu fark ettim, her biri mukavva yuvarlağın iki yanında, ikisi de sırıtıyor. Onu dans ettirmek için emirler veren Clifton'un sesi geldi kulağıma; bebeği ayaklarından tuttum ve boynunu uzattım, buruştuğunu ve ileriye doğru kaydığını gördüm. Tekrar denedim, öbür yüzünü çevirip. Yorgun bir atılış gösterdi, sallandı ve yığıldı kaldı.

"Haydi, eğlendirsene beni," dedim, tekrar çekip uzatarak. "Kalabalığı eğlendiriyordun." Öbür yüzünü çevirdim. Her bir yüz öteki kadar ablak ablak sırıtıyordu. Clifton'a nasıl sırıtıyorsa kalabalığa da aynı şekilde sırıtıyordu; onların eğlenişi onun ölümü olmuştu. Beni maskara yerine koydukları zaman da, üzerine tükürdüğüm zaman da böyle sırıtmıştı; Clifton beni görmezlikten geldiğinde de böyle sırıtıyordu. Sonra ince siyah bir iplik gördüm ve katlanmış kağıttan çektim çıkardım onu. İpin sonuna bir halka yapılmıştı. Parmağıma geçirdim ve gergin gergin çektim. Bu kez dans etti. Clifton dansı hiç kesmediği için siyah iplik görünmez oluyordu o zaman.

Niye vurmadın ona, diye sordum kendi kendime; çenesini dağıtmaya çalışmadın? Niçin bir yerini incitip kurtarmadın onu? Bir kavga başlatabilirdin ve ikinizi birden tutuklarlardı, ateş mateş etmeden... Ama niçin polise karşı gelmişti? Daha önce de tutuklanmıştı. Bir polisle ne kadar uzağa gidileceğini bilirdi. Polis ne söylemişti ona kendisini kaybedecek derecede kızdıracak? Birden düşündüm ki, karşı gelmeden önce kızmış olabilirdi, hatta polisi bile görmeden önce. Sık sık nefes almaya başladım; gücümün kesildiğini hissettim. Ya benim satılmış olduğumu sanmışsa? Tiksindirici bir düşünceydi bu. Sanki dökülüvercekmişim gibi kendimi tutarak oturdum. Bir an bu düşünceyi tarttım kafamda; ama çok büyüktü benim için. Ancak yaşayanlar için sorumluluk yüklenebilirdim, ölüler için değil. Kafam almadı bu düşünceyi, vazgeçtim. Olay politik bir olaydı. Düşünerek bebeğe bakıyordum. Böyle bir eğlendirmenin politik karşılığı bir ölümdür. Ama çok geniş bir tarif olur bu. Ya onun ekonomik anlamı? Bir insanın hayatının, bir çeyrek dolarlık bir bebeği satmakla aynı oluşu... Ama, bu, benim kızgınlığımın onu ölüme doğru hızlandırdığı düşüncesini ortadan kaldırmadı. Kafam hâlâ mücadele ediyordu bununla. Çünkü onun bütünlüğünü bozmuş olan bunalımla ne ilgim olabilirdi benim? Önce onun bebek satışıyla ne ilgim olabilirdi? Ben polis hafiyesi değildim ve politik bakımdan bireylerin anlamı yoktu. Vurulma, şimdi ondan geriye kalan tek şeydi. Clifton tarihin dışına atılmayı seçmişti; hayalimde bıraktığı iz dışında yalnızca bu dalış, bu atlayış kaydedilmişti ve tek önemli olan şey de buydu.

Patlamaları tekrar işitecekmişim gibi, beni aşağı çeker gibi olan ağırlığa karşı mücadele ederek dimdik oturuyordum. Çamaşır ipi satıcısının zilini işittim... Gazeteler çıkıp, hikâye duyulduğunda ne söyleyecektim Komite'ye? Cehenneme kadar yolları var onların da. Bebekleri nasıl açıklardım? Ama bir şey söylemek zorunda mıydım? Buna karşı mücadele etmek için ne yapabilirdik? Benim endişem buydu. Aşağıdaki avluda yine çaldı zil. Bebeğe baktım. Clifton'un bebek satmasını haklı gösterecek hiçbir şey düşünemiyordum; ama ona herkesin katılacağı bir cenaze töreni yapmayı haklı gösterecek yeteri kadar şey vardı. Sanki hayatımı kurtaracakmış gibi sarılmıştım bu fikre; Clifton'un kaldırımın üzerinde kıvrılmış yatan vücuduna bakmak istemeyişim gibi bu düşünceden de uzaklaşmak istediğim halde. Fakat karşımızdaki güçler, böyle zayıflıklara aldırmayacak kadar büyüktü. Politik bakımdan etkili her türlü silahı kullanmak zorundaydık onlara karşı. Clifton anlardı bunu. Gömülmesi gerekiyordu, akrabalarından da hiç kimseyi tanımıyordum; birisi, onun toprağın altına yerleştirildiğini görmeliydi. Evet, bebekler iğrençti, hareketi ise bir ihanetti. Ama yalnızca bir satıcıydı o, o oyuncakları icat eden kimse değildi; onun

ölümünün anlamının bu ölüme neden olan olaydan ya da şey-
den çok daha büyük olduğunu anlatmamız gerekliydi. Hem
onun intikamını almak, hem de bu türlü ölümleri önlemek ba-
kımından... Evet, hem de kaybolmuş üyeleri saflarımıza çek-
me bakımından. Bir insafsızlık olacaktı ama Kardeşlik'in yara-
rı adına bir insafsızlık; çünkü karşı tarafın sonsuz gücüne karşı
yalnızca kafalarımız ve vücutlarımız vardı bizim. Elimizde olan
şeyden sonuna kadar faydalanmasını bilmeliydik. Çünkü onla-
rın bir kağıttan bebeği önce onun bütünlüğünü yıkmakta, son-
ra bunun bir özrü olarak da onu öldürmekte kullanma güçleri
vardı. Olsun, şimdi de onun cenaze törenini, kendi bütünlüğü-
nü tekrar yerine getirmekte kullanacaktık... Çünkü elinde ka-
lan ya da istediği tek şey buydu. Bebeği belli belirsiz görüyor-
dum şimdi, damlalar düşüyordu emici kâğıdı üzerine...

Kapıya vurulduğunda öne eğilmiş, gözümü ona dikmiştim;
sanki bir patlama olmuş gibi fırladım, bebeğimi cebime atarak,
acele acele gözlerimi silerek.

"Girin," dedim.

Kapı yavaşça açıldı. Gençlik üyelerinden bir grup içeri doluş-
tu, hepsinin yüzlerinde soru soran bir ifade. Kızlar ağlıyordu.

"Doğru mu?" dediler.

"Öldüğü mü? Evet," dedim, yüzlerine bakamayarak. "Evet."

"Ama neden?..."

"Bir kışkırtma ve öldürme!" dedim, heyecanım kızgınlığa
dönmeye başlayarak.

Yüzleriyle sorguya çeker gibi beni, orada dikiliyorlardı.

"O öldü," dedi bir kız, sesinden inanmadığı belliydi. "Öldü."

"Bebek sattığı için insan öldürülür mü?" diye sordu uzun
boylu bir genç.

"Bilmiyorum," dedim. "Bildiğim tek şey onun vurulduğu.
Silahsız. Neler hissettiğinizi biliyorum; düştüğünü gördüm
onun."

"Beni eve götürün," diye haykırdı bir kız. "Beni eve götürün!"

İleri çıktım ve yakaladım onu, bileklerine kadar uzanan kı-
sa çoraplar giymiş, ufacık esmer bir şeydi; sımsıkı sarılmıştı ba-
na. "Hayır, eve gidemeyiz," dedim, "Hiçbirimiz. Dövüşmeliyiz.

Elimden gelse açık havaya çıkar, unuturdum. Bizim istediğimiz gözyaşları değil, öfkedir. Artık birer savaşçı olduğumuzu hatırlamalıyız ve böyle olaylarda mücadelemizin anlamını görmeliyiz. Karşı bir darbe yapmalıyız. Her birinizin bulabildiğiniz kadar üye bulup buraya toplamanızı istiyorum. Cevabımızı vermek zorundayız onlara."

Kızlardan biri hâlâ acı acı ağlıyordu onlar dışarıya çıktıklarında; ama harekete gelmişlerdi.

"Haydi gel Shirley," dediler, kızı omzumdan alarak.

Karargâhla temas kurmaya çalıştım; ama yine kimseyi bulamadım. Chthonian'a telefon ettim; ama hiçbir cevap alamadım. Bunun için de bölgenin önde gelen üyelerine bir Komite toplantısı çağrısı yaptım; kendi başımıza yavaş yavaş ilerliyorduk Clifton'la beraber olan genci bulmaya çalıştım; ama kaybolmuştu o. Üyeler, ölünün gömülmesi için para toplamak üzere teneke kutuları ellerinde caddelere yerleştirilmişti. Üç yaşlı kadından oluşan bir Komite, ölüsünü istemek üzere morga gitti. Polis memurunu suçlayan, kara çerçeveli bildiriler dağıttık. Papazlara, meclislerini toplayıp belediye reisine protesto mektupları göndermelerini bildirdik. Hikâye yayılıyordu. Zenci gazetelerine Clifton'un bir resmi gönderildi ve yayımlatıldı. Halk kaynıyordu, kızgındı. Sokak toplantıları örgütlendi. Kararsızlığımdan kurtulmuş, bütün gücümü cenaze törenini düzenlemeye vermiştim; uyuşuk, askıda hareket ediyor gibi olsam da. İki gün, iki gece yatmadım, masamda kestirmekle yetindim. Çok az şey yedim.

Cenaze töreni çok sayıda insanı çekecek gibi düzenlenmişti. Töreni bir kilisede ya da ufak bir tapınakta yapacak yerde Mount Morris Parkı'nı seçmiştik; cenaze yürüyüşüne katılmaları için bütün eski üyelere birer çağrı gönderdik.

Bir pazar günü, bir öğleden sonra sıcağında oldu tören. İnce bir bulut vardı gökyüzünde, yürüyüş kolu için yüzlerce kişi sıraya girmişti. Telaşlı bir şaşkınlık içinde etrafı dolaşıyor, emirler veriyor, cesaretlendirici şeyler söylüyordum; ama her şeye uzaktan, dışardan bakıyor gibiydim yine de. Dönüşümden beri görmediğim Kardeşler'in, Kız Kardeşler'in geldiğini görüyordum. Kentin merkezinden ve dışarı bölgelerden gelmiş üyeler vardı. Toplanırlarken, yürüyüş kolları oluşmaya başlayınca, derin keder içinde orada burada dolaşarak şaşkınlıkla seyrediyordum onları. Yarı çekilmiş bayraklar, sancaklar vardı. Kenarlarına siyah çekilmiş yazılar vardı:

TOD CLİFTON KARDEŞ
UMUDUMUZ VURULDU

Siyah yas tülleri örtülü trampetleriyle kiralık bir trampet takımı vardı. Otuz parçalık bir bando vardı. Hiç araba yoktu, çok az çiçek vardı.

Ağır bir yürüyüştü; bando kederli, romantik, askeri marşlar çalıyordu. Ve bando durunca trampetler, üzeri bezle gizlenmiş tokmaklarıyla tempo tutuyorlardı yürüyenlere. Hava sıcak ve elektrikliydi; dükkânların servis elemanları bölgeye uğramadılar. Polis kuvvetleri sayıca artırıldı. Caddeler boyunca insanlar apartmanlarının pencerelerine yığılmıştı, erkekler ve çocuklar ince bir bulutun arkasına gizlenmiş güneşin altında damlardaydılar. Yaşlı topluluk liderleriyle başta yürüyordum ben. Ağır bir yürüyüştü bu, zaman zaman geriye dönüp baktığımda acayip giyinişli gençleri, süslü oğlanları görebiliyordum; iş elbiseli adamlar, bilardo salonu oyuncuları katılıyordu yürüyüş koluna. Berber dükkânlarından yüzleri sabunlu adamlar çıkıyordu seyretmek için, tıraş peçeteleri boyunlarından sarkarak fikir yürütüyorlardı alçak sesle. Acaba, dedim, bunların hepsi Clifton'un arkadaşları mı, yoksa seyre mi, ağır yürüyüş müziğine mi geliyorlardı? Tiksindirici, tatlımsı bir koku, azgınlık mevsimlerinde dişi köpeklerin kokusuna benzer bir koku getiren sıcak bir rüzgâr esti arkamdan.

Geriye baktım. Şapkalarını çıkarmamış bir yığın kafa üzerinde güneş parlıyordu, bayrakların, sancakların ve parlayan boruların üzerinde; en uzun boylu arkadaşlarının omuzlarında Clifton'un ucuz gri renkli tabutunun yürüdüğünü, zaman zaman yavaşça omuz değiştirdiğini görüyordum. Yüksekte taşıyorlardı onu, gururla taşıyorlardı onu ve gözlerinde öfkeli bir keder vardı. Tabut, bir kanala girmiş ağır yüklü bir gemi gibi eğilmiş ve önü düşmüş başların üzerinde yolunu çizerek yüzüyordu sanki. Trampetlerin üzeri kaplanmış tokmaklarla devamlı vuruşlarını işitebiliyordum. Bütün öbür sesler, sessizlik içinde havada asılmıştı. Geride, ağır ayak sesleri; ilerde, bloklar boyunca kaldırım kenarlarına sıralanmış kalabalıklar... Gözyaşları, tutulan hıçkırıklar, kızarmış, sert sert bakan gözler... İlerliyorduk.

Önce en yoksul sokaklar arasından döndük, kara bir keder imgesi; sonra 7. Cadde'ye döndük ve aşağı inerek Lenox'a çıktık. Park idaresindeki bir Kardeş gözetleme kulesini açtı bize, kara demir çanın altına yan yana dizilmiş bıçkı makinelerinin üzerine uzatılmış kalın tahtalardan kaba bir kürsü yapılmıştı; yürüyüş kolu parkın içine girince tahtaların üzerinde, yüksekte bekleyerek dikildik. Bizim işaretimiz üzerine çana vurdu, kulak zarımın eski, derin, insanın içini kaldıran Doom-Dong-Doom sesleriyle güm güm öttüğünü hissettim.

Aşağıya bakınca, trampetlerin sesine uyarak bir kütle halinde yukarı doğru kıvrıla kıvrıla geldiklerini görüyordum. Çimenlerin üzerinde oynayan çocuklar bakmak için oyunlarını bırakıyor, yakındaki hastanenin hemşireleri seyretmek için çatıya çıkıyorlardı; beyaz üniformaları, şimdi buluttan kurtulmuş olan güneşte zambaklar gibi parlıyordu. Her yönden kalabalıklar yaklaşıyordu parka. Üzerleri örtülü trampetler bir an yavaş, sonra hızla çalarak havaya bir ölüm sessizliği yayıyordu; meçhul asker için bir duaydı sanki bu. Ve aşağıya bakarken bir kaybolmuşluk hissediyordum. Niçin buradaydı bütün bu insanlar? Niçin bizi bulmuşlardı? Clifton'u tanıdıkları için mi? Yoksa onun ölümü kendilerine protestolarını dile getirmek fırsatını verdiği, bir araya gelmek, birbirine dokunarak, terleyerek, soluk alarak, ortak bir yöne bakarak yan yana durmak zaman ve yer fırsatını sağladığı için mi? Her açıklama tarzı kendi içinde yeterli miydi yoksa? Sevgiyi mi yoksa politikleşmiş nefreti mi gösteriyordu? Ve politika bir sevgi ifadesi olabilir miydi hiç?

Parkın üzerinde, trampetlerin seslerinden, kaldırımdaki ayak seslerinin çatırtısından çıkan bir sessizlik yayılıyordu.

Sonra yürüyüş kolunun bir yerinden, yaşlı, ağlamaklı, erkek bir ses yükseldi bir şarkı halinde, önce sessizlik içinde yalnız dalgalanarak, yuvarlanarak; bandoda bir nefesli saz perdeyi yakalamak için biri iki uğraştı, sonra havayı yakaladı: Birisi yetişip öbürünün üzerine çıkıyor, öteki onun ardından gidiyordu; bir çift kara güvercin, sakin, mavi gökte taklalar atıyordu. Bir ölçü boyunca sazın tertemiz tatlı sesiyle yaşlı adamın, kuru, boğuk bariton sesi, sıcak, ağır sessizlikte bir düet yapıyordu. "Binlercesi Gitti." Ve yüksekte, parka hakim dururken bir şey tıkanıyordu boğazıma. Geçmiş günlerden, kampustan, hatta ondan da önce memleketten gelen bir şarkıydı bu. Şimdi kalabalığın içinden yaşlılar da katılmaya başlıyordu. Daha önce bir marş olarak düşünmemiştim onu. Ama şimdi şarkının ağır ritmine uyarak tepeye doğru yürüyorlardı. Nefesli sazı çalana baktım, ince uzun kara bir adamdı, yüzünü güneşe doğru çevirmiş çalıyordu. Ve gerilerde, tabutu el üstünde yüzdüren delikanlıların yanında yürüyen, şarkıyı başlatmış olan yaşlı adamın yüzüne baktım, sancı gibi sokuldu yüreğime. Yıpranmış, yaşlı sarı bir yüzdü; gözleri kapalıydı, şarkıyı söylerken boynunu ileri doğru uzatıp başını kaldırınca bir bıçak izi görünüyordu boynunda. Bütün vücuduyla söylüyordu şarkıyı, yürüyüşünü hiç bozmadan rahatça çıkararak her mısrayı, sesi bütün öteki seslerin üzerinde, parlayan sazın sesiyle karışarak. Gözlerim yaşlı, onu seyrediyordum şimdi; güneş, ateş gibi yanıyor başımın üzerinde, şarkıyı söyleyen yığında bir mucize hissediyordum. Şarkı sanki hep oradaydı ve biliyordu o yaşlı adam bunu ve uyandırmıştı, canlandırmıştı; biliyordum, o şarkıyı ben de biliyordum ve belirsiz, adsız bir utanç ya da korku yüzünden çıkaramamıştım ortaya. Ama o bilmişti bunu yapmasını ve birden yükseltmişti. Şimdi Beyaz Kardeşler ve Kız Kardeşler de katılıyorlardı şarkıya. Sırrını çözmek için o yüze bakıp duruyordum ama hiçbir şey söylemiyordu bana. Tabuta ve yürüyenlere bakıyordum, dinliyordum onları; ama birden ben kendi içimdeki bir şeyi dinlediğimin farkına varıyordum, bir an yüreğimin parçalanma sesini duydum. Derin bir şey sarsmıştı kalabalığı, yaşlı adamla nefesli sazı çalan adam yapmıştı bunu. Protestodan ya da dinden daha derin bir şeye dokunmuşlardı; ama hayatımdaki bütün kilise toplantılarındaki yüzler daha bastırılmış ve unutulmuş bir öfkeyle fışkırarak yüze çıkıyordu içimde. Geçmişti bu ama, artık tepenin üzerine ulaşmış küme küme dağılmakta olanlardan birçoğu hiçbir zaman paylaşamamışlardı bunu benimle; bazıları başka topraklarda doğmuştu hatta. Buna rağmen hepsine dokunmuştu şarkı; hepimizi ayağa kaldırmıştı şarkı. Sözler değildi bunu yapan; çünkü aynı, eski kölelikten gelme sözlerdi. Yaşlı adam sözlerin altında yatan coşkuyu değiştirmişti sanki; ama eski, özlemli, terk edilmiş, aşkın coşku, Kardeşlik kuramının bana adını veremediği o şeyle şimdi daha da derinleşmiş, hâlâ duyuluyordu üst perdeden. Tod Clifton'un tabutunu kulenin içine getirip, dönen merdivenlerden yavaşça çıkarırlarken o şeyi bulmaya çalışarak dikiliyordum orada. Tabutu kürsünün üzerine yerleştirdiler, ucuz, gri renkli tabutun şekline baktım, bütün anımsadığım şey onun adının sedası oldu.

Şarkı bitmişti. Küçük tepenin üstü sancaklarla, borularla ve yukarı kalkmış yüzlerle hıncahınç dolmuştu. Tam karşıda aşağıda 5. Cadde'den 125. Sokak'a, bir sıra sosisli sandöviç satan arabaların, dondurmacıların gerisinde dizilmiş polislerin bulunduğu yeri görebiliyordum. Arabaların arasında, üzerine güvercinler konmuş bir sokak lambasının altında bir fıstık satıcısı görüyordum; bir ara kollarını ileriye doğru uzattı, avuçlarını açtı, birden başı, omuzları, ileri uzanmış kolları kanat çırpan, bayram eden kuşlarla kaplandı.

Birisi dirseğiyle dürttü beni ve başladım. Son sözlerin zamanı gelmişti. Ama söyleyecek hiçbir sözüm yoktu, bir Kardeşlik cenaze töreninde hiç bulunmamıştım o güne dek; bir ayin nedir, nasıl olur bilmiyordum. Ama bekliyorlardı. Yapayalnız dikiliyordum orada; bana destek olacak bir mikrofon yoktu, yalnızca, sallanan bıçkı makinelerinin üstünde önümde duran tabut.

Söylenecek sözleri arayarak, bunun boşuna olduğunu hissederek ve kızarak, aşağıya, güneş altındaki yüzlere bakıyordum. Binlercesi toplanmıştı bunun için. Neyi duymak için bekliyorlardı? Niçin gelmişlerdi? Bunu, Clifton yere düşünce kırmızı yanaklı çocuğu güldüren şeyden farklı yapan şey neydi? Ne istiyorlardı ve ne yapabilirlerdi? Bütün bunlar olmadan, bütün bunları önleyebilecekleri zaman niçin gelmemişlerdi? "Size ne söylememi bekliyorsunuz?" diye bağırdım birden, sesim rüzgârsız havada garip şekilde dalgalanarak. "Ne işe yarıyacak? Bunun bir cenaze töreni olmadığını, bir bayram kutlaması olduğunu, bandonun etrafını alsanız onun neşeli bir kapanış marşı çalacağını söylesem ne olacak? Yoksa bir sihir göreceğinizi, ölünün yerinden kalkıp yürüyeceğini mi umuyorsunuz? Gidin evlerinize, nasıl ölünürse öyle öldü işte o. Başlangıçtaki sondur bu, dahası da yok. Mucize filan olmayacak, dua okuyacak kimse de yok burada. Gidin evinize, unutun onu. Bu sandığın içinde o, daha yeni ölmüş. Gidin evlerinize ve düşünmeyin onu. Öldü o, gidin de kendi başınızın çaresine bakın." Durdum. Aralarında fısıldaşıyorlar, yukarıya doğru bakıyorlardı.

"Evlerinize gidin dedim," diye bağırdım. "Ama siz hâlâ duruyorsunuz burada. Görmüyor musunuz, güneş yakıyor kavuruyor? Size söyleyeceğim iki üç sözü beklesenlz ne olacak? Yirmi bir yılda yavaş yavaş kurulmuş ve yirmi saniyede yok olmuş olan şeyi yirmi dakikada anlatabilir miyim size? Ne bekliyorsunuz, size onun hakkında söyleyeceğim, adından başka bir şeyim yokken? Ve söylediğim zaman, şu anda bilmediğiniz neyi öğreneceksiniz; belki yalnız adını."

Dikkatle dinliyorlardı, sanki bana değil de sesimin hava içinde çizdiği yola bakıyorlardı.

"Pekâlâ, sizler güneşte durup dinleyin, ben de güneşin altında sizlere anlatmaya çalışayım. Sonra gidin evlerinize ve unutun. Unutun. Adı Clifton'du, vurdular onu. Adı Clifton'du, uzun boyluydu, bazıları yakışıklı bulurdu onu. Ve o istediği kadar inanmasın buna, bana göre de öyleydi. Adı Clifton'du, yüzü siyahtı, saçları sıktı, kıvır kıvırdı; keçe gibi ya da yapık yapık deyin siz isterseniz. Öldü, kime ne, birkaç genç kız dışında kimin umurunda... Anladınız mı? Görebilir misiniz? Onu? Kardeşinizi, kuzeniniz John'u düşünün. Dudakları kalındı, köşeleri yukarı doğru kıvrıktı. Çoğu zaman gülümserdi. Keskin gözleri, bir çift hızlı eli vardı, bir de yüreği; düşünürdü ve derinden hissederdi. Soyluydu demeyeceğim ama; çünkü böyle bir sözcüğün ne ilgisi olabilir bizlerden biriyle? Adı Clifton'du. Tod Clifton ve herhangi bir insan gibi bir süre yaşamak, düşmek ve ölmek üzere bir kadından doğmuştu. İşte şu dakikaya kadarki hikâyesi onun. Adı Clifton'du, bir süre aramızda yaşamış, umutlar uyandırmıştı; onu tanıyan bizler severdik onu, öldü. Ne diye bekliyorsunuz öyleyse? Hepsini duydunuz. Daha ne bekliyorsunuz? Söylediklerimi tekrardan başka ne gelir elimden?"

Dikiliyor, dikiliyorlardı. Hiçbir belirti göstermiyorlardı.

"Pekâlâ, söyleyeyim öyleyse. Adı Clifton'du, gençti, bir liderdi ve düştüğünde çorabının topuğunda bir delik vardı; yerde uzanmış yatarken, ayakta olduğu kadar boylu görünmüyordu. Öldü işte ve onu seven bizler buraya onun yasını tutmak için toplandık. Bu kadar basit, bu kadar kısa işte. Adı Clifton'du, karaydı. Vurdular onu. Yetmez mi bu kadar? Bütün bilmek istediğiniz bu değil mi? Acıklı şeylere olan susuzluğunuzu kandırmak için, evinize gidip bu acıyı dindirmeniz için yetmez mi bu kadarı? Gidin bir içki için ve unutun. Ya da *Daily News*'te okuyun. Adı Clifton'du, vurdular onu; oradaydım ben, düştüğünü gördüm. Ordan biliyorum ben de.

Olanlar bunlar işte. Ayakta duruyordu, düştü ve diz çöktü. Diz çöktü ve kan aktı. Kanı aktı ve öldü. Herhangi bir insan gibi yığıldı kaldı. Kanı bütün kanlar gibi aktı; bütün kanlar gibi *kırmızı*, bütün kanlar gibi ıslak ve onun gittikçe donuklaşan aynasına baksanız gökyüzünün, binaların, kuşların ve ağaçların ya da yüzünüzün yansısını görürdünüz. Bütün kanlar gibi o da kurudu güneşte. Hepsi bu. Kanını akıttılar onun ve kanı aktı. Biçtiler onu ve öldü; kan aktı, bir göl oldu kaldırımın üzerinde, bir süre parladı ve bir süre sonra donuklaştı, sonra tozlandı, kurudu sonra. Hikâye bu, işte böyle bitti. Eski bir hikâyedir bu, artık sizi heyecanlandıramayacak kadar çok kan aktı bugüne dek. Hem, kan, yaşayan bir insanın damarlarını doldurursa önemlidir ancak. Bıkmadınız mı böyle hikâyelerden? Kandan usanmadınız mı? Öyleyse niçin dinliyorsunuz, niçin gitmiyorsunuz? Sıcak burası. Kokmasın diye sürdükleri ilâcın kokusu var burada. Meyhanelerde biralar buz gibidir şimdi, saksafonlar tatlı tatlı çalacaktır Savoy'da; bir sürü matrak şeyler anlatılacak berber dükkânlarında, kadın berberlerinde, akşamın serinliğinde iki yüz kilisede dualar edilecektir, sinemalarda gülecektir insanlar. Gidin 'Amos ve Andy'yi dinleyin ve unutun. Burada hep aynı hikâyeden başka ne var? Onun yasını tutacak, kırmızılar giyinmiş bir kadın bile yok. Acınacak bir şey yok burada, ağlayacak, dövünecek kimse yok. Size o güzel, eski, korkunç duyguyu verecek hiçbir şey. Hikâye çok kısa ve çok basit. Adı Clifton'du, Tod Clifton, silahsızdı ve hayatı ne derece boş, değersiz ise ölümü de o kadar anlamsızdı. Yüz sokak köşesinde Kardeşlik için mücadele etmişti, bunun kendisini daha insan yapacağını düşünüyordu; ama sokakta bir köpek gibi öldü."

"Pekâlâ pekâlâ!" diye bağırdım umutsuzluk içinde. İstediğim gibi olmuyordu, politik olmuyordu. Jack Kardeş olsa beğenmezdi belki hiç; ama elimden geldiği kadar sürdürmeliydim.

"Bu sözümona dağın tepesinde dikilerek dinleyin beni!" diye bağırdım. "Gerçekten olduğu gibi anlatayım size! Adı Tod Clifton'du, hayallerle doluydu. Bir insan olduğunu düşünürdü kendinin; oysa yalnızca Tod Clifton'du o. Basit bir yargı hatası yüzünden vurdular onu, kanı aktı, kanı kurudu ve çok geçmeden kalabalık çiğnedi geçti kan lekelerini. Birçoklarının sorumlu olduğu basit hataydı; Bir insan sanıyordu kendini ve insanların itilip kakılmak için yaratılmadıklarına inanıyordu. Ama kent çok sıcaktı, tarihini unutmuştu, yeri ve zamanı unutmuştu. Gerçek kaçmıştı elinden. Bir polis ve bekleyen bir dinleyici kütlesi vardı; ama o Tod Clifton'du ve polisler her yerdeydiler. Polis mi? Ya o? Bir polisti o. İyi bir yurttaş. Ama bu polisin parmağı kaşınıyordu, kulağı "tetik" sözcüğüyle kafiyeli bir kelime için dikilmişti ve Clifton düştüğünde bulmuştu o sözcüğü.* Polis tabancası kendi diliyle konuşmuş ve kafiye tamamlanmıştı. Bir bakın etrafınıza. Yaptığı şeye bakın, içinize bakın ve korkunç gücünü hissedin. Bundan daha tabii şey olur mu? Kan, bir resimli roman dünyasında, bir resimli roman günün-

(*) *"Nigger:* Zenci" ve *"Trigger:* Tetik" arasındaki kafiyeden yararlanıyor – ç.n.

de, bir resimli roman kentinde, bir resimli roman caddesinde, bir resimli romandaki öldürmede olduğu gibi akıyordu kan.

Tod Clifton geçmişe karıştı gitti. Ama bu sıcakta, bu gizlenmiş güneş altında sizinle ne alakası var bunun? Şimdi tarihin bir parçasıdır o ve gerçek özgürlüğe kavuştu şimdi. Adını yazmadılar mı o herkesin bildiği bir deftere? Irkı: Zenci! Dini: Bilinmiyor, muhtemelen Baptist doğmuş. Doğum yeri: B. A. Herhangi bir Güney kasabası. En yakın akrabası: Bilinmiyor. Adresi: Bilinmiyor. Mesleği: İşsiz. Ölüm nedeni (kesin olarak): 40. Cadde'de kütüphaneyle metro arasında bir öğleden sonra sıcağında, kendisini tutuklayan polisin elindeki 38 kalibrelik bir tabanca şeklindeki gerçeğe, üç adımdan atılan, birisi kalbin sağ karıncığına giren ve orada kalan, öteki belkemiğinde sinir düğümünü parçalayan ve oradan pelvise gelip kalan, sonuncusu sırttan girip Allah bilir nereye giden üç mermiden alınmış tabanca yaraları şeklindeki gerçeğe karşı gelmek.

İşte Tod Clifton Kardeş'in kısa, acı yaşamı böyleydi. Şimdi şu vidaları adamakıllı sıkılmış sandıkta yatmaktadır. Sandıkta yatmaktadır ve biz orada onunla beraberiz ve ben anlattığım zaman bunu gidin artık. Karanlık bu sandığın içi, kalabalık. Çatlak bir tavanı, holde tıkalı bir tuvaleti var. Fareleri var hamamböcekleri var ve çok, çok pahalı bir mesken o. Havası kötüdür, kışın soğuk olur. Tod Clifton sıkışmış orada, biraz geniş yer istiyor. Onu duyabilseydiniz, 'Söyle onlara çıksınlar şu sandıktan,' derdi, "Söyle onlara çıksınlar bu sandıktan da gidip polislere o kafiyeyi unutmayı öğretsinler. *Trigger* sözcüğüyle bir kafiye yapmak için sizi *Nigger* diye çağırdıklarında tabancanın yanlış yere ateş alacağını öğretsinler onlara."

İşte öğrendiniz artık. Birkaç saat içinde Clifton'un kemikleri soğuyacak toprağın altında. Ve aldırmayın sakın, bu kemikler bir daha kalkmayacak ayağa. Siz ve ben hâlâ sandıkta olacağız. Tod Clifton'un bir ruhu olup olmadığını bilmiyorum. Bildiğim tek şey yüreğimdeki sancı, bir şey kaybettiğim duygusu. Sizin de bir ruhunuz olup olmadığını bilmiyorum. Yalnız biliyorum ki etten ve kandan yapılma insanlarsınız; o kan dökülürse etin soğuyacağını biliyorum. Bütün polislerin şair olup olmadıklarını bilmem; ama bütün polislerin, üzerinde tetikleri olan tabancalar taşıdıklarını bilirim. Ve alnımıza nasıl damga yapıştırıldığını da bilirim. Bunun için, Clifton Kardeş adına tetiklere dikkat edin; evinize gidin, söndürün içinizdeki ateşi, sıcak güneşten uzak durun. Unutun onu. Yaşarken umudumuzdu bizim; ama artık ölmüş olan bir umut için ne diye endişelenmeli? İşte böyle, söylenecek bir tek şey kaldı ve söylemiştim daha önce de. Adı Clifton'du. Kardeşlik'e inanırdı, umutlar yükseltti içimizde ve öldü."

Devam edemiyordum. Aşağıda bekliyorlardı onlar, elleriyle, mendilleriyle gözlerini gölgeleyerek. Bir papaz ileri çıktı ve İncil'den bir şeyler okudu; bense başarısızlığa uğramışlık duygusuyla kalabalığa bakıyordum. Kendimden uzaklaştırmıştım kalabalığı, politik çıkışlara getirememiştim bir türlü. Ve onlar orada, güneşten yanmış, tere batmış, bilinen şeyleri tekrar edişimi dinleyerek durmuşlardı. Papaz işini bitirmişti; birisi bando şefine işaret verdi, ağır dini bir müzik başladı, tabutu taşıyanlar döne döne indirdiler merdivenlerden tabutu. Biz aşağı inerken kalabalık öylece sessiz duruyordu. Bu duruşun büyüklüğünü, bilinmezliğini ve tıkanıp kalmış gerilimi hissedebiliyordum. Gözyaşlarından mı yoksa öfkeden mi, söyleyemezdim. Ama aralarından, aşağıya cenaze arabasına yürürken bunu hissedebiliyordum. Kalabalık terliyordu, yüreği atıyordu; ortAlık sessiz olmasına rağmen, gözleriyle bana yönelttikleri birçok şey vardı. Kaldırımın kenarında cenaze arabasıyla birkaç otomobil duruyordu, birkaç dakika içinde doldular; biz Tod Clifton'u götürürken onlar hâlâ orada dikiliyor ve bakıyorlardı. Ve son bir kez bakınca bir kalabalık değil, tek tek erkek ve kadın yüzlerinden bir grup gördüm.

Sürdüler arabaları, otomobiller durduğunda bir mezar gördük ve içine koyduk onu. Mezar kazıcıları ter içinde kalmışlardı; işlerini biliyorlardı. İrlanda şivesiyle konuşuyorlardı. Mezarı çabucak örttüler ve ayrıldık oradan. Tod Clifton yerin alındaydı artık.

Mezarı tek başıma ben kazmış kadar yorgun, caddelerin arasından dönüyordum. İnce, nemli bulutlar kalınlaşmış ve gele gele başlarımızın üzerine oturmuş gibi, sise benzer bir şeyin içinde kaynıyor gibi olan kalabalıkların içinden geçerken şaşkın ve kayıtsız hissediyordum kendimi. Bir yere, düşünmeksizin dikileceğim serin bir yere gitmek istiyordum ama yapılacak çok şey vardı daha; yapılacak planlar vardı; kalabalığın heyecanının düzenlenmesi, yoluna sokulması gerekiyordu. Sürükleniyordum, bir Güney havasında, bir Güney yürüyüşüyle, ucuz spor gömleklerin ve yazlık elbiselerin göz kamaştırıcı kırmızılarına, sarılarına ve yeşillerine gözlerimi kapayarak zaman zaman yürüyordum. Kalabalık kaynıyordu, terliyordu, kabarıyordu; alışveriş çantalarıyla kadınlar, pırıl pırıl ayakkabılarıyla adamlar. Ta Güney'de bile hep parlatırlardı ayakkabılarını. "Parlatılmış ayakkabılar, ayakkabılar parlatılmış..." Kafamda dolanıp duruyordu. 8. Cadde'de, kaldırım boyunca pazar arabaları tekerlek tekerleğe park edilmişti, her biri ayrı bir icat örtüleri, tazeliğini yavaş yavaş yitirmekte olan meyveleri, sebzeleri gölgeliyordu. Çürümekte olan pis lahana kokusu duyuyordum. Bir seyyar karpuz satıcısı kamyonunun yanında gölgede duruyordu; uzun turuncu renkli bir kavun dilimi kaldırmış havaya, memleket özlemine, çocukluk anılarına, yeşil gölgeliklere ve yaz serinliğine çağıran boğuk, kısık bir sesle malını satmaya çalışıyordu. Küçük tablalarda düzgün yığınlar halinde portakallar, Hindistan cevizleri, avokadolar yatıyordu. Yavaş yavaş hareket eden kalabalık arasından döne dolaşa yürüyordum. Kentin merkezinde satılmamış, bayat ve solmuş çiçekler canlı canlı parlıyordu bir arabanın üzerinde, ağzı açılmış bir meyve suyu kutusundan dışarı taşan hiçbir şeye yaramaz köpük altında çürüyen göz alıcı kumaşlar gibi. Kalabalık, bir çamaşır makinesinin içinden, buharlı camın arkasından görülen kaynayan şekiller gibiydi. Ve sokaklarda atlı polis birliği kol geziyordu, şapkalarının kısa, cilalı güneşlikleri altında gözleri sır vermez, vücutları öne doğru eğilmiş; dizginler gevşek fakat tetikte, etten insan ve atlar, taştan insan ve atları taklit ediyorcasına. Tod Clifton'un ölümü, diye düşündüm. Seyyar satıcılar trafiğin sesini bastırarak bağırıyorlardı. Uzaktan duyar gibiydim onları, ne söylediklerini pek anlamayarak. Bir yan sokakta çocuklar çarpık çurpuk üç tekerlekli bisikletler üzerinde levhalardan birini taşıyarak kaldırım boyunca dolaşıyorlardı.

TOD CLİFTON
UMUDUMUZ VURULDU

Ve hafif sis içinde o gerginliği yeniden hissettim. Onu yadsıyan bir şey yoktu; oradaydı o, sıcakta kaynayıp gitmeden önce bir şeyler yapılmalıydı.

Yirmi İki

Onları kısa kollu gömlekleri içinde, öne eğilmiş, ayak ayak üstüne atmış, elleriyle dizlerini tutarak oturur görünce şaşırmadım. Siz olduğunuza sevindim, diye düşündüm, gözyaşsız iş konuşması olacak bu. Sanki onları orada bulacağımı umuyordum, tıpkı düşte, bir odanın boyutsuz boşluğundan bana bakarken büyükbabama rastladığım günlerdeki gibi. Şaşırmadan, heyecanlanmadan ben de onlara bakıyordum; düşte bile şaşırmanın normal bir hareket olduğunu, şaşkınlık yokluğunun bir güvensizlik, bir uyarma işareti olduğunu bildiğim halde.

Odanın tam ortasında duruyordum, ceketimi çıkarırken seyrediyordum onları; üzerinde bir sürahi suyun, bir bardağın ve birkaç sigara tablasının durduğu ufak bir masanın etrafında toplanmışlardı. Odanın yarısı karanlıktı. Bir tek ışık yanıyordu tam masanın üzerinde. Sessiz sessiz bakıyorlardı bana, Jack Kardeş, yüzünde, dudaklarından daha derine inmeyen bir gülümseme, başı bir yana eğik, içe işleyen bakışlarla bana bakıyor; ötekiler yüzleri bomboş, hiçbir şey açığa vurmayan ve derin bir güvensizlik doğuran gözlerle bakıyorlardı. Kendilerini tutarak, gizleyerek oturmuş bekliyorlardı, sigaralarından kıvrıla kıvrıla dumanlar çıkıyordu. İşte, nihayet geldiniz, diye düşündüm ilerleyip koltuklardan birine atarak kendimi. Kolumu masanın üzerine koydum, serindi masa.

Jack Kardeş, birbiri içine aldığı ellerini masanın üzerine uzatarak ve kafası hâlâ bir yana eğik bana bakarak, "Ee, nasıl gitti?" dedi.

"Kalabalığı gördünüz," dedim. "Nihayet dışarıya çıkarabildik onları."

"Hayır, kalabalığı görmedik biz. Nasıldı?"

"Harekete geldiler," dedim, "büyük sayıda. Ama ondan ötesini bilmiyorum. Bizimle birlikteydiler ama nereye kadar, bilmiyorum..." Ve bir an, yüksek tavanlı salonun sessizliğinde kendi sesimi işittim.

"Eee? Büyük taktisyenin bize söyleyeceği bu kadar mı?" dedi Tobitt Kardeş. "Ne yönde harekete geldiler?"

Yüzüne baktım, coşkularımın donmuşluğunun farkında; upuzun ve derin bir kanalın içinde kaybolmuştu coşkunluğum.

"Buna Komite karar verir. Canlandılar, ayağa kalktılar. Bizim yapabileceğimiz bu kadardı. Bize yol göstersin diye defalarca aradık Komite'yi ama bulamadık."

"Sonra?"

"Sonra ben kendi kişisel sorumluluğumu kullandım."

Jack Kardeş'in gözleri kısıldı. "Ne, ne?" dedi. "Senin neyini?"

"Kişisel sorumluluğumu," dedim.

"Kişisel sorumluluğuymuş," dedi Jack Kardeş. "Duydunuz mu, Kardeşler? Doğru mu işittim acaba. Nerden aldın onu, Kardeş?" dedi. "Hayret, nerden aldın onu sen?"

"Senin ananın..." diye başladım, ama zamanında tuttum kendimi. "Komite'den," dedim.

Bir durgunluk oldu. Ona bakıyordum; yüzü kızarmıştı, ben kendime gelmeye çalışırken. Midemin ortasında bir sinir pıt pıt atıyordu.

"Herkes dışarıdaydı," dedim sessizliği doldurmaya çalışarak. "Fırsatı gördük ve topluluk da bizimle aynı düşüncedeydi. Yazık, kaçırdınız..."

"Görüyor musunuz, kaçırdığımıza üzülüyor," dedi Jack Kardeş. Ellerini yukarı kaldırmıştı. Avcunun içindeki derin çizgileri görebiliyordum. "*Kişisel* sorumluluk taşıyan büyük taktisyen bizim yokluğumuza üzülüyor..."

Neler hissettiğimi görmüyor mu diye düşündüm, bunu niçin yaptığımı göremiyor mu? Ne yapmaya çalışıyor? Tobitt budalanın biri; ama o niçin kabul ediyor bunu?

"Onlardan sonraki adımı da siz atabilirdiniz," dedim, sözlerin üzerine basa basa. "Biz elimizden geldiği kadar ilerlemeye çalıştık..."

"Kişisel so-rum-lu-lu-ğun-la," dedi Jack Kardeş, her hecede başını eğerek.

Dimdik yüzüne bakıyordum şimdi. "Taraftarlarımızı geri kazanmamız söylendi bana, ben de buna çalıştım. Bildiğim tek yolla. Nedir sizin eleştiriniz? Ne var bunda?"

Yumruğuyla kibarca gözünü ovuşturarak, "Demek öyle?" dedi. "Büyük taktisyen, ne varmış bunda, diye soruyor? İşitiyor musunuz, Kardeşler?"

Biri öksürdü. Biri bir bardak su doldurdu; bardağın hızla dolduğunu, son damlaların sürahinin ağzından bardağa küçük küçük döküldüğünü duydum. Ona baktım, aklım, olanları gerçek yerine oturtmaya çalışarak.

"Yanlış olabileceği *ihtimalini* kabul ediyor mu demek istiyorsunuz?" dedi Tobitt.

"Katıksız bir alçakgönüllülük, Kardeş. Alçakgönüllüğün en katıksızı. Karşımızda olağanüstü bir taktisyen var, stratejinin ve kişisel sorumluğun Napolyon'u. Parolası, 'Demiri tavındayken dövmeli.' 'Fırsat elindeyken vurmalı', 'Gözlerinin beyazına beyazına ateş etmeli' 'Onlara silah, silah, silah ver' falan filan."

Ayağa kalktım. "Nedir bütün bunlar, anlamıyorum, Kardeş. Ne söylemeye çalışıyorsunuz?"

"Haa, güzel bir soru, Kardeşler. Oturun, lütfen, hava sıcak. Ne söylemeye çalıştığımızı öğrenmek istiyor. Karşımızda yalnızca olağanüstü bir taktisyen değil, ifadelerimizin en ince noktalarını bile gözden kaçırmayan biri var."

"Evet ve iyisi olunca hicvi de..." dedim.

"Ya disiplin? Oturun, lütfen, hava sıcak..."

"Disiplini de. Bulunabilirse emirleri de, fikir danışmayı da," dedim.

Jack Kardeş sırıttı. "Oturun, oturun! Ya sabır?"

"Uykulu ve yorgun olmadığım zaman," dedim, "ve haksız yere kızdırılmadığım zaman, şimdi olduğu gibi."

"Öğreneceksiniz," dedi. "Öğreneceksiniz ve bu koşullar altında bile olsanız boyun eğeceksiniz ona. Özellikle bu koşular altında; değeri buradadır onun. Onu sabır yapan şey budur."

"Evet, öğreniyorum sanırım," dedim. "Şu anda."

Alaycı bir sesle, "Kardeş," dedi, "ne kadar çok şey öğrendiğinin farkında değilsin. Lütfen otur."

"Pekâlâ," dedim yerime oturarak. "Ama benim kişisel eğitimimi bir an unutun da size halkın bugünlerde ne kadar sabırsız olduğunu hatırlatayım. Bunu daha faydalı şekilde kullanabiliriz bu sefer."

"Ve politikacıların tek tek kişiler olmadıklarını söyleyebilirdim sana," dedi Jack Kardeş, "ama söylemeyeceğim. Nasıl kullanabiliriz onu daha yararlı bir şekilde?"

"Öfkelerini bir düzene sokarak."

"İşte büyük taktisyenimiz ortaya koydu kendini yine. Bugün çok meşgul bir insan. Önce Brutus'ün ceseti üzerine bir nutuk, şimdi de zenci halkın sabrı üzerine bir konferans."

Tobitt eğleniyordu. Bir kibrit çakıp yakmaya uğraşırken ağzında sigarasının titrediğini görebiliyordum.

Parmağını çenesinin üzerinde gezdirerek, "Görüşlerinin bir broşür halinde yayımlanmasını öneriyorum," dedi. "Olay yaratırdı."

Bu, burada dursa artık iyi olacak, diye düşündüm. Kafam gittikçe hafifliyor, göğsüm sıkışıyordu.

"Bakın," dedim, "silahsız bir insan öldürüldü. Bir Kardeş, önde gelen bir üye, polis tarafından vuruldu. Topluluktaki saygınlığımızı yitirdik. Halkı tekrar bir araya toplamak, canlandırmak fırsatını gördüm ve harekete geçtim. Eğer bu doğru değilse, yanlış hareket ettim demektir. Böyle ıvır zıvır şeylere sapmadan söyleyin bunu. Oradaki kalabalığı idare etmek için hicivden, acı alaylardan daha başka şey gerek."

Jack Kardeş kızardı; ötekiler bakıştılar.

"Gazeteleri okumamış," dedi birisi.

"Unutuyorsunuz," dedi Jack Kardeş, "gerekli değildi; ora-daydı o."

"Evet, oradaydım," dedim. "Eğer öldürme olayını demek is-tiyorsanız."

"Tamam, görüyorsunuz," dedi Jack Kardeş. "Sahnedeydi." Tobitt Kardeş masanın kenarını avcuyla itti. "Ve buna rağ-men düzenlediğiniz o cenaze töreni maskaralığını!"

Yüzüm seğiriyordu. Bile bile ona doğru döndüm, sırıtmaya çalışarak.

"Sizin gibi, bir çeyreklik giriş parasını toplayacak çığırtka-nımız olmadan maskaralık olur muydu, Çeyrek Kardeş? Nesi vardı cenaze töreninin?"

Jack Kardeş bacaklarını açarak sandalyesinde "İlerleme kaydediyoruz," dedi. "Stratejist çok ilginç bir soru attı ortaya. Nesi varmış, diye soruyor. Pekâlâ, cevaplandıracağım. Zen-ci düşmanı, azınlık düşmanı ırkçı yobazlığın o iğrenç aletleri-ni satan hain bir sokak satıcısına, senin liderliğin altında kah-ramanlara özgü bir cenaze töreni yapıldı. Hâlâ soracak mısın nesi varmış?"

"Ama bir hain için bir şey yapılmadı ki orda," dedim.

Yerinde yarı doğrulup, sandalyesinin arkalığını yakalayarak, "Bunu kabul ettiğini hepimiz işittik," dedi.

"Silahsız bir kara insanın vuruluşunu dramatize ettik."

Ellerini yukarı kaldırdı. Allah belanı versin, diye düşündüm. Allah belanı versin. Bir insandı o!

"Senin deyiminle, o kara insan, bir haindi," dedi Jack Kar-deş. "Bir hain!"

"Bir hain nedir, Kardeş?" diye sordum, parmaklarımla say-maktan öfkeli bir zevk duyarak. "O bir insandı ve bir zenciy-di; bir insan ve bir Kardeş'ti; bir insan ve bir hain, sizin söyle-diğinize göre; ölü bir insandı artık, canlı veya ölü boğazına ka-dar çelişkiler içinde bir insandı. O kadar çelişki içinde ki, Har-lem'in yarısını çıkardı evlerinden ve o sıcak havada oraya çekti bir çağrımız üzerine. Öyleyse nedir *bir hain*?"

"Tamam, şimdi de geriliyor," dedi Jack Kardeş. "Bakın ona, Kardeşler. Hareketimizi, bir haini zencilere zorla kahraman diye kabul ettiriyor duruma soktuktan sonra bir hainin ne olduğunu soruyor."

"Evet," dedim, "evet, sizin dediğiniz gibi, güzel bir soru bu, Kardeş. Bazıları, merkezde çalışıyorum diye hain diyor bana; Sivil Hizmetler'de çalışsam başkaları hain diyecek, köşede oturup sesimi çıkarmasam daha başkaları. Clifton'un yaptıklarını düşündüm tabii."

"Ve yine de onu savunuyorsun!"

"Bunlardan dolayı değil. Ben de sizin kadar iğrendim. Ama Allah kahretsin, silahsız bir adamın vurulması (politik bakımdan) onun iğrenç bebekler satmasından daha önemli değil midir?"

"Yani kendi kişisel sorumluluğunu çalıştırdın," dedi.

"Yapacak başka şey yoktu. Strateji toplantısına çağrılmamıştım, unutmayın."

"Neyle oynadığınızı görmediniz mi?" dedi Tobitt. "Halkınıza karşı da mı saygı yok sizde?"

Ötekilerden biri, "Size bu fırsatı vermek tehlikeli bir hataydı," dedi.

Ona baktım karşıdan. "Eğer Komite arzu ediyorsa geriye alabilir onu. Ama şu ara neden herkes bu kadar huzursuz? Eğer halkın onda biri bebeklere bizim baktığımız gibi baksa, işimiz çok daha kolaylaşırdı. Bebekler hiçbir şeydir aslında."

"Hiçbir şey," dedi Jack. "O hiçbir şey, yüzümüzde patlayabilirdi."

İçimi çektim. "Sizin yüzleriniz güvende, Kardeş," dedim. "Onların böyle soyut kavramlarla düşünmediklerini görmüyor musunuz? Eğer düşünselerdi, yeni program çökmezdi belki de. Kardeşlik, zenci halkı demek değildir; Örgüt de öyle. Clifton'un ölümünde tek gördüğünüz şey sizin, Kardeşlik'in itibarını sarsabileceğidir. Onu yalnızca hain olarak görüyorsunuz ama Harlem böyle davranmıyor."

"Şimdi de zenci halkının şartlı refleksleri üzerine konferans çekiyor bize," dedi Tobitt.

Yüzüne baktım. Çok yorgundum. "Peki, sizin harekete olan büyük katkılarınızın kaynağı nedir, Kardeş? Maskaralıkta uzmanlık mı? Ya zencilere dair o derin bilginizin kaynağı? Büyük çiftlik sahibi bir aileden mi geliyorsunuz? Zenci süt anneniz gece düşlerinize mi girerdi yoksa?"

Bir balık gibi, ağzını açtı kapadı. "Sana, güzel, zeki bir zenci kızla evli olduğumu söyleyeceğim yalnızca," dedi.

Ha, horoz gibi kabarmasının nedeni buymuş, diye düşündüm; ışık öyle vuruyordu ki yüzüne burnunun altında kama gibi bir bölge meydana geliyordu. Demek öyle... Nasıl da bilmiştim işin içinde kadın olduğunu?

"Kardeş, özür dilerim," dedim. "Yanlış anlamışım sizi. Bizi tanıyorsunuz. Doğrusu, bir zenci olmalısınız siz. Daldırma mı iğne mi?"

Sandalyesini geriye iterek, "Bana bak," dedi.

Haydi bakalım, diye düşündüm, bir hareket yap, ufacık bir hareket yap yalnız.

"Kardeşler," dedi Jack, gözleri benim üzerimde.

"Tartışmamızdan ayrılmayalım. Şaşırtmayın beni. Ne diyordunuz?"

Tobitt'e bakıyordum. Yiyecekmiş gibi dik dik bakıyordu. Bense sırıtıyordum.

"Diyordum ki, burada biz polisin Clifton'un düşüncelerine aldırmadığını biliyoruz. Kara olduğu için ve direndiği için vuruldu o. Daha çok, kara olduğu için."

Jack Kardeş kaşlarını çattı. "Yine 'ırk'ı sürüyorsun ortaya. Ama bebekler için ne düşünüyorlardı?"

"Irkı ortaya sürüyorum, buna zorlanıyorum çünkü," dedim. "Bebeklere gelince, işin içine polisler girince Clifton şarkı güfteleri satsa da işin değişmiş olmayacağını biliyorlar. İncil'ler de satsa, kutsal bisküviler de satsa. Beyaz olmuş olsaydı, yaşıyor olacaktı. Ya da itilip kakılmayı kabul etmiş olsaydı..."

"Kara ve beyaz, beyaz ve kara," dedi Tobitt. "Bu ırkçı saçmalığı dinlemek zorunda mıyız?"

"Değilsin, Zenci Kardeş," dedim. "Sen kendi bilgilerini doğrudan doğruya kaynaktan alırsın. Zenci-beyaz melezi bir kaynak mı bu, Kardeş? Cevap verme. Yalnız bir sakatlık var ortada, o da kaynağınızın çok dar olması. Kalabalığın bugün, Clifton, Kardeşlik'in bir üyesi olduğu için toplandığını gerçekten düşünmüyorsunuz, herhalde?"

"Peki niçin toplanmışlar?" dedi Jack ileri atılacakmış gibi yerinde doğrularak.

"Onlara duygularını dile getirmek, kendilerinin de var olduğunu gösterme fırsatını verdiğimiz için."

Jack Kardeş gözlerini ovuşturdu. "Adamakıllı bir kuramcı oldun biliyor musun?" dedi. "Beni şaşırtıyorsun."

"Sanmam, Kardeş; ama düşündürmek için bir adamı yalıtmak, yalnız bırakmak gibisi yoktur," dedim.

"Evet, doğru bu; en iyi düşüncelerimizden bazıları hapiste çıkmıştır ortaya. Yalnız, sen hapiste değildin, Kardeş, düşünmek için de kiralanmadın. Sen unuttun mu bunu? Unuttunsa, dinle beni: Sen düşünmek için kiralanmadın." Adamakıllı bilerek konuşuyordu, işte... işte bu, diye düşünüyordum; çırılçıplak, eski ve çürümüş. İşte, apaçık ortada artık...

"Eh, artık biliyorum nerede olduğumu," dedim, "ve de kiminle."

"Saptırma söylediklerimi. *Hepimiz* adına, düşünmeyi Komite yapar. Hepimiz adına. Ve sen de konuşmak için kiralanmıştın."

"Doğru, *kiralanmıştım*. İşler o kadar kardeşçeydi, yerimi unutmuşum ben. Ama ya bir düşünce atmak istersem ortaya?"

"Bütün düşünceleri biz veririz. Çok zekiler vardır içimizde. Düşünceler, aygıtımızın parçasıdır. Yalnız, doğru fırsatlara doğru düşünceler."

"Ya fırsatı yanlış değerlendirirseniz?"

"Olursa böyle bir şey, sesini çıkarmaz oturursun."

"Doğru olsam bile mi?"

"Komite tarafından fırsat verilmedikçe bir şey söylemezsin. Yoksa, son olarak ne söylemen istenmişse onu söylemeye devam etmeni salık veririm sana."

"Ya halkım konuşmamı isterse?"

"Komite'nin de bir cevabı olur buna."

Yüzüne baktım. Oda sıcak, sessiz, duman doluydu. Ötekiler garip garip bakıyorlardı bana. Cam bir kül tablasında birisinin sinirli sinirli sigarasını ezdiğini işittim. Derin derin, kendimi kontrol ederek soluk alıp, sandalyemi geriye ittim. Tehlikeli bir yoldaydım; Clifton'u düşündüm, kurtulmaya çalıştım bundan. Hiçbir şey söylemedim.

Birden Jack gülümsedi ve eski baba rolünü takındı yine. "Kuram ve strateji işini *ele alalım*," dedi. "Tecrübeliyiz. Çok şey gördük, geçirdik bizler; sen de çok zeki bir başlangıç öğrencisi olduğun için birçok dereceleri okumadan geçtin. Ama önemli derecelerdi onlar, özellikle stratejik bilgi kazanma yönünden. Çünkü, olayları bütün cepheleriyle görebilmek için gereklidir bu. Göze göründüğünden çok daha karışıktır her şey. Uzak görüşü, kısa görüşü, geniş görüşü dikkate alırsan, belki de Harlem halkının politik bilincine iftira etmezsin."

Onlara gerçek olanı söylemeye çalıştığımı göremiyor mu, diye düşündüm. Üyeliğim, Harlem'in ne hissettiğini duymamı önler mi?

"Pekâlâ," dedim. "Siz bildiğiniz gibi yapın, Kardeş; ne var ki, Harlem'in politik bilincini biraz tanırım ben. Okumadan geçmeme izin verilmeyecek bir sınıftır o. Bildiğim, tanıdığım gerçekliğin bir parçasını tarif ediyorum ben."

"İşte hepsinden daha tartışma götürür bir ifade," dedi Tobitt.

"Biliyorum," dedim, başparmağımı masanın kenarında gezdirerek, "sizin özel kaynağınız farklı söyler size. Tarih gece yapılır, ha, Kardeş?"

"Uyarmıştım seni," dedi Tobitt.

"Kardeşçe bir söz sana, Kardeş," dedim. "Daha çok dolaşmaya bak etrafta. Haftalardır ilk kez bugün çağrımızı dinlemiş olduklarını öğreneceksin. Başka bir şey daha söyleyeyim size: Bugün yapılmış olan şeyin peşinden gitmezsek, son olacaktır bu..."

"Nihayet geleceği de söylemeye başladı," dedi Jack Kardeş.

"Mümkündür... Dilerim öyle olmaz ya!"

"Tanrı'yla ilişkisi var," dedi Tobitt. "Kara Tanrı'yla."

Ona baktım ve sırıttım. Gri gözleri vardı, irisleri çok genişti, çenesindeki kaslar kabarmıştı. Gardını bozmuştum, delicesine sallanıp duruyordu.

"Ne Tanrı'yla, ne de senin karınla, Kardeş," dedim. "İkisini de hiç görmedim. Ama buradaki insanların arasında çalıştım ben. Karından seni meyhanelere, berberlere, ufak, yoksul eğlence yerlerine, kiliselere götürmesini iste, Kardeş. Evet ve de kadın berberlerine, pazar günleri, saçlarını kıvırdıkları sırada. Hiçbir yere kaydedilmeyen tüm bir tarih konuşulur o zaman Kardeş. İnanmayacaksın ama doğru. Yoksul evlerin pencere altlarına götürmesini söyle ona, dur oralarda da konuşulanları dinle. Köşe başına çıkar onu, neler olup bittiğini söylesin sana? Anlayacaksın ki birçok kimse, kendilerini eyleme götüremediğimiz için kızgındır. Gördüklerim, duyduklarım, işittiklerim ve bildiklerim üzerinde nasıl inat ediyorsam, bunda da inat edeceğim."

"Hayır," dedi Jack Kardeş ayağa fırlayarak, "sen Komite'nin kararlarında inat edeceksin. Yeteri kadar konuştuk bunu. Komite oluşturur senin kararlarını ve halkın yanlış hayallerine yersiz önem vermek onun işi değildir. Ne oldu senin disiplinine?"

"Disiplin konusuna bir diyeceğim yok. Faydalı olmaya çalışıyorum ben. Komite'nin gözden kaçırdığını sandığım gerçekliğin bir parçasını göstermeye çalışıyorum. Bir tek gösteriyle."

"Komite böyle gösterilere karşı karar aldı," dedi Jack Kardeş. "Böyle yöntemler artık geçerli değil."

Altımdan bir şey kayar gibi oldu, gözümün ucuyla salonun karanlık tarafındaki şeyler ilişti gözüme birden. "Ama hiç kimse görmedi mi bugün ne olduğunu?" dedim. "Neydi bu, bir düş mü? Bu kalabalığın geçerli olmayan ne yanı var?"

"Böyle kalabalıklar yalnızca hammaddedir, programımıza göre şekillendirilmesi gereken hammaddelerden bir tanesi."

Masanın etrafına baktım ve başımı salladım. "Boşuna değilmiş bana hakaret etmeleri, bizleri kendilerine ihanet etmekle suçlamaları..."

Ani bir hareket oldu.

Jack Kardeş ileri fırlayarak bağırdı, "Tekrar et."

"Doğru, tekrar edeceğim; bu öğleden sonraya kadar, Kardeşlik Örgütü'nün kendilerine ihanet ettiğini söylemekteydiler. Ben, bana söyleneni söylüyorum size. Clifton Kardeş de bunun için ortadan kayboldu."

"Savunulamaz bir yalan bu," dedi Jack Kardeş.

Ve ağır ağır bakıyordum artık ona, eh, öyleyse, öyle olsun, diye düşünerek... "Bana öyle deme," dedim yumuşak bir sesle. "Hiçbiriniz bir daha öyle demeyin bana. Size, ne işittiysem onu söyledim." Elim cebimdeydi şimdi, Tarp Kardeş'in bilek zincirine geçmiş. Her birine teker teker baktım, kendimi tutmaya çalışarak; ama onun benden uzaklaştığını hissederek. Ses üstü bir hızla dönen bir atlı karıncaya binmişim gibi başım dönüyordu. Jack bana bakıyordu, gözlerinde yeni bir ilgi, ileriye doğru eğilmiş.

"Evet, işittin demek bunu," dedi. "Çok güzel, öyleyse şimdi de şunu işit: Biz politikamızı, sokaktaki adamın yanlış ve çocukça düşüncelerine göre şekillendirmiyoruz. Bizim işimiz onlara ne düşündüklerini sormak değil, ne düşüneceklerini söylemektir!"

"Bunu sen söylüyorsun," dedim, "ve bu, onlara senin söyleyebileceğin bir şeydir. Sahi, kimsiniz siz, büyük beyaz baba mı?"

"Babaları değil, liderleri. Senin de liderin. Ve unutma bunu."

"Benim liderim, doğru; ama onlarla gerçek ilişkin nedir senin?"

Kızıl saçları diken diken oldu. "Lider: Kardeşlik Örgütü'nün lideri olarak onların lideriyim ben."

"Ama emin misin onların büyük beyaz babaları olmadığına?" dedim, yakından gözetleyerek onu, o kızgın sessizliğin farkında ve ayaklarımı hızla altıma doğru çekerken parmaklarımın uçlarından bacaklarıma kadar yükselen ani gerilimi hissederek; "Seni Efendi Jack diye çağırsalar daha iyi olmaz mıydı?"

"Buraya bak," diye başladı söze, masanın üzerinden eğilmek için ayağa fırlayarak; benimle ışık arasına girip masanın kenarına yapışınca sandalyemi arka ayakları üzerinde yarım döndürdüm. Başparmaklarımın ucunda dengemi bularak ileri fırlamaya hazır durumdaydım; yabancı bir dille hızlı hızlı anlaşılmaz bir şeyler konuşuyor, havasızlıktan boğulur gibi oluyor, öksürüyor, başını sallıyordu. Birden onu üzerimde, ötekileriyse onun arkasında gördüm, yüzünden bir şey fırlar gibi oldu. Hayal içindesin, diye düşündüm, masanın üzerine bir şeyin sertçe çarptığını ve yuvarlandığını, onunsa hemen kolunu ileri fırlatarak iri bir bilye büyüklüğünde bir şeyi kaptığını ve "lap" diye bardağına attığını işiterek ve suyun sıçradığını, yağlı masanın üzerine damla damla saçıldığını görebildim. Oda dümdüz olmuş gibi görünüyordu. Onların üzerinde yüksek bir düzlüğe fırladım, sonra aşağı düştüm; sandalyenin bacakları döşemeye vurunca omurgamın ucunda bir sarsıntı hissettim. Atlı karınca hızlanmıştı, onun sesini duyuyor ama artık dinlemiyordum. Bardağa bakıyordum, ışığın nasıl aradan parladığına, masanın koyu renk damarlarına şeffaf, kıvrım kıvrım bir gölgenin vurduğuna bakıyordum, orda, bardağın dibinde bir göz yatıyordu. Cam bir göz. Işık çizgileriyle çarpılmış görünen ayran beyazlığında bir göz. Bir kuyunun karanlık sularından yüzüme dikilmiş bir göz. Sonra ona baktım, üzerime dikilmiş, salonun öteki karanlık yarısına düşen ışıkta vücut hatları daha da belirmiş.

"...Disiplini kabul etmek zorundasın. Ya kararları kabul edersin ya da çıkar gidersin..."

Bir hakarete uğramışlık duygusuyla yüzüne bakıyordum. Sol gözü çökmüştü; gözkapağının bir türlü kapanmadığı yerde çiğ, kırmızı bir çizgi görünüyordu; dik dik bakışları, gücünü yitirmişti. Yüzünden bardağa çevirdim gözlerimi, benim aklımı karıştırmak için bağırsaklarını dışarı döktü, diye düşünürken... Ötekilerse baştan beri biliyorlardı. Şaşırmadılar bile, Jack'in aşağı yukarı yürüyerek bağırdığının farkında, göze dikmiştim gözlerimi ben.

"Kardeş, dinliyor musun beni?" Durdu, bir Tepegöz öfkesiyle beni süzüyordu. "Ne var?"

Cevap veremeyerek yüzüne çevirdim bakışlarımı.

O zaman anladı ve masaya yaklaştı, kötü kötü gülümseyerek, "Demek bu. Seni rahatsız ediyor bu, değil mi? Duygusal adamın birisin sen," dedi, bardağı kaptı; gözü döndü bardağın içinde, şimdi bardağın halkalı tabanından yukardan aşağı beni gözlüyor gibiydi. Bardağı boş göz çukuru düzeyine kadar kaldırmış, döndürüyordu suyu içinde, bir yandan da bana gülümsüyordu. "Bilmiyor muydun bunu?"

"Hayır, öğrenmek de istemiyorum."

Biri güldü.

"Bak, bu senin ne zamandan beri bizimle oluğunu gösteriyor." Bardağı aşağı indirdi. "Görev başında gözümü kaybettim. Ne dersin buna?" dedi, beni daha çok kızdıran bir gururla.

"Siz onu gizli tuttukça metelik vermem onu nasıl kaybettiğinize."

"Çünkü sen özverinin anlamını değerlendiremezsin. Bir hedefe ulaşmam emredilmişti ve ulaştım ona. Anlıyor musun? Bunu başarmak için gözümü kaybetmem gerektiği halde..."

Sanki bir liyakat madalyasıymış gibi bardağın içindeki gözü yukarda tutarak hayran hayran bakıyordu ona.

"O hain Clifton'a benzemiyor pek, değil mi?" dedi Tobitt.

Ötekilerin hoşlarına gitmişti bu.

"Tamam," dedim. "Tamam! Kahramanca bir hareketti. Dünyayı kurtardı, saklayın artık kanayan yarayı!"

"Fazla değer verme ona!" dedi Jack, şimdi biraz daha sakin. "Kahramanlar ölenlerdir. Bu hiçbir şey değildi; geçtikten sonra. Disiplin konusunda ufak bir ders. Ve sen Kişisel Sorumluluk Kardeş, disiplin nedir bilir misin? Özveridir. *Özveri*, ÖZVERİ!"

Bardağı masaya vurdu, elimin üstüne su sıçratarak. Bir yaprak gibi titriyordum. Disiplinin anlamı buymuş demek, diye düşünüyordum, özveri... Evet ve körlük; beni göremiyor o. Beni göremiyor bile. Boğmak üzere miyim onu? Bilmiyorum. Belki de göremiyor. Ben hâlâ bilmiyorum. Anlıyorsun! Disiplin özveridir. Evet ve de körlük. Evet. Ve gözümü yıldırmaya çalışırken benim, ben orada oturuyorum. Tamam, o Allah'ın belası kör cam gözüyle.. Nasıl anladığını göstermeli misin ona? Göstermemeli misin? Bilmemeli mi o? Haydi! Olmaz mı? Şuna bak; iyi işçilik, hiç noksansız bir taklit, canlı gibi duruyor... Mecbursun, değil mi? Belki de konuşmaya başladığı o acayip dili öğrendiği yerde anlamıştır onu. Yapmalısın, değil mi? Bilinmeyen dili konuştur ona, geleceğin dilini. Ne oluyor sana?

Disiplin, öğrenmektir, öyle dememiş miydi? Öyle mi? Ayakta mıyım? Sen burada oturuyorsun, ya ben? Sen devam ediyorsun, ya ben? O öğreneceğini söylemişti o halde öğreniyorsun, öyleyse o onu her zaman gördü. O bir bilmece çözücüdür, göstermeliyiz ona, değil mi? İşte öyle sessiz oturmaktır yolu bunun ve öğren, boş ver göze, o ölüdür... Tamam artık bak ona, bak dönüyor, sol, sağ, kısa adımlarla sana doğru geliyor. Gör onu, sol, sağ! Kısa adımlarla sana doğru geliyor. Gör onu, sol, sağ! Tek gözlü diyakos. Tamam, tamam... Sol, sağ! Kısa bacaklı diyakos. Tamam! Yakala onu! Kısa, değişken diyalektik diyakos... Tamam. İşte bak öğreniyorsun... Kontrol altına al... Sabır... Evet...

Sanki ilk kez gibi bir daha baktım ona; yüksek geniş bir alnı ve kapağını pek kabul etmeyecek kanlı bir göz çukuru olan adamdan ufacık bir çin horozu gördüm. Şimdi daha dikkatli bakıyordum ona, o kırmızı noktaların bir kısmı kayboluyordu yavaş yavaş, bir düşten yeni uyanıyormuş gibi hissediyordum kendimi. Attığım taşlar kendime dönmüştü.

"Neler hissettiğini anlıyorum," dedi, bir oyunda bir parçayı henüz bitirmiş ve tekrar normal sesiyle konuşmaya başlamış bir aktör gibi. "Kendimi ilk kez bu şekilde gördüğüm zamanı anımsıyorum, hoş değildi. Eskisine kavuşsam istemeyeceğimi de sanma." Elini suya soktu, gözü aradı ve ben onun yarı küre şeklinde, yarı şekilsiz biçiminin iki parmağı arasında kaydığını, kırıp çıkmak için bir yol arar gibi bardağın içinde oraya buraya kaçtığını görebiliyordum. Sonra yakaladı, suyunu silkeleyerek ve üzerine üfleyerek odanın karanlık tarafına doğru gitti.

"Ama kim bilir, Kardeşler," dedi arkası dönük, "belki de biz işimizi başarıyla yaparsak yeni toplum bana canlı bir göz verecektir. Böyle bir şey hiç de fazla hayali değildir, epey zamandır gerçek gözümden uzak yaşıyorsam da... Saat kaç, sahi?"

Ama ne çeşit bir toplum onun beni görmesini sağlayacak, diye düşündüm, Tobitt'in, "Altı on beş," dediğini işiterek.

"Öyleyse hemen gitmeliyiz, yolumuz uzak," dedi. Gözünü yerine koymuştu şimdi, gülümsüyordu. "Nasıl?" diye sordu bana.

Başımı salladım, çok yorgundum. Yalnızca başımı salladım. "İyi," dedi. "İçtenlikle dilerim hiç başına gelmez senin. İçtenlikle."

"Eğer gelirse, belki göz uzmanınıza gönderirsiniz beni," dedim, "o zaman başkalarının, beni görmediği gibi görmeyebilirim kendimi."

Garip garip baktı yüzüme, sonra güldü. "Görüyorsunuz, Kardeşler, şaka yapıyor. Tekrar kardeşçe hissediyor kendini. Ama olsun yine de, böyle şeylere ihtiyaç duymamanı dilerim. Bir ara git de Hambro'yu gör. Programı planlayacak ve talimatları verecek sana. Bugüne gelince, bırak her şey olduğu gibi kalsın. Ancak biz öyle yaparsak önemli olan bir gelişmedir. Yoksa unutulup gidecektir," dedi ceketini giyerken. "Ve göreceksin ki en iyisi de budur. Kardeşlik, düzenli, uyumlu bir birlik halinde çalışmalıdır."

Ona baktım. Tekrar kokuları duymaya başlamıştım, bir banyo yapmalıydım. Ötekiler ayağa kalkmışlar kapıya doğru ilerliyorlardı şimdi. Kalktım, gömleğin sırtıma yapıştığını hissettim.

"Son bir şey," dedi Jack elini omzuma koyarak ve sakin sakin konuşarak. "O öfkene de dikkat et, bu da disiplindir. Kardeş, karşıtlarını fikirlerle, tartışma ustalığıyla alt etmesini öğren. Ötekisi düşmanlarımız içindir. Onlara sakla. Ve git de biraz dinlen."

Titremeye başlıyordum. Yüzü ilerliyor, geriliyor, ilerliyor geriliyor gibi görünüyordu. Başını salladı ve çirkin çirkin gülümsedi.

"Neler hissettiğini biliyorum," dedi. "Bütün o çabanın bir hiç uğruna olması çok kötü. Ama bu da kendi içinde bir disiplindir. Sana bugüne kadar öğrenmiş olduğum şeylerden söz ediyorum ve senden bir hayli de büyüğüm ben yaşça. İyi geceler."

Gözüne bakıyordum. Demek biliyor neler hissettiğimi. Sahi hangisiydi kör olan göz? "İyi geceler," dedim.

Tobitt dışında hepsi, "İyi geceler, Kardeş," dediler.

Gece olacak ama iyi olmayacak, diye düşündüm. Son bir kez daha "iyi geceler" diyerek birine.

Gittiler, ceketimi aldım, gidip masama oturdum. Merdivenleri indiklerini, aşağıdaki kapıyı kapattıklarını duydum. Kötü bir güldürü seyretmiş gibi hissediyordum kendimi. Yalnız gerçekti ve ben yaşıyordum onu; tarihsel bakımdan anlamlı yaşayabileceğim tek yaşamdı bu. Eğer onu terk edersem hiçbir yerde olmazdı. Clifton kadar ölü ve anlamsız. Karanlıkta bebeği aradım cebimde ve masanın üzerine fırlattım. Öldüğü muhakkaktı, ölüsünden hiçbir şey çıkmazdı artık. Çöp bidonu karıştıranların bile işine yaramazdı. Çok beklemişti, her şey onun aleyhine dönmüştü. Zorla bir cenaze töreni yapılabilmişti. Hepsi bu kadar. Yalnızca birkaç gün meselesiydi. Ama kaçırmıştı o ve benim yapacağım hiçbir şey yoktu. Ama hiç olmazsa ölmüştü de kurtulmuştu.

Gittikçe daha öfkelenerek ve buna karşı savaşarak bir süre oturdum orada. Ayrılamazdım. Savaşabilmek için ilişkiyi sürdürmeliydim. Ama hiçbir zaman aynı olmayacaktım. Hiçbir zaman. Bu geceden sonra hiçbir zaman aynı görünemezdim, ya da aynı şekilde hissedemezdim. Yalnız ne olacaktı, onu bilmiyordum; eskiden olduğum şeye geri dönemezdim –ki çok bir şey de değildi– ama eskiden olduğum şey olamayacak kadar çok şey kaybetmiştim. Bir parçam, Tod Clifton'la ölmüştü. Bu yüzden Hambro'yu görecektim, ister değsin ister değmesin. Kalktım ve salona gittim. Bardak hâlâ masanın üzerindeydi; odanın ta öbür ucuna fırlattım, karanlıkta gümlediğini ve yuvarlandığını işittim. Sonra aşağıya indim.

Yirmi Üç

Aşağı kattaki bar sıcak ve kalabalıktı, Clifton'un vuruluşu üzerinde ateşli bir tartışma devam ediyordu; kapının yanında ayakta durdum ve bir burbon söyledim. O sırada birisi gördü beni ve içeri çekmeye çalıştılar.

"Ne olur, bu akşam olmaz," dedim. "En iyi arkadaşlarımdan biriydi o"

"Oh, elbet," dediler; bir burbon daha içtim, ayrıldım oradan. 125. Sokak'a vardığımda, suçlu polisin işinden atılmasını isteyen bir dilekçeyi elden ele dolaştıran bir grup özgürlük savaşçısı yanıma yaklaştı; bir blok ötede her zamanki sokak vaizi kadın bile masumların öldürülmesi hakkında vaaz veriyordu bağıra bağıra. Düşünebileceğinden çok daha fazla insan bu vurulma olayı üzerinde düşünüyor, bir kaynaşmadır gidiyordu. İyi, diye düşündüm, belki de sönmeyecek artık bu ateş. Belki Hambro'yu bu akşam görsem iyi olacak.

Cadde boyunca ufak ufak gruplar vardı; gittikçe hızlanarak yürüdüm. Birden kendimi 7. Cadde'de buldum. Orada, bir sokak lambasının altında etrafına en kalabalık grubu toplamış Kışkırtıcı Ras duruyordu; dünyada görmek istediğim en son adam. Tam geriye dönmek üzereydim ki onun bayrakları arasından eğildiğini ve: "Bakın, bakın, kara hanımlar, beyler! Kardeşlik'in temsilcisi gidiyor. Yanlış görmüyor ya, Ras; o bay bizi görmemiş gibi geçip gitmeye mi çalışıyor? Sorun bunu ona. Sizler, ne bekliyorsunuz, efendim? O sizin yalancı Örgüt'ünüz yüzünden bizim kara gencimiz vuruluyor da, siz ne yapıyorsunuz?

Döndüler, bana baktılar, gittikçe yaklaşıyorlardı. Bazıları arkama geldi ve beni kalabalığın içine doğru itmeye çalıştı. Kışkırtıcı, aşağı doğru eğilmiş yeşil trafik ışığı altında beni gösteriyordu.

"Sorun ona, ne yapıyorlarmış bunun için, bayanlar baylar, korkuyorlar mı yoksa; beyazlar ve onun kara kuklaları bize ihanet için birbirlerine mi sokuluyorlar?"

"Çekin ellerinizi üzerimden," diye bağırdım birisi uzanıp kolumu yakalayınca. Alçak sesle bana küfreden bir ses duydum.

"Kardeş'e cevap verme fırsatı tanı!" dedi biri.

Yüzleri hep bana döndü. Gülmek istiyordum; çünkü, birden bir güç gösterisine mi karıştım bilemiyordum, bunu fark ettim. Ama gülmeye gelecek havaları yoktu.

"Bayanlar, Baylar, Kardeşler ve Kız Kardeşler," dedim, "Böyle bir saldırıya cevap vermeyi hor görürüm ben. Hepiniz beni ve yaptıklarımı bildiğiniz için bunun gerekli olduğunu sanmıyorum. Ama ilerisi için çok şeyler vadeden genç arkadaşlarımızdan birinin talihsiz ölümünü, bu türlü saldırılara ve zulümlere son vermek için çalışmış ve çalışmakta olan bir Örgüt'e saldırmaya bir vesile olarak kullanmak çok şerefsizce bir iş gibi görünüyor bana. Bu öldürmeye karşı ayaklanan ilk örgüt hangisiydi? Kardeşlik! Halkı ayağa kaldıran ilk örgüt hangisiydi? Kardeşlik! Halkın davasına doğru ilerleyen ilk örgüt hangisi olacaktır? Yine Kardeşlik!

Biz karşı durduk ve her zaman da duracağız, inanın bana. Ama kendi disiplinli yolumuzda. Ve olumlu hareket edeceğiz. Bizlerin ve sizlerin güçlerini olgunlaşmamış ve yanlış ele alınmış eylemlerde boşuna harcamayı reddederiz. Biz Amerikalıyız, hepimiz, kara olsun beyaz olsun, şurada merdivendeki adam ne derse desin, Amerikalıyız bizler. Ve ölülerin adını kötü emeller için kullanmak o Bay'ın olsun deriz. Kardeşlik Örgütü, yas içindedir ve Kardeş'inin yasını ta içinde duymaktadır. Ve eminiz ki, onun ölümü, daha derin ve kalıcı değişikliklerin başlangıcı olacaktır. Bir adamın güvenle gömülüşünü bir kenarda bekleyip, ondan sonra hemen bir merdivene çıkıp o ölünün inandığı her şeyin anısını lekelemek kolay bir şeydir. Ama onun ölümünden kalıcı bir şey yaratmak zaman ister, dikkatli bir hazırlık ister."

"Bayım," diye bağırdı Ras, "sadede gel. Benim sorumu cevaplandırmıyorsun. *Bu vurulma işine karşı ne yapıyorsunuz?*"

Kalabalığın kenarına doğru yürüdüm. Biraz daha böyle giderse, felaket olurdu bu.

"Kendi bencil amaçların için ölüleri kullanma," dedim. "Bırak rahat uyusun o. Mıncıklayıp durma ölüsünü!"

"Cevap ver! Mezar soyguncusu!" bağırışmalarını duyunca köpürdü. Ben kalabalığı iterek ilerliyordum.

Kışkırtıcı, kollarını sallıyor, bağırarak beni gösteriyordu, "Bu adam beyaz kölecinin parayla tutulmuş kuklasıdır! Bizim kara bebeklerimiz ve kadınlarımız acı çekerken neredeydi o son birkaç aydır?"

"Ölüleri rahat bırak," diye bağırdım; birisinin, "Herif, herif, Afrika'ya git sen. Herkes tanır Kardeş'i," diye seslendiğini duydum.

İyi, diye düşündüm, iyi. Sonra bir itişme oldu arkamda, birden döndüm; iki adamın hemen bir adım ötemde durduklarını gördüm. Ras'ın adamlarıydı.

"Dinle bayım," dedim Ras'a, "kendi iyiliğini düşünüyorsan şu kiralık adamlarını çağırırsın. Peşimden gelmek istiyora benziyorlar."

"Berbat bir yalan bu!" diye bağırdı.

"Eğer bana bir şey olursa tanıklar var. Daha toprağı kurumadan, bir ölünün mezarını açan adamdan her şey beklenir, uyarırım seni."

Kalabalıktan öfkeli bağırmalar işittim ve iki adamın gözleri kinle parlayarak yanımdan geçip gittiklerini gördüm; oradan ayrılıp köşeyi döndüm, kalabalık geride kalmıştı. Ras, Kardeşlik'e saldırıyordu şimdi ve dinleyiciler cevap veriyordu ona.

Yürüdüm, geriye Lenox'a doğru; beni yakalayıp yumruklamaya başladıklarında bir sinemanın önünden geçiyordum. Ama bu kez de yanlış yer seçmişlerdi; sinemanın kapıcısı araya girdi ve onlar Ras'ın sokak toplantısı yaptığı yere doğru gerisin geriye kaçtılar. Kapıcıya teşekkür ettim ve yürüdüm. Şanslıydım; bir şey yapamamışlardı. Ama Ras yeniden cesaretlenmeye başlıyordu. Daha az kalabalık bir sokakta bir şey yapabilirlerdi.

Caddeye varınca kaldırımın kenarında durdum, bir taksiye işaret ettim, hızla geçip gitti yanımdan. Bir ilk yardım arabası geçti, sonra flâması inik bir başka taksi geçti. Caddenin yukarısından bir yerlerden beni gözetlediklerini hissettim; fakat görmedim onları. Neden bir taksi gelmiyordu! O sırada tertemiz, krem rengi yazlık elbiseleri içinde üç adam geldiler, kaldırımın kenarında yakınımda durdular; garip bir şey dikkatimi çekti birden, üçü de koyu renk gözlük takmıştı. Binlerce defa görmüştüm bunu; ama bir Hollywood hayranının boş bir özentisi olarak baktığım şey birden kişisel bir önem kazandı gözümde. Niçin olmasın, diye düşündüm, niçin olmasın; caddenin karşısına atladım ve bir eczanenin serin havası içine daldım.

Güneş siperliklerinin, saç filelerinin, lastik eldivenlerin, bir karton üzerine tutturulmuş takma kirpiklerin karmakarışık yayılı bulunduğu bir tezgâhta gördüm onları ve bulabildiğim en koyu camlısını kaptım. Camları o kadar koyu yeşildi ki siyah görünüyordu, derhal taktım gözüme, karanlığın içine daldım birden ve dışarıya çıktım.

Zorla görebiliyordum; hava neredeyse kararmak üzereydi, sokaklar yeşil bir belirsizlik içinde kaynıyordu. Yavaşça karşıya geçtim, metronun yanında durup gözlerimin alışmasını bekledim. Gözlüğün gerisinden o berbat ışığa bakarken garip bir heyecan dalgası kabarıyordu içimde. Yerin altından sıcak bir havayla birlikte insan dalgaları çıkıyordu dışarıya, alttan geçen trenlerin kaldırımı titrettiklerini hissedebiliyordum. Bir taksi yanaştı bir müşterisini indirmek için; tam ben taksiye binmek üzereydim ki bir kadın çıktı merdivenlerden, geldi, gülümseyerek önümde durdu. Bu da ne, diye düşündüm, onun orada dikildiğini, sımsıkı yazlık elbisesinin içinde gülümsediğini görerek; daha da yaklaştı. Christmas Night marka koku yayıldı vücudundan, iri bir kadındı.

"Rinehart, yavrum, sen misin?" dedi.

Rinehart, diye düşündüm. Demek işe yarıyor. Elini koluma koymuştu, düşündüğümden de daha hızlı. "Sen misin yavrum?" diye cevap verdiğimi duydum kendimin ve soluğumu tutarak bekledim.

"Eh, bir kere de zamanında gelebildin," dedi. "Ama niçin böyle şapkasızsın, nerede satın aldığım yeni şapkan?"

Gülmek istedim. Christmas Night kokusu etrafımı sarmıştı şimdi, yüzünü yüzüme yaklaştırdığını gördüm, gözleri açıldı birden.

"Hey. Rinehart değilsin sen, herif. Ne yapmaya çalışıyorsun? Rine gibi de konuşmuyorsun. Nedir senin derdin?"

Geriye çekilerek güldüm. "Sanırım ikimiz de yanıldık," dedim. Çantasını kavrayarak geriye çekildi; şaşırmış, beni gözlüyordu.

"Gerçekten size bir şey yapmak istemedim," dedim. "Özür dilerim. Beni benzettiğiniz kimse kimdir?"

"Rinehart, yakalamasın seni kendisi olduğunu yutturmaya çalışırken."

"Hayır," dedim. "Ama siz onu gördüğünüze o kadar sevinmiştiniz ki, dayanamadım. Gerçekten şanslı bir insanmış."

"Yemin edebilirdim o olduğuna. Herif, çekil git buradan başımı belaya sokmadan," dedi kenara çekilerek; ben de ayrıldım.

Çok garipti. Ama şu şapka iyi fikir diye düşündüm, Ras'ın adamlarını gözetleyerek hızla yürüdüm. Boşuna harcıyordum zamanı. İlk şapkacı dükkânından içeri daldım, dükkândaki şapkaların en genişini satın aldım ve giydim. Bununla bir kar fırtınasında bile görseler başka birisi sanırlar beni diye düşündüm.

Sonra tekrar caddeye çıktım, metroya doğru yürüdüm, gözlerim çabucak alışmıştı; dünya koyu yeşil bir yoğunluk kazanmıştı, arabaların lambaları yıldızlar gibi parlıyordu, yüzler esrarlı birer bulanıklıktı; sinema binalarının gösterişli, parlak ışıkları yumuşak, korku verici bir parlayışa dönüşüyordu. Kurula kurula Ras'ın toplantısına doğru, geriye yöneldim. Gerçek bir denemeydi bu; eğer iyi giderse korkusuz gidebilirdim artık Hambro'ya. Önümüzdeki kızgın dönemde etrafı dolaşabilirdim böylece.

İki adam, ağır ipek spor gömleklerini vücutlarının üzerlerinde ritmik bir hareketle savuran kaygısız uzun adımlarla, kaldırımı yercesine yaklaşıyordu. Onlar da koyu renk gözlükler takmışlardı, şapkaları tepelerinde upuzun, kenarları aşağı kıvrık. İki züppe, diye düşündüm, tam ağızlarını açtıklarında.

"Ne diyon, babalık," dediler.

"Rinehart, babam, işler nasıl bugünlerde," dediler.

Hay Allah, arkadaşları galiba, diye düşündüm, el sallayarak devam ettim yoluma.

"Neler çevirdiğini senin biliyoruz, Rinehart," diye bağırdı biri. "Heyecanlanma İhtiyar, heyecanlanma!"

Şakayı anlamış gibi tekrar el salladım. Arkamdan güldüler. Blokun sonuna geliyordum artık, terden sırılsıklam olmuştum. Kimdi bu Rinehart, neler çeviriyordu? Daha ileri giden yanlış benzetmelerden kaçınmak için hakkında daha çok şey öğrenmeliydim...

Radyosu bas bas bağıran bir araba geçti. Daha ilerde Kışkırtıcı'nın kalabalığa sert sert bağırdığını duyabiliyordum. Sonra daha yakınına geldim kalabalığın, içinden yayaların geçmesi için bırakılan yerde açık açık durdum. Geriye doğru mağaza vitrinlerinin önünde ikişerli dizilmişlerdi. Dinleyiciler önümde yeşile boyalı bir karanlık içinde birbirine karışıyordu. Kışkırtıcı, kudurmuş gibi, Kardeşlik'e atıp tutuyordu.

"Hareket zamanı gelmiştir. Harlem'den kovmalıyız onları," diye bağırıyordu. Bir an, gözlerini gezdirirken etraftaki yüzlerde beni yakaladı sandım, bütün vücudum gerildi.

"Ras, kovun onları!" dedi. "Kışkırtıcı Ras'ın YIKICI Ras olması zamanı gelmiştir!"

Onaylama bağırışları yükseldi; arkama baktım, beni izlemiş olan adamları gördüm, *yıkıcı* demekle ne demek istedi, diye düşündüm?

"Tekrar ediyorum, kara bayanlar ve baylar, hareketin zamanı gelmiştir! Ben Yıkıcı Ras, tekrar ediyor, zaman gelmiştir!"

Heyecanla titredim; beni tanımamışlardı. Tamam, oluyor, diye düşündüm. Şapkayı görmüşlerdi, beni değil. Bir sihir var onda. Burunlarının dibindeyken, gizliyor beni... Ama birden bu güveni yitirdim. Ras böyle Harlem'de beyaz olan, beyaza ait olan her şeyi yakmaya yıkmaya çağırırken kim farkıma varabilirdi benim? Daha iyi bir denemeye ihtiyacım vardı. Eğer planımı yürüteceksem... Hangi plan? Allah kahretsin, ne bileyim ben, yürü...

Sallana sallana kalabalıktan çıktım ve ayrıldım oradan, Hambro'nun evine yöneldim.

Şık giyimli bir grup genç geçerken selâmladı beni. "Vay merhaba, babo," diye seslendiler. "Vay merhaba!"

"Vay merhaba!" dedim.

Belli bir tarzda giyinmek ve yürümekle, bir bakışta tanındığım bir kardeşlik listesine girmiş gibiydim sanki; çehreyle değil de elbiselerle, üniformayla, yürüyüşle. Bu ise bir başka kuşkuya yol açıyordu. Bir züppe değil, bir tür politikacıydım ben. Yoksa öyle miydim? Gerçek bir deneme yapsam ne olurdu? Jolly Dollar'da bana o kadar hakaret etmiş olan adamlarla mesela. Bunu düşündüğümde 8. Cadde'nin karşısında yarı yoldaydım, geriye döndüm ve yukarıya giden bir otobüse atladım.

Her günkü müşterilerden birçoğu barın etrafını almıştı salkım saçak. Oda kalabalıktı, Barrelhouse görevdeydi. Şapkamı eğip barın kenarına doğru sıkışırken, gözlüğün çerçevesinin burnumu acıttığını hissediyordum. Barrelhouse kabaca baktı bana, dudakları sarkmış.

"Ne marka içiyorsun bu gece baba dostu?" dedi.

"Ballantine olsun," dedim sesimi hiç değiştirmeden.

Birayı önüme koyarken ve koskocaman elini para için barın üzerinde şaklatıp dururken gözlerinin içine bakıyordum. Sonra, kalbim daha hızlı çarparak, benim eski ödeme hareketimi yaptım; parayı barın üzerinde döndürdüm ve bekledim. Para yumruğu içinde kayboldu.

"Teşekkürler, babam," dedi oradan uzaklaşıp, beni kuşku içinde bırakırken. Sesinde bir tür tanıma belirtisi vardı ama benim için değil. O, hiçbir zaman "babam" ya da "baba dostu" demezdi bana. Oluyor, diye düşündüm, çok iyi işliyor belki de.

Mutlaka bir şeyler oluyordu bana, derinden bir şeyler. Ama yine de rahattım. Hava sıcaktı. Belki de bundandı. Arkaya, odanın gerisine, kabinlerin bulunduğu yere bakarak soğuk birayı içtim. Bir erkek ve kadın kalabalığı, duman yeşili bir sis içinde karabasan şekilleri gibi kaynaşıp duruyordu. Otomatik pikap bas bas bağırıyordu; karanlık, bulanık bir mağaranın derinliklerine bakar gibiydi. Birisi kenara çekilince, barın bir yuvarlak çizdiği yerden ötede, aşağı yukarı kımıldayan başların ve omuzların üzerinden bakınca otomatik pikabı gördüm; kötü bir cehennem düşü gibi aydınlatılmıştı, bağırıyordu:

Jelly, Jelly
Jelly
Bütün gece

Ama o hafta çekilecek piyango için numara satan adamı seyrederken, Kardeşlik'in kesin olarak girdiği bir yer burası yine de, diye düşündüm. Bütün o açıklamak zorunda kalacağı şeylerle birlikte bunu da açıklasın Hambro.

Bardağı diktim ve gitmeye davrandım; tam o sırada yemek yenen tezgâhın orada Maceo Kardeş'i gördüm. Ta yanına gelinceye kadar kılık değiştirdiğimi unutarak, içimden gelen bir itişle yürüdüm ona doğru, sonra kendimi şöyle bir tarttım ve kılık değişikliğimi bir denemeden daha geçirmeye karar verdim. Kolumu kabaca omzunun üzerinden atarak, şekerlikle biber salçası şişesi arasında duran yağlı bir yemek listesini aldım ve koyu renkli gözlüğümün arkasından okuyormuş gibi yaptım.

"Pirzolalar nasıl, babam?" dedim.

"Bu yediğime bakılırsa güzel."

"Ya? Ne bilirsin pirzolalara dair?"

Başını yavaş yavaş kaldırdı, alçak, mavi, dönen alevler karşısında şişlere geçirilmiş piliçlere yandan bakarak, "Herhalde senin kadar bilirim," dedi, "belki de daha fazla; senden birkaç yıl daha fazla ve senden daha çeşitli yerlerde yediğime göre. Hem nasıl gelip de benim işime karışabiliyorsun sen, sahi?"

Döndü, dosdoğru yüzüme bakıyordu şimdi, meydan okuyordu. Pek yürekliydi, gülmek istiyordum.

"Ağır ol," diye mırıldandım, "insan soru da mı soramaz. Yani?"

Oturduğu taburede tamamen dönerek, "Cevabını aldın," dedi.

"Haydi şimdi bıçağını da çek artık."

"Bıçak mı?" dedim gülmek isteği içinde. "Kim söz etti sana bıçaktan?"

"Onu düşünüyorsun. Birisi hoşunuza gitmeyen bir şey söyler, sizin gibi adamlar hemen sustalıyı çeker. Haydi, haydi çeksene. Her zaman olduğu gibi ölüme hazırım. Görelim seni hadisene!"

Şekerliğe uzanmıştı şimdi; birden önümdeki yaşlı adamın Maceo Kardeş değil de beni şaşırtmak için kılık değiştirmiş biri olduğunu hissederek duruyordum orada. Gözlük gereğinden fazla iş görüyordu; yaşlı yürekli bir Kardeş, diye düşündüm ama yetmezdi bu kadarı.

Tabağını işaret ettim. "Sana şu pirzolaları sordum" dedim, "senin pirzolanı değil. Bıçaktan laf eden oldu mu sana?"

"Boş ver ona, sen çek bıçağını yine," dedi. "Görelim seni. Yoksa arkamı dönmemi mi bekliyorsun? Tamam öyleyse, işte, işte sırtım" dedi hızla dönerek taburede, sonra tekrar bana döndü, kolu şekerliği fırlatmaya hazır.

Müşteriler bakmak için dönüyorlar, etrafı açıyorlardı.

"Ne var, Maceo?" dedi biri.

"Hiçbir şey, baş ederim ben; bu küstah orospu çocuğu gelmiş meydan okuyor burada."

"Ağır ol İhtiyar," dedim. "Dilini tut da başımı belaya sokma." Bir yandan da, niçin böyle konuşuyorum, diye düşünüyordum.

"Sen merak etme onu, orospu çocuğu, çek sustalını!"

"Ye onu. Maceo, indir kafasına orospu dölünün!"

Sesin yerini kulağımla saptadım, Maceo'yu da görebilecek şekilde döndüm; kışkırtan adam ve öteki müşteriler kapıyı tutuyorlardı. Otomatik pikap bile susmuştu; tehlikenin ne kadar hızla büyüdüğünü hissediyordum, düşünmeksizin hareket ediyordum, çabucak sıçradım bir kenara, bir bira şişesini kaptım, vücudum titriyordu.

"Pekâlâ," dedim, "istediğiniz buysa, pekâlâ! Bundan sonra sırası gelmeden konuşan, yer bunu kafasına!"

Maceo kımıldandı, şişeyi fırlatacakmış gibi yaptım; bir yana kaçtı, kolu elindeki şişeyi atmaya hazır ama ben kendisini sıkıştırdığım için öylece tutuyordu elinde! Yeşil camların gerisinden düşteki bir insana benziyordu; iş elbisesi içinde, başında uzun güneşlikli bezden bir şapka, yaşlı bir adam.

"At onu," dedim, "haydi!" Olanların çılgınlığı ile yüreklenmiştim. Bir kılık değişikliğini bir arkadaş üzerinde denemek istemiştim, şimdi ise onu dize getirinceye kadar dövmeye hazırdım; istediğim için değil de yer ve durumdan dolayı. Tamam, tamam, saçmaydı ama yine de gerçek ve tehlikeliydi ve kımıldasa bütün gücümle indirecektim şişeyi. Kendimi korumak için mecburdum buna; yoksa sarhoşlar hep birlikte saldıracaktı bana. Birden bir sesin bomba gibi patladığını duydum:

"Benim yerimde kavga yok!" Barrelhouse'du bu. "Bırakın elinizdeki şeyleri, hepiniz; para veriyoruz onlara."

"Has'tir be, Barrelhouse, bırak dövüşsünler!"

"Sokaklarda dövüşsünler, burada değil. Hey, sizler," diye bağırdı, "buraya bakın..."

Gördüm onu, koskoca avcu içinde bir tabanca, ileri doğru eğilmiş, barın üzerine dayamış elini.

"Haydi, bırakın onları, ikinizde," dedi acıklı acıklı.

"Benim malımı bırakın yere, dedim size."

Maceo Kardeş Barrelhouse'a döndü, baktı.

"Bırak onu, İhtiyar," dedim, bu gerçekten ben değilsem niçin gurur meselesi yapıyorum bunu, diye düşünerek.

"Sen bırak seninkini" dedi.

"*İkiniz* de bırakın ve sen Rinehart," dedi Barrelhouse, tabancasıyla beni göstererek. "Benim yerimden defol, uzak dur. Senin parana ihtiyacımız yok burada."

Direnecek oldum ama elini kaldırdı.

"Benim sana bir şey dediğim yok, Rinehart, yanlış anlama beni, belaya gelemem," dedi Barrelhouse.

Maceo Kardeş elindeki şekerliği yerine koymuştu, ben de şişeyi bıraktım ve geri geri kapıya doğru gittim.

"Ve Rine," dedi Barrelhouse, "tabanca filan çekeyim de deme; çünkü şu elimdeki dalga dolu ve kullanma iznim var."

Kapıya geriledim, saçlarım diken diken, her ikisini de gözleyerek.

"Bir dahaki sefere cevaplandırılmasını istemediğim sorular sorma," diye seslendi Maceo. "Bu tartışmayı bitirmek istiyorsan eğer geleyim."

Dışarıdaki havanın patladığını hissettim etrafımda; tam kapının dışında duruyordum, şakanın kakaya dönmeyişinden birden rahatlamış gülüyor, uzun sakındıraklı şapkasıyla meydan okuyan yaşlı adama ve kalabalığın bozulmuş yüzüne bakıyordum. Rinehart, Rinehart, diye düşünüyordum. Nasıl bir adam bu Rinehart?

Öteki blokta bir grup insana yanaşıp trafik ışıklarının değişmesini beklerken hâlâ kıkırdıyordum; onlar köşede durmuş, bir şişe ucuz şarabı elden ele dolaştırıyorlar, bir yandan da Clifton'un öldürülmesini tartışıyorlardı.

"Bizim silaha ihtiyacımız var," diyordu birisi. "Göze göz."

"Namussuzum, doğru, hem de makineli tüfeğe. Ver şu zıkkımı, Muckleroy."

"Zaten bu Sullivan Kanunu yüzünden değil mi ki şu New York bir atış galerisine döndü," diyordu bir başka adam.

"Al zıkkımı; ama şişenin dibine düşme sakın..."

"Düşüp düşeceğim bir tek bu var, Muckleroy. Onu da mı almak istiyorsun elimden?"

"Oğlum, iç de gönder o lanet şişeyi."

Onlara doğru yöneldim, birisinin, "Ne söylüyorsun, Bay Rinehart, dalgan nasıl çalışıyor?" dediğini işittim.

Burada bile mi, diye düşündüm birden hızlanarak. "Ağır," dedim, buna asıl cevabı biliyordum: "Çok ağır." Güldüler.

"Eh, sabaha hafifler."

"Hey, buraya bak, Bay Rinehart, bir iş versene bana?" dedi bir tanesi bana doğru yaklaşarak; ben el salladım ve caddeyi geçtim, karşıya, 8. Cadde'ye doğru öteki otobüs durağına hızla yürüdüm. Dükkânlar ve iş yerleri karanlıktı şimdi, çocuklar kaldırımlar boyunca koşuyor, bağrıp çağrıyorlardı büyükler arasında, saklambaç oynar gibi. Camların arasından görülen şekillerin birbirine karışmış akıcılığına şaşarak yürüyordum. Dünya Rinehart'a bu şekilde mi görünüyordu acaba? Bütün kara gözlüklü oğlanlara? Çünkü şimdi biz bir camın arkasından bakar gibi karanlık görüyoruz; ama sonra, ama sonra... Gerisini anımsayamıyordum.

Bir torba vardı elinde, ihtiyatla atıyordu adımlarını. Koluma dokununcaya kadar kendi kendisiyle konuşuyor sanıyordum ben.

"Affedersin diyorum, oğul, beni görmeden geçmeye çalışıyorsun gibi; bu gece son numara nedir?"

"Numara mı? Ne numarası?"

"Hadi hadi biliyorsun ne demek istediğimi," dedi sesini yükselterek; ellerini kalçalarına dayamış, ileri doğru bakıyordu. "Bugünün son numarası demek istiyorum. Piyangocu Rine değil misin sen?"

"Piyangocu Rine mi?"

"Evet, Piyangocu Rinehart; kimi kandırmaya çalışıyorsun?"

"Ama benim adım bu değil, madam," dedim, elimden geldiği kadar kesin konuşarak ve bir adım geriye çekilerek. "Bir yanlışınız olacak."

Ağzı açık kaldı. "Sen değil misin? Eh! Ama niçin o kadar benziyorsun ona?" dedi sesinde kızgın bir kuşkuyla. "Bak, Allah'ın işine. Eve gideyim bari; rüyam çıkarsa, çıkıp arayayım o rezili. Paraya da nasıl ihtiyacım var.

"Dilerim kazanırsınız," dedim, onu daha iyi görmek için uzanarak. "Dilerim öder."

"Teşekkürler, oğul, tabii ödeyecek. Anlıyorum ki Rinehart değilmişsin şimdi. Özür dilerim durdurduğum için seni."

"Aldırmayın," dedim.

"Ayakkabılarına bakmış olsaydım, anlardım."

"Niçin?"

"Çünküm Piyangocu Rine düğme burunlu ayakkabılarıyla tanınır."

Kadının Zion gemisi gibi sağa sola sallanarak aksaya aksaya gittiğini gördüm. Hiç kuşkusuz herkes tanıyor onu, diye düşündüm, bu meslekte herkesi tanımak zorundasın. Clifton'un vurulduğu günden beri ilk kez farkına varıyordum siyah beyaz ayakkabılarımın.

Devriye otomobili kaldırımın kenarına yanaşıp benimle yan yana gitmeye başlayınca, polis daha ağzını açmadan ben ne olacağını anlamıştım.

"Sen ha, Rinehart, adamım?" dedi arabayı kullananın yanındaki polis. Beyazdı. Şapkasındaki rozetin parladığını görüyordum; ama numara belirsizdi.

"Bu defa değil, memur bey," dedim.

"Ne söylüyorsun be; ne yapmaya çalışıyorsun? Karşı mı çıkıyorsun?"

"Yanılıyorsunuz," dedim, "ben Rinehart değilim."

Araba durdu, yeşil camlı gözlüğümde bir el feneri parladı. Caddeye tükürdü. "Eh, sabaha kadar o olursan iyi edersin," dedi, "bizim payımızı da her zamanki yere getirirsen iyi olur. Kim olduğunu sanıyorsun lan?" diye bağırdı araba uzaklaşıp hızlanırken.

Ve daha dönmeme vakit kalmadan köşedeki bilardo salonundan bir grup adam koşarak geldi. Bir tanesinin elinde bir otomatik vardı.

"O orospu çocukları ne yapmaya çalışıyorlardı sana, babalık," dedi.

"Bir şey yok, beni bir başkası sandılar."

"Kime benzettiler seni?"

Yüzlerine baktım; serseri takımından kimseler miydiler, yoksa vurulma olayının heyecana getirdiği kimseler mi?

"Rinehart diye birisi," dedim.

"*Rinehart*. Hey duydunuz mu hepiniz?" diye kahkahayı bastı eli tabancalısı. "Rinehart? Aynasızların gözleri kör galiba. Herkes anlar senin Rinehart olmadığını?"

Bir başkası, elleri pantolonunun ceplerinde yüzüme dikkatle bakarak:

"Ama sahiden benziyor Rine'a," dedi.

"Namussuzum benziyor."

"Hadi ulan sen de, Rinehart gecenin bir saatinde Kadillak'tadır. Ne söylüyorsun sen?"

Eli tabancalı olan, "Dinle Jack," dedi. "Rinehart'a benzettirme kendini. Yumuşak bir dilin olacak, acımasız bir kalbin ve de her şeyi yapmaya hazır olacaksın. O aynasızlar bi daha rahatsız ederse seni, bize söyle yeter. Maksadımız bu günlerde halka ettiklerini biraz durdurmak."

"Tabii," dedim.

"Rinehart," dedi yine. "Piçoğlu piçe bak sen!"

Döndüler ve tartışarak bilardo salonuna geri gittiler; ben de hızla uzaklaştım oralardan. Bir an için Hambro'yu unutmuş, batı yerine doğuya yürüyordum. Gözlüğü çıkarmak istedim ama sonra çıkarmamaya karar verdim. Ras'ın adamları hâlâ beni arıyor olabilirlerdi.

Daha sessizdi ortalık şimdi. Cadde yayalarla dolu olduğu halde, –hepsi de esrarlı yeşil bir renk içinde karmakarışık– kimse özel olarak bana dikkat etmiyordu. Belki de nihayet onun bölgesinden çıktım, diye düşündüm ve Rinehart'ı gördüğüm, duyduğum şeylere bakarak yerine oturtmaya çalıştım. O, bütün bu süre içinde buralardaydı, bense başka bir yere bakıyordum. Etrafımdaydı, başkaları da onun gibi; ama Clifton'un ölümüyle (yoksa Ras'dan sonra mı?) gözlerim açılıncaya kadar görmeden geçip gitmiştim onu. Görünen şeylerin dış yüzünün altında neler yatıyordu böyle? Koyu renk gözlük, bir beyaz şapka, kimliğimi bu kadar çabuk bozabiliyorsa, gerçekten kim kimdi?

Egzotik bir kokuydu, yuvarlana yuvarlana geliyordu sanki arkamdan; geriye baktığımda peşimden bir kadının yürüdüğünü fark ettim.

"Beni tanıyasın diye bekliyordum, baba!" dedi bir ses. "Ne zamandır bekliyorum."

Hoş bir sesti; hafif boğuk, pürüzlü ve uyku dolu.

"Duymuyor musun beni, babam?" dedi. Durup etrafıma baktım. "Yok babam, yok, geriye bakma; benim moruk peşimdedir belki. Yalnızca yürü yanımda da beni nerede bulacağını söyleyeyim. Yemin ederim artık bir daha gelmeyeceksin sanmıştım. Bu akşam görebilecek misin beni?"

Yaklaşmıştı bana şimdi, birden ceketimin cebinde bir elin bir şeyler arandığını hissettim.

"Pekâlâ, baba, hemen azarlamaya kalkma, al işte; şimdi görecek misin beni?"

Çakılmış kalmıştım oraya, elini yakaladım, yüzüne baktım, yeşil camların arkasından bile egzotik bir kızdı; birdenbire bozulan bir gülümseyişle bakıyordu bana. "Rinehart, *babam*, neyin var?"

İşte yine başladık, diye düşündüm, daha sıkı tutarak onu.

"Ben Rinehart değilim, bayan," dedim. "Ve bu gece ilk kez gerçekten o olmadığıma özgünüm."

"Allah aşkına, babam, Rinehart! Bebeğini başından defetmeye çalışmıyorsun, değil mi babam? Ne yaptım ben sana?"

Kolumu yakalamıştı, kaldırımın ortasında yüz yüze duruyorduk. Ve birden çığlığı bastı, "Ooooo! Gerçekten değilmişsin! Ben de tuttum onun parasını sana vermeye çalışıyorum. Uzaklaş benden, sersem. Çekil yanımdan!"

Geriledim. Yüksek topuklarını yere vurup çığlığı bastığında yüzü bozulmuştu. Arkamdan birisinin, "Hey, ne oluyor?" dediğini işittim; sonra koşan ayak sesleri geldi, fırladım, çığlıklarını köşenin arkasında bırakarak kaçtım. Ne hoş kızdı, diye düşünüyordum, ne hoş kızdı.

Birkaç blok koştuktan sonra soluk soluğa durdum. Hem hoşuma gitmişti, hem kızmıştım. İnsanlar ne kadar budala olabiliyordu? Herkes kaçırmış mıydı yoksa birden? Etrafıma baktım. Aydınlık bir caddeydi, kaldırımlar insanla doluydu. Kaldırımın kenarında soluk almaya çalışarak dikiliyordum. Caddeden yukarı doğru; kaldırımın üzerinde bir haç işareti parlıyordu.

KUTSAL YOL İSTASYONU
YAŞAYAN TANRI'YI GÖR

Harfler koyu yeşil parlıyordu, gözlük camlarından mı, yoksa neon lambalarının kendi rengi miydi, meraklandım. İki sarhoş yıkıla yıkıla geçip gitti yanımdan. Kaldırımın kenarında başı dizleri üzerine eğik oturmuş bir adamın yanından geçerek Hambro'nun yolunu tuttum. Arabalar geçip gidiyordu. Yürüyordum. Yüzlerinde yapma bir ciddiyet, iki çocuk el ilanları dağıtarak geliyordu; önce reddettim, sonra geri döndüm ve aldım. Ne de olsa, toplulukta ne olup bittiğini öğrenmeliydim. İlanı aldım ve sokak ışığına yanaşıp okudum:

Görülmeyeni gör
Sen ne dersen o olur, Tanrım!
Hepsini görürüm, bilirim hepsini, söylerim, iyileştiririm.
Bilinmeyen harikalar göreceksiniz.
Saygıdeğer B.P. Rinehart,
Ruh Teknoloğu.

Eski daima yenidir.
Esrarlar ülkesi, New Orleans'da Yol İstasyonları,
Birmingham, New York, Detroit ve L.A.
Tanrı için Zor Sorun Yoktur.
Yol istasyonuna gel.
GÖRÜLMEYENİ GÖR!
Haftada Üç defa, ayinlerimize dua toplantılarımıza katıl,
ESKİ'nin ZAMANE DİNİNİN YENİDEN KEŞFİN'de bize katıl
GÖRÜLEN GÖRÜLMEYENİ GÖR
GÖRÜLMEYENİ GÖR
SEN Kİ YORGUNSUN, YUVANA GEL!
YAPILMASINI İSTEDİĞİN ŞEYİ YAPIYORUM! BEKLEME!

Kağıt parçasını lağıma attım ve yürüdüm. Ağır ağır yürüyordum. *Olabilir miydi?* Hızla, ışıklı yazının oraya geldim. Bir kilise haline sokulmuş bir dükkânın üzerinde asılı duruyordu; iki üç basamakla inilen giriş yerine daldım, bir mendille yüzümü sildim. Arkamda, kampustan ayrıldıktan sona bana hiç duymamışım gibi gelen eski usulde bir duanın yükseliş alçalışlarını duyuyordum; o zaman bile gezginci köy vaizlerinden duyardım bunları. Ses, ritmik, düş gibi bir okuyuş içinde yükselip alçalıyordu. Bir cemaatin katlandığı dünyevi sıkıntıları sayıyor; bir, esriklik halinde bir ses gösterisi oluyor, bir Tanrı'ya yakarı. Ben hâlâ yüzümü siliyordum, pencerelere acemice işlenmiş İncil'den sahneleri seyrediyordum ki, iki yaşlı bayan bana doğru geldi.

"İyi akşamlar, Saygıdeğer Rinehart," *dedi* bir tanesi. "Bu sıcak akşam vakti aziz pederimiz nasıllar?"

Yo, olmaz, diye düşündüm; ama belki de kabul etmek inkâr etmekten daha az iş çıkarırdı başıma; "İyi akşamlar olsun, Kardeşler," dedim mendilimle sesimi gizliyerek ve elimde kızdan kalmış kokuyu duyarak.

"Bu, Kız Kardeş Haris, Saygıdeğer. Küçük şarkı grubumuza katılmaya geldi."

"Tanrı seni kutlasın, Kız Kardeş Haris," dedim, uzattığı elini tuttum.

"Biliyorsunuz, Saygıdeğer, yılar önce bir defa işitmiştim sizi vaaz verirken. O zaman ufacık, on iki yaşında bir çocuktunuz, Virginia'da. Ve şimdi Kuzey'e geliyorum ve sizi buluyorum; Tanrım şükürler olsun, hâlâ İncil'i vaaz ediyorsunuz. Tanrı hizmeti görüyorsunuz. Bu günahkâr kentte hâlâ eski zamanın dinini vaaz ediyorsunuz."

"Şey, Kız Kardeş Harris," dedi öteki Kız Kardeş, "içeri gitsek de yerlerimizi bulsak iyi olur. Hem, Peder'in yapacak işleri vardır. Biraz da erken geldiniz galiba, değil mi Saygıdeğer Peder?"

"Evet," dedim mendilimle ağzımı hafifçe kurulayarak. Güney'in yaşlı, ana tipli kadınlarındandılar, nerden geldiği bilinmez bir keder hissettim birden. Onlara Rinehart'ın bir sahtekâr olduğunu söylemek istedim; ama şimdi kilisenin içinden bir bağırtı geliyordu, müziğin birden gürültüyle başladığını duydum.

"Bir dinle, Kız Kardeş Haris. Bu, Saygıdeğer Rinehart'ın bize kazandırdığını söylediğim yeni bir gitar müziği çeşidi. Ne ilahi, değil mi?"

"Tanrı'ya şükürler olsun," dedi Kız Kardeş Haris. "Tanrı'ya şükürler olsun!"

"Bizi bağışlayın Saygıdeğer Peder, bina için topladığım paralarla ilgili olarak Kız Kardeş Judkins'i görmem gerek. Ve, Saygıdeğer Peder, dün gece sizin o etkileyici vaazlarınızdan on plak sattım. Hatta birini yanında çalıştığım beyaz hanıma."

Keder yüklü bir sesle, "Tanrı sizi kutsasın," derken buldum kendimi, "kutsasın, kutsasın."

Sonra kapı açıldı ve onların başlarının üzerinden erkek ve kadınların katlanan sandalyelere oturdukları ufacık, kalabalık bir oda gördüm; önde, modası geçmiş bir siyah elbise içinde incecik bir kadın, dikine bir piyanoda tutkulu bir boogie-woogie çalıyordu; yanında, başına bir takke giymiş genç bir adam, tavandan, beyaz ve altın sarısı renklerle parlayan bir vaiz kürsüsünün üzerine asılmış bir amplifikatöre bağlanmış elektronik gitardan ustaca sesler çıkararak ona eşlik ediyordu. Geniş bir yakası olan, zarif kırmızı bir kardinal elbisesi giymiş bir adam vardı, kocaman bir İncil'in yanında duruyor, cemaatin bilinmeyen bir dilde yüksek sesle söylediği zor bir ilahiyi yönetiyordu. Arkasındaki duvara, geriye, yükseğe altın harflerle bir yazı tutturulmuş, kemer şeklinde:

IŞIK OLSUN!

Yeşil ışıkta bütün sahne belirsiz ve esrarlı bir hava içinde titriyordu; sonra kapı kapandı ve ses kayboldu.

Çok fazlaydı artık benim için bu. Gözlüğümü çıkardım, beyaz şapkayı dikkatle koltuğumun altına sıkıştırdım ve uzaklaştım. Olabilir mi, diye düşündüm, gerçekten olabilir mi? Ve olduğunu biliyordum. Daha önce duymuştum onu; ama bu kadar yakınlaşmamıştım ona. Yine de bütün bunların her biri olabilir miydi: Piyangocu Rine, kumarbaz Rine, rüşvet veren Rine, aşık Rine, Saygıdeğer Peder Rine? Aynı şeyin hem içi, hem kabuğu olabilir miydi o? Gerçek olan neydi, peki? Ama nasıl kuşkulanabilirdim? Koskoca bir adamdı o, her parçası bir yerde dolaşan. Boyuna dolaşan Rinehart. Ben ne kadar gerçeksem o da o kadar gerçekti. Dünyası, olasılıktı ve o bunu biliyordu. Benden yıllarca öndeydi, bense budalanın biriydim. Kaçık ya da kör olmalıydım. İçinde yaşadığımız dünya sınırsızdı. Engin bir kargaşa, kızgın bir akıcı dünya ve alçak Rine rahattı onun içinde. Kim bilir belki de yalnız düzenbaz Rine rahattı onun içinde. İnanılmaz şeydi; ama belki de yalnızca inanılmayan şeylere inanılabiliyordu. Belki de gerçek hep bir yalandı.

Belki de, diye düşündüm, her şey bütünüyle, Jack'in cam gözünden yuvarlanan su damlacıkları gibi yuvarlanıp düşmeliydi gözümden. Ona uygun politik sınıflandırmayı bulup, Rinehart'a ve durumuna yaftasını yapıştırdıktan sonra unutmalıydım. Kiliseden o kadar hızla dışarı çıktım ki, Hambro'ya gitmekte olduğumu hatırlamaya vakit kalmadan kendimi tekrar büromda buldum. Hem sarsılmış, hem büyülenmiştim. Rinehart'ı tanımak istiyordum; ama, diye düşündüm, onu tanımak zorunda olmadığımı bilmekten rahatsızım, onun varlığının farkına varmış olmam, insanların beni Rinehart sanmaları, Rinehart'ın gerçek olduğuna inandırmaya yeterdi beni. Olabilir de; çünkü bilinmeyen bir şey bu. Jack böyle bir olasılığı hayal edemezdi, ona o kadar yakın olduğunu sanan Tobitt de. Çok az şey biliniyordu. Çok fazla şey karanlıktı. Clifton'un ve Jack'in kendisini düşünmüştüm; onların her birine dair ne kadar şey biliniyordu? Benim hakkımda ne kadar şey biliniyordu? Eski hayatımdan kim çıkıp da dikilmişti karşıma? Ve aradan bu kadar uzun zaman geçtikten sonra ancak keşfetmiştim Jack'in olmayan gözünü.

Bütün vücudum kaşınmaya başladı, sanki bir alçı kalıbından henüz çıkmıştım da, yeni hareket serbestliğine alışamamıştım henüz. Güney'de herkes tanırdı sizi; ama Kuzey'e gelmek bilinmeyenin içine atılmak demekti. Büyük bir kentin caddelerinde günlerce yürürdünüz de kaç gece sizi tanıyan bir tanrı kuluna rastlamazdınız. Kendinizi gerçekten yenileyebilirdiniz. Kavram korkutucuydu; çünkü yeni dünya gözlerimin önünden akıyor gibiydi. Bütün sınırlar yıkılmış; özgürlük yalnızca zorunluluğun tanınması değildi, olasılığın tanınmasıydı da. Ve orada öylece titreyerek otururken, Rinehart'ın çok yanlı kişiliğinin ortaya çıkardığı olasılıkları bir anda gördüm ve geri ittim bu düşünceyi. Üzerinde düşünülemeyecek kadar uçsuz bucaksız ve karışıktı. Sonra gözlüğün parlak çamlarına baktım ve güldüm. Onları yalnızca kılık değiştirmek, tanınmamak için kullanmaya çalışmıştım ama onlar politik bir araç olmuştu şimdi; çünkü Rinehart kendi işinde kullanabiliyordu onları, hiç kuşkusuz ben de kendi işimde kullanabilirdim. Çok basitti; ama daha şimdiden gerçeğin yeni bir bölümünü sermişti gözümün önüne. Komite ne derdi buna? Kuramları ne söylerdi onlara böyle bir dünya hakkında? Her zamanki şapkasını giyeceğine başına beyaz bir sarık sardığı için, Güney'de karşılaştığı o güzel davranışı onlara anlatan bir boyacı çocuğun raporu geldi aklıma, bir gülmedir tuttu. Jack, işlerin böyle olduğunu daha söyler söylemez köpürür, gazaba gelirdi Ama gerçek payı da vardı içinde; kendisinin tanımladığını sandığı gerçek kaostu bu; ne kadar uzak görünüyordu şimdi... Kardeşlik'in dışında tarihin dışındaydık biz; ama onun içinde de onlar bizi görmüyorlardı. Berbat şekilde karmakarışıktı işler, hiçbir yerdeydik biz. Ondan uzaklaşmak istiyordum; ama yine de onu tartışmak, bunun bana kısa, geçici bir coşkusal yanılsamadan başka bir şey olmadığını söyleyecek birine danışmak istiyordum. Dünyanın altına koyacak destekler arıyordum. Yani şu anda gerçekten gidip görmeye ihtiyacım vardı Hambro'yu.

Gitmek üzere ayağa kalkınca duvardaki haritaya baktım ve Kristof Kolomb'a güldüm. Ne Hindistan bulmuştu ya! Salonun yarısına kadar gelmiştim ki hatırladım ve geriye döndüm; şapkayı giydim, gözlüğü taktım gözüme. Sokaklardan geçerken ihtiyacım vardı onlara.

Bir taksiye bindim. Hambro Batı Seksenler civarında oturuyordu; antreye girer girmez şapkayı koltuğumun altına aldım, gözlüğü de Tarp Kardeş'in bilek zinciri ve Clifton'un oyuncak bebeğinin yanına, cebime koydum. Cebim kabardıkça kabarıyordu.

Hambro'nun kendisi yol gösterdi bana; küçük, duvarları kitapla kaplı bir çalışma odasına girdik. Dairenin bir başka tarafından Humpty-Dumpty'yi söyleyen bir çocuk sesi geliyordu; kilisede dinleyicilerin önüne çıkıp söyleyecek sözleri unuttuğum ilk Paskalya programının acı verici anıları uyandı içimde...

"Benim çocuk," dedi Hambro, "yatmamak için uzatıp duruyor. Tam bir korsan bu oğlan."

Hambro kapıyı kapadığında çocuk hızlı hızlı, "Hickory Dickory Dock" şarkısını söylüyordu. Hambro, çocuk hakkında bir şeyler anlatıyor, bense ani bir öfkeyle ona bakıyordum. Rinehart henüz kafamda iken ne diye gelmiştim buraya? Hambro o kadar uzun boyluydu ki ayak ayak üstüne attığında her iki ayağı da yere değiyordu. Öğrenim döneminde benim öğretmenimdi o; oysa şimdi anlıyordum ki, buraya gelmemeliydim. Hambro'nun avukat kafası mantıkla sınırlıydı. Rinehart'ı sadece bir suçlu, benim takıntımı ise katkısız bir mistisizm olarak görürdü o... İnşallah böyle görür, diye düşündüm. Sonra Harlem'deki durumlar üzerine bir iki şey sorup hemen ayrılmaya karar verdim...

"Bakın, Hambro Kardeş," dedim. "Benim bölgemde neler yapılabilir?"

Kuru bir gülümsemeyle baktı yüzüme. "Çocukları hakkında konuşup boyuna kafa şişiren o heriflerden biri mi oldum yoksa?"

"Yo, hayır, bu değil demem," dedim. "Çok zor bir gün geçirdim. Sinirliyim. Clifton'un ölümü, bölgede kötü giden işler, sanırım..."

"Elbette," dedi hâlâ gülümseyerek, "ama niçin endişelisin bölgeden?"

"Çünkü işler kontrolden çıkıyor. Ras'ın adamları beni tartaklamaya kalkıştılar bu gece; gücümüz durmadan azalıp gidiyor."

"Üzülünecek bir şey bu," dedi. "Ama daha geniş planı bozmadan bu konuda yapacak hiçbir şey yok. Ne yazık ki böyle, Kardeş; ama sizin üyelerinizin feda edilmesi gerekiyor."

Uzaktaki çocuk, şarkısını kesmişti artık, ortalıkta ölüm sessizliği vardı. Sözlerinde bir içtenlik arayarak yüzündeki sert rahatlığa bakıyordum. Derin bir değişiklik hissedebiliyordum. Sanki benim Rinehart'ı bulmam aramızda bir uçurum açmıştı da, birbirimize dokunacak kadar yakın oturduğumuz halde, bu uçurum üzerinde seslerimiz birbirine zar zor ulaşıyor sonra yamyassı düşüyordu yere, bir yansı yapmadan. Bu uzaklığı sarsmaya çalıştım; ama olmadı bir türlü, birbirimizin coşkusal tonlarını yakalayamayacağımız kadar büyüktü bu boşluk.

"Feda edilmeli mi?" dediğini duydum kendi sesimin. "Çok kolay söylüyorsunuz bunu."

"Öyle de olsa, bütün ayrılanları harcanabilir kabul etmek zorundayız. Yeni emirler sıkı şeklide izlenmelidir."

Gerçekdışı, karşılıklı okunan bir ilahi gibiydi konuşmamız. "Ama niçin?" dedim. "Eski yöntemler henüz gerekliyken emirler neden değiştirilsin benim bölgemde, özellikle bu günlerde?" Nasıl olduysa, sözlerime gerekli ağırlığı veremiyordum, bir yerde, her şeyin altında Rinehart'a dair bir şey rahatsız ediyordu beni, tam aklımın yüzeyinde bir yerde; ta içten benimle ilgili bir şey.

"Basit, Kardeş," diyordu Hambro. "Öteki politik gruplarla geçici bağlaşmalar yapıyoruz ve bir grup Kardeş'in yararlarının bütünün yararlarına feda edilmesi gerekiyor."

"Neden anlatılmadı bu bana?" dedim.

"Zamanı gelince Komite anlatacaktır; özveri gerekli şimdi."

"Ama özverinin, bunu niçin yaptıklarını bilenler tarafından isteyerek yapılması gerekmez mi? Halkım neden feda edildiğini anlamıyor. Feda edildiklerini bile bilmiyorlar hatta; hiç olmazsa bunun bizim tarafımızdan gelmediğini..." Ama diye aklımdan devam ettim konuşmaya, ya Rinehart tarafından olduğu gibi Kardeşlik tarafından da feda edilmeye istekliyseler?

Bunu düşününce doğruldum yerimde, yüzüme garip bir ifade gelmiş olmalı ki, dirseklerini koltuğunun kollarına yavaşça dayamış, parmak uçlarını birbirine birleştirmiş öylece duran Hambro devam etmemi bekliyormuş gibi kaşlarını kaldırdı. Sonra, "Disiplinli üyeler anlayacaktır," dedi.

Tarp'ın bilek zincirini cebimden çıkardım, parmaklarımın oynak yerlerinin üzerine geçirdim. Farkına varmadı. "Elimizde ancak bir avuç disiplinli üye kaldığını görmüyor musunuz? Bugünkü cenaze töreni, sonuna kadar gitmediğimizi görür görmez bizi bırakacak olan yüzlerce insan çıkardı ortaya. Şimdi de sokaklarda saldırıyorlar bize. Anlayamıyor musunuz? Öteki gruplar imza topluyorlar sokaklarda, Ras şiddete çağırıyor. Eğer bunun sönüp gideceğini sanıyorsa aldanıyor Komite."

Omuzlarını silkti. "Göze almamız gereken bir tehlike bu. Bütünün iyiliği için hepimiz bir şeyler feda etmeliyiz. Değişiklik özveri yoluyla gerçekleşir. Biz gerçeğin yasalarını izleriz, bunun için de özveride bulunuruz."

"Ama topluluk özveride de eşitlik istiyor," dedim. "Hiçbir zaman özel bir davranış istemedik."

"O kadar basit değil, Kardeş," dedi. "Kazandıklarımızı korumak zorundayız. Bazılarının diğerlerinden daha büyük özveride bulunması kaçınılmaz bir şey..."

"O 'bazıları' dediğiniz benim halkım..."

"Şu anda, evet."

"Yani kuvvetli adına zayıf özveride bulunmalı, öyle mi? Bunu mu söylüyorsun, Kardeş?"

"Hayır, bütünün bir parçası feda ediliyor ve yeni bir toplum oluşuncaya kadar da böyle devam edecek."

"Anlamıyorum," dedim. "Anlamıyorum işte. Biz, halkı peşimizden sürükleyelim diye geberesiye çalışıyoruz, sonra tam gelmeye başladıkları, tam kendileriyle olaylar arasındaki ilişkileri görmeye başladıkları zaman bırakıyoruz onları. Anlayamıyorum."

Hambro yabancı yabancı gülümsüyordu. "Zencilerin saldırganlığından endişe duymamızın gereği yok. Ne yeni dönemde ne de herhangi başka bir zaman. Aslında, kendi iyilikleri için onları yavaşlatmak zorundayız da. Bilimsel bir zorunluluktur bu."

Yüzüne baktım; uzun, kemikli, Lincoln'a benzeyen yüzüne. Onu sevebilirdim, diye düşündüm, gerçekten nazik ve içten bir adama benziyor; ama gel gör ki bunları söylüyor bana...

"Demek gerçekten inanıyorsunuz buna," dedim sakin sakin.

"Bütün varlığımla," dedi.

Bir an güleceğim sandım. Ya da Tarp'ın zincirini fırlatacağım. *Varlığıylaymış! Varlıktan* söz ediyor bana! Havada bir daire çizdim. Bütün varlığımı, bütünlüğümü Kardeşlik'in rolü üzerine kurmaya çalıştım, şimdiyse suya, havaya dönüşmüştü o. Neydi bütün varlık; Rinehart'ın mümkün ve başarılı olduğu bir dünyayla ne ilgisi vardı?

"Ama değişen nedir?" dedim. "Onların saldırganlığını ayağa kaldıran ben değil miydim?" Sesim üzgün, umutsuz, düştü.

"O özel dönem için," dedi Hambro öne eğilerek. "Yalnızca o dönem için."

"Peki şimdi ne olacak?" dedim.

Halka şeklinde bir duman savurdu sigarasından; mavi halka aynen çıkarıldığı gibi döne döne yükseldi, bir süre salındı havada, sonra dalga dalga bir uzantı halinde yayıldı.

"Gülümse!" dedi. "İlerleme kaydedeceğiz. Yalnız şu anda daha yavaş götürülmelidirler..."

Yeşil gözlük camlarının arkasından nasıl görünürdü acaba, diye düşündüm, "Onların dizginlenmeleri gerektiğinden emin misiniz?" derken.

Kıkırdadı. "Bak, dinle," dedi. "Beni diyalektiğin çarmıhına germe. Bir Kardeş'im ben."

"Tarihin eski tekeri üzerine frenler konulmalı demek istiyorsunuz yani," dedim. "Yoksa teker *içinde* daha küçük tekerlekler demek mi oluyor bu?"

Yüzü ciddileşti. "Ben yalnızca onların biraz daha yavaş olarak yürütülmeleri gerektiğini söylüyorum. Ana planının temposunu rahatsız etmelerine izin verilmemelidir. Tek önemli şey zamanlamadır. Ayrıca, hâlâ bir şeyler yapabilirsen, yalnız yapacağın şeyler çok eğitimsel olacak şimdi."

"Peki ya vurulma olayı?"

"Bununla kanmayanlar düşecek, sen geriye kalanları eğiteceksin..."

"Pek yapacağımı sanmıyorum," dedim.

"Niçin? Onun kadar önemli bir iş bu da."

"Çünkü bize karşı onlar; ayrıca Rinehart gibi hissediyorum kendimi."

"Kim gibi?"

"Bir şarlatan gibi," dedim.

Hambro güldü. "Bunu öğrendiğini sanıyordum, Kardeş."

Hızla yüzüne çevirdim gözlerimi. "Neyi öğrendiğimi?"

"Halktan faydalanmamanın olanaksız olduğunu."

"Rinehartçılıktır bu, sinizm'dir."

"Ne?"

"Sinizm," dedim."

"Sinizm değil, gerçekçilik. İşin ustalığı onlardan kendi yararlığı için faydalanmakta."

Birden konuşmanın gerçekdışılığının bilincine vararak dikildim sandalyemde. "Ama yargılayacak olan kim? Jack mi? Komite mi?"

"Yetiştirici bilimsel nesnelik yoluyla biz yargılarız," dedi içinde gülümseme olan bir sesle; birden hastanedeki makineyi gördüm, tekrar onun içine hapsedilmiş hissettim kendimi.

"Kendinizi aldatmayın," dedim. "Tek bilimsel nesnellik bir makinedir."

"Disiplin, makine değil!" dedi. "Bilim adamlarıyız biz. Başarıya ulaşmak için bilimimizin ve irademizin tehlikelerine katlanmalıyız. Sorumluluğu alsın diye Tanrı'yı yeniden diriltmek ister miydin?" Başını salladı. "Hayır, Kardeş, kendi kararlarımızı kendimiz vermek zorundayız. Bazı zamanlar şarlatan görünmemiz gerekse bile."

"Çok değişiklikler olmuş sizde," dedim.

"Belki öyle, belki değil," dedi. "Ne olursa olsun, bazı kimselerin önünde yürüdüğümüzden, çok sayıda insanı kendi yararlarına uygun olan şeye doğru götürmek için gerekli şeyleri yapmak ve söylemek zorundayız."

Dayanamadım artık:

"Bana bakın! *Bana* bakın!" dedim. "Nereye dönsem birisi kendi iyiliğim için özveride bulunmamı istiyor; yalnız *onlar* ama bundan yararlanan, yalnız onlar. Şimdi yeniden başlıyoruz o eski özvericilik atlıkarınca oyununa. Hangi noktada duracağız? Yeni gerçek tanımlama mıdır bu? Kardeşlik, zayıfları feda sorunu mudur? Eğer öyleyse, nerede, hangi noktada duracağız?"

Hambro ben orada değilmişim gibi bakıyordu. "Uygun anda bilim bizi durduracaktır. Ve tabii bireyler olarak bizler seve seve kendimizi bütün gerçekliğiyle ortaya koymalıyız. Hatta çok az işe yarasa bile. Ama o zaman" omuz silkti, "bu yönde çok uzaklaşmışsan yol gösterdiğini ileri süremezsin. Güvenini yitirirsin. Başkalarına yol göstermek için kendi doğruluğuna inanmazsın o zaman. Bunun için sana yol gösterenlere güvenin olmalıdır; Kardeşlik'in kollektif aklına."

Geldiğimde daha kötü bir durumda ayrıldım oradan. Bir yol uzaklaştıktan sonra arkamdan beni çağırdığını işittim, karanlıkta bana doğru yaklaşışını seyrettim.

"Şapkanı unuttun," dedi, yeni programı özetleyen çoğaltılmış emirlerle birlikte şapkayı uzatırken. Bir şapkaya, bir ona baktım, Rinehart'ın görülmezliğini düşündüm; ama bunların onun için hiçbir gerçekliği olamayacağını anladım. İyi geceler diledim ve Batı Central Park'a giden sıcak caddeye daldım. Harlem'e gidecektim.

Özveri ve liderlik, diye düşünüyordum. Onun için basitti. *Onlar* için basitti. Ama Allah kahretsin, ben her ikisiydim. Hem özveride bulunan hem de kurban. Bundan uzaklaşamazdım, Hambro bununla uğraşmak zorunda değildi. Bu da gerçeklikti, benim gerçekliğim. Bıçağı kendi boğazına saplamak zorunda değildi. Kurban kendisi olsaydı ne söylerdi acaba?

Karanlıkta parkın içinde yürüyordum. Arabalar geçiyordu. Zaman zaman sesler, neşeli kahkahalar yükseliyordu ağaçların, çitlerin arasından. Güneş yanığı otların kokusunu duyuyordum. Renkli ışıklarını yaka söndüre bir uçak geçiyordu bulutlu gökyüzünden. Jack'i düşünüyordum, cenaze törenindeki insanları, Rinehart'ı. Bizden ekmek istiyorlardı, benim onlara verip verebileceğim şey ise bir cam gözdü; bir elektrikli gitar bile değil.

Durdum, bir sıranın üzerine çöktüm. Ayrılmalıyım artık, diye düşündüm. Yapacak en namuslu şey buydu. Yoksa onlara, umutlarını yitirmemelerini ve dinleyecekleri kimselerin peşinden ayrılmamalarını söylemekten başka yapacak işim yoktu. Rinehart da bu değil miydi bir bakıma, seve seve para ödedikleri bir umut ilkesi değil miydi o da? Yoksa ihanetten başka bir şey kalmıyordu ortada; bu ise Bledsoe'ya ve Emorson'a hizmete geri dönmek, saçmalık tavasından gülünçlük ateşine atlamak demekti. İkisi de kendine ihanetti. Ama ayrılamazdım; Jack'le, Tobitt'le uyuşmak zorundaydım. Clifton'a, Tarp'a ve ötekilere borçluydum bunu. Devam etmek zorundaydım. Sonra bir şey geldi aklıma, derinden sarsıldım: Halk adına endişe duymak zorunda değilsin. Rinehart'a göz yumduktan sonra onlar, çok geçmeden bunu da unutacaklardı, onların yanında bile görülmez olacaksın. Ancak saniyenin çok kısa bir parçası boyunca sürdü bu ve derhal reddettim; ama kafamın karanlık göğünde şimşek gibi çakmıştı bir kez. Tam da böyleydi. Zararı yoktu; çünkü neler döndüğünün farkında değildiler, ne benim umudumun ne de başarısızlığımın farkında değildiler. Benim tutkum ve bütünlük hiçbir şey değildi onlar için, benim başarısızlığım Clifton'unki kadar anlamsızdı. Böyle gelmiş böyle gidiyordu. Yalnızca Kardeşlik'te bizler için bir fırsat, bir umut ışığı görünür gibi olmuştu; ama Jack'in gözünün cilalı ve insani yüzünde biçimsiz bir şekil ve sert kırmızı bir çiğlik bulmuştum. Hatta bu bile benden başkası için anlamsız bir şeydi.

Vardım ama yine de görülmezdim; temel çelişki buydu. Vardım ama yine de görülmüyordum. Korkutucu bir şeydi bu, orada oturup dururken bir başka korkutucu olasılıklar dünyası sezmiştim. Çünkü artık Jack'le uyuşmaksızın da uyuşabileceğimi görüyordum. Harlem'e de umut yokken umutlanmasını söyleyebilirdim. Belki de gerçek bir şeyin, tarih düzeyinde onlara yol gösterecek eylem için sağlam bir zeminin temelini buluncaya kadar umutlanmalarını söyleyebilirdim onlara. Ama o zamana kadar ben kendim hareket etmeksizin onları hareket ettirmeliydim... Rinehartçılık oynayacaktım.

Parkın kenarındaki bir taş duvara yaslandım, Jack'i, Hambro'yu ve günün olaylarını düşünerek, öfkeyle sarsıldım. Dolandırıcılıktı bütün bunlar, iğrenç bir dolandırıcılık! Kendilerini, dünyayı tanımlayacak bir yere yükseltmişlerdi. Ne biliyorlardı bizim hakkımızda, o kadar çok oluşumuz, şu ya da bu işlerde çalıştığımız, o kadar çok oy vermeye çağrıldığımız ve kendilerinin protesto yürüyüşleri için yollara döküldüğümüzden başka? Onları alçaltmak, çürütmek için, içim yana yana, yaslanmış duruyordum orada. Ve bütün geçmiş alçalmalar yaşantımın değerli parçaları olmuştu şimdi; ilk kez olmak üzere, bu boğucu derece taş duvara yaslanmış olarak, geçmişimi kabul etmeye başladım, onu kabul edince de, anıların kaynadığını, yukarıya çıkmaya başladığını hissettim. Sanki köşe bucağa bakmayı birden öğrenmiş gibiydim; geçmiş aşağılanmaların yüzleri çırpınıyordu kafamın içinde ve bunların ayrı ayrı yaşantılardan daha fazla bir şey olduklarını gördüm. Onlar bendiler; beni tanımlıyorlardı. Ben yaşantılarım, yaşantılarımsa bendi ve ne kadar güçlü olurlarsa olsunlar, hatta dünyayı fethetmiş bile olsalar, hiçbir kör insan bunu alamaz ve onun bir tek rahatsızlığını, alayını, gülüşünü, bağırışını, yarasını, ağrısını, öfkesini ya da sancısını değiştiremezdi. Onlar kördüler, yarasa kadar kör; yalnızca kedi seslerinin yansımasından çıkan seslerle hareket ederlerdi. Ve kör oldukları için de kendilerini yok ederlerdi ve ben yardım ederdim onlara. Güldüm. Rengin önemi olmadığını hissettikleri için beni kabul etmiş olduklarını düşündüm. Gerçekte de pek önemi yoktu; çünkü onlar ne rengi ne de insanları görüyorlardı... Onların bütün düşündükleri, gereğinde kendi istediklerine uygun şekilde kullanılabilecek, gerekmediğinde ise bir kenarda tutulacak, sahte oy listelerinde yazılı o kadar isim oluşumuzdu. Bir şakaydı bu, saçma bir şaka. Ve şimdi kafamın bir köşesinde etrafa bakıyor ve Jack'in, Norton'un, Emerson'un bir tek beyaz çehre halinde ortaya çıktıklarını görüyordum. Çok benziyorlardı birbirlerine; her biri gerçekliğe dair kendi çizdiği resmi dayatıyordu bana; ama hiçbiri, gerçeğin bana nasıl göründüğüne metelik vermiyordu. Ben yalnızca hammaddeydim, kullanılacak bir tabii kaynak. Norton'un ve Emerson'un burnu bir karış havada saçmalığından, Jack'in ve Kardeşlik'in saçmalığına dönmüştüm, ikisi de aynı yola çıkmıştı; şu farkla, görülmezliğimi tanıyordum artık.

Öyleyse kabul edecektim, keşfedecektim onu; kabuk ve yürek. Her iki ayağımla dalacaktım onun içine, seslerini keseceklerdi. Ah, susmazlardı ki onlar. Büyükbabamın ne demek istediğini bilmiyordum; ama onun vasiyetini denemeye hazırdım. Evet'lerle yenecektim onları, sırıtışlarla kuyularını kazacaktım. Ölüme ve yıkıma razı edecektim onları. Evet, kusuncaya

ya da karınları patlayıncaya kadar beni yutmalarına seslenme-
yecektim. Görmek istemedikleri şeyi öğürsünlerdi. Boğulsun-
lardı ondan. Hesaba katmadıkları bir tehlikeydi bu. Felsefele-
rinde hiç hayal etmedikleri bir tehlikeydi bu. Kendilerini yıkım
için disipline sokabileceklerini, "Evet" demenin onları mahve-
deceğini de bilmiyorlardı. Ah, onaylayacaktım onları, onayla-
mayıp da ne yapardım! Onlar kusuncaya, kusmuklarının için-
de yuvarlanıncaya kadar evet diyecektim her dediklerine. Ben-
den istedikleri bütün şey, bir onaylama geğirtisiydi ve ben bü-
tün gücümle çıkartacaktım o sesi. Evet! Evet! EVET! Herhangi
bir kimsenin bizden istediği tek şey buydu; bizim işitilmemiz
fakat görünmememiz. Kocaman iyimser bir "evet efendim, evet
efendim" korosunda işitilmemiz yalnızca! Pekâlâ, *yea* diyecek-
tim ben de, *yea* ve *oui*, *oui* ve *si*, *si* ve görecektim, onları; bağır-
saklarının içinde kabaralı çizmelerle yürüyecektim bir aşağı bir
yukarı. Hatta, Komite toplantılarında hiç görmediğim o süper
kodamanların bile. Bir makine istemiyorlar mıydı? Pekâlâ, ben
de onların yanlış kavramlarının on derece hassas bir onaylayı-
cısı olacaktım ve sırf güvenlerini kazanmak için zamanın doğru
bir parçası olmaya çalışacaktım. Oo, çok güzel çalışırdım onla-
ra; görülmezliği göstermesem bile hissettirirdim ve onlar bu-
nun çürüyen bir vücut kadar ya da bir fırındaki kötü bir et ka-
dar pis kokulu bir şey olabileceğini öğrenirlerdi. Ya incinirsem
bundan? Ona da eyvallah. Hem, özveriye inanmıyorlar mıydı
onlar? İnce düşünürlerdi onlar; hainlik mi olurdu bu? Görün-
mez bir adama uygulanabilir miydi bu sözcük? Görülmeyen bir
şeyde seçim yapabilirler miydi...?

Bunu düşündükçe, hastalıklı bir büyü gibi sardı içimi olası-
lık. Daha önce niçin keşfetmemiştim bunu? Yaşamım ne kadar
başka olurdu oysa! Ne korkunç derecede başka! Neden görme-
miştim olasılıkları? Bir yarıcı, yaz boyunca garson ya da fabri-
ka işçisi olarak ya da bir müzisyen olarak çalışıp koleje devam
edebiliyor, bir doktor olarak okulu bitirebiliyorsa, bütün bu iş-
lerin hepsi aynı zamanda hep birden neden yapılmasındı? O es-
ki köle, bir bilim adamı değil miydi; hiç olmazsa öyle deniyor,
öyle tanınmıyor muydu, şapkası elinde, bunak ve iğrenç bir kö-

lelik duygusu içinde iki büklüm, yerlerde sürünen haliyle bile olsa? Tanrım, ne olasılıklar vardı! Ya o spiral dalgası, o gına veren ilerleme duygusallığı! Kim biliyordu bütün gizemleri; adımı değiştirmemiş miydim? Karşı çıkan olmuş muydu buna? Ve o başarının yukarıya doğru yükseliş olduğu yalanı. Bizi boyuna egemenliği altında tutan ne ucuz bir yalan! Başarıya doğru yalnızca yukarıya doğru tırmanabilirdiniz, aşağıya doğru neden inemeyesinizdi; aşağı *ve* yukarı, ilerlemede olduğu kadar geri çekilmede de, yengeç gibi yan yan ve çaprazlama ve dairenin çevresinde, eski kendinize giderken ve gelirken rastlayarak ve belki de hepsi aynı anda. Bu kadar uzun süre nasıl gözden kaçırabilmiştim bunu? Kumarbaz politikacıların, içki kaçakçısı yargıçların, kendileri hırsız olan şeriflerin çevresinde büyümemiş miydim; tabii ve hepsi birer vaiz, birer insalcıl cemiyet üyesi olan Klancılar çevresinde? Tüh Allah kahretsin, Bledsoe bütün bunları anlatmaya çalışmamış mıydı? Canlıdan çok ölü hissediyordum kendimi. Ama ne gündü! Bugüne kadar baba dediğim adamın gerçekte benimle hiçbir yakınlığı olmadığını öğrenmiş olsaydım, bundan daha yıkıcı, bir gün olamazdı.

Daireme gittim ve elbiselerimle yatağa attım kendimi. Hava sıcaktı, vantilatör, sıcaklığı ağır kurşun dalgaları halinde döndürmekten başka bir şeye yaramıyordu; o sıcak dalgaların altında uzanmış koyu renk gözlüğü fır fır çeviriyordum elimde, planlar kurmaya çalışırken gözlüğün camlarının uyutucu titreyişlerini, çırpınışlarını seyrediyordum. Öfkemi gizleyecek ve uyutacaktım onları; topluluğun kendi programlarıyla tam bir fikir birliği içinde olduğuma inandıracaktım onları ve bunun kanıtı olarak da, uydurma adlarla üyelik kartları dolduracak, Örgüt'e katılma kayıtlarında sahtecilik yapacaktım; tabii hepsi de işsiz takımından olacaktı bunlar, üyelik ödentilerinden kaçınmak için. Evet ve geceleyin, tehlikeli zamanlarda beyaz şapkamı ve koyu renk gözlüğümü giyerek topluluk içinde dolaşacaktım. Hain bir görünüştü bu; ama hiç olmazsa Harlem'de onları yok etme yoluydu. Ondan sonraki adımın ne olacağını bilmediğim için bölücü bir hareket örgütlemek olanağını görmüyordum. Nereye giderdik? Eşit koşullar içinde katılacağımız bağlaşıklar yoktu. Rinehart ile görülmezlik arasında bir yerde büyük gizli güçler olduğunu hissetmeme rağmen kendimize özgü tam bir program hazırlayacak ne zamanımız ne de kuramcılarımız vardı. Paramız yoktu; ne hükümette, ne iş çevrelerinde, ya da sendikalarda, haber alma aygıtımız yoktu; tutulmayan birkaç gazete, uzak kentlerden taşra haberleri getiren birkaç yataklı vagon hizmetlisi ve efendilerinin hiç de ilginç olmayan özel yaşamlarını rapor eden bir grup hizmetçi dışında kendi halkımızla haberleşme araçlarımız yoktu. Ah, birkaç gerçek dostumuz olsaydı, bizi, kendi arzularını gerçekleştirmek için uygun araçlardan daha fazla bir şey olarak gören birkaç dostumuz! Ama cehennemin dibine kadar yolu var bunun, diye düşündüm; kalırdım ve disiplini kuvvetli bir iyimser olurdum, güle oynaya cehenneme kadar gitmelerine yardım ederdim. Yaşamlarımızın gerçekliğini görmelerine yardım edemezsem, yüzlerinde patlayıncaya kadar onu görmemelerine yardım ederdim.

Yalnız bir şey rahatsız ediyordu beni: Gerçek amaçlarının hiçbir zaman Komite toplantılarında ortaya atılmadığını bildiğime göre artık, onların çalışmalarını aslında neyin yönettiğini öğrenebileceğim bir haber alma kanalına ihtiyacım vardı. Ama nasıl? Kentin merkezine aktarılmamam için diretmiş olsaydım, şimdi toplulukta, kendilerini açığa vurmalarında ısrar edecek desteği bulabilirdim. Evet; ama eğer aktarılmamış olsaydım, hâlâ bir hayal dünyasında yaşıyor olacaktım. Ama şimdi gerçekliğin ucunu yakalamışken, nasıl sürdürebilirdim? Her yandan etrafımı çevirmiş, karanlıkta kendileriyle dövüşmeye zorluyor gibiydiler beni. Nihayet gözlüğü yatağa fırlattım ve kesik kesik, düzensiz bir uykuya daldım, son birkaç günün olaylarından yavaş yavaş kurtuldum; yalnız Clifton yerine, kaybolan kendim; yorgun, terli ve bir parfüm kokusu duyarak uyandım.

Midemin üzerinde uzanmış, başım elimin üzerine dayalı düşünüyordum: Nereden geliyor bu koku? Tam, gözlüğü ilişince gözlerim, Rinehart'ın kızının elini yakaladığımı anımsadım. Hareketsiz uzanıyordum orada; yatağın üzerinde tüner gibiydi o, parlak, cilalı başı ve olgun göğüsleriyle pırıl pırıl gözlü bir kuş ve ben bir ormandaydım da kuşu ürkütmekten korkuyordum. Sonra tamamen kendime geldim ve kuş gitti, kızın imgesi kafamda kaldı. Bozmasaydım onu da, devam ettirseydim işi ne olurdu, nereye kadar gidebilirdim? Böyle gönül çekici bir kız Rinehart imgesiyle karıştı. Şimdi soluğumu tutmuş oturuyordum, kendi kendime, Rinehart'ın şu haber alma sorununu nasıl çözeceğini sorarak; birden açıklığa çıktı her şey: Bir kadın olabilirdi bu. Benimle serbestçe konuşabilecek bir kadın, bir kız arkadaş, ya da liderlerden birinin sekreteri. Kafam, haretteki ilk tecrübelere gitti. Ufak ufak olaylar, aklıma toplantılardan sonra ve eğlencelerde bazı kadınların gülümseyişlerini ve davranışlarını, imgelerini getirerek, belliğimde ortaya çıkıyordu: Chthonian'da Emma'yla dans edişim; o, yakın, yumuşacık dayanmış bana; arzumun ve bir köşede nutuk çeken Jack'i görünce içimi basan sıkıntının sıcak ve hızlı ayarlanışı; Emma sımsıkı sarılmış bana, taş gibi göğüslerini göğsüme dayamış, gözlerindeki o eğlenen ışıkla bakıyor ve, "Ah baştan çıkıyorsunuz!" diyor; ben bilgiçce bir karşılık bulmaya çalışıyorum umutsuzca ve "Oh, baştan çıkarma daima vardır," demeyi becerebiliyorum yalnız. Yine de şaşıyorum kendime bu sözü ettiğim için; onun gülüşünü işitiyorum, "Touché! Touche! (Dokundu). Bir öğleden sonra gelmelisin bana, çene çalarız." Güçlü sınırlamalar hissettiğim ve Emma'nın cesaretine ve Harlem liderliği rolümü oynayabilmem için daha kara olmam gerektiği düşüncesine kızdığım ilk günlerdeydi bu. Eh, artık sınırlama, yasak diye bir şey kalmamıştı, Komite icabına bakmıştı bunun. Güzel bir oyundu bu, belki de yeteri kadar kara bulurdu beni nihayet. Yarın bir Komite toplantısı vardı ve yarın Jack'in doğum günü olduğuna göre Chthonian'da bir eğlence izlerdi bu toplantıyı. Yani, iki uçlu çatalımı en uygun koşullar altında fırlatacaktım. Beni Rinehart yöntemlerine zorluyorlardı; öyleyse çıksındı bilim adamları ortaya!

Yirmi Dört

Onların her dediğine evet demeye hemen ertesi gün başladım; iyi de gitti. Topluluk, şirazesinden çözülmeye hâlâ devam ediyordu. En basit olaylarda kalabalıklar toplanıveriyordu birden. Mağaza vitrinleri yerle bir ediliyor, sabahları otobüs şoförleriyle yolcular arasında çarpışmalar çıkıyordu ortaya. Gazeteler geceleyin patlak vermiş buna benzer olayların listesini veriyordu ertesi gün. 125. Cadde'deki bir mağazanın aynadan cephesi parçalanmıştı; oradan geçerken, diş diş olmuş camın önünde dans ederek kendi çarpık görüntülerini seyreden bir grup çocuk gördüm. Bir grup yetişkin, polislerin oradan uzaklaşma yönündeki emirlerine aldırmaksızın seyrediyorlar, Clifton'a dair söyleniyorlardı aralarında. Komite'nin çarşafladığını görmeyi ne kadar arzu edersem edeyim, olayların görünüşü hiç de hoşuma gitmiyordu.

Büroya geldiğimde, bölgenin öteki kısımlarındaki çatışmalardan haberler getirmiş olan üyeler oradaydı. Hiç hoşlanmadım bundan; şiddet maksatsızdı, Ras kışkırtıyordu, gerçekte topluluğun kendisine yöneltilmişti. Ama, sorumluluğu alaya alınmış biri olmama rağmen gelişmeler hoşuma gidiyordu, planıma devam ediyordum. Kalabalığa karışıp onların daha da ileri şiddete başvurmalarını önlemek, cesaretlerini kırmak için üyeler gönderdim; bütün basına, küçük olayları "saptırmak" ve şişirmekle suçlayan açık mektuplar yolladım. Öğleden sonra geç saatlerde karargâha, olayların yatışmaya başladığını, topluluğun gittikçe daha büyük bir kısmını bir temizleme kampanyasına soktuğumuzu, bütün arka avluları, ışıklıkları, boş çöplükleri temizleyeceklerini, Harlem'in kafasından Clifton'u sileceklerini bildirdim. Öyle yüzsüzce bir manevraydı ki bu, onların karşısında dururken görülmezliğime olan inancımı neredeyse yitirecek gibi oldum. Ama onlar çok hoşlandılar bundan, kendilerine sahte yeni üye listelerini uzattığım zaman coştular. Haklı oldukları onaylanmıştı; çalışma programları doğruydu, olaylar daha önceden tayin edilmiş yönde ilerliyordu, tarih onlardan yanaydı ve Harlem seviyordu onları. Orada oturmuş, bunun ardından gelen fikirleri dinleyerek kendi kendime gülümsüyordum. Oynamak zorunda olduğum rolü, Jack'in kızıl saçlarını gördüğüm kadar açıklıkla görebiliyordum. Geçmişime dair olaylar, bilineni olsun, gözden kaçanı olsun hepsi, bilincin alaylı bir sıçrayışıyla hep birlikte zıplıyorlardı kafamda, bir köşede etrafa bakar gibi. Bir onaylayıcı olacaktım ben; görevim, planlarıyla çatıştığı yerde görmezden gelebilsinler diye, Harlem'in önceden kestirilemez insan ögesini inkâr etmek olacaktı. Gözlerinin önünde o parlak, edilgen, iyi huylu, kendilerinin her türlü planını kabul etmeye can atan alıcı kütle imgesini daima canlı tutmak zorundaydım. Durumlar, başkalarının haklı olarak kızgınlıkla karşılık vereceği bir düzeye yükseldiğinde, bizlerin sakin ve telaşsız olduğumuzu söyleyecektim ben (Bizim kızgın, öfkeli olmamız onlarca uygun düşüyorsa, bunu kendi propagandalarında belirtmeleri bizde öfke yaratmak için yeter de artardı bile; olaylar önemsizdi, gerçekdışıydı) ve eğer başka kimseler onların manevralarını anlamaz, şaşırırsa, *bizim* gerçeğin içine röntgen ışınlarıyla girdiğimize, bu yüzden onu bu kadar iyi tanıdığımıza inandıracaktım onları. Eğer başka gruplar, varlıklı olmak, servet kazanmak işine ilgi duyuyorsa, Kardeşler'i ve bölgenin kuşkulu üyelerini, serveti çürümüşlük ve aslında alçaltıcı bir şey olarak reddettiğimize inandırmak benim işimdi; eğer öteki azınlıklar, bütün çektiklerine rağmen memleketi seviyorlarsa, bizim, böyle saçma insani ve anlaşılmaz tepkilere bağışıklığı olan bizlerin bundan mutlak olarak nefret ettiğimize ben inandıracaktım Komite'yi ve hepsinin üzerinde bir başka çelişki: Amerikan ortamını çürümüş ve bozulmuş olarak suçladıkları zaman, kan damarları ve sinirleri içinde çıkılmaz derecede karıştırılmış, arap saçına döndürülmüş bizlerin olağanüstü sağlıklı olduğumuzu söylemek benim işimdi. Evet efendim, evet efendim! Görülmüyor olmama rağmen onların güven verici inkâr sesleri olacaktım; Tobitt'ten daha fazla Tobitt olacaktım, o kenef Wrestrum'a gelince; neyse. Ben orada oturup dururken onlardan biri benim sahte üye listeme ulusal önemde birtakım anlamlar vererek şişiriyordu onu. Bir hayal, bir karşı-hayal yaratıyordu. Nerede son bulacaktı bu?

Daha sonra Chthonian'a gittik, eski günlerde olduğu gibiydi tıpkı. Jack'in doğum günü şampanya için bir vesile olmuştu; sıcak, boğucu akşam her zamankinden daha neşeli, daha hafifti. Son derece güvenli hissediyordum kendimi; ama planımın burasında hafif bir sapma oldu. Emma gerçekten neşeli, canlıydı, boş bırakmıyordu insanın ataklarını; ama onun sert ve güzel yüzünde öyle bir şey vardı ki, uzaklaşmamı söylüyordu yanından. Kendini isteyerek verebilirse de (kendi arzusunu doyurmak için tabii) benim için önemli birtakım şeyleri açıklayarak Jack'in metresi olarak durumunu tehlikeye atmayacak kadar bilgili ve düzenbazdı. Bunun için de Emma'yla dans ederken, dolaşırken, salonun içinde bir başka kurban arıyordum.

Barın bir köşesine çekilmiştik birlikte. Adı Sybil'di, benim kadın sorunu üzerindeki konferanslarımın politik bilgiden çok daha derin, daha içten bir bilgiye dayandığını sananlardandı; birçok kez beni daha iyi tanımak istediğini açığa vurmuştu. Hep anlamazlıktan gelmiştim; çünkü ilk tecrübemin böyle durumlardan sakınmamı öğretmiş olması bir yana, Chthonian'da her zaman hafifçe sarhoş ve arzulu bir kadın olarak tanınırdı; hatta ilgi duysam bile veba gibi kendisinden kaçacağım, yanlış anlaşılmış evli kadın tiplerinden biriydi. Ama şimdi mutsuzluğu, kodamanlardan birinin karısı oluşu ondan başkasını seçemeyeceğimi anlatıyordu bana. Çok yalnızdı ve her şey o kadar güzel, o kadar pürüzsüz yürüyordu ki! Gürültülü doğum günü eğlencesi arasında –ertesi akşam halka açık bir kutlama izleyecekti bunu– kimse farkımıza varmamıştı; akşamın oldukça erken saatinde eğlenceden ayrıldık ve evine götürdüm onu. Kendini ihmal edilmiş hissediyordu, kocası hep meşguldü; yanından, ertesi akşam benim apartmanda buluşmak üzere söz alarak ayrıldım. Kocası, kutlama töreninde olacaktı, onun yokluğunun farkına varan olmazdı.

Sıcak, kuru bir ağustos gecesiydi. Doğu taraflarında bir yerde, yıldırımlar çakıyordu; nemli havada soluk kesen bir gerginlik vardı. Öğleden sonrayı hazırlıkla geçirmiştim; kutlama törenine katılmaktan kurtulmak için bir hastalık bahane edip bürodan ayrılmıştım. Ne büyük bir arzum ne de ona gösterecek pul koleksiyonum vardı; ama bir vazo Çin zambağı vardı oturma odasında, yatağın yanındaki sehpada Amerikan Güzeli gülleriyle dolu bir başka vazo daha; şarap, viski ve likör ihtiyaçlarımı tamamlamıştım, fazladan buz kapları bulmuştum, çeşitli yemişler, peynir, kuru yemiş, şeker ve buna benzer şeyler almıştım Vendome'dan. Kısacası, işleri Rinehart'ın yapabileceğini hayal ettiğim şekilde becermeye çalışmıştım.

Ama daha başlangıçta beceriksizlik ettim. İçkileri çok sert yaptım; gerçi çok sevmişti bunu o ve politik konuları –ki nefret ediyordu onlardan– akşamın çok erken saatinde ortaya attım. İdeolojiye açık olmasına rağmen politikaya ilgi duymuyordu, kocasını gece gündüz meşgul eden planlar hakkında hiçbir bilgisi yoktu. İçkilere daha çok ilgi duyuyordu, her kadehte ona ayak uydurmak zorundaydım; bir de Joe Louis ile Paul Roberson'un kişilikleri etrafında kurduğu küçük oyunlara. Ve ne boyum bosum, ne de herhangi bir role uygun yaradılışım olmamasına rağmen, ya "Old Man River" türküsünü söylemem ve Missisipi gibi boyuna akıp durmam ya da kaslarımla büyüleyici gösterilerde bulunmam bekleniyordu benden. Bozulmuştum ve de hoşuma gitmişti; her ikimizin de gerçekle ilgimizi kesmeden durabilmemiz ve onun beni birtakım fantezilere çekme gayreti oldukça heyecanlı geçiyordu. Ben, Tabu Kardeş'tim ona göre: Kendisiyle her şeyin mümkün olduğu Kardeş.

Vakit bir hayli ilerlemişti, bir parti daha içki doldurup odaya döndüğümde saçlarını çözmüş, aşağı salmış, dişlerinin arasına aldığı altın bir saç iğnesiyle bana işaret ediyor buldum onu; "Annene gel, güzelim," diyordu oturduğu yatağın üzerinden.

"İçkiniz madam," dedim bardağı verirken; taze içkinin yeni fikirleri önleyeceğini umuyordum.

"Gel sevgilim," dedi utangaç. "Sana bir şey sormak istiyorum."

"Nedir o?" dedim.

"Kulağına fısıldayayım, güzelim."

Oturdum, dudaklarını kulağıma yaklaştırdı. Ve birden bütün cesaretimi sıfıra indirdi. Geri çekildim. Orada oturuşunda ciddi, resmi bir hava vardı; ama gel gör ki, onunla birleşmemi çok iğrenç bir şekilde teklif ediyordu, rahatça.

"Ne?" dedim, tekrarladı. Hayat, birden çılgın bir Thurber çizgi romanına mı dönüşmüştü?

"Lütfen, benim için yapacaksın bunu, değil mi, güzelim?"

"Ciddi mi söylüyorsun?"

"Evet," dedi, "evet!"

Yüzünde ilkel, eskil bir bozulmazlık vardı, ki daha da çok rahatsız ediyordu bu beni; ne benimle alay ediyor ne de hakaret etmeye çalışıyordu. Bilemiyordum, bana bunları söyleyen, saflıktan gelen bir korku ve dehşet mi, yoksa akşamın iğrenç düzeninden incinmeksizin zararsız çıkan saflık mıydı. Yalnız, bu işin baştan aşağı hata olduğunu biliyordum. Ondan öğrenebileceğim hiçbir şey yoktu; ne dehşetle ne de saflıkla kesin olarak uğraşmak zorunda kalmadan, onu evden dışarı çıkarmaya karar verdim, bu sırada hâlâ bir şaka gözüyle bakıyordum buna. Rinehart ne yapardı *bu durumda*, diye düşündüm, beni şiddete kışkırtmasına izin vermeyecektim.

"Ama Sybil görüyorsun böyle birisi değilim ben. Yumuşak, koruyucu bir ihtiras duyuruyorsun sen bana. Bak, burası cehennem gibi oldu, haydi giyinip Central Park'a gezmeye gidelim, olmaz mı?"

"Ama ihtiyacım var," dedi, bacaklarını indirip istekle ayağa kalkarak. "Yapabilirsin, *senin* için iş mi bu, güzelim. Sesimi çıkarırsam öldür beni. Hem biliyor musun güzelim, sert konuş, kaba konuş benimle. Benim bir arkadaşım anlatıyordu bana, adam demiş ki, 'Sıyır donunu aşağı. Ve...'"

"Ne demiş, ne demiş!" dedim.

"Gerçekten öyle yapmış," dedi.

Yüzüne baktım; kızarmıştı, yanakları, hatta göğsündeki çiller bile kıpkırmızıydı.

"Devam et," dedim tekrar yatağa uzanırken o. "Sonra ne olmuş?"

"Şey... çirkin bir isimle çağırmış onu," dedi, utangaç ve çekingen. Yastığın üzerine dağılmış kendinden dalgalı kestane saçlarıyla taş gibi bir kızdı. Ta derisinin altına kadar kızarmıştı. Beni kışkırtmak için miydi bu, yoksa bilinçsiz bir duygusal değişim belirtisi miydi?

"Gerçekten çirkin bir isimle," dedi. "Oh, o kaba saba, iriyarı bir adamdı, bembeyaz dişleri vardı, hani 'aygır' derler ya. Ve o şöyle demiş, 'Orospu, sıyır donunu' ve sonra yapmış dediğini. Güzelim bir kızdır da; bir teni vardır kremalı çilek gibi. Herhangi bir insanın onu böyle bir isimle çağıracağını aklın almaz."

Oturmuştu şimdi, yüzüme bakarken dirsekleri yastığın üzerinde çukurlar meydana getiriyordu.

"Peki ne oldu, yakaladılar mı onu?" dedim.

"Oh, elbette ki hayır, güzelim; kız bunu yalnızca benim gibi bir kişiye daha anlattı. Kocasının o sözü duymasına katlanamazdı. Adamsa... Neyse, çok uzun hikâye."

"Korkunç," dedim. "Gitsek ne dersin ha...?"

"Korkunç, değil mi? Kız aylarca kendine gelemedi..." İkircikli bir ifade vardı yüzünde, ne düşündüğünü anlayamazdı insan.

"Ne var?" dedim, bağıracağından korkarak.

"Oh, onun gerçekten ne hissettiğini düşünüyordum da. Gerçekten merak ediyorum." Birden gizemli bir tavırla baktı yüzüme. "Çok gizli bir sırrımı açabilir miyim sana?"

Doğruldu. "Bana o kızın sen olduğunu söyleme."

Gülümsedi. "Yo, hayır, çok sevdiğim bir arkadaşımdı o. Ama biliyor musun ne, güzelim," dedi güvenerek ileri doğru eğilip, "Sanırım ben bir nemfomanyağım."

"Sen mi? Yok canım."

"I ıh. Bazen öyle düşüncelerim ve düşlerim oluyor. Hiçbir zaman onlara bırakmasam da kendimi, yine de öyle olduğumu düşünüyorum. Benim gibi bir kadın, demirden bir disipline sokmalı kendini."

İçimden güldüm. Kendini bıraksa, çabucak, iki ufak çenesi, üç katlı gerdanı olan güçlü kuvvetli bir hizmetçi kıza benzeyebilirdi. Kalınlaşan ayak bileğinin çevresinde ince bir altın bilezik görünüyordu. Ama yine de ondaki sıcak, çıldırtıcı, kadınca bir şeyin farkına varıyordum. Uzandım, eline vurdum hafifçe. "Ne diye böyle şeyler düşünüyorsun kendin hakkında?" dedim; onun, vücudunu kaldırarak yastığın köşesine yapıştığını gördüm. İncecik benekli bir tüy çıkardı ve ince tüylerini yoldu sapından.

"Baskı," dedi büyük bir bilgiçlikle. "Erkekler çok fazla baskı yapıyor bize. Birçok insanı şeyden uzak durmamız bekleniyor. Ama bir başka sır daha vereyim mi sana?"

Başımı eğdim.

"Devam etmemi istiyorsun, değil mi güzelim?"

"Tabii, Sybil."

"Şey, ta ilk işittiğimden beri onu, daha ufacık bir kızken bile, benim de başıma gelmesini istedim o şeyin."

"Arkadaşının başına geleni mi demek istiyorsun?"

"Hıı."

"Tanrım, Sybil, bunu bir başkasına daha söyledin mi?"

"Tabii ki hayır, cesaret edemezdim. Şaşırdın mı?"

"Biraz. Ama Sybil. Bana niçin söylüyorsun?"

"Oh, sana güvenebileceğimi biliyorum. Senin anlayacağını biliyorum; öteki erkekler gibi değilsin sen. Biz biraz da birbirimize benziyoruz."

Gülümsüyordu şimdi, uzandı ve yavaşça itti beni; işte yine başlıyor, diye düşündüm.

"Geriye uzan da seni şu beyaz çarşafların üzerinde seyredeyim. Çok güzelsin. Hep böyle düşünmüştüm. Lekesiz kar üzerinde sıcak bir abanoz gibi; görüyor musun ettiğini, şair gibi konuşturuyorsun beni. Lekesiz kar üzerinde sıcak bir abanoz, şairane değil mi?"

"Duygusalın biriyim ben, benimle eğlenmesen iyi edersin."

"Ama gerçekten öylesin, seninle çok özgür hissediyorum kendimi. Bilemezsin."

Sutyeninin askılarının bıraktığı ize bakıyorum, kim kimden öç alıyor, diye düşünerek. Bütün yaşamları boyunca işittikleri hep bu olduğuna göre niçin şaşırmalı? Büyük bir güç haline dönüştürüldüğüne göre bu mit ve onlar da gücün her türlüsüne tapınacak gibi yetiştirilmişlerse, niçin şaşırmalı? Bütün uyarılara rağmen, bunu kendileri de denemek isteyecekler bulunacaktı. Fatihler kendi kendilerini yenmiş olacaklardı. Belki birçokları gizlice isteyecekti bunu, belki bu olanak uzaklaştıkça onlardan, haykırmaları bundandı.

Gerilmiş bir halde, "İşte öyle," dedi. "Öyle bak bana, sanki beni parçalamak istiyor gibi. Bana öyle bakman için seviyorum seni?"

Güldüm ve çenesine dokundum. Köşeye kıstırmıştı beni; zil zurna sarhoştum, saldırısına karşılık veremezdim, kızamıyordum da. İnsanın yatak arkadaşına karşı duyması gereken saygı üzerine bir nutuk çekmek istedim ona; ama ne toplumu, ne de onun içinde kendi yerimin neresi olduğunu bildiğime inandırabiliyordum kendimi. Ayrıca, o senin eğlenceli olduğunu sanıyor, diye düşündüm. Onlara öğretilen bir başka şey de bu.

Bardağımı kaldırdım, o da katıldı bana, daha da sokuldu yanıma.

"Yapacaksın, değil mi güzelim?" dedi, şimdi makyajsız daha tabii görünen dudaklarını çocuk gibi büzerek. Öyleyse niçin eğlendirmeyecektin onu, niçin kibar bir insan, ya da seni zannettiği şey olmayacaktın; sahi ne olduğunu sanıyor senin? Ehlileşmiş bir ırz düşmanı mı, açıkçası, kadın sorunu üzerinde bir uzman. Belki de busun sen, hanımların eğlenmesi için, düğmesine basınca konuşmaya başlayan akıllı uslu bir ev hayvanı. Ve bu tuzağı ben hazırlamıştım kendime.

Bir bardak daha tutuşturarak eline, "Al şunu," dedim. "Bir içki aldıktan sonra daha iyi olur, daha gerçekçi olur."

"Oh, evet, harika olur." Bir yudum aldı içkiden ve düşünceli düşünceli baktı. "Yaşadığım hayattan öyle bıkmıştım ki, güzelim. Çok geçmeden yaşlanacağım da, hâlâ bir şey görmemiş olacağım. Bu ne demektir bilir misin? George boyuna kadın hakları üzerine konuşur. Ama bir kadının neye ihtiyacı olduğuna dair ne bilir? Bir saat konuşur da bir dakika iş görmez. Ah, benim için neler yaptığının farkında değilsin sen!"

Bardağı yeniden doldururken, "Sen de benim için, sevgili Sybil," dedim. Nihayet benim içkiler işe yaramaya başlıyordu.

Uzun saçlarını başının bir hareketiyle omuzlarından geriye saldı, bacak bacak üstüne attı beni seyrederken. Başı sallanmaya başladı iki yana.

"Çok içme, güzelim," dedi, "ne zaman çok içse turşuya döner George."

"Merak etme," dedim. "Ben sarhoşken daha iyi saldırırım."

İrkilmiş gibi baktı. "Oooo, bir daha doldur öyleyse bana," dedi, yerinde sıçrayarak. Bardağını ileri doğru uzatırken bir çocuk kadar sevinçliydi.

"Ne oluyor burada," dedim. "Bir ulus yeniden mi doğuyor?"

"Ne dedin, güzelim?"

"Hiçbir şey, çirkin bir espri. Unut."

"İşte senin bu yanını seviyorum, güzelim. O adi fıkralardan bir tane bile anlatmadın bana. Haydi, güzelim," dedi, "doldur."

Bir daha bir daha doldurdum bardağını; yalnız onun mu. İkimizin de bardaklarını birçok kez doldurdum. Çok uzaklardaydım; olanlar ne bana ne de ona oluyordu, hiç istemediğim, karmakarışık bir acıma hissi duyuyordum. Sona yüzüme baktı, kısılmış gözkapakları gerisinde gözleri parlayarak. Doğruldu ve orama vurdu birden.

"Haydi, döv beni, babam; sen, sen kara pehlivanım benim. Ne diye uzatıyorsun?" dedi. "Haydi, acele et, yık beni yere! İstemiyor musun beni?"

Onu tokatlayacak kadar canım sıkılmıştı. Saldırgan bir şekilde bekleyerek yatıyordu orada, kızarmış; göbeği sanki bir çu-

kurluk değil de zelzeleye tutulmuş bir kara parçasıydı, gerili-
yor, açılıyor, genişliyordu. Sonra, "Haydi, haydi!" dedi, ben de
vahşice bakıyordum etrafıma, içki dökmeye başlıyordum üzeri-
ne. "Elbet, elbet," dedim, bir an elim ayağım tutuldu, coşkula-
rım dondu kaldı; masanın üzerinde duran dudak boyasını gör-
düm, kaptım, sarhoş bir esin içinde deli gibi, karnının üzerine
boydan boya:

SYBIL, SENİN IRZINA
NOEL BABA
GEÇTİ
SÜRPRİZ

diye yazmak için üzerine eğilirken, "Evet, evet," diyordum ve
durdum, titriyordum dizlerim yatağın üzerinde, kararsız bir
umutlanışla beklerken o. Dudak boyasının mora çalan madeni
bir rengi vardı, o sabırsız bir bekleyişle soludukça harfler açılı-
yor, yayılıyor, titriyordu; yukarı tepelere, aşağıya vadiye doğru,
bir ışıklı reklam gibi parlıyordu karnı.

"Çabuk güzelim, çabuk," diyordu.

Düşünerek yüzüne bakıyordum. Bekle George görünceye
kadar bunu; George, gelir de görürse bunu tabii. Kadın soru-
nunun, bugüne kadar hiç düşünmediği bir cephesine dair bir
ders görmüş olurdu bunu okursa. Doyuramayacağım heyecanı-
nın şekillendirdiği yüzünü görünceye kadar gözlerimin önün-
de adsız, sansız yatıyordu; zavallı Sybil, diye düşündüm, bir er-
keğin yapacağı bir iş için bir çocuk seçmişti, hiçbir şey, olması
gerektiği gibi değildi. Kara pehlivan bile iş başında dize gelmiş-
ti işte. İçtiği içkiden kontrolünü kaybetmişti artık; birden eğil-
dim ve dudaklarından öptüm.

"Şşşş, ses çıkarma," dedim, "olurken bir hareket yapılmaz."
Bir daha öpmem için dudaklarını uzattı, tekrar öptüm onu, sa-
kinleştirdim, uyukluyordu; bu masalı bitirmeliydim artık. Böy-
lesi oyunlar Rinehart'a göreydi, bana göre değil. Yatağın dışına
yuvarlandım, ıslak bir havlu buldum ve suçumun kanıtını sil-
meye başladım. Günah kadar inatçıydı, epey zaman aldı. Su çı-

karmazdı, viski kokardı, nihayet benzin bulmak zorunda kaldım. Neyse ki ben işimi bitirene kadar uyanmadı.

"Yaptın mı, güzelim?" diyordu.

"Evet, elbette," dedim. "İstediğin bu değil miydi?"

"Evet ama hiç anımsamıyor gibiyim..."

Yüzüne baktım, gülmek istiyordum. Beni görmeye çalışıyordu ama gözlerini bir türlü ayarlıyamıyordu; başı boyuna bir yana düşüyordu, büyük çaba harcadığı belliydi. Birden kaygısız, neşeli hissettim kendimi.

"Ha sahi," dedim saçlarıyla oynayarak, "adınız nedir, hamfendi?"

"Sybil," dedi hiddetle, boşandı boşanacak. "Güzelim biliyorsun Sybil'im ben."

"Seni zorla kapıp kaçırdığımda bilmiyordum, nasıl bilebilirdim."

Gözleri açıldı, bir gülümseme geçti yüzünden.

"Doğru, nasıl bilebilirdin? Daha önce beni hiç görmedin."

Hoşlanmıştı, bu düşüncenin kafasında şekillendiğini neredeyse görebiliyordum.

"Doğru," dedim. "Duvardan atlayıp geldim. Bomboş lobiden zorla kaçırdım seni; anımsıyor musun? Senin korkunç çığlıklarını elimle bastırdım."

"Peki ben dövüştüm mü seninle, direndim mi?"

"Yavrusunu koruyan dişi bir aslan gibi..."

"Ama sen öyle güçlü bir vahşiydin ki zorla dize getirdin beni. Ben istemiyordum, öyle değil mi yani, güzelim. İsteğimin dışında zorladın beni."

"Elbette," dedim ipekli çamaşırlarından birini elime alarak. "İçimdeki hayvanı uyandırdın sen. Zorla dize getirdim seni. Ama başka ne yapabilirdim ki?"

Bir süre bunu düşündü, bir an ağlayacakmış gibi yüzü titredi. Ama çok geçmeden yeni bir gülümseme açıldı yüzünde.

"Ya ben, iyi bir nemfomanyak değil miyim?" dedi, yakından gözleyerek beni. "Gerçekten, sahiden?"

"Farkında değilsin," dedim. "George gözünü ayırmasa senden, iyi eder."

Öfkeyle bir yandan öbür yana kıvrıldı yatakta. "Saçma! O George moruğu, bir nemfomanyak yatağının içine kadar bile girse, tanıyamaz onu!"

"Harikasın," dedim. "George'u anlatsana bana. Toplumsal değişimin o büyük usta kasını anlatsana."

Kaşlarını çatarak dik dik baktı. "Kim, *Georgie mi*?" dedi, uykulu tek gözüyle bana bakarak. "Georgie, deliğindeki bir köstebek kadar kördür, hem bir şey de bilmez. Hiç böyle bir şey duydun mu sen on beş senedir! Hey, ne gülüyorsun, güzelim?"

"Ben," dedim, kahkahayı basarak, "yalnız ben..."

"Senin gibi gülen birisini daha görmedim, güzelim; Harika!"

Elbisesini başından aşağı kaydırıyordum şimdi, sesi şantung kumaşın içinde boğuldu. Sonra kalçalarından aşağı indirdim, kızarmış yüzü sallanıyordu yakanın içinde, saçları yine dağılmıştı omuzlarından aşağı.

"Güzelim," dedi sözcüğü yaya yaya, "yine yapar mısın ara sıra?"

Geriye çekildim, yüzüne baktım. "Ne?"

"Ne olur, güzelim, civanım, ne olur," dedi titrek bir gülümsemeyle.

Gülmeye başladım, "Elbette," dedim. "elbette..."

"Ne zaman, güzelim, ne zaman?"

"Ne zaman istersen," dedim. "Her Perşembe saat dokuzda, ne dersin ha?"

"Oooh, güzelim," dedi, modası geçmiş bir pozda sarılarak bana. "Senin gibisini asla görmedim ben."

"Emin misin?" dedim.

"Gerçekten de, hiç, güzelim... namussuzum... inanmıyor musun bana?"

"Elbette, görülür olmak güzel şey; ama gitmeliyiz artık," dedim yatağa çöktüğünü görerek.

Somurttu. "Son bir yudum içki daha istiyorum, güzelim," dedi.

"Yeteri kadar içtin," dedim.

"Ah, güzelim, yalnız bir..."

"Peki yalnız bir tane."

Birer içki daha içtik; yüzüne baktım, acıdım, tekrar kendimden nefret ettim, sarsıldım.

Başını bir yana eğmiş, ciddi ciddi bakıyordu bana.

"Güzelim," dedi, "biliyor musun küçük Sybil'in ne düşünüyor?" Senin beni başından savmaya çalıştığını."

Derin bir boşluk içinde yüzüne baktım, hem onun hem de benim bardağımı yeniden doldurdum. Ne yapmıştım ona, ne yapmasına izin vermiştim? Hepsi benim üzerime mi yıkılıyordu olanların? Hareketim... benim –acı verici sözcük onun titrek gülümseyişi kadar ilgisiz şekillendi ağzımda– benim *sorumluluğum mu*? Hepsi? Ben görülmezim. "Al," dedim, "İç."

"Sen de güzelim," dedi.

"Peki," dedim. Kollarıma atıldı.

Biraz kestirmiş olmalıydım. Bir bardağın içinde buz şıkırtıları, zil sesleri geliyordu kulağıma. Derin bir üzüntü hissettim, sanki bu bir saat içinde kış gelmişti. Kestane saçları yastığın üzerinde dağılmış, ağırlaşmış gözkapakları arasından mavi farlı gözleriyle seyrediyordu beni. Uzaktan yeni bir ses yükseldi.

"Cevap verme, güzelim," dedi, sesi aniden ağzının işleyişiyle uygunsuz çıkıyordu.

"Ne?" dedim.

"Cevap verme, bırak çalsın," dedi, kırmızı tırnaklı parmaklarını ileri doğru uzatarak.

Durumu anlayarak telefonu elinden aldım.

"Yapma, güzelim," dedi.

Elimde çalmaya devam ediyordu; bir çocukluk duasının sözleri, hiç nedensiz aktı aklımın içinden hızlı bir su gibi. Sonra: "Alo!" dedim.

Bölgeden gelen, çılgın, tanınmaz bir sesti. "Kardeş, hemen kalkmalısın," diyordu.

"Hastayım ben," dedim. "Ne var?"

"Başımız belada Kardeş, ancak sen..."

"Ne belası?"

"Kötü bir bela, Kardeş, şeye çalışıyorlar..."

Sonra, sert bir cam kırılması sesi, uzakta, parçalanan bir şeyin arkasından bir yıkılma sesi ve hat kesildi.

"Alo," dedim; Sybil'in önümde sallandığını, dudaklarının, "Güzelim," dediğini görüyordum.

Bu kez ben çevirdim numarayı, meşgul sesiyle karşılaştım. Amin-Amin-Amin, ah be; bir süre oturdum orada. Bir oyun muydu bu? Onun benimle olduğunu biliyorlar mıydı? Yerine koydum telefonu. Gözleri, mavi gölgeleri içinden bakıyordu bana. "Güze..."

Ayağa kalkmıştım artık, kolundan çektim. "Gidelim, Sybil. Bölgede bana ihtiyaçları var." Ancak o zaman fark ettim gideceğimi.

"Hayır," dedi.

"Evet, evet. Haydi."

Bana karşı koyarken yine yatağa düştü. Kollarını bıraktım ve çevreme bakındım, kafam dağınıktı. Ne belası olurdu bu saatte? Niçin gitmek zorundaydım? Gözleri mavi gölge içinde yüzerek beni seyrediyordu. Yüreğimin derininde, ta dipte bir üzüntü hissediyordum.

"Gelsene, güzelim," diyordum.

"Hayır, haydi biraz hava alalım," dedim.

Ve artık, kırmızı, yağlı tırnaklarından sakınarak bileklerini kavradım, çekip kaldırdım onu, kapıya doğru sürükledim. Sendeliyorduk, orada sallanıp durdukça dudakları dudaklarımın üzerinde geziniyordu. Bana yapıştı, bir an tarifsiz bir keder hissederek ben de ona sarıldım. Bardaklarımızdaki amber renkli içkilerin üzerine ışık düşmüştü.

"Güzelim," dedi, "hayat o kadar başka olabilirdi ki..."

"Ama hiçbir zaman öyle değil," dedim.

"Güzelim," dedi.

Vantilatör dönüp duruyordu. Bir köşede, anılar gibi toz lekeleriyle kaplı el çantam, dövüş gecesinin anıları. Vücudumda sıcak soluğunu duyuyordum, yavaşça ittim, kapının çerçevesine dayayıp durdurdum ayakta; sonra anımsadığım dua kadar içten gelen bir itiyle gittim, el çantamı aldım, tozlarını bacağıma sürerek sildim, koltuğumun altına sıkıştırdığımda hiç ummadığım bir ağırlık hissetim içinde. İçinde bir şeyler tıngırdıyordu. Koluna girdiğimde, parlayan gözleriyle hâlâ beni seyrediyordu.

"Nasıl Sybil?" dedim.

"Gitme, güzelim," dedi. "Bırak Georgie yapsın. Nutuğa paydos bu gece."

"Haydi yürü," dedim, sımsıkı tutarak kolunu; yanımda çekip götürürken arzu dolu yüzünü bana çevirmiş iç çekiyordu. Yavaşça caddeye indik. Kafam hâlâ darmadağında içkiden, karanlığın o koskoca boşluğuna bakınca yaşlar hissettim gözümde... Neler oluyordu kentin yukarısında? Bürokratlar, kör herifler için ne diye endişelenecektim sanki? *Ben görülmezdim.* Onun, yanımda sendeleye sendeleye yürüyüşünü, bir ezgi mırıldanışını duya duya sessiz caddeye bakıp duruyordum; taze, safdil ve kaygısız bir ezgi. Sybil, benim geç bulup erken yitirdiğim aşkım... Ah! gırtlağıma bir şey saplanıyordu. Caddenin sıcağı yapışıyordu insana. Bir taksi aradım ama görünürde yoktu. Yanımda hâlâ o ezgiyi mırıldanıyordu, kokusu gerçekdışıydı gecenin içinde. Ondan sonraki bloka geçtik, yine taksi yok. Yüksek ökçeleri düzensiz takırdıyordu kaldırımda. Durdum.

"Zavallı güzelim," dedi. "Adını bilmiyor..."

Başıma bir şeyle vurmuşlar gibi döndüm. "Ne?"

"Adsız vahşi, güzel aygır," dedi, ağzında uykulu bir gülümseme.

Yüzüne baktım, yüksek ökçeleri üzerinde kaldırımda tı-kırak, tı-kı-rak yürüyordu.

Ondan daha çok kendime, "Sybil," dedim, "nerede bitecek bu?" Bir şey, gitmemi söylüyordu bana.

"Aaaah!" Güldü. "Yatakta. Gitme oraya, güzelim. Sybil sarıp sarmalar seni."

Başımı salladım. Yıldızlar orada, yukarda ta yükseklerdeydi, dönüyorlardı. Gözlerimi kapadım, gözkapaklarımın gerisinde kırmızı, kırmızı gidiyorlardı; sonra biraz kendime gelince kolunu yakaladım.

"Bak, Sybil," dedim. "Sen burada bir dakika dur, ben Beşinci'ye gideyim bir taksi getireyim. Tam burada dur, sevgilim, bekle." Pencereleri kapalı eski görünüşlü bir binanın önünde sallanarak duruyorduk. Cephede, aydınlık spotlar içinde koskoca Yunan kabartmaları görünüyordu, onun üstünde taşta karanlık, karmakarışık işlemeler; oyulmuş taştan hayvan resimli taraçaya yasladım onu. Oraya dayalı duruyordu, saçları darmadağın, caddenin ışığında bana bakarak, gülümseyerek. Yüzü, boyuna bir tarafa salınıyordu, sağ gözü tamamen kapalıydı.

"Elbet güzelim, elbet," dedi.

"Ben hemen dönerim," dedim geri geri giderek.

"Güzelim," diye sesleniyordu, "güzelim *benim*."

Uzaklaşırken, gerçek sevgiyi işit diye düşündüm. Zenci Ayısı'nın tapınmasını. Güzelim, derken ne demek istiyordu bana? Aygır mı demek istiyordu, yoksa gerçek güzelliğimi mi kastediyordu? Ne anlamı vardı öyle ya da böyle olsa? Görülmezdim ben...

Bütün yolu tepmeden bir taksi geçer umuduyla caddenin bu geç saatteki sessizliği içinde yürüyordum. Yukarda, ilerde, 5. Cadde'de ışıklar parlaktı. Birkaç araba, caddenin hayvan ağzı gibi açık ağzından hızla geçti. Yukarıda, ötede, ağaçlar; büyük, karanlık ve uzun. Ne oluyordu, merak ediyordum. Neden çağırmışlardı beni bu kadar geç saatte, kim çağırmıştı?

Hızlı hızlı yürüyordum, ayaklarım dolana dolana.

"Güzelim," diye bağırıyordu arkamdan, "Güzeeeliiim!"

Arkama bakmadan el salladım. Bir daha mı, hiç, hiç. Devam ettim.

Beşinci'de bir taksi geçti, seslenmeye çalıştım; bu sırada bir başka sesin yükseldiğini işittim, keyifli keyifli dalgalandı ses. Işıklı caddede bir başka taksi aradım; birden frenlerin acı cayırtısını işittim, döndüm, bir arabanın durduğunu ve beyaz bir kolun işaret ettiğini gördüm. Araba geriye döndü, yanaştı, sarsılarak durdu. Güldüm. Sybil'di. Sendeleyerek yanaştım, kapıya geldim. Gülümsüyordu bana, başı pencerenin içinde, hâlâ bir yana eğik, saçları dalga dalga dökülmüş.

"Gir içeri, güzelim, Harlem'e götür beni."

Başımı salladım iki yana, ağırdı, acıyordu başım. "Hayır," dedim, "yapacak işim var benim, Sybil. Sen eve gitsen iyi olur..."

"Yok, güzelim, yanında götür beni."

Şoföre döndüm, elim kapının üzerinde. Ufak, siyah saçlı ve durumdan hoşlanmamış bir insandı; trafik ışığından gelen bir kırmızı parıltı burnunun ucunu aydınlatıyordu.

"Bak," dedim, "evine götür onu."

Adresi verdim ve son beş dolarımı uzattım. Asık suratla, durumdan hoşlanmadığını belirterek aldı.

"Hayır güzelim," diyordu o, "ben Harlem'e gitmek istiyorum, seninle olmak istiyorum!"

Kaldırımın kenarından geriye çekilerek, "İyi geceler," dedim.

Blokun tam ortasındaydık, onların geçip gittiğini gördüm.

"Hayır," diyordu, "hayır güzelim. Gitme..." Çılgınca açılmış gözleriyle yüzünü bembeyaz gördüm kapıda. Orada, şoförün hızla ve küçümseyerek fırladığını, gözden kaybolduğunu seyrederek durdum; kuyruk ışıkları, burnu gibi kıpkırmızı.

Gözlerim kapalı, kendimi yüzer gibi hissederek, kafamı açmaya çalışarak yürüyordum; sonra açtım gözlerimi ve kaldırım taşları boyunca park tarafına geçtim, karşıya. Yukarda, yüksekte arabalar yol boyunca dönüyor, dönüyordu ışıkları karanlığa saplanarak. Bütün taksiler tutulmuştu, hepsi kentin merkezine gidiyordu. Ağırlık merkezine. Ağır ağır, zorla yürüyordum, başım dönüyordu.

Sonra 110. Cadde yakınında yine gördüm onu. Bir sokak lambasının altında el sallayarak bekliyordu. Şaşırmamıştım; kaderci olmuştum artık. Gülüşünü işiterek yavaş yavaş döndüm. İlerimdeydi benim, yalınayak, sallana sallana, bir düşteymiş gibi koşmaya başladı. Koşuyordu. Düzensiz fakat hızlı; şaşırmıştım, yakalayamıyordum onu, ayaklarım kurşun gibi ağırlaşmıştı, ilerimdeydi, çağırıyordum, "Sybil, Sybil!" Kurşundan ayaklarımla park boyunca koşuyordum.

Geriye bakıp sendeledi. "Haydi güzelim," diye bağırıyordu, "yakala Sybil'i... Sybil'i!" yalınayak ve korsasız koşarken.

El çantası koltuğumun altında gittikçe ağırlaşarak koşuyordum. Bir şey, büroma gitmem gerektiğini söylüyordu bana... "Sybil, bekle!" diye bağırdım.

Elbisesinin renkleri karanlığın aydınlandığı yerlerde alev alev yanarak koşuyordu. Hışıltılı bir hareketle, ayakları vücudunu zor taşıyarak, beyaz topukları parlaya parlaya, eliyle eteğini kaldırmış. Gitsin, diye düşündüm. Ama şimdi, caddeden çılgınca karşıya geçmeye çalışıyordu ki, kaldırımın kenarından yuvarlandı, tekrar kalktı ayağa, tekrar düştü kıçüstü, artık ayakta duramıyordu, dengesini yitirmişti.

"Güzelim," dedi yanına gelince, "Allah belanı versin güzelim, sen mi itiyorsun beni?"

"Kalk," dedim kızmaksızın. Yumuşak kolunu tutarak, "Kalk." Kalktı, kollarını bütün genişliğince açtı kucaklamak için.

"Hayır," dedim "perşembe değil bugün. Oraya gitmem gerek benim... Benim için neler düşünüyorlar, Sybil?"

"Kim, güzelim?"

"Jack, George... Tobitt ve hepsi?"

"Beni yakaladın, güzelim," dedi. "Unut onları... Bir sürü et kafalı onlar... budala, biliyorsun. Bu bok kokulu dünyayı biz yapmadık ki, güzelim. Unut!"

Taksiyi tam zamanında, köşeden doğru hızla yaklaşırken gördüm, iki katlı bir otobüs de iki blok geride göründü. Taksi şoförü başını pencereden çıkarıp baktı, direksiyonda yüksek oturmuştu, bir hızlı U dönüşüyle yanımıza geldi. Yüzü şaşkındı, inanamıyordu.

"Haydi, Sybil," dedim, "oyun yok artık."

"Özür dilerim, babalık," dedi şoför, "onu Harlem'e çıkarmıyorsun değil mi?"

"Hayır, hanım kentin merkezine gidiyor," dedim. "Gir içeri, Sybil."

"Güzelim, diktatörün biridir," dedi şoföre; deliymişim gibi sakin sakin yüzüme bakıyordu adam.

"Kızgın aygır..." diye mırıldandı, "tam bir kızgın aygır."

Ama içeri girmişti Sybil.

"Tam bir diktatör, güzelim."

"Bak," dedim şoföre, "doğru evine götür onu, taksiden dışarı çıkmasına izin verme. Harlem'de dolaşıp durmasını istemiyorum. Değerlidir, büyük bir hanfendidir."

"Tabii, arkadaşım, anlıyorum seni," dedi. "Orası kaynıyor." Ben, "Ne oluyor?" diye bağırdığımda araba hareket etmişti. Vites değiştirirken sesini daha da yükselterek, "Yakıp yıkıyorlar ortalığı," diye bağırdı. Arkalarından baktım bir süre ve otobüse yöneldim. Bu kez sağlama bağlayayım işi, diye düşündüm, adımlarımı açtım, otobüse işaret ettim ve bindim. Bir daha geri dönerse, ben gitmiş olacaktım. Her zamankinden daha kuvvetle hissediyordum acele etmem gerektiğini; ama kafam hâlâ bulanıktı, kendimi toparlayamıyordum.

Gözlerim kapalı, çantam elimde, altımda otobüsün hızla kaydığını hissederek oturuyordum. Çok geçmeden 7. Cadde'ye çıkacaktı. Sybil bağışla, diye düşündüm. Otobüs ilerliyordu.

Ama gözlerimi açtığımda Riverside Drive'a dönüyorduk. Buna da ses çıkarmadım, bütün gece çığrından çıkmıştı zaten. Çok içki içmiştim. Zaman, sıvı gibi, görünmeksizin, kederli akıp duruyordu. Dışarı bakınca akıntı yukarı giden bir gemi gördüm, koşan ışıkları parlak noktalar halindeydi gecenin içinde. Demir atmış teknelerin, karanlık suyun ve gerilere dökülen ışıkların hızla açılan bulanıklığında devamlı ve yoğun, serin deniz kokusu geliyordu bana kadar. Nehrin karşı yakası Jersey'di. Harlem'e ilk girişimi anımsadım. Uzun zaman geçti, diye düşündüm, uzun zaman. Nehirde boğulmuş gibiydim.

Sağımda, ilerimde, tepesinde kırmızı uyarı işaretiyle kilisenin sivri kulesi yükseliyordu. Şimdi, kahramanın mezarını geçiyorduk, bir gün burayı ziyaret ettiğim aklıma geldi. Merdivenleri çıkardınız, içeriye girerdiniz, onu bayraklara sarılı dinlenirken bulmak için ta aşağılara bakmanız gerekirdi.

125. Cadde'ye çok çabuk geldik. Yuvarlanır gibi indim arabadan, suyla yüz yüze gelince arabanın çekip gittiğini işittim. Hafif bir esinti vardı; ama şimdi hareket durduğu için sıcak basmıştı, yapışıyordu insana. Çok ileride, karanlıkta anıta benzer köprüyü görüyordum, ışıklardan çizgiler düşmüştü karanlık nehre; daha yakında, kıyı çizgisinin çok üzerinde, trenlerinin, otomobillerinin, dönme dolaplarının ışıklara boğulmuş iniltileriyle lunapark! Nehrin bir ucundan öbür ucuna uzanan "Zamanıdır Artık..." yazısı. Ama tarih, kabaralı çizmeleriyle üzerimde

tepinip dururken şu an, zaman için niye endişe etmeli, diye düşünüyordum. Caddeyi geçerek çeşmeye geldim, suyun serinlediğini hissettim, aşağı eğildim, bir mendil ıslattım suda ve yüzümü, gözlerimi sildim. Su, parıldıyor, çağıldıyor, püskürüyordu. Yüzümü öne eğdim, suyun ıslak serinliğini hissettim, çeşmelerin çocukça sevincini duyarak. Sonra öbür sesi işittim. Nehir değildi bu, karanlığın içinde parlayıp parlayıp gelen arabalar da değildi, uzaktaki bir kalabalıktan ya da hızla akan, yükselmiş bir nehirden geliyor gibiydi.

İlerledim, basamakları buldum ve aşağıya indim. Köprünün altında, caddenin sert, taştan nehri uzanıyordu; bir an kaldırım taşlarının dalgalarına baktım, sanki suydu gördüğüm, sanki yukarıdaki çeşme bunlardan çekiliyordu. Buradan yola girebilir, öte yana Harlem'e gidebilirdim. Basamakların altında troleybüs telleri çeliksi parlıyordu. Hızlandım, ses daha yaklaşıyordu; on binlerce insanın sesi, uğulduyordu, sarıyordu etrafımı, havayı uyuşturuyordu, rampadan aşağı inmeye başladığımda. Bana bir şey söylemeye, bir haber vermeye çalışan, inceden inceye, bir ötüş gibi, bastırılmış bir gürültü geliyordu. Durdum, etrafıma baktım; köprünün kirişleri bir sıraya dizilmiş, karanlığa doğru uygun adım gidiyordu, kaldırım taşları üzerinde kırmızı ışıklar parlıyordu. Nihayet köprünün altına geldim, sanki beni bekliyorlarmış gibiydi; kimseyi değil, beni –benim için ayrılmış ve bir kenara konmuş– bir sonsuzluk için. Yukarıya, seslere doğru baktım, bir şey yüzüme çarpıp çizgi çizgi dağılınca, kafamda kanata benzer bir şeyler biçimlendi; pis bir havaydı kokladığım şimdi, üstüme başıma yağmur gibi bir şeyler döküldü, çantamı başımın üzerine tuttum ve koşmaya başladım, hâlâ etrafa saçıldığını, yağmur gibi yağdığını duyuyordum. Her yandan saldırıyorlar, diye düşündüm, kuşlar bile; güvercinler bile, kırlangıçlar ve o Allah'ın belası martılar hatta! Öfkeyle, umutsuzlukla kaynayarak ve acı kahkahalar atarak körü körüne koşuyordum. Kuşlardan kaçıp nereye koşuyordum, bilmiyordum. Koşuyordum. Ne diye buradaydım şu anda?

Gecenin ortasında koşuyordum, kendi içimde koşuyordum. Koşuyordum.

Yirmi Beş

Morningside'a ulaştığımda patlamalar 4 Temmuz kutlamalarına benzemeye başlamıştı, hızla ilerliyorumdum. St. Nicholas'da sokak ışıkları sönmüştü. Gök gürlemesi gibi bir ses yükseldi, kaldırımda tangur tungur öten bir şeyi iterek bana doğru koşan dört adam gördüm. Bir kasaydı bu.

"Hey!" diye bağırdım.

"Çekil yoldan!"

Kenara, caddeye sıçradım; önce büyük bir gürültü, sonra büyük bir sessizlik; son baltanın vuruluşuyla koca bir ağacın devrilişi arasındaki boşluk gibi aniden ve parlayarak durdu zaman, havada asılı kaldı. O zaman farkına vardım kapı aralıklarında ve kaldırım kenarlarında yere çöken, yapışan şekillerin; zaman patladı ve ben yuvarlandım yere, kendimdeydim ama kalkamıyordum, caddenin üzerinde kıvranıyordum; anacaddenin köşesinde tabancalar patladıkça alevlerini görüyordum, solumda deminki adamlar kasayı gittikçe hızlanarak sürüklüyorlardı kaldırımda; caddenin gerisinde, arkamda, kara gömlekleri içinde görülmez iki polis, önlerine önlerine ateş ediyordu adamların. Kasayı yuvarlayanlardan biri ileri doğru fırladı, düştü, ta ilerde köşenin orada bir otomobil lâstiğine bir mermi saplandı, boşalan hava can çekişen koca bir hayvanın feryadıyla öttü.

Çırpınarak yuvarlanıyor, kaldırımın kenarına sürünerek yaklaşmaya çalışıyordum ama yapamıyordum; yüzümde aniden ıslak bir sıcaklık hissettim, kasanın yol kavşağına doğru hızla gittiğini görüyordum. Adamlar köşeyi dönüp karanlığa daldılar, paldır küldür kayboldular.

Gitmişti artık, kasa kayar gibi, uçar gibi gitmiş dönemeçte kaybolmuştu; yuvarlanan kasa ilerde bir şeye çarpmış, sıçrayarak üçüncü korkulukta durmuştu, devamlı, mavi kıvılcımlar saçıyordu etrafa. Bir düş görüyordum, polisler hedef uzaklığında duruyorlar, ayakları ilerde, boş kolları böğürlerinde, hedef gözeterek ateş ediyorlardı.

Onlardan biri, "Yardım çağır!" diye bağırdı; döndüklerini ve tramvay raylarından çıkan donuk ışıkların karanlığın içinde kaybolduğu yerde gözden kaybolduklarını gördüm.

Birden, capcanlı ayağa fırladı blok. İnsanlar kaldırımlardan biter gibi heyecanlı çığlıklar atarak üzerimdeki mağaza önlerine koşuşuyorlardı. Kan yüzüme inmişti artık, kımıldayabiliyordum; kalabalıktan birisi kalkmama yardım ederken dizlerimin üzerinde doğruldum.

"Yaralandın mı babalık?"

"Biraz, bilmiyorum." Tam göremiyordum onları.

"Tüh anasını! Kafasında delik var be!" dedi bir ses.

Bir ışık parladı yüzümde, yakınlaştı. Kafatasımın üzerinde sert bir el hissettim, sıçradım.

"Boş ver, bir sıyrıkmış," dedi bir ses. "O kırkbeşliklerden biri küçük parmağına vursun, tepetaklak olursun!"

Kaldırımdan birisi, "Şuradaki bir daha kalkamaz," diye bağırıyordu. "Temizlediler onu."

Yüzümü sildim, kafamda bir şey ötüyordu. Bir şey kayboluyordu.

"Teşekkürler," dedim. Bulanık, mavi renkli yüzlerine bakarak. Ölü adama baktım. Yüzükoyun yatıyordu, kalabalık boyuna gidip geliyordu çevresinde. Birden orada, o kalabalık içinde sıkışmış olanın ben olabileceğimi anladım, aynı zamanda o adamı daha önce görmüşüm gibi geliyordu bana, bir öğle vakti parlak ışıkta, çok önce... ne kadar? Adını biliyordum, diye düşünüyordum; birden dizlerim ileri doğru kaydı. Oraya çöktüm, çantayı sımsıkı tutan yumruğu taşlara sürtünmekten yara bere içinde, başım öne düşmüş. Etrafımda insanlar gidip geliyordu. "Çekil ayağımın altından be adam," dediğini duydum birisinin. "Bırak itişmeyi. Herkese yeter."

Yapmam gereken bir şey vardı, unutkanlığımın gerçek olmadığını biliyordum; bir insanın, bazı düşlerin unutulmuş ayrıntılarının gerçekten unutulmuş değil akıldan kaçmış olduğunu bilmesi gibi. Biliyordum, kasanın ötesinde caddeyi örtmüş olan mavi perde kadar donuk, gözlerimin gerisinde asılı duruyor gibi olan gri perdenin arasından ulaşmaya çalışıyordum ona. Baş dönmesi gitmişti, çantama dayanarak ayağa kalkabildim, başımı bir mendille bastırarak. Caddenin yukarısında koca koca cam tabakalarının parçalanma sesleri geliyordu; karanlığın mavi esrarı içinde kaldırımlar, parça parça olmuş aynalar gibi donuk donuk titriyordu. Bütün sokak ışıkları sönmüştü, bütün günlük sesler her zamanki anlamlarını yitirmişti. Bir yerlerde anlamsız bir alarm sesi, bir hırsız alarmı çalıyordu, arkasından yağmacıların sevinç çığlıkları.

Yakından bir ses, "Haydi," dedi.

Bana yardım etmiş olan adam, " Gidelim arkadaş," dedi. Kolumu tuttu, omzundan aşağı sarkan iri bir bez torba taşıyan ince bir adamdı.

"Bu durumda bırakamayız seni burada" dedi. "Sarhoş gibi sallanıyorsun."

"Nereye gidiyoruz?" dedim.

"Nereye mi? Allah cezanı versin herif. Nereye olursa. Biz hareket etmek zorundayız hep, nereye gidebileceğimizi söylemeden. Hey, Dupre!" diye bağırdı.

"Ne var, lan. Allah belanı versin! Ne bağırıyorsun öyle, adımı yüksek sesle söyleyerek," diye cevap verdi bir ses. "Buradayım, burada, bir iki iş gömleği daha alıyorum kendime."

"Benim için de al Du" dedi.

"Olur, baban mı sandın beni ulan," diye cevap geldi.

İnce zayıf adama baktım, bir dostluk hissi kabardı içimde. Beni tanımıyordu, tanımadan yardım ediyordu...

"Hey, Du," diye çağırdı, "yapıyor muyuz?"

"Evet, dedik ya, şu gömlekleri alayım bir."

Kalabalık yere saçılmış şekerin çevresindeki karıncalar gibi mağazalara girip çıkıyordu. Zaman zaman camların parçalandığı, tabancaların patladığı duyuruluyordu; ta uzaktaki caddelerden itfaiye arabalarının sesleri geliyordu.

"Nasılsın?" dedi adam.

"Hâlâ kendime gelemedim," dedim, "ve bitiğim."

"Dur bakalım, kan durmuş mu. Tamam. İyileşirsin."

Sesi apaçık geldiği halde yüzünü belli belirsiz görüyordum.

"Düzelecek," dedim.

"Arkadaş, şanslıymışsın ki ölmedin. Bu orospu çocukları gerçekten ateş ediyorlar," dedi. "Lenox'ta havaya ateş ediyorlardı. Bir tüfek bulabilseydim kendime, gösterirdim onlara! Al, şu güzel Scotch'tan biraz iç," dedi, pantolonunun arka cebinden bir şişe çıkararak. "Kendime bir sandık ayırmışım bundan, şuradaki içkiciden yürüttüm. Orada olsan, yalnız nefes al, başka şey yapma, bir bakmışsın ki sarhoşsun arkadaş. Sarhoş! Depo depo güzelim viski oluk gibi akıyor sokaklarda."

Bir yudum aldım, viski boğazımdan aşağı inerken titredim; ama beni aniden sarstığı için şükrettim. Çevremde kırıp dökme, itişip kakışmalar oluyor, mavi bir parlaklık içinde karanlık şekiller dolaşıyordu.

Kalabalığın karanlık içindeki hareketlerine bakarak, "Nasıl da götürüyorlar, bak," dedi. "Bense yoruldum, Lenox'un orayı gördün mü?"

"Hayır," dedim, bir kadının, yeni bir çalı süpürgesinin sapına boyunlarından asılmış bir düzene kadar temizlenmiş tavuğu taşıyarak ağır ağır geçtiğini gördüm...

"Vay anasını, görmeliydin arkadaş. Her şey param parça. Şu anda kadınlar tertemiz etmişlerdir orayı. Bir kadın gördüm, koca bir yarım sığırı yüklenmiş gidiyor. Arkadaş, iki kat olmuş, evime götürecem diye onu. İşte Dupre geliyor nihayet," dedi sözünü yarıda keserek.

Kalabalığın içinde, ufak tefek sağlam yapılı bir adamın bir sürü kutu taşıyarak geldiğini gördüm. Başına üç tane şapka giymişti, omuzlarından pantolon askıları sarkıyordu; şimdi artık bize doğru gelirken parlak, yepyeni, kalçaya kadar çıkan lastik çizmeler giymiş olduğunu gördüm. Cepleri şişmişti, omzunda, arkasında ağır ağır sallanan bir bez torba taşıyordu.

"Allah belanı versin, Dupre," dedi arkadaşım, başını göstererek. "Şunlardan birini benim için mi aldın? Ne marka bunlar?"

Dupre durdu ve ona baktı. "Orada o kadar şapka olacak da *Dobbs*'tan başka marka şapka alacağım ha? Arkadaş, delirdin mi sen? Hepsi yepyeni, güzel renkli *Dobbs*. Haydi, gidelim polisler dönmeden. Allah kahretsin, şu parlayan şeye bak!"

Arasında belli belirsiz şekillerin oynaştığı mavi ateş perdesine baktım. Dupre seslendi, kalabalıktan birkaç adam çıktı ve caddeye yanımıza geldi. Oradan ayrıldık; arkadaşım (Scofield diye çağırıyorlardı öbürleri onu) yanımda gidiyordu. Başım zonkluyordu, hâlâ kanıyordu.

Çantamı göstererek, "Görüyorum, sen de yağmalamışsın bir şeyler," dedi.

"Çok bir şey değil," dedim, yağma ha, diye düşünerek. Yağma? Ve birden çantamın niçin bu kadar ağır olduğunu anladım, Mary'nin kırılmış kumbarasını ve bozuk paraları anımsadım; bir de baktım çantayı açmışım, ceplerimdeki bütün kağıtları –Kardeşlik kimliğimi, imzasız mektubu ve de Clifton'un bebeğini– içine atıyorum.

"Doldur arkadaş, unutma. Biz şu tefeci dükkânının icabına bakıncaya kadar sen bekle. Şu Du, gördün nasıl imanına kadar doldurmuş çuvalı. Dükkân açar, hilafsız."

Öbür yanımdaki bir adam, "Vay anasını," dedi. "Pamuk torba *sandıydım* ben. Nerden almış o şeyi?"

"Kuzey'e gelirken yanında getirmiş," dedi Scoefild. "Du, geriye dönerken, hepsi de on dolarlık kağıt parayla dolduracakmış onu, yemin ediyor. Vay anasını, aldığı bütün o şeyleri koyması için bir depo ister bu geceden sonra. Sen de o çantayı doldur, arkadaş. Bir şeyler al kendine!"

"Hayır," dedim. "İçindekiler yeter bana." Şimdi daha açıkça hatırlıyordum ne için yola çıktığımı; ama ayrılamıyordum yanlarından.

"Belki de sen haklısın," dedi Scofield. "Ben bilirim, elmas filan doldurmuşsundur içini. Adam aç gözlü olmamalı. Böyle bir zamanda da olsa."

Yürüyorduk. Ayrılayım mı, bölgeye gideyim mi? Neredeydiler, doğum günü töreninde mi?

"Nasıl başladı bütün bunlar?" dedim.

Scofield şaşırmış görünüyordu. "Allah belamı versin, biliyorsam arkadaş. Bir polis bir kadını mı vurmuş ne."

Bir yerlerde ağır bir çelik parçası gürültüyle yuvarlanırken bir başka adam yanaştı yanımıza.

"Hadi lan, öyle başlamadı," dedi. "O oğlan, neydi adı?"

"Kim?" dedim. "Adı ne?"

"O genç adam!"

"Bilirsin, hani herkes deli olduydu duyunca..."

Clifton, diye geçirdim aklımdan. Clifton için bunlar. Clifton'a bir gece.

"Haydi arkadaş, bana mı anlatıyorsun," dedi Scofield. "Kendi gözlerimle görmedim mi ben sanki? Saat sekiz civarında Lenox ile 123. Cadde'nin orda o polis, bir Baby Ruth şekeri yürüttü diye bir oğlanı tokatladı, anası elinden alınca onu, polis onu da tokatladı; işte o zaman cümbüş başladı."

"Orada mıydın sen?" dedim.

"Buradaki gibi. Birisi, oğlan, bir beyaz kadının adıyla aynı adı taşıyan şekerden yürütünce polisin delirdiğini söyledi."

"Allah belamı versin eğer ben böyle işittiysem," dedi bir başkası. "Ben geldiğimde, bütün bunları, bir siyah gızın elinden erkeğini almaya çalışan bir beyaz gadının başlattığını söylüyorlardı."

"Kim başlatmışsa başlatmış," dedi Dupre. "Bütün istediğim, biraz daha sürmesi."

"Beyaz bir gızdı, doğru; ama öyle olmadı işte. Sarhoştu," dedi bir başka ses.

Sybil olamaz bu, diye düşündüm; o zaman başlamıştı her şey. Elinde bir dürbün tutan bir adam, bir tefeci dükkânının penceresinden, "Nasıl başladığını mı öğrenmek istiyon?" diye seslendi. "Sahiden istiyon mu?"

"Elbet," dedim.

"Eh, uzağa gitmeye ne hacet. O büyük liderle başladı. Yıkıcı Ras'la!"

"O maymun avcısıyla mı?" dedi birisi.

"Bak, dinle, piçoğlu piç!"

"Hiç kimse nasıl başladığını bilmiyor," dedi Dupre.

"Birisi bilmeli ama," dedi.

Scofield viski şişesini uzattı bana. İstemedim.

"Siktir et, arkadaş, birden patladı işte. Halvet günleri bugünler," dedi.

"Pastırma yazı mı?"

"Helbet, bu sıcak hava."

"Ben size deyim, neydi adı, o genç oğlanın başına gelenlerden sonra deliye döndü herkes..."

Bir binanın önünden geçiyorduk şimdi, deli gibi bağıran bir ses duydum, "Zenci Mağazası! Zenci Mağazası!"

"Öyleyse bir işaret koy, orospu analı," dedi bir ses. "Kim bilir sen de öbürleri gibi ahlâksızın birisindir."

"Şu piçe bakın. Hayatında bir defa zenci olduğuna seviniyor," dedi Scofield.

"Zenci Mağazası!" diye devam ediyordu ses, makine gibi.

"Hey! Emin misin, içinde azıcık olsun beyaz kanı olmadığına?"

"Hayır, *efendim*," dedi ses.

"Şunu bir benzeteyim mi, lan?"

"Değer mi be? Bir boku yok. Bırak orospu analıyı kendi başına."

Birkaç kapı sonra bir hırdavatçı dükkânına geldik. "Burası ilk durak, arkadaşlar," dedi Dupre.

"Ne oluyor şimdi?" dedim.

"Sen kimsin?" dedi, üç şapkalı kafasını dikerek.

"Hiç kimse, çocuklardan biri," diye başladım.

"Emin misin tanıdığım bir kimse olmadığından?"

"Eh, eminim," dedim.

"O bizden, Du," dedi Scofield. "Polisler vurdu onu da."

Dupre bana baktı ve bir şeyi tekmeledi; yarım kiloluk bir tereyağı paketi, gitti sıcak caddede dağıldı yapış, yapış. "Biz, yapılması gereken şeyleri yapmaya çalışıyoruz" dedi. "Önce herkese bir elektrik feneri... Bir düzene girelim önce, hepimiz. Herkes herkesin üzerine çıkmasın. Haydi!"

"Haydi gel içeri, arkadaş," dedi Scofield.

Ne önlerinden gitmek, ne de onlardan ayrılmak istiyordum, arkalarından gitmekten mutluydum; işi nereye ve neye götüreceklerini görmek arzusuna yakalanmıştım. Öte yandan, bölgeye gitmem gerektiği fikri hep kafamdaydı. Dükkâna girdik, madeni, koyu bir parlaklık vardı içerde. Dikkatle hareket ediyorlardı, araştırdıklarını işitiyordum, eşyaları ortalığa saçıyorlardı.

Kasanın makinesi çınladı.

"Şurada bazı el fenerleri var," dedi birisi.

"Kaç tane?" dedi Dupre.

"Çok, arkadaş."

"Tamam herkese birer tane ver. Pilleri var mı?"

"Yok; ama onlardan da çok var, on iki kutu kadar."

"Tamam, bana pilli bir tane ver de kovaları bulayım. Sonra her adam bir ışık alsın eline."

"Şurada kovalar var," dedi Scofield.

"Öyleyse bütün yapacağımız, yağı nerde saklıyor onu bulmak."

"Yağ mı?" dedim.

"Gaz yağı, arkadaş. Hey sizler," diye bağırdı, "kimse sigara içeyim demesin burda ha!"

Bir yığın çinko kovayı alıp dağıtırken çıkan gürültüyü dinleyerek Scofield'in yanında duruyordum. Elektrik fenerleriyle ve titreşen gölgelerle canlanmıştı dükkân şimdi.

"O ışıkları yere tutun," diye bağırdı Dupre. "Kim olduğumuzu gösterecek gibi kullanmayın. Şimdi, kovalarınızı sıraya dizin de doldurayım."

"Ne diyorsa dinleyin şu Du moruğunu. Ne puşturt o, öyle değil mi çocuklar? Hep işlerin başına geçmek ister. Hep de belaya sokar başımı benim."

"Ne yapmaya hazırlanıyoruz?" dedim.

"Göreceksin," dedi Dupre. "Hey, sen, oradaki! Çık o tezgâhın arkasından, al şu kovayı. Kasada bir şey olmadığını görmüyor musun? Olsa ben bırakır mıydım sana?"

Birden, kovaların tangırtıları durdu. Arka odaya gittik. Bir elektrik feneriyle, raflara dizilmiş bir sıra yakıt bidonu gördüm. Dupre önlerinde duruyordu yeni, uzun çizmeleriyle; her kovayı gaz yağıyla dolduruyordu. Ağır bir düzen içinde hareket ediyorduk. Kovalarımız doldu, caddeye çıktık. Orada, karanlıkta duruyordum: Onların sesleri etrafımda dolanıp durdukça kabaran bir heyecan hissederek. Neydi bütün bunların anlamı? Ne düşünmeliydim, ne *yapmalıydım* buna karşı?

"Bu dalgayla," dedi Dupre, "caddenin ortasına kadar yürüsek iyi olur. Şu köşenin oraya kadar."

Sonra biz harekete geçince bir grup oğlan çocuğu aramıza daldı ve adamlar ışıklarını kullanmaya başladılar; sarışın perukalar giymiş zıplayan yüzler çıktı ortaya, çalınmış frakların kuyrukları uçuşuyordu. Onların peşinden, Karacı ve Denizci Mağazası'ndan alınmış oyuncak tüfekleriyle bir başka grup geliyordu. Ötekilerle birlikte ben de güldüm. Clifton için kutsal bir bayram, diye düşündüm.

"Söndürün o ışıkları!" diye emretti Dupre.

Arkamızdan bağırışlar, gülüşler geliyordu; önde koşan oğlanların ayak sesleri, uzakta yangın arabaları, patlamalar ve sessiz aralarla, camların kırılışı, parçalanışı. Kovalardan sıçrayıp caddeye yayıldıkça gaz yağı kokusunu duyuyordum.

Birden kolumdan yakaladı Scofield. "Amanın, şuraya bak!"

Birden süt arabasını çekerek koşan bir insan kalabalığı gördüm; arabanın tepesinde, etrafı demiryolu işaret levhalarıyla çevrili, beline alaca dokumadan bir çocuk önlüğü bağlamış iriyarı bir kadın, oturmuş, önüne koyduğu bir fıçıdan bira içiyordu. Adamlar kızgın kızgın bir iki adım koşuyorlar, sonra duruyorlar, ışıklar arasında bir iki adım atıp dinleniyorlardı; bağırıyorlar, gülüyorlar, bir testiden bir şeyler içiyorlardı. Kadınsa, tepede başını geriye atmış, zenci şarkıcıların gırtlaktan sesleriyle, tutku içinde bağırıyordu:

"Eğer hakem olmasaydı.
Öldürürdü Jim Jefferie'yi
Joe Louis
Bira bedava!"

Kupa kupa bira saçıyordu etrafa.

Kenara çekildik, şaşırmıştık; bir sirk resmi geçitindeki sarhoş, şişko kadın gibi bir yandan bir yana selâmlar vererek eğiliyordu, salça kepçesi gibi kocaman kupa elinde. Sonra gülüyordu, boş eliyle kayıtsız bir edayla süt şişeleri fırlatarak sokağa, uzun uzun içiyordu. Ve adamlar, şişe kırıkları, döküntüler üzerinde hep sürüyorlardı arabayı. Çevremde gülme ve itiraz sesleri vardı.

"Birisi durdursa bu çılgınları," dedi Scofield nefretle. "İşte, işi azıtmak diye buna derim ben. Allah belanızı versin, o kadar birayı içtikten sonra nasıl indirecekler onu aşağı? Birisi cevap versin bana. Nasıl indirecekler onu aşağı? O güzelim sütleri saçıyor etrafa!"

İriyarı kadın sinirlendirmişti beni. Süt ve bira; bir üzüntü hissettim, köşeyi dönerlerken tehlikeli bir şekilde yana yatan arabayı seyrederek. Kırılmış şişelerden korunmaya çalışarak yolumuza devam ettik, yerlere yayılmış olan süte kovalarımızdan dökülen gaz yağı karışıyor, rengini değiştiriyordu sütün. Neler olmuştu şu ana kadar? Ne diye bozulmuştum? Bir köşeyi döndük. Başım hâlâ acıyordu.

Scofield koluma dokundu. "İşte geldik," dedi.

Eski, koca bir aile evinin önüne gelmişti.

"Neredeyiz?" dedim.

"Çocuğumuzun oturduğu yer burası," dedi. "Gel."

Demek buydu gaz yağının anlamı; inanamıyordum, akıllarının başlarında olduğuna inanamıyordum. Bütün pencereler boş görünüyordu. Işıkları söndürmüşlerdi. Ancak elektrik feneri ya da alev olursa bir şeyler görebiliyordum.

"Peki siz nerede oturacaksınız?" diye sordum yukarı, hep yukarı bakarak.

"Yaşamak mı diyorsun sen *buna*?" dedi. "Ondan kurtulmanın başka yolu yok, arkadaşım..."

Belli belirsiz görünüşlerinde bir duraksama aradım boşuna. Üzerimizde yükselen binaya bakarak dikiliyorlardı, omuzları çökmüş, öne doğru eğik; üzerine oradan buradan vuran ışıkta kovaların içindeki sıvı donuk donuk parlıyordu. Hiçbirisi, "hayır" demiyordu, ne sözle, ne de duruşlarıyla. Karanlık pencerelerde ve çatıların üzerinde kadın ve çocuk şekilleri fark etmeye başlamıştım şimdi.

Dupre, binanın önüne doğru çıktı.

"Şimdi buraya bakasınız, hepiniz!" dedi; üç şapkalı başı ilk katların balkonlarının üzerinde acayip görünüyordu. "Bütün kadınlar ve çocuklar dışarı çıkacak, ihtiyarlar ve hastalar çıkarılacak. Ve kovalarınızı, merdivenlerden yukarı çıkarınca, en tepeye çıkıp boşaltacaksınız oraya. En *tepeye*! Oraya çıkınca el fenerlerinizi kullanacaksınız, her odaya bakacaksınız kimse kalmasın diye, sonra dışarı çıkardıktan sonra gaz yağını dökeceksiniz. Gaz yağını döktükten sonra bağıracağım ben ve ben üç defa bağırdıktan sonra kibritlerinizi çakacaksınız ve tutuşturacaksınız. Ondan sonra herkes kendi kara kıçını kurtarsın!"

Araya girmek ya da soru sormak gibi bir şey gelmedi içimden... Planlamışlardı. Daha şimdiden kadınların ve çocukların merdivenlerden aşağı indiklerini görüyordum. Bir çocuk ağlıyordu. Birden herkes durdu, döndü karanlığa baktı. Yakınlarda bir yerde acayip bir ses karanlığı sarstı, bir hava çekici, makineli tüfek gibi güm güm vuruyordu. Otlayan geyiklerin hassaslığıyla durup baktılar, sonra yine işlerine döndüler, kadınlar ve çocuklar kımıldadı yeniden.

"Tamam, hepiniz. Siz hanımlar şuraya, caddenin öte yanına geçin, çoluğunuzu çocuğunuzu yanınıza alın," dedi Dupre. "Ve çocuklara sahip olun."

Birisi sırtıma vurdu, sendeledim, bir kadının beni iterek öne geçtiğini ve Dupre'i kolundan yakalamaya çalıştığını gördüm; ikisinin şekilleri birbirine karışıyordu, sonra ince, titrek ve acı dolu sesi yükseldi.

"Ne olur, Dupre," dedi, "*ne olur*. Biliyorsun, benim bütün

ömrüm burada geçti... Biliyorsun bunu. Şimdi kalkıp yakarsan burayı, nereye giderim ben?"

Dupre sıyrıldı kadından, daha yukardaki bir basamağa çıktı. Ona baktı aşağı doğru, üç şapkalı kafasını salladı iki yana. "Çekil yoldan şimdi Lottle," dedi sabırla. "Ne diye başlıyorsun yine? Konuştuk bütün bunları daha önce ve biliyorsun değiştirmem kararımı. Ve siz, dinleyin beni, hepiniz, geriye kalanlar" dedi kalçaya çıkan çizmesinin burunlarında yükselerek. Nikel kaplama bir tabanca çıkardı, etrafa salladı, "Aklınızı karıştırmasın bunlardan hiçbiri. Tartışma da istemiyorum."

"Allah'ına kadar doğrusun, Dupre. Seninle beraberiz,"

"Benim çocuğum bu fare kapanında veremden öldü; ama bahse girerim bu binanın içinde bir daha kimse doğmayacak," dedi. "Öyleyse, Lottie, sen çık caddeye de, biz erkekler biraz işimize bakalım."

Ağlayarak geride duruyordu kadın. Baktım, ayaklarında terklikler, göğüsleri kocaman, beli kalın ve yukarda. Kalabalıkta birtakım kadın elleri çekip götürdüler onu, iri, ıslak gözleri bir an lastik çizmeli adama döndü, baktı.

Ne biçim bir adamdı bu, Jack görse ne söylerdi? Jack. *Jack mi?* Peki onun rolü neydi bu işte?

"Gidelim arkadaş," dedi Scofield, dirseğiyle dürterek beni. Arkasından gittim, Jack'in o çirkin gerçekdışılığı duygusuyla dopdolu; içeriye girdik, el fenerlerimizle ortalığı aydınlatarak merdivenleri çıktık. İlerde Dupre'in kımıldadığını görüyordum. Yaşamında hiçbir şeyin, bana görmeyi, anlamayı ya da saygı duymayı öğretmediği tipten bir adamdı bu, bu ana kadar planın dışında bir adam. Alelacele toplandığı belli bomboş odalara girdik. Sıcaktı hava, havasızdı içerler.

"Şurası benim kendi dairem," dedi Scofield. "Tahta kuruları ne şaşıracak şimdi!"

Gaz yağını etrafa serptik, eski bir kerevit üzerine, döşemeye; sonra el fenerlerini kullanarak hole çıktık. Bütün bina ayak sesleriyle, gaz yağının serpilirken çıkardığı seslerle, ara sıra dışarı çıkmaya zorlanan bir ihtiyarın duayla karışık itiraz sesleriyle doluydu. Adamlar sessizlik içinde çalışıyorlardı şimdi, toprağın altındaki köstebekler gibi. Zaman durmuş gibiydi. Kimse gülmüyordu. Sonra aşağıdan Dupre'in sesi geldi.

"Tamam, arkadaşlar. Herkesi çıkardık dışarı. Şimdi en üst kattan başlayacaksınız kibritlerinizi çakmaya. Dikkatli olun, kendinizi tutuşturmayın..."

Scofield'in kovasında biraz daha gaz yağı kalmıştı, bir çuval parçası bulduğunu ve kovanın içine daldırdığını gördüm; sonra bir kibritin çaktığını ve odanın alevler içinde kaldığını gördüm. Sıcak alevler yükseldi, geriye çekildim. Kıpkırmızı alevlerin karşısında siluet halinde duruyordu o, alevlere bakıyor, bağırıyordu.

"Allah belanızı versin, pis orospu çocukları. Yapamam sanıyordunuz ama alın işte. Siz düzeltemediniz. Bakın şimdi, hoşunuza gidecek mi!"

"Gidelim," dedi.

Altımızda, adamlar merdivenleri beşer altışar atlayarak iniyorlar, el fenerlerinin ve alevin uzun, insana düş duygusu veren uzantıları içinde kımıldıyorlardı. Her kattan duman ve alev yükseliyordu geçerken. Müthiş bir heyecana kapıldım. Yaptılar, diye düşünüyordum. Örgütlediler ve tek başlarına becerdiler; karar kendilerinin, eylem kendilerinin. Kendi işlerini kendileri gördüler.

Sonra gök gürlemesi gibi ayak sesleri duydum üzerimde, birisi bağırıyordu, "Yürüyün lan, durmayın. Yukarısı cehennem. Birisi çatıya çıkan kapıyı açtı, alevler büyüyor."

"Haydi," dedi Scofield.

Kımıldadım, bir şeyin kaydığını hissettim elimden, aşağı katın yarısına gelmeden, çantamın gittiğinin farkına vardım. Bir an duraksadım; ama şu an burada bırakıp gidemeyecek kadar uzun süre saklamıştım onu.

"Haydi arkadaşım," diye çağırıyordu Scofield, "sallanmıyalım buralarda."

"Bir saniye," dedim.

Adamlar yıldırım gibi geçiyorlardı yanımdan. Demir korkuluklara tutunarak öne verdim kendimi, omuzlaya omuzlaya merdivenlerden yukarı geri çıktım, her basamağı el fenerimle araştırarak, yavaş yavaş. Sonra buldum onu, ezilmiş derisi üzerinde yağlı ayak izleri; aldım yerden ve tekrar aşağıya yöneldim. Yağ lekesi pek kolay çıkmaz, diye düşündüm acıyla. Ama olan olmuştu, biliyordum bunların olacağını, aklımın karanlık köşesinden bulup çıkarmış ve Komite'ye söylemiştim; ama onlar görmezlikten gelmişlerdi. Korkunç bir heyecanla sarsılarak aşağıya daldım.

Merdiven sahanlığında, yarısına kadar gaz yağı dolu bir kova gördüm, onu, yanan bir odanın içine fırlattım ani bir itkiyle. Dumanlı, müthiş bir alev doldurdu kapının ağzını, bana kadar uzanarak. Havasızlıktan boğularak, öksürerek dışarı fırladım. Kendileri yaptılar, diye düşünüyordum, soluğumu tutarak; kendileri planladılar, düzenlediler ve aleve verdiler.

Derin bir soluk aldım temiz havada, gecenin içinde patlama sesleri vardı. Duyduğum sesin bir erkeğin mi, bir kadının mı yoksa bir çocuğun sesi mi olduğunu bilemiyordum; ama bir an kapı önündeki sahanlıkta durdum, arkamda kıpkızıl giriş yeri ve bir sesin beni Kardeşlik Örgütü'ndeki adımla çağırdığını duydum.

Bir uykudan uyanmış gibi oldum; bir an bakarak, bağırtıların, çığlıkların, hırsız alarmlarının ve canavar düdüklerinin kargaşası, velvelesi içinde neredeyse kaybolmuş olan sesi dinleyerek duruyordum orada.

"Kardeş, harika değil mi?" diye bağırıyordu. "Bize yol göstereceğini söylerdin, öyle derdin..."

Caddeye indim, o sesten kaçmaya can atarak yürüdüm. Nereye gitmişti Scofield?

Alevlere boğulmuş olan karanlıkta gözleri bembeyaz, binaya doğru bakıyordu çoğu.

Birisinin, "Kadın, kimdi o dediğin?" diye söylendiğini duydum. Kadın gururla tekrarladı adımı.

"Nereye gitti? Yakalayın onu, lan, Ras onu istiyor!"

Kalabalığa daldım, ağır ağır, karanlık kalabalığa daldım usulca, bütün vücudum diken diken, sırtımdan soğuk terler akarak, bakarak, itişe kakışa, terleye terleye ilerleyenleri dinleyerek, vırıl vırıl konuşmalar çevremde, şu anda onları görmek istediğimi, görmeye ihtiyacım olduğu halde göremeyeceğimi bilerek; hissederek onları, karanlık bir gece, hareket halinde karanlık bir kütle, kara bir toprak üzerinde etrafını yara yara koşan kara bir nehir; Ras ya da Tarp yanımda yürüyor olabilirdi de bilemezdim, tanıyamazdım. Kitleyle birdim, gaz yağı ve süt birikintileri üzerinde, cam kırıkları, çöp ve döküntü içersindeki caddeden aşağı yürüyordum; kişiliğim yıkılmış, yok olmuş. Sonra ikinci bloktaydım, aralardan dolaşıp çıkarak, arkamda, kalabalığın bir yerinde işiterek onları; canavar düdüklerinin, hırsız alarmlarının gürültüsü içinde daha hızlı yürüyen bir kalabalığa dalmak için ilerliyor, yarı koşuyor, yarı yürüyor, arkama bakmaya çalışıyor ve öbürlerinin nereye gittiklerini merak ediyordum. Tabancalar patlıyordu şimdi geride, öbür yanımda koca koca cam vitrinlere çöp tenekeleri, tuğlalar, demir parçaları fırlatılıyordu. Büyük bir gücün patlama noktasına geldiğini hissederek ilerliyordum. Omzumla ite kaka kenara çıkarak bir kapı aralığında durdum ve beni buraya getirmiş olan haberi düşünerek kendimi haklı çıkarmaya çalışıyor, kalabalığı seyrediyordum. Kim çağırmış olabilirdi? Bölge üyelerinden biri mi, yoksa Jack'in doğum günü törenine katılmış olanlardan biri mi? Artık iş işten geçtikten sonra kim çağırabilirdi beni bölgeye? Pekâlâ, ben de giderdim oraya. Üstad beyinlerin ne düşündüklerini görürdüm. Sahi neredeydiler şimdi? Ne derin sonuçlar çıkarıyorlardı? Ne *ex post facto* (iş işten geçtikten sonra) tarih dersleri? Ya o telefondaki çarpma sesi, olayların başlangıcı mıydı, yoksa Jack gözünü mü düşürmüştü? Sarhoş sarhoş gülüyordum, patlamalar beynimi acıtıyordu.

Birden tabanca sesleri durdu ve sessizlikte insan sesleri, ayak sesleri, koşuşmalar duyuldu.

Yanımdan birisi, "Hey arkadaş," dedi, "nereye gidiyon?" Scofield'di bu.

"Ya koşarsın, ya da yere serilirsin," dedim. "Senin hâlâ orada olduğunu sanıyordum."

"Ben ayrıldım arkadaş," dedi. "İki kapı uzakta bir bina yanmaya başladı, itfaiyeyi çağırmak zorunda kaldılar... Allah kahretsin! Sesleri olmasa insan sivrisinek sanır bu mermileri."

"Dikkat et," diye uyardım; bir elektrik direğine yaslanarak uzanmış, kolundaki bıçak yarasını bir kuşakla sıkan adama çarpmasın diye kolunu çektim.

Scofield el fenerini yaktı; bir an kara adamı gördüm, yüzü geçirdiği şoktan kül gibi, fışkırarak akan kanının caddeye inişini seyrediyordu. Sonra kendimi zorunlu hissederek aşağıya eğildim ve kuşağı sıktım, sıcak kanı elimin üzerinde hissederek, kanın akışının durduğunu görerek.

"Durdurdun," dedi bir delikanlı yukardan aşağı bakarak.

"Şurayı," dedim, "tutacaksın, sıkı tut. Bir doktor çağırın."

"Sen doktor değil misin?"

"Ben mi?" dedim. "Ben mi? Deli misin sen? Yaşamasını istiyorsan buradan uzaklaştır onu."

"Albert gitti getirmeye," dedi çocuk. "Ama ben sizin doktor olduğunuzu sanmıştım. Siz..."

"Hayır," dedim kanlı elime bakarak. "Hayır, ben değilim. Doktor gelinceye kadar sımsıkı tut. Bir baş ağrısını bile geçiremem ben."

Elimi çantaya silerek ayakta duruyordum, iriyarı adama bakıyordum, sırtı direğe dayalı, gözleri kapalı; çocuk, parlak, yeni bir kravattan yaptıkları kuşağı umutsuzca tutuyordu.

"Haydi," dedim.

"Hey!" dedi Scofield oradan uzaklaşırken, "orada kadının *Kardeş* diye çağırdığı sen değil miydin?"

"Kardeş mi? Hayır, başka birisi olmalı."

"Biliyor musun arkadaş, seni daha önce bir başka yerde gördüm gibime geliyor. Hiç Memphis'te bulundun mu sen...? Hey, bak ne geliyor," dedi eliyle göstererek; karanlığın içine baktım, birtakım beyaz miğferli polisin ileriye doğru saldırdığını, binaların damlarından yağmur gibi kremit yağmaya başlayınca da sığınacak bir yer bulmak için dağıldıklarını gördüm. Beyaz miğferlilerden bazıları, kapı aralıklarına ulaşınca ateş etmeye başladı; Scofield'in hırıldadığını ve yere yuvarlandığını gördüm; yanına çöktüm, ateş kıpkırmızı püskürüyordu, ince bir çığlığın bir kemer gibi yukarı çıktığını sonra caddeye pat diye düşerek sustuğunu duydum. Sanki mideme inmişti, hasta etmişti beni, yere çöktüm; tam önümde yatan Scofield'in ilerisine baktım, çatıdaki karanlık, ezilmiş şekli gördüm; daha ilerde, yerde bir polis vücudu, miğferi bir kenara yuvarlanmış, karanlıkta parlıyor beyaz bir ışıkla.

Scofield'in vurulup vurulmadığını anlamak için kımıldadım; kıvranıyor, vurulmuş olan arkadaşlarından birini kurtarmaya çalışan polislere küfrediyordu. Hiddetten çılgına dönmüş bir sesle bağırarak, upuzun yere uzanmış, Dupre'in kullandığı cinsten nikel kaplama bir tabancayla ateş etmeye başlamıştı.

"Çök aşağı be adam," diye bağırdı omzunun üzerinden. "Ne zamandır bekleyip duruyordum şunların kafasını patlatmayı."

"Hayır, bu şeyle değil," dedim. "Gel gidelim buradan."

"Çekil be adam, bu dalgayı *kullanırım* ben," dedi.

Artık kokmuş olan tavuklarla dolu bir sepet yığının arkasına çekildim yuvarlana yuvarlana; solumda, çerçöp içindeki kaldırımın üstünde bir kadınla bir adam, devrilmiş bir at arabasının arkasına saklanmışlardı.

"Dehart," diyordu kadın, "tepeye çıkalım, Dehart. Saygıdeğer insanlar var orda!"

"Tepe, Allah'ın cezası! Burada kalıyoruz," diyordu adam. "Bu işler daha yeni başlıyor, adamakıllı bir ırk ayaklanması olursa burada, karşı dövüşe geçilecek olan yerde, burada olmak istiyorum."

Sözcükler, kısa mesafeden ateşlenmiş mermiler gibi çarpıyordu kulağıma, kendime olan güvenimi yerle bir ederek. Söylenen söz, geceye anlamını vermiş gibi, sanki neredeyse onu yaratmış gibiydi: Daha adam, her şeyin allak bullak olduğu gürültülü havada hafiften soluk aldığı anda olmuştu bu. Ve çılgınlığı, öfkeyi tanımlayarak, onu düzene sokarak beni fırıl fırıl döndürüyordu sanki. Clifton'un ölümünden bu yana geçen günlere, geriye bakıyordum... Cevap olabilir miydi bu, Komite'nin planladığı şey bu olabilir miydi? Bizim halk üzerindeki etkimizi neden Ras'a bıraktıklarının cevabı olabilir miydi? Birden, bir av tüfeğinin boğuk patlayışını işittim, Scofield'in tabancasından çatıda gizlenmiş gölgeye çevirdim gözlerimi; intihardı bu, tabancasız intihardı bu, tefeci dükkânları bile tabanca satmazlardı burada. Darmadağın bir korkuyla biliyordum ki, şu anda insanların eşyalara, pazarlara saldırışını, çarpışını anlatan gürültü, hızla insanların insanlara çarpışı da olabilirdi, değil mi ki tabancaların ve adamların çoğu öbür yandaydı. Görebiliyordum şimdi, açıkça ve gittikçe artan önemiyle görebiliyordum bunu. İntihar değil bir cinayetti bu. Komite planlamıştı. Ben de yardım etmiştim, alet olmuştum ben. Tam kendimin özgür olduğumu hissettiğim anda, bir alet. Onlarla aynı düşünceyi paylaşıyormuşum gibi görünürken gerçekten de aynı düşüncede olmuştum; kendimi şu anda caddede alevle ve tabancaların ateşiyle aydınlanan o gizlenmiş şekilden, gecenin şimdi ölüm için olgunlaştırdığı, büyüttüğü ötekilerden sorumlu duruma getirmiştim.

Arkamdan, mermisinin tükendiğine küfreden Scofield'den ayrılarak koşup uzaklaşırken, çanta ağır ağır sallanıyordu yanımda; deli gibi koşuyordum. Kalabalıktan üzerime sıçrayan bir köpeğe doğru savurdum çantayı, acı acı havlayarak uzaklaştı. Sağımda, iki yanında evlerin bulunduğu ağaçlıklı sessiz bir cadde uzanıyordu, daldım; 7. Cadde'ye doğru, bölgeye doğru gidiyordum, dehşet ve nefretle doluydum artık. Ödeteceğim bunu onlara, ödeteceğim, diye düşünüyordum, ödeteceğim!

Cadde, geç çıkmış olan ay ışığında bir ölü sessizliğiyle uzanıyordu; uzakta tabanca sesleri ince ve kısa kısa. Bir an, yapraktan görünmeyen bir ağacın altında durdum, sessiz evlerin önünden geçen bakımlı dantela gibi gölgeli kaldırıma baktım. Sanki oturanlar evleri terk etmiş, kaybolmuşlardı ortadan; bütün pencereler kapalıydı, sanki bir su baskınından kaçmışlardı. Sonra bana doğru gelen inatçı ayak seslerini duydum gecenin içinde, kesin ve sanrılı bir bağırışın peşinden korku verici, tokat gibi bir ses:

"Zaman geçiyor
Canlar ölüyor
Tanrı'nın gelişi
Yakındır, yakın!"

Sanki günlerce, yıllarca koşmuş gibiydi. Ben ağacın altında dururken hızla geçti önümden, çıplak ayakları o sessizlikte şap şap vuruyordu kaldırıma; birkaç adım yürüyor, sonra o üst perdeden, sanrılı ses yeniden başlıyordu.

Alevler içinde bir içki dükkânının ışığında konserve yiyeceklerle dolu eteklerini kaldırmış, bana doğru gelen üç yaşlı kadın fark ettim; caddeye, onlara doğru koştum.

"Şimdi durduramam onu, ama merhamet, Tanrım," diyordu bir tanesi. "Ne olur İsa ne olur tatlı İsa..."

İlerledim, alkol dumanları, yanmış katran dumanları burun deliklerimi yakıyordu. Caddeden aşağı, solumda, uzun blokun sağda bir sokakla kesiştiği yerde bir tek sokak lambası hâlâ parlıyordu; kavşağın tam karşısındaki bir mağazaya üşüşen bir kalabalık gördüm, içeri daldılar; konserve kutuları, salamlar, karaciğer ezmeleri, domuz kelleleri ve bağırsakları mermi gibi, yağmur gibi yağdı dışarı, bir torba un bembeyaz patladı bunların üzerinde. Caddeyi kesen sokağın karanlığından iki atlı polis dörtnala geliyordu, koca ayaklı atlarının üzerinde dikilmiş kocaman, doğruca kaynayan kalabalığın üzerine yönelmişler. Atların dev gibi ileri atılışlarını gördüm ve kalabalığın bir dalga gibi yarılıp geriye püskürtüldüğünü, geriye, çığlık çığlığa ve küfrederek, kimisi gülerek geriye ve çevreye, caddeye yuvarlanarak, birbirini iterek; atlar, başları havada, gemleri köpük içinde kaldırıma çıkıyordu, sert ayaklarıyla buz kayağı yapar gibi kayarak temizlenmiş kaldırım üzerinde. Kalabalık, hücumun şiddetinden kenarlara püskürtülmüş, atların nallarından şimşekler çakıyor; bir başka kalabalığın şimdi bir başka yerde bir başka mağazayı yağmaladığı yere doğru gidiyorlar. Ve ilk kalabalığın alaycı bağırışlarla, korkunç bir dalganın geriye çekilişinden sonra geriye kalanları toplamak için etrafta uçuşan kum çullukları gibi soğukkanlılıkla yağmasına döndüğünü görünce yüreğim sıkıştı.

Jack'e ve Kardeşlik'e küfrederek, bir tefeci dükkânının cephesinden sökülmüş bir demir ızgaranın etrafında dönüyordum; atlı polislerin geriye döndüklerini, binicilerin atlarını tekrar hücuma kaldırdıklarını görerek: Beyaz çelik miğferleri içinde vahşi ve ustaca hücum yeniden başlıyor. Bu kez bir adam yere düştü, bir kadının parlayan bir kızartma tavasını atın kıçına doğru salladığını, atın kişnediğini ve ileriye fırladığını gördüm. Ödeyecekler, diye düşünüyordum, ödeyecekler bunları. Ben kaçarken bana doğru geliyorlardı: Ellerinde kasa kasa biralar, peynirler, kangal kangal sosisler, karpuzlar, torba torba şekerler, domuz pastırmaları, mısır unları, gaz lambalarıyla bir kalabalık. Bir şurada durabilseydi ah, şurada, ellerinde tüfekleriyle ötekiler gelmeden, şurada. Koşuyordum.

Ateş eden yoktu. Ama, *ne zaman*, diye düşündüm, ne kadar zaman önce başlar acaba?

"Bir domuz butu al, Joe," diye bağırıyordu bir kadın. "Bir domuz butu al, Joe, Wilson olsun."

Karanlık bir ses karanlıktan sesleniyordu. "Tanrım, Tanrım, Tanrım!"

Yürüyordum; 125. Cadde'ye gelip doğuya doğru döndüğümde acılı bir yalnızlık duygusu saplandı içime. Bir atlı polis takımı dörtnala geçip gitti. Makinalı tabancalı adamlar bir bankayı ve büyük bir mücevherci mağazasını koruyorlardı. Caddenin ortasına çıktım, tramvay rayları arasından koşuyordum şimdi.

Ay yükselmişti artık; önümde parçalanmış camlar, taşan bir nehrin suları gibi parlıyordu caddenin üzerinde ve ben düşteymiş gibi koşuyordum o suda, selin sürüklediği parçalanmış şeylerden rastlantıyla kurtularak. Sonra birden, batıyormuş, içeriye çekiliyormuş gibi oldum: Önümde, bir elektrik direğine, beyaz, çıplak ve müthiş kadınsı bir vücut asılmıştı. Korkuyla etrafında döner buldum kendimi, sanki taklalar atıyordum bir karabasanda. Hâlâ reflekslerimle hareket ederek, geriye dönerek dolanıp duruyordum, durdum. İşte bir tane daha, bir tane daha, yedi tane; hepsi de yağmalanmış bir mağazanın önünde asılmış. Ayaklarımın altında kırılan kemiklerin sesini duyarak sendeledim, baktım darmadağın bir iskelet yatıyor caddede, baş ayrılmış omurgadan, tek başına yuvarlanmış: Doktorların kullandıkları iskeletlerden biri; üzerimde asılı duran şeylerin hiç de doğal olmayan katılıklarının farkına varıncaya kadar ne kadar zaman geçti, kim bilir! Mankendi hepsi; "mumyalar" dedim yüksek sesle. Saçsız, kel ve organsız kadınsı. Gülüşten bir rahatlama umarak, sarı perukalı çocukları anımsadım; ama birden esprinin korkudan çok yıktığını fark ettim beni. Gerçek değiller mi, diye düşündüm; *değiller mi*? Ya bir tanesi, bir teki gerçekse, Sybil ise? Çantamı göğsüme bastırdım, geri geri gittim ve koşmaya başladım.

Başlarında, iri bir kara ata binmiş, artık Kışkırtıcı Ras değil Yıkıcı Ras; ellerinde değnekler, kalın sopalar, tüfekler, av tüfekleri, birbirine yapışık sıkı bir düzen içinde yürüyorlardı. Mağrur, aşağılık bir ağırbaşlılıkla yürüyen yeni bir Ras'tı bu: Bir Habeş Emiri kıyafetine bürünmüş, başında bir kürk kalpak, kolunda bir kalkan, omuzlarında vahşi hayvan derisinden yapılmış bir pelerin. Harlem'den, hatta bu Harlem gecesinden çok bir düşten çıkmışa benzeyen bir görünüş; ama yine de gerçek, canlı ve korkutucu.

Bir mağazanın önünde bir gruba, "Bırakın şu sersemce yağmayı!" diye bağırıyordu. "Gelin bize katılın da silah deposunu basıp silah ve mermi alalım!"

Bu sesi duyunca çantamı açtım ve koyu renk gözlüğümü aradım. Rinehart'larımı; ama dışarı çıkarınca kırılmış camların sokağa döküldüğünü gördüm. Rinehart, diye düşündüm, Rinehart! Döndüm, Polis geride, arkamdaydı; eğer ateş başlarsa iki ateş arasında kalacaktım. Çantamın içini yokladım elimle, kağıtlar, parçalanmış demir kumbara, bozuk paralar; parmaklarım Tarp'ın bilek zincirini kavradı, yumruğumun üzerine geçirdim, düşünmeye çalışarak. Kapağını kapadım çantanın, kitledim. Ras'ın bugüne kadar toplayabildiğinden çok daha büyük kalabalık bana doru yürüdükçe yeni bir insan oluyordum. Ağır çanta elimde; ama yeni bir "ben"lik duygusuyla, rahatlığa, hemen bir iç çekişe benzer bir duyguyla sakin sakin ilerliyordum. Birden anladım ne yapmak zorunda olduğumu, daha kafamda tam olarak şekillenmeden bile anladım ne yapacağımı.

Birisi, "Bak!" diye bağırdı ve Ras attan aşağı eğildi, beni gördü ve bütün o şeylerin içinden bir mızrak fırlattı; kolumun hareketiyle birlikte ben de yere atıldım ve takla atan bir cambaz gibi ellerimin üzerine düştüm, mızrağın asılı mumyalardan birine saplandığını işittim. Ayağa kalktım, çantam yanımda.

"Hain!" diye bağırdı Ras.

"Kardeş bu," dedi birisi. Atın etrafında toplandılar heyecanlı ve kararsız; ve ben ondan ne daha kötü ne daha iyi durumda olmadığımı bilerek karşısında duruyordum, bütün o hayal içinde geçen ayların ve kaos gecesinin; havayı temizlemek için birkaç basit sözcükten, yumuşak, hatta mahcup, sessiz bir hareketten başka bir şey gerekmediğini bilerek. Onları ve kendimi uyandırmak için.

"Artık onların Kardeş'i değilim," diye bağırdım. "Onlar ırkçı bir ayaklanma istiyorlar, bense karşıyım buna. Bizlerden ne kadar çok kişi ölürse onların o kadar hoşuna gider,"

"Onun yalan söyleyen diline bakmayın!" diye bağırdı Ras. "Kara halka ders olsun diye asın onu, asın ki başka hainler çıkmasın. Başka 'Tom Amca' lar çıkmasın artık. Şu iğrenç kuklaların yanına asın onu!"

"Ama herkes görebilir!" diye bağırdım. "Doğru, beni, bizim dostumuz olduklarını sandığım kimseler kandırdı; ama onlar bu adama da güvenebiliyorlardı. İşlerini yürütebilmeleri için bu Yıkıcı'ya da ihtiyaçları vardı. Sizi terk ettiler, ittiler ki umutsuzluk içinde bu adamın peşinden gidesiniz kendi yıkımınıza diye. Göremiyor musunuz bunu? Kendi kendinizin katili olmanızı, kendi kendinizi feda etmenizi istiyorlar onlar!"

"Yakalayın!" diye bağırıyordu Ras.

Üç adam ileri çıktı ve ben düşünmeksizin, buna karşı çıkan ve meydan okuyan dehşetli bir hatip pozu aldım, bağırdım, "Hayır!" Ama elim mızrağa çarptı, saplandığı yerden zorla çıkardım mızrağı, ortasından yakaladım ve ileri uzattım. "Bunun olmasını istiyorlar onlar," dedim. "Planladılar bunu. Bir kara kalabalığın, makineli tabancalarla ve tüfeklerle kentin yukarısına gelmesini istiyorlar. Yollardan dere gibi kan aksın istiyorlar: sizin kanınızın, kara kanın ve beyaz kanın; o zaman sizin ölümünüzü, kaderinizi ve yenilginizi propaganda olarak kullanabilecekler. Basit bir şey bu, ne zamandır biliyorsunuz bunu.

'Bir zenciyi yakalamak için yine bir zenci kullan!' yoludur bu. Sizi yakalamak için beni kullandılar, şimdi benden kurtulmak için ve sizin kurban edilişinizi hazırlamak için Ras'ı kullanıyorlar. Görmüyor musunuz bunu? Apaçık değil mi?..."

Bir grup adamın ileri doğru fırladığını gördüm.

"Durun!" dedim. "O halde kendim için, kendi hatam için öldürün beni ve orada bırakın. Şimdi kentin merkezine oynadıkları oyuna, yaptıkları hileye gülen kimseler için öldürmeyin beni."

Ama daha konuşurken bile faydası olmadığını biliyordum bunun. Ne söyleyecek sözüm, ne de bunları güzel şekilde söyleyecek gücüm kalmıştı ve Ras, "Asın onu!" diye gürlediğinde onların karşısında öylece dikiliyordum, gerçek değilmiş gibi geliyordu bana. Yabancı elbiseler içindeki çılgın adamın gerçek ama yine de gerçekdışı olduğunu bilerek, benim başımı istediğini, bütün gecelerden ve günlerden, çekilen bütün acılardan, kontrolün dışında olan her şeyden sorumlu tuttuğunu bilerek öylece karşılarındaydım ve bir kahraman değildim ben, konuşma yeteneği olan, beni kalabalıktan aptalcasına ayıran sonsuz bir yeteneğe sahip kısa boylu, kara adamın biriydim. Nihayet görüyordum, tanıyordum onları bugüne kadar göremediğim kimseler olarak, şu anda yol gösterdiğim, önlerinde koştuğum, liderleri olduğum insanlar olarak tanıyordum şimdi; yalnız, hayallerimden kurtulmuştum artık.

Atı üzerindeki Ras'a ve ellerindeki tabancalara baktım, tüm gecenin, basit fakat yine de insanı şaşırtacak derecede karışık umut ve arzu, korku ve nefret düzeninin –beni buraya kadar koşa koşa getirmiş olan– saçmalığını anladım ve artık kim olduğumu, nerede olduğumu bilerek, artık Jackler ve Emersonlar ve Bledsoelar ve Nortonların peşinden koşmak ya da onlardan kaçmak zorunda olmadığımı bilerek, kaçılacak bir şey varsa onların şaşkınlığı, sabırsızlıkları ve kendi Amerikan kimlikleriyle benimkinin o güzel saçmalığını tanımayı reddetmeleri olduğunu bilerek. Ölmekle, bu caddede, bu yıkım gecesinde Ras tarafından asılmakla, belki de onları kim olduklarının tanımına, kim olduğumun, ne olduğumun tanımına bir kanlı adım olsun yaklaştırabileceğimi bilerek duruyordum orada. Ama tanım çok dar olacaktı; görülmezdim ben, asılmak, onların gözünde bile görülür yapmayacaktı beni; çünkü onlar benim ölümümü yalnızca kendim için değil, bütün yaşamım boyunca peşinden koştuğum şey için istiyorlardı; kaçtığım, kovalandığım, peşimi bırakmadıkları, benimle oynadıkları, beni temizledikleri için; onların körlüğü ve benim görülmezliğim dikkate alınırsa (Rinehart'a da, Bledsoe'ya da katlanmamışlar mıydı onlar) hiçbir şey yapamazdım. Ve benim, takma adlı küçücük bir kara adamın, kinden gözü dönmüş, yalnızca onun kadar kör olduğunu bildiğim beyaz adamlar tarafından kontrol ediliyor görünen bir gerçekliği iyi tanıyamayan iriyarı bir kara adam istiyor diye, sırf bunun için ölmesi çok fazlaydı, çok aşağılayıcı derecede saçmaydı. Ve biliyordum ki, insanın kendi saçmalığını yaşaması, ister Ras olsun ister Jack olsun, başkalarının saçmalığı için ölmesinden daha iyidir.

Bunun için, Ras, "Asın onu!" diye bağırınca mızrağı fırlattım ve bir an hayatımdan vazgeçmişim de yeniden yaşamaya başlamışım gibi oldu; bağırmak için başını çevirdiğinde mızrağın ona ulaştığını, bir yanağından girip, öbür yanağından çıktığını, Ras, çenelerini kilitlemiş olan mızrakla uğraşırken kalabalığın şaşırıp kaldığını gördüm. Adamlardan birkaçı tabancalarını doğrulttular ama ateş edemeyecek kadar yakındılar; birincisine Tarp'ın bilek zinciriyle vurdum, ortadakine çantamla, sonra yağma edilmiş bir mağazanın içine kaçtım, etrafa saçılmış ayakkabıların, devrilmiş kasaların, sandalyelerin üzerinden ilerideki, arasından tekrar ay ışığını gördüğüm yere doğru koştum, hırsız alarmlarının çaldığını duyarak. Alevler insanı nasıl kovalarsa bir yangında, öyle geliyorlardı peşimden, caddeye kadar koşturdum arkamdan onları, ateş etmiş olsalardı vurabilirlerdi beni; ama beni asmaları, hatta linç etmeleri önemliydi onlar için. Bunun için değil miydi koşmaları, bunun için koşmaları öğretilmemiş miydi onlara?

Ben ancak asılarak ölmeliydim, sanki ancak asılmak yatıştırabilirdi her şeyi, borcu ancak o ödeyebilirdi! Öylece, kürek kemiklerimin ortasından ya da ense kökümden gelecek bir ölümü bekleyerek koşuyordum, Mary'nin evine varmaya çalışıyordum. Düşünerek verilmiş bir karar değil, karanlık sokakta süt birikintilerinin üzerinden atlarken, ağır çantamı ve bilek zincirini savurmak için durduğumda, ellerinden kaçıp kurtulduğumda, sıyrıldığımda birden aklıma gelen bir şeydi bu.

Ah, bir arkamı dönüp de kollarımı indirip, "Bakın, arkadaşlar, bir soluk verin bana, konuşayım, biz kara halk, kara insanlar hep birlikteyiz. Hiç kimsenin umrunda değil," diyebilseydim. Ama artık bizim umrumuzda olduğunu biliyordum; nihayet harekete geçecek kadar aldırmaya başlamışlardı, öyle düşünüyordum. Bir diyebilseydim, "Bakın bize oyun ettiler, eski oyunu yeni çeşitlemelerle yeniden çıkardılar ortaya; bırakalım kaçmayı kovalamayı da sayalım, sevelim birbirimizi..." Bir başka kalabalığın içine dalıp uzaklaştığımı düşünürken, birisi bağırarak bana doğru yaklaşıyor ve bir yumruk fırlatırken bilek demirinin fırladığını hissediyorum, caddeye doğru dönüp orada da yukardan püskürtülüyora benzeyen bir suyla karşılaşıyorum. Bir ana su borusu patlamış, gecenin içine korkunç su püskürtüyordu. Mary'nin evine gidiyordum güya; ama yukarı gideceğime su içinde bir yoldan kentin merkezine gidiyordum. Tam yürümeye başlamıştım ki, suyun içinde bir atlı polis fırladı hücuma kalktı; at siyah ve su içinde, saldırıyor, koskocaman ve gerçekdışı görünüyor, kişneyerek ve nallarını şakırdatarak kaldırımda üzerime doğru; ben dizlerimin üzerinde sürünüyor, üzerime doğru yüksele alçala gelen koskoca gövdeyi görüyorum; nal sesleri ve bağırışlar, dört bir yanı kapalı bir odada tek başıma oturuyormuşum gibi uzaktan gelen bir su hücumu, sonra geçiyor, geçmiş gibi oluyor, kuyruğun kılları gözlerimin önünde alevden bir kırbaç... Döne döne yuvarlanıyordum etrafta, çantayı körü körüne savuruyordum, ateş saçan bir kuyruklu yıldız imgesi acıyan gözkapaklarımı yakıyordu. Dönüyor ve elimdeki çantayı ve bilek zincirini savuruyorum ve çaresiz debelenirken dörtnalın başladığını işitiyorum; şimdi doğrudan doğruya suyun büyük, çıplak gücüne doğru yöneliyorum, ıslak, vurucu ve soğuk bir darbe gibi hissediyorum gücünü, sonra onun içinden bir başka atın koşarak geldiğini yarım yamalak görerek, engeli atlayan bir avcı, binici geriye kaykılmış, at yükseliyor, sonra yükselen su dalgasına çarpıyor ve yutuluyor onun tarafından. Caddeden aşağı sendeliyerek yürüyordum, kuyruklu yıldızın kuyruğu hâlâ gözlerimde, şimdi biraz daha iyi görerek ve ay ışığında çılgın bir gayser gibi fışkıran suyu görmek için geriye bakarak, Mary'ye, diye düşünüyorum, Mary'ye.

Evlerin önündeki alçak çitlerin yanında sıra sıra demir parmaklıklar vardı, bir tanesinin arkasına yuvarlandım ve suyun ezici gücünün yorduğu vücudumu dinlendirmek için soluk soluğa uzandım yere. Fakat daha sırtım yere değmemişti ki, sıcaktan kavrulmuş çitin kokusu burnumda, geldiler evin önünde durdular, parmaklığa dayandılar. Bir şişeyi elden ele dolaştırarak içki içiyorlardı, sesleri heyecandan kısılmış gibi çıkıyordu.

"Amma geceydi," dedi bir tanesi. "Ne geceydi ama, değil mi?"

"Ötekiler gibi bu da."

"Niye böyle söylüyon?"

"Çünküm, bir sürü siktiri boktan işle, kavgayla, içkiyle ve yalanla dolu. Ver şu şişeyi bana."

"Öyle; ama bu gece ömrümde görmediğim şeyler görmüşüm."

"Bir şey görmüşüm sanırsın? Hıh, iki saat önce Lenox'ta olacaktın ki! O Yıkıcı Ras aygırını biliyor musun? Adam kan tükürüyordu vallah!"

"O kaçık herif mi?"

"Öyle ya, arkadaş, koca bir kara at bulmuş kendine, bir de kalpak, eski bir aslan postu filan gibi bir şey omuzlarında, ateş püskürüyordu. Görülecek *manzaraydı* herif; biliyon mu o atın üzerinde bir aşağı bir yukarı gidip geliyor; hani o sebze arabalarını çeken atlar var ya, onlardan, bir de kovboy eğeri bulmuş, iri iri mahmuzlar."

"Yapma arkadaş!"

"Namussuzum ki! Bir aşağı bir yukarı gidip geliyor blok boyunca, bağırıyor, 'Yakın, yıkın, şunları! Atın dışarı! Yakın, kül edin! Ben, Ras, emrediyor size. Tutun şunu' diyordu, 'Ben Ras emrediyor size, kemiklerini ayırın diyorum onların!' Tam o sıra, şakacının biri, kalın Georgia'lı sesiyle pencereden başını uzatıyor ve bağırıyor, 'Haydi kovboy, sür onları! Belle analarını, muz ver onlara!' Ve adam, o atın üzerindeki sandviç yiyen bir ölüye benzeyen o deli orospu çocuğu, adama bakıyor, aşağı eğiliyor ve elinde bir kırkbeşlikle doğrularak o pencereye ateş etmeye başlıyor. Ve arkadaş, dağılışı görmeliydin, çil yavrusu gibi! Bir saniyede, o atın üzerinde, arkasından sarkan aslan postuyla Ras'tan başka kimse kalmadı ortada. Kaçık, arkadaş. Ondan başka herkes bir şeyler yürütmeye çalışıyor, onun ve adamlarınınsa kan bürümüş gözlerini!"

Boğulmak üzereyken kurtarılmış bir insan gibi uzanıyorum, dinliyorum, yaşıyor muyum hâlâ emin değilim.

"Ben oradaydım," dedi bir başkası. "Atlı polis peşine düştüğünde gördün mü onu?"

"Yok yahu... Al, tat şundan biraz."

"Eh, o zaman görecektin onu. O atın üzerindeki polisleri görünce eğerinin arkasına uzandı ve eski bir kalkan çıkardı."

"Kalkan mı?

"Tabii ya! Ortasında bir de çivisi var. Bu kadar da değil; polisleri görünce, o Allah'ın belası adamlarından birine seslendi, bir mızrak istedi; kısa boylu ufacık bir herif koştu caddeye ve bir mızrak verdi ona. Bildin mi, hani o sinemada Afrikalı herifler kullanır ya ondan..."

"Peki, sen neredeydin ki, arkadaş?"

"Ben mi? Kenardaydım ben, birkaç herif bir dükkâna girmiş, pencereden soğuk bira satıyor, işte orda herif tezgâhı kurmuş arkadaş," diye güldü. "Biraz Budweiser içiyordum ve dikizliyordum olanları; o sıra polisler geldi yukardan, kovboylar gibi at sürüyorlar arkadaş ve o Ras bilmem ne görünce onları bir kükresin aslanlar gibi; geriledi ve atın kıçına bastı mahmuzu, bastı mahmuzu, gecenin son seferinde, eve dönüş zamanı metroda beşliklerin dökülüşü gibi şıngır şıngır, vay Allahsız! O zaman görecektin onu işte! Hey, bir tadayım şundan, arkadaş. Teşekkür. Bir de baktım tı-kı-dak, tı-kı-dak geliyor o, mızrağı uzatmış önüne doğru, kalkanı kolunda, hücuma kalkmış arkadaş. Ve bağrıyor bir şeyler Afrikaca ya da Kızılderili filanca ve o boktan anlarmış gibi başını eğmiş aşağı, arkadaş, sanırsın Earle Sande, Jamaica'da beşinci yarışında. O ihtiyar kara at bir kişneme salsın ve o da indirsin *kendi* başını aşağı. Ne bileyim nereden bulmuş o orospu çocuğu onu; ama, baylar, yemin ederim! O çeliği kıçında, gerisinde hissedince hayvan bir ileri fırladı ki, sanki karıya yumulmaya koşan bir savaşçı sanırsın! Daha polisler kendilerine vuran şeyin ne olduğunu anlamadan, Ras ortalarında onların ve polisin biri yakaladı o mızrağı, Ras bir savurdu onu, fırlattı başının üzerine; polis yuvarlandı yere, atı fırladı kalktı ve Ras geriletti atını, bir polis daha mızraklamaya çalışıyor, öbür atlar ileri atılıyor, Ras bir polis daha mızraklamaya çalışıyor, yalnız çok yakın ve at fart furt ediyor, hırlıyor, işiyor, sıçıyor ve onlar sağa sola koşuşuyor ve polis tabancasını sallıyor ve her sallayışında bizim Ras bir koluyla kalkanını kaldırıyor öbürüyle mızrakla vuruyor ona ve arkadaş, o tabancanın kalkana çarpışını duyacaktın ki, birisi on ikinci kattan demir tekerlekler atıyor sanırdım. Biliyon mu hem, bizim Ras onu görünce mızrağıyla vuramayacak kadar yakındı polise, o atı bir döndürdü ki, bir parça sürdü, hızlı bir dönüş yaptı ve yine saldırdı; gözünü kan bürümüş arkadaş! Yalnız bu kez polisler bıktılar o kerizden, bir tanesi ateş etmeye başladı. Eh, cümbüş başladı o zaman! Bizim Ras'ın tabancasını çekecek zamanı yok, mızrağını fırlattı bir, duyacaktın onu nasıl hırlıyor, o polis milletine bir şeyler söylüyor ve at, Heigo gibi, o Allah'ın belası Gümüş gibi sıçraya sıçraya tuttu caddeyi!"

"Amma attın kardaş, din kardeşiyiz biz de!"

"Doğrusu bu arkadaş, kitaba el basarım."

Çitin dışında gülüyorlardı, sonra gittiler ve ben kaskatı uzanıyordum orada, gülmek istiyordum; ama Ras'ın gülünecek insan olmadığını, gülünç olmayı bırak, tehlikeli olduğunu, haksız fakat haklılığını ispat etmiş, deli fakat domuzuna akıllı... Neden öylesine gülünçleştirmişlerdi olayı; *yalnızca* gülünç tarafını görmüşlerdi onun, diye düşündüm. Ama bir yandan da gülünç olduğunu biliyordum. Gülünçtü, tehlikeliydi, üzücüydü. Jack görmüştü bunu, ya da önüne çıkmıştı da bir kurban hazırlamak için kullanmıştı onu. Ben de kullanılmıştım bir alet olarak. Büyükbabam gibi onlara hep evet demek, onları gebertinceye, yıkıncaya kadar evet demek de yanlıştı, ya da o zamandan beri işler çok değişmişti. Onları yok etmenin bir tek yolu vardı. Çitin arkasından çıktım, ay batmak üzereydi; ıslaktım, o sıcak havada titriyordum, hâlâ yolumun üzerinde dolanıp duran Jack'i aramaya koyuldum. Ayaklanmanın uzaktan gelen seslerini dinleyerek, kafamda kırılmış bir bardağın dibinde yatan iki göz imgesi, caddeye daldım.

Caddelerin karanlık yanlarından gidiyordum, sessiz bölgelerden ayrılmıyordum; çünkü onun, stratejisini gerçekten gizlemek istiyorsa, belki de hoparlörlü bir araba ile bölgede görüneceğini, yanında Wrestrum ve Tobitt, dostça akıllar vermeye çalışacağını düşünüyordum.

Sivil giyinmişlerdi ve polisler, diye düşündüm ben, ellerindeki beyzbol sopasını görünceye kadar; geriye dönüp uzaklaşmak istedim ve "Hey, sen!" dediğini duydum.

Duraksadım.

"Ne var o çantanın içinde?" dediler; başka bir şey sormuş olsalardı kımıldamadan duracaktım yerimde. Ama o soru üzerine bir utanç ve küçülme dalgası sardı vücudumu ve koşmaya başladım, Jack'e gidiyordum hâlâ. Ama yabancı bir bölgedeydim şimdi ve birisi, kim bilir hangi nedenle, biri binanın bodrumuna inen deliğin kapağını kaldırmıştı, bir anda kendimi boşlukta aşağıya uçuyor gidiyor hissettim. Bu uzun düşüş bir kömür yığınında son buldu, bulut gibi toz yükseldi yukarı. Koyu karanlıkta kara kömürler üzerinde uzanıyordum, artık koşmuyordum, saklanmıyordum ya da ilgilenmiyordum etrafla; kömürlerin kaydığını duyuyordum yalnızca, bir de yukarlardan bir yerden onların sesleri geliyordu dalga dalga aşağıya.

"Düştüğü yeri gördünüz, değil mi, cump! Tam sopayı kafasına indirmeye hazırlanıyordum ki piçin..."

"Vurdun mu?"

"Bilmem."

"Hey, Joe, piç öldü mü dersin?"

"Belki. Ama öyle de olsa içerde şimdi, karanlıkta. Gözlerini bile göremezsin."

"Bir kömür yığını içinde bir zenci ha, Joe?"

Birisi delikten aşağı bağırdı, "Hey, kara oğlan. Çık dışarı. O çantanın içinde ne var görmek istiyoruz."

"İnin aşağı da yakalayın beni," dedim.

"Ne var o çantanın içinde?"

"Sen," dedim birden gülmeye başlayarak. "Ne dersin buna?"

"*Ben mi?*"

"Hepiniz," dedim.

"Delisin sen", dedi.

"Deli meli, siz varsınız, siz, bu çantanın içinde!"

"Ne çaldın?"

"Göremiyor musunuz?" dedim. "Bir kibrit çakın."

"Ne söylüyor bu herif be, Joe?"

"Bir kibrit çak, kaçığın biri bu zenci."

Yukarda, ışığın içinde, bir alev gördüm. Dua eder gibi başları aşağıda duruyorlardı, kömürün içinde göremiyorlardı beni.

"Aşağı inin," dedim. "Ha! Ha! Her zaman bu çantanın içindeydiniz, onun için tanıyamadınız beni, şimdi göremiyorsunuz."

"Seni orospu çocuğu!" dedi bir tanesi, kızgın. Sonra kibrit söndü ve yanıma kömürün üzerine bir şeyin düştüğünü duydum yavaşça. Yukarda konuşuyorlardı.

"Seni Allah'ın belası zenci orospu çocuğu!" diye bağırıyordu birisi, "görürsün gününü şimdi!" Ve kapağı lang, diye deliğin üzerine yerleştirdiğini duydum. Kapağın üstünde zıplarlarken toz toprak dökülüyordu aşağıya, bir an vahşi bir şaşkınlık içinde kömürleri fırlattım yukarıya; yukarda karanlık içinde, demir kapağın üzerindeki yuvarlak deliklerden birinde donuk bir kibrit ışığının yanıp söndüğünü gördüm. Sonra, her zaman böyleydi işte diye düşündüm, yalnız ben yeni anlıyorum bunu. Yerime oturdum yeniden, sakinleşmiştim artık, çantayı başımın altına yerleştirdim. Kapağı iterek açabilirdim sabahleyin. Şimdi yorgundum, çok yorgun; aklım gerilere çekiliyordu, iki cam göz imgesi eriyen kurşun damlaları gibi birlikte hareket ediyordu. Burada, ayaklanma bitmişti sanki, uykunun beni kendine çektiğini hissediyordum, kara bir suyun yüzünde dalgalara kapılmış gidiyordum sanki.

Asılmaksızın bir çeşit ölüm, diye düşündüm, diri diri gömülmek. Sabah olsun, kapağı kaldırırım... Mary, Mary'ye gidecektim. Şimdi elimde kalan tek yoldan giderdim Mary'ye... Kara suyun üzerinde, yüzerek, içimi çekerek... Görülmeksizin uyuyarak debelendim durdum.

Ama Mary'nin oraya ulaşamayacaktım hiç, sabahleyin çelik kapağı kaldırırım diye fazla iyimser düşüncelere kapılmıştım. Büyük, görülmez zaman dalgaları aktı üzerimden; ama o sabah hiç gelmedi. Ne sabah, ne de beni uyandırabilecek herhangi bir ışık vardı ve uyudum, uyudum, ta en sonunda açlıktan ayağa dikilinceye kadar. Karanlıkta ayağa kalktım, şaşkın şaşkın dolandım sert duvarlarla yoklayarak; attığım her adımda, kömür, güvenilmez kum yığınları gibi batıyordu ayaklarımın altında. Elimi kaldırdım tavana ulaşmak için ama kesiksiz ve delinmez bir boşluktan başka bir şey bulamadım. Sonra bu türlü çukurlardan dışarıya götüren normal merdiveni bulmaya çalıştım; ama yoktu böyle bir şey. Işığa ihtiyacım vardı, ellerim ve dizlerim üzerinde, çantam sımsıkı yanımda, kömürün içinde arandım durdum, adamların düşürmüş olduğu kibrit kutusunu buluncaya kadar; ne kadar zaman geçmişti üzerinden? Üç tane kibrit kalmıştı içinde, elimle kömür yığınını yavaş yavaş yoklayarak bir kağıt parçası bulmaya çalıştım, kibritleri idareli kullanmak için bir meşale yapacaktım. Delikten çıkış yolunu bulmak için bir parçacık kağıt olsa yeterdi; ama yoktu işte. Daha sonra ceplerimi araştırdım, bir makbuz, bir reklam kağıtçığı ya da Kardeşlik'in broşürlerinden bir tanesini olsun bulamadım. Rinehart'ın el ilanını ne diye yırtmıştım sanki? Eh, bir meşale yapmak istiyorsam eğer yapacak başka şey kalmıyordu: Çantamı açacaktım. Elimde kalan son kağıt parçaları da onun içindeydi.

Lise diplomamla başladım. Garip bir alay hissiyle değerli bir kibriti çaktım ve tutuşturdum, hızlı fakat zayıf alevin o kasvetli karanlığı geriye ittiğini görünce gülümsedim hatta. Derin bir bodrumdaydım, görebildiğimden çok ötelere uzanan şekilsiz eşyalarla dolu bir bodrumda; dışarı çıkana kadar yolumu aydınlatabilmek için çantadaki bütün kağıtları yakmak zorunda kalacağımı anladım. Bu zayıf meşalelerle yolumu aydınlata aydınlata daha koyu karanlığa doğru yürüyordum. İkinci olarak Clifton'un kağıttan bebeği geliyordu; ama o kadar zor, o kadar inatla yanıyordu ki başka bir kağıt bulmak için çantaya uzandım yine. Sonra duman saçan bebeğin ışığında katlanmış bir kağıt parçasını açtım. İmzasız mektuptu bu, o kadar hızlı yanıyordu ki, daha o tutuşurken bir başka kâğıdı çıkarabilmek için zor zaman bulabildim: Buysa, Jack'in, üzerine benim Kardeşlik adımı yazdığı kağıt parçasıydı. Bodrumun o boğuk, rutubetli havasında bile Emma'nın kokusunu hâlâ duyabiliyordum. Ve kâğıdı yavaş yavaş yakıp yok eden alevlerde, hem imzasız mektuptaki hem de bu pusuladaki el yazılarını bir arada görünce elim yandı şaşkınlıktan, dizlerimin üzerine yere düştüm, donakaldım. El yazısı ikisinde de aynıydı. Başıma bir yumruk yemiş gibi sersemlemiş, diz çöktüm oraya, alevlerin her iki kâğıdı birden yiyip bitirişine seyrederek. Onun, ya da herhangi bir kimsenin, aradan o kadar zaman geçmişken bir tek ve aynı kalem darbesiyle hem bana bir ad vermiş olması hem de koşturması çok fazlaydı artık. Birden, karanlıkta ayağa kalkarak, vahşice etrafa saldırmaya başladım, duvarlara çarpa çarpa, kömürleri dağıta dağıta bağırıyor, haykırıyordum ve o öfke içinde o zayıf ışığımı da söndürdüm.

Ama o karanlıkta bile deli gibi koşarak, dar geçidin duvarlarına çarparak, kafamı vurarak, küfrederek sendeleye sendeleye iniyordum; bölmeye benzer bir yere daldım, paldır küldür yuvarlandım öksürerek, hapşırarak bir başka boyutsuz odaya... Hakarete uğramışlığın kızgınlığı içinde orada da devam ettim bu yuvarlanarak gidişe. Ne kadar sürdü bu, bilmiyorum. Günlerce, haftalarca olabilir; bütün zaman duygusunu yitirdim. Ve dinlenmek için her duruşumda öfkem yeniden kabarıyor ve ben yürümeye devam ediyordum. Sonra, en sonunda, artık hareket edemez hale gelince bir şey, "Yeter artık, kendini öldürme. Yeteri kadar koştun, sonunda kurtuldun onlardan," der gibi oldu ve yüzükoyun yıkıldım yere, bitkinlikten de öte uzanıp kaldım oraya, gözümü bile kapayamayacak kadar yorgun. Ne düş görmeye ne de uyanmaya benzer bir durumda ama ikisi arasında bir yerde, yabanarılarının, gözlerinden başka her tarafını sokup şişirdikleri Trueblood'un alaca kargası gibi yakalanmıştım ben de.

Ama nasıl olduysa, zemin kuma, karanlık ışığa dönüşmüştü şimdi ve ben, içinde Jack'in, ihtiyar Emerson'un Bledsoe'nun, Norton'un, Ras'ın, okul müdürünün ve daha tanıyamadığım başkalarının da bulunduğu bir grubun mahpusu olarak uzanıyordum yerde; ama hepsi de koşturmuş, çalıştırmıştı beni zamanında, şimdi, yakınında bir demir köprünün, göremediğim uzaklığa kadar keskin bir kemer çizdiği kara sudan bir ırmağın kenarında uzanmış yatarken ben, etrafımı sarmışlardı. Beni tutmalarına karşı geliyordum; onlarsa kendilerine dönmemi istiyorlardı, ben kabul etmeyince sinirleniyorlardı.

"Hayır," diyordum. "Sizin hayallerinizle, yalanlarınızla işim yok artık benim, koşup durmayacağım artık."

Ötekilerin öfkeyle dile getirdiği isteklerinin üzerinde Jack, "Pek o kadar değil," dedi, "ama dönmezsen, yakında koşuyor olacaksın. Kabul etme, biz de seni hayallerinden kurtaralım, tamam."

"Hayır, teşekkür ederim; ben kendim kurtulurum," dedim, dondurucu kumun üzerinde kalkmaya çalışarak.

Ama şimdi beni tutmuşlar, bir bıçakla üzerime geliyorlardı; bense parlak kızıl acıyı hissettim, iki kanlı damla aldılar ve köprünün üzerine fırlattılar, acıyla kıvranırken damlaların havada bir kavis çizdiğini ve köprünün kemer kıvrımının tepesine ulaşıp orada asılı kaldığını, gün ışığı içinde koyu kızıl suya damladığını gördüm. Ve onlar gülerken, acının keskinleştirdiği gözlerimin önünde bütün dünya yavaş yavaş kızıla dönüyordu.

"Artık kurtuldun hayallerinden," dedi Jack, havada boşuna harcanan tohumumu göstererek. "İnsan hayallerinden kurtulunca neler hissediyor?"

Ve ben şimdi o kadar keskinleşmiş bir acı içinde bakıyordum ki, hava, madenin çınlayışıyla gümbürdüyora benziyordu, duyuyordum: İNSAN HAYALLERİNDEN KURTULUNCA NELER HİSSEDİYOR...

O zaman cevap verdim, "Acılı ve boş." Parıl parıl bir kelebeğin, yukarıda köprünün yüksek kemerinin altındaki benim o kan kırmızı parçalarımın etrafında üç kez döndüğünü gördüm. "Ama bakın," dedim göstererek. Onlar baktılar, ve güldüler ve birden onların rahatlamış yüzlerini gördüm ve anladım, bir Bledsoe gülüşüyle güldüm, irkildiler. Ve Jack öne doğru ilerledi merakla.

"Niçin gülüyorsun?" dedi.

"Bir şey pahasına bugüne kadar göremediğim bir şeyi artık görüyorum da ondan," dedim.

"Ne gördüğünü sanıyor?" dediler.

Ve Jack daha yakına geldi, tehdit ediyordu, bense güldüm. "Korkmuyorum artık," dedim. "Ama bakarsan görürsün... Görülmez değil..."

"Neyi görür?" dediler.

"Orada, su üzerinde yalnızca benim yok olup giden kuşaklarımın asılı durmadığını." Ve acı kıvrandırdı beni, artık göremez oldum yüzlerini.

"Başka? Devam et," dediler.

"Başka, sizin güneşinizin de..."

"Evet?"

"Ve ayınızın da..."

"Kaçırmış bu!"

"Dünyanızın da..."

"Mistik bir idealist olduğunu biliyordum onun!" dedi Tobitt.

"Daha," dedim, "sizin evreniniz de var ve su üzerine düştüğünü duyduğunuz bu damlalar, hep sizin yaptığınız tarihtir. Gülün gülün artık, bilim adamları. Haydi güldüğünüzü işitelim!"

Ve ta yukarıda köprü hareket eder gibi oldu göremediğim bir yere doğru, bir robot gibi uzun adımlarla, hareket ettikçe demir ayakları ölüm kararları verircesine şangırdayan demirden bir adam gibi. Sonra keder ve acı dolu, "Hayır, hayır, durdurmalıyız onu!" diye bağırarak kalkmaya çabaladım.

Ve karanlık içinde uyandım.

İyice uyanıktım şimdi, her yanım kötürüm olmuş gibi uzanıyordum orada yapayalnız. Yapacak başka hiçbir şey düşünemiyordum. Daha sonra dışarı çıkmaya çalışacaktım; ama şimdi yerde uzanıp düşten kurtulmaya çalışmaktan başka yapacak şey yoktu. Yüzleri o kadar canlıydı ki, parlak bir ışık altında önümde dikiliyor gibiydiler. Hepsi de yukarılarda bir yerlerdeydiler, dünyanın altını üstüne getiriyorlardı. Getirsinler. Benimle ilişiği yoktu artık bunun ve düşe rağmen, bütündüm ben.

Ve şimdi Mary'nin yanına ya da eski yaşamımın herhangi bir dönemine dönemeyeceğimi anlıyordum. Ona ancak dışardan yanaşabilirdim, Kardeşlik için olduğu kadar Mary için de görülmezdim. Hayır, Mary'nin oraya, ya da kampusa, Kardeşlik'e ya da memlekete dönemezdim. Yalnızca ileri doğru hareket edebilirdim, ya da burada, yeraltında kalabilirdim. Bunun için de buradan kovuluncaya kadar burada kalacaktım. Burada hiç olmazsa, olanları huzur içinde olmasa bile sessizlikte düşünmeye çabalardım. Yeraltına yerleşecektim. Son, başlangıçtaydı.

Son Deyiş

İşte önemli olan her şeyi biliyorsunuz artık: Ya da en azından, bilir gibisiniz. Görülmez bir insanım ben ve bu bir ine yerleştirdi beni, ya da içinde yaşadığım ini gösterdi bana, diyelim isterseniz ve bu olguyu istemeye istemeye kabul ettim. Ne yapabilirdim başka? Bir kez alıştıktan sonra, gerçeklik bir kulüp kadar dayanılmazdır ve ben ipucu yakalamadan önce sopayla sokuldum bu bodrumdaki kulübe. Belki de böyle olması gerekiyordu; bilmiyorum. Aldığım dersin beni geriye mi yoksa *öncülüğe* mi getirdiğini de bilmiyorum. Belki de, tarih için bir derstir bu, böyle kararlar vermeyi Jack'e ve onun gibilere bırakıyorum; kendi yaşamımdan aldığım dersi incelemeye çalışıyorum bu kadar zaman sonra.

Açık yürekli olayım sizinle; yeri gelmişken söyleyeyim, öyle kolay bir iş de değil hani. İnsan görülmez olunca, iyilik, kötülük, namusluluk, namussuzluk gibi sorunları öyle değişken şekillerde anlar ki, birini ötekine karıştırır: O sırada kendi içinden öteye bakan kimseye bağlıdır bu. Şimdiyse ben kendi içimden öteye bakmaya çalışıyorum, tehlikeli bir iş bu. Hiçbir zaman, namuslu, açıkyürekli olmaya çalıştığım zamankinden daha çok nefret etmemişlerdir benden. Ya da şimdi olduğu gibi, hakikat olduğunu hissettiğim şeyi dile getirmeye çalıştığım zamankinden daha çok. Hiç kimse mutlu olmuyor o zaman; ben bile. Öte yandan, hiçbir zaman, birisinin yanlış inançlarını "haklı göstermeye" ve doğrulamaya çalıştığım zamankinden daha çok sevilmemişimdir; ya da arkadaşlarıma, işitmeyi arzuladıkları yanlış, saçma cevapları vermeye çalıştığım zamankinden daha çok. Benim yanımda konuşabilir, anlaşabilirlerdi birbirleriyle, dünyanın kılı kıpırdamazdı, severlerdi bunu. Bir güven duygusu hissederlerdi. Ama güçlük de buradaydı: Çoğu kez, *onları* haklı çıkarmak için, kendi boğazımı sıkmak, gözlerim pörtleyinceye, dilim dışarı sarkıncaya ve kuvvetli bir rüzgârda boş bir evin kapısı gibi "pat, pat" vuruncaya kadar kendimi boğmak zorunda kalırdım. Ah, evet, bu onları mutlu kılardı; ama beni hasta ederdi. Bu yüzden, olumlamaktan, kafamı saymasak bile midemin hayır deyişine karşı evet demekten hasta oldum.

Sahi, bir insanın duygularının, kafasından daha mantıklı olduğu bir alan vardır; işte tam bu alanda iradesi aynı zamanda çeşitli yönlere çekilir. Dudak bükebilirsiniz buna; ama ben biliyorum artık. Hatırlıyabildiğimden çok daha uzun zaman, şu ya da bu yöne çekilmişimdir. Ve benim sorunum, hep kendi yolumda değil de herkesin yolunda gitmeye çalışmış olmamdır. Aynı zamanda, kimse kendimi nasıl çağırdığımı gerçekten duymak istemezken bir bakmışsınız şöyle, bir bakmışsınız böyle çağırmışlardır beni. Böylece, başkalarının fikirlerini benimsemeye çalışmakla geçen yıllardan sonra, nihayet başkaldırdım. *Görülmez* bir insanım ben. Uzun bir yol gittim ve geri döndüm, toplumda başlangıçta amaç edindiğim noktaya kadar gidip geri döndüm, yani bir bumerang gibi.

İşte böyle, bodruma alıştım, benimsedim onu; kış uykusuna yattım. Her şeyden kurtuldum. Ama yetmiyordu bu. Kış uykusunda bile sakin olamıyordum. *Akıl*, akıl diye bir şey vardı çünkü; Allah kahretsin, rahat bırakmıyordu beni: Cin, caz ve düşler yeterli değildi. Kitaplar yeterli değildi. Beni boyuna koşturup durmuş olan o kaba şakayı geç de olsa anlamış olmam, yeterli değildi. Ve aklım büyükbabama gidip duruyordu dönüp dolaşıp. Ve benim Kardeşlik'e "evet" deme girişimime bir son vermiş olan o gülünç oyuna rağmen, onun ölüm döşeğinde verdiği öğüt hâlâ başımın belasıydı... Belki o benim düşündüğümden çok daha derin bir şey kastetmişti, belki onun öfkesi sürüklemişti beni; karar veremiyordum. Demiş olabilir miydi ki, lanet olsun! İlkeyi kastetmiş olmalıydı, üzerine insanların değil, hiç olmazsa şiddeti yapmış olan insanların değil, ülkenin inşa edildiği ilkeyi doğrulamamız gerektiğini kastetmişti. İlkenin insanlardan büyük olduğunu, sayılardan ve kirli, çirkin iktidardan ve onun adını çürütmek için kullanılmış olan bütün yöntemlerden daha büyük olduğunu bildiği için "evet" deyin mi demişti acaba? Onların kaostan ve feodal geçmişin karanlığı içinden varoluş haline geldiğini düşledikleri ve kendi çürümüş, bozulmuş kafalarında bile saçmalık derecesine kadar bozdukları ve tehlikeye attıkları ilkeyi olumlamayı mı kastetmişti? Ya da ihtiyaçlarımıza başkası uygun düşmediği için ilkeyi kullanması gereken mirasçılarız diye hepsi adına ilke için olduğu kadar insanlar için de bütün sorumluluğu yüklenmek zorunda olduğumuzu mu söylemek istemişti? İktidar için ya da hakkımızı korumak için değil, kökenimiz ortadayken, kendimizi ancak böylece aşabileceğimiz için mi? Hepsinin içinde bizim, hepsinden çok bizim, ilkeyi, adına insanlıktan çıkarıldığımız ve kurban edildiğimiz planı olumlamak zorunda olduğumuz demek miydi bu? Ne hep zayıf olduğumuz ne de korktuğumuz ya da oportünist olduğumuz için değil; fakat, dünyada başkalarıyla yaşamanın neye mal olduğu düşünülürse, onlardan daha yaşlı olduğumuz için, onlar insani hırs ve küçüklüğün bir kısmını –çok değil, bir kısmını– evet bunu ve kendilerini boyuna koşturan korku ve boş inancı bizim içimizde tükettikleri için (Ah, evet, onlar da koşuyorlar, birbiri üzerine, hep.) Yoksa, bizim, kendi hatamız olmadan, gürültülü, velvele içinde, yarı görülür bir dünyada: Jack ve onun tipindeki insanlarca, yalnızca sömürüye çok elverişli bir alan olarak görülen; tarih yapma gibi beyhude bir oyunda birer piyon olmaktan usanmış olan Norton ve onun gibilerinse tenezzülen birlikte yaşadığı bu dünyada bütün öteki insanlarla bağlı olduğumuz için, ilkeyi olumlamak zorunda olduğumuzu mu kastetmişti, bu muydu? Bütün bunlar içinde de ilkeye evet demek zorunda olduğumuzu, yoksa hem ilkeyi hem bizi mahvetmek için bize düşman olacaklarını görmüş müydü? "Ölüme ve yıkıma kadar uyuş onlarla," diye öğüt vermişti büyükbaba. Lanet olsun, ilkenin hem onların hem de bizim içimizde yaşaması dışında, kendi ölümleri ve kendi yıkımlarını kendileri hazırlamıyorlar mıydı? İşte şakanın özü de burada ya: Onlardan o kadar ayrı olduğumuz halde, *onların parçası* değil miydik, onlar ölünce biz de ölmeye mahkûm değil miydik? Anlayamıyorum bunu; yakalayamıyorum bir türlü. Ama gerçekte *Ben* ne istiyorum, diye soruyorum kendime. Elbette bir Rinehart'ın özgürlüğünü ya da bir Jack'in gücünü, hatta ne de yalnızca koşturulmamak özgürlüğünü değil. Hayır; ama ikinci adımı atamıyordum, bunun için de inimde kalıyorum.

İşlerin bu durumundan dolayı kimseyi ayıplamıyorum, dikkat edin; *mea culpa* (benim hatam) diye de bağırmıyorum yalnızca. Gerçek şu ki, insan hastalığının bir kısmını kendi içinde taşıyor, hiç olmazsa ben bunu bir görülmez adam olarak yapıyorum. Ben kendi hastalığımı taşıdım, uzun süredir dış dünyada bir yere koymaya çalışıyorsam da, onu oturup yazma girişimi, onun hiç olmazsa yarısının içimde yattığını gösteriyor bana. Yavaş yavaş başıma geldi bu, yavaş yavaş siyahtan albinoya döndüklerini gördüğümüz, zalim, görülmez bir ışın altındaymış gibi pigmentlerini kaybeden o kara adamların başına bela olan o garip hastalık gibi. Bir şeyin yanlış olduğunu, hatalı olduğunu bilerek yıllarca böyle gidersiniz, sonra birden, hava kadar saydam olduğunuzu keşfedersiniz. Önce bütün bunların pis bir şaka olduğunu, hatta "politik durum" yüzünden olduğunu söylersiniz. Ama ta derinden ayıplanacak kimsenin kendiniz olduğunuz kuşkusuna gelir varırsınız ve sizi görmeksizin sizin içinizden öteye bakan milyonlarla gözün önünde çırılçıplak, titreyerek durusunuz. İşte *bu* gerçek ruh hastalığıdır. İnsanın böğrüne saptanmış mızraktır; gözü dönmüş kentin içinde boynundan sürüklenmektir; büyük Engizisyon'dur; bakire kızın kucaklayışıdır; bağırsaklar dışarıda bir yırtıktır karında; sağlık koşulları yönünden o kadar temiz olan fırında yakılmakla son bulacak öldürücü gaz odasına yürüyüştür; ancak daha da kötüdür çünkü budalaca yaşamaya devam edersiniz. Ama yaşamak zorundasınızdır veya hastalığınızı tek yanlı seversiniz ya da ortadan yok edersiniz onu ve ikinci çatışmalı döneme girersiniz.

Evet; ama ikinci dönem nedir? Kaç kez bulmaya çalıştım onu! Onu aramak için kaç kez, kaç kez yeniden yukarı çıktım. Çünkü ülkedeki hemen herkes gibi, payıma düşmüş olan iyimserlikle başladım işe. Çok çalışmaya, ilerlemeye ve eyleme inandım; ama şimdi, önce toplum "için" sonra da ona "karşı" olduktan sonra kendime ne bir rütbe ne de sınır tayin ediyorum; böylesi bir davranışsa bu günlerin eğilimine pek karşıdır. Ama benim dünyam sonsuz olanakların dünyası oldu. Ne laf; ama yine de iyi bir laf; iyi bir yaşam görüşü ve bir insan bundan başkasını kabul etmemelidir. Yeraltında bu kadarını öğrendim. Bir haydut çetesi dünyaya deli gömleğini giydirmeyi başarıncaya kadar, onu olasılık diye tanımlamak gerekir. İnsanların gerçeklik dediği şeyin dar sınırları dışında bir adım atın, kaosa, Rinehart'a sorun; o bunun ustasıdır ya da hayal alemine girersiniz. Bunu da o bodrumda öğrendim, hem algı duygumu öldürerek de değil; ben görülmezim, kör değil.

Hayır, gerçekte dünya eskisi kadar somut, inatçı, aşağılık ve son derece güzel; ancak benim onunla, onun benimle ilişkisini daha iyi anlıyorum şimdi. Hayallerle dolu, herkesin gözü önünde bir yaşam sürdüğüm ve dünyanın katı, bütün ilişkilerin onun içinde olduğu varsayımı altında iş görmeye çalıştığım o günlerden bu yana çok yol aldım. Şimdi insanların farklı ve tüm yaşamın bölünmüş olduğunu, gerçek sağlığın ancak bu bölünmede bulunduğunu biliyorum. Bundan dolayı da inimde kalmaktayım; çünkü yukarda, insanları bir örneğe uydurmaya karşı gittikçe artan bir tutku var. Tıpkı benim karabasanda olduğu gibi, Jack ve öbürleri bıçaklarıyla bekliyorlar, en küçük bir özür arıyorlar... şey için.. "hızla ilerlemek" için; yaptıkları, yaşlı kartalı tehlikeli bir şekilde sallamak da olsa, eski dans adımını anlatmak istemiyorum bununla.

Uygunluğa, benzeyişe karşı bu kadar tutku nerden geliyor

peki? Başkalıktır, farklılıktır asıl olan. İnsanın çoğul yanlarını aynen tutmasına izin verin, zorba devletler kalmayacaktır. Bu uygunluk, sorununun peşine düşünce, gelip beni, görülmez bir insanı, beyaz olmaya zorlamaya başlıyorlar bu kez; oysa beyaz renk değil ki, renksizliktir. Renksizliğe can mı atmalıyım yani? Ama ciddi olarak, züppelik olsun filan diye değil, düşünün dünyanın ne yitireceğini o durumda. Amerika çok çeşitli ipliklerden dokunmuştur; ben onları görüyor, tanıyor ve öylece bırakıyorum. Ülkemizin ya da herhangi bir ülkenin büyük gerçeği "kazanan hiçbir şey almıyor" gerçeğidir. Hayat, yaşanmak içindir, kontrol edilmek için değil; insanlık ise, belli bir bozgunla yüz yüze, karşı karşıya devamlı oynanarak kazanılır. Kaderimiz tek; ama yine de çeşitli olmaktır. Bir kehanet değil, tanımlamadır bu. Böylece dünyadaki en büyük şakalardan biri, beyazların boyuna karalıktan kaçması ve her gün biraz daha karalaşması; karaların ise beyazlığa can atması ama her gün biraz daha donuklaşması, rengini yitirmesidir. İçimizden hiçbiri onun kim olduğunu ve nereye gittiğini bilir görünmüyor.

Geçen gün metroda başıma gelen bir şeyi anımsattı bana bu. Önce ilk bakışta kaybolmuşa benzeyen yaşlı bir adam gördüm. Kaybolmuş olduğunu biliyordum; çünkü ben yere, perona bakarken onun birçok kişiye yaklaştığını ve bir şey söylemeksizin geriye döndüğünü gördüm. Yolunu kaybetmiş, diye düşündüm, beni görünceye kadar yürüyecek, sonra da yön soracak bana. Belki de, garip bir beyaz adamın kaybolduğunu kabul etmesi ayıp, sıkılınacak bir şeydir. Belki de *nerede* olduğunuz duygusunu yitirmek, *kim* olduğunuz duygusunu yitirmek tehlikesini de içermektedir. Bu olmalı, diye düşündüm; yönünüzü kaybetmek yüzünüzü kaybetmek demektir. İşte, kaybolmuş, görülmez bir adamdan yönünü sormaya geliyor. Pekâlâ, yönsüz yaşamayı öğrenmişim ben. Sorsun bakalım.

Ama birkaç adım kalmıştı ki yanıma gelmesine, tanıdım onu; Bay Norton'du bu. Yaşlı bay daha incelmiş, yüzü daha kırışmıştı; ama eskisi kadar hafif ve çevikti. Onu görünce eski yaşamımın tümü bir an için yeniden canlandı gözümde, gülümsedim, gözyaşları gözlerimi yakıyordu. Sonra geçti bu duygu, öldü ve

Centre Street'e nasıl gidileceğini sorunca bana, karmakarışık duygularla baktım yüzüne.

"Beni tanımıyor musunuz?" dedim.

"Tanımak zorunda mıyım?" dedi.

"Beni görüyor musunuz?" dedim, sinirli sinirli seyrederken onu.

"Tabii, ne demek. Centre Street'e giden yolu biliyor musunuz siz efendim?"

"Demek öyle. Geçen kez Altın Gün'dü, şimdi de Centre Street. Epeyce kısaltmışsınız yolu, efendim. Ama benim kim olduğumu biliyor musunuz?"

"Delikanlı, işim acele benim," dedi, elini kulağına götürdü daha iyi duymak için. "Niçin sizi tanımak zorunda olayım?"

"Ben sizin kaderinizim de ondan."

"Benim kaderim mi, dediniz?" Geriye çekilerek anlamamış, şaşırmış bir yüzle baktı. "Delikanlı, hasta filan değilsin ya? Hangi trene bineyim demiştin?"

"Daha öyle bir şey demedim," dedim başımı sallayarak iki yana. "Utanmıyor musunuz şu anda?"

"Utanmak! UTANMAK MI?" dedi kızgın bir sesle.

Birden aklıma gelen düşünce güldürdü beni. "Çünkü, Bay Norton, eğer *nerede* olduğunuzu bilmiyorsanız, belki *kim* olduğunuzu da bilmiyorsunuzdur. Ve bu utanç yüzünden geldiniz bana. Utanıyorsunuz, değil mi?"

"Delikanlı, hiçbir şeyden utanç duymayacak kadar uzun süre yaşadım bu dünyada. Açlıktan başın mı dönüyor yoksa senin? Nasıl bilirsin benim adımı?"

"Ben sizin kaderinizim ama, ben yaptım sizi. Niçin bilmeyecekmişim sizi?" dedim yanına yaklaşarak ve onun direğe doğru gerilediğini görerek. Köşeye sıkıştırılmış bir hayvan gibi etrafına bakıyordu. Benim deli olduğumu düşünüyor olmalıydı.

"Korkmayın, Bay Norton," dedim. "Aşağıda peronun orada bir muhafız var. Emniyettesiniz. Hangi trene binerseniz binin; hepsi de Altın Gün'e çıkar."

Bir ekspres treni girdi perondan içeriye ve yaşlı adam fırladı kayboldu trenin kapılarından birinin içinde. Delicesine gülerek duruyordum orada. İnime gelinceye kadar hep güldüm. Ama gülmem kesildikten sonra tekrar kendi düşüncelerime döndüm: Nasıl olmuştu bütün bunlar? Bütün bunların bir şakadan başka bir şey olmadığını düşündüm bir an, sordum kendi kendime; ama cevap veremedim. O zamandan beri bazen, Mason-Dixon* hattını geçip "karanlığın ta göbeğine" geri dönmek tutkusuna yenildiğim oluyor; ama derhal kendi kendime, gerçek karanlığın kendi kafamın içinde yattığını hatırlatıyorum ve sıkıntı içinde kayboluyor fikir. Tutku yine kalıyor. Bazen bütün her şeyi, tüm mutsuz alanı ve onun içinde sevilmiş ve sevilemez her şeyi, bütün bunlar benden birer parça olduğu için, yeniden onaylamak ihtiyacını duyuyorum. Ama şu ana kadar ancak buraya gelebildim.

Çünkü görülmezlik ininden görülen tüm yaşam saçma. Öyleyse niçin yazıyorum, niçin her şeyi kâğıda geçirmek için kendimi işkenceye sokuyorum? Çünkü kendime rağmen bir şeyler öğrenmiş bulunuyorum. Eylem olasılığı olmaksızın, tüm bilgi, "dosyala ve unut" etiketli bir yere çıkar; bense ne dosyalayabilir ne de unutabilirim. Ne de bazı düşünceler beni unutur; benim o derin uykum içinde yürek rahatlığım içinde dosyalanmaya devam ederler. Niçin bu karabasanı görecek biri olayım ben? Niçin buna adanmış ve bir kenara ayrılmış olayım; evet, hiç olmazsa birkaç kişiye onu *anlatmadıktan* sonra? Bundan kurtuluş yok gibi görülüyor. İşte öfkemi, dünyanın yüzüne fırlatmaya başladım bile; ama her şeyi bir yere yazmaya, kaybetmeye başlayınca, bir rol oynamış olmanın büyüsü tekrar geri dönüyor, tekrar yukarıya çekilmiş oluyorum. Bunun için daha yazacaklarımı bitirmeden yenildim (belki öfkem çok ağır; belki bir konuşmacı olduğum için çok sözcük kullandım). Ama yenilmiş bulunuyorum. Her şeyi kaybetmeye çalışma işi aklımı karıştırdı ve öfkenin bir kısmını, acının bir kısmını ortadan kaldırdı. Bunun için şimdi ifşa ediyorum ve savunuyorum, ya da savunmaya hazır hissediyorum kendimi. Reddediyorum ve onaylıyorum, evet diyorum ve hayır diyorum, hayır diyorum,

---

(*) Pennsylvania ile Maryland eyaleti arasındaki tarihi sınır. Köleci Güney'le köleliğe karşı savaşan Kuzey'i birbirinden ayıran çizgi – ç.n.

evet diyorum. Onda parmağım olduğu, kısmen de sorumlu olduğum hâlde, sonsuz acı noktasına kadar, görülmezlik noktasına varıncaya kadar yaraladığım için ifşa ediyorum. Ve her şeye rağmen sevdiğimi anladığım için savunuyorum. Onun bir kısmını yazabilmek için sevmek *zorundayım*. Sahte bir bağışlama duygusu satmaya çalışmıyorum size, umutsuz bir insanım ben; fakat, nefretle olduğu kadar sevgiyle de yaklaşmazsanız ona, yaşamınızın çoğu, onun anlamı yitirilmiş olacaktır. Bunun için de ben ayrılık, fark yoluyla yaklaşıyorum ona. Ve bunun için de ifşa ediyorum, savunuyorum, nefret ediyorum ve seviyorum.

Belki de bu beni birazcık büyükbabam kadar insan yapıyor. Bir zamanlar, büyükbabamın insanlık üzerine düşünceleri olamayacağını düşünürdüm; ama yanılıyormuşum. Yaşlı bir köle ne diye, benim arena konuşmamda yaptığım gibi, şöyle bir cümle kullansın, "Şu, şu, şu beni daha insan yaptı?" Yok canım, insanlığından hiçbir zaman kuşkulanmamıştı, bunu, özgür torunlarına bırakmıştı. İlkeyi kabul ettiği gibi insanlığını da kabul ediyordu. Bu onundu, ilke ise kendisinin tüm insani ve saçma çeşitliliğinde yaşamayı sürdürür. İşte artık bütün olanları yazmaya çalıştıktan sonra, kendimi silahsızlaştırmış oldum. Benim görülmezliğime inanmayacaksınız, size özgü olan bir ilkenin bana da uygulanabileceğini göremeyeceksiniz. Görün ya da görmeyin, ölüm hepimizi beklediği halde, bunu anlamayacaksınız. Ama aynı silahsızlanma, beni bir karara getirdi. Kış uykusu bitti. Eski derimi sırtımdan silkeleyip atmalı ve soluk almak için yukarı çıkmalıyım. Havada kötü bir koku var, yerin bu kadar altından, ya ölümün ya da ilkbaharın kokusu olabilir bu; dilerim, bahardır. Ama sizi aldatmama izin vermeyin, baharın kokusunda, benim kokumda olduğu gibi senin kokunda da bir ölüm *vardır*. Ve başka hiçbir şey öğretmediyse bile, ölüm kokularını sınıflandırmayı öğretmiştir bana, bu görülmezlik.

Yeraltına girerken, *akıl* dışında —akıl demek istiyorum— her şeyi kovdum. Bir yaşam planını kavramış, anlamış olan akılsa, karşısında bu örneğin kavradığı kaosu hiçbir zaman gözden kaçırmamalıdır. Bireylere olduğu kadar toplumlara da uygun düşer bu. Böylece, sizin kesinliklerinizin kalıbı içinde ya-

543

şayan kaosa bir kalıp vermeye çabaladıktan sonra dışarıya çıkmalı, ortada görünmeliyim artık. İçimde hâlâ bir çatışma var: Louis Armstrong'la birlikte benim bir yanım, "Aç pencereyi de pis hava dışarı çıksın" diyor; öteki yanımsa, "Hasattan önce güzel yeşil mısır vardı" diyor. Elbette şaka söylüyordu Louis, Kötü Havayı atamazdı dışarı, müziği ve dansı durdurmuş olurdu o zaman bu; çünkü Kötü Hava borusunun ağzından çıkan iyi müzikti aslolan. Eski Kötü Hava, müziğiyle, dansı, çeşitliliğiyle birlikte hâlâ ortalıkta; ben de kendi müziğimle yukarıda dolaşıyor olacağım. Ve daha önce de söylediğim gibi, bir karar verilmiş durumda artık. Eski derimi silkeleyip atıyorum, burada inimde bırakacağım onu. Dışarıya çıkıyorum, eskisinden daha az görünmez değilim, onsuz yine de çıkıyorum dışarıya. Ve sanıyorum ki bundan daha uygun zaman da olmaz. Bir düşünürse insan, kış uykuları bile abartılabilir. Belki de benim en büyük toplumsal suçum budur; görülmeyen bir insanın bile toplumsal bakımdan oynayacak sorumlu bir rolü olduğuna göre, kış uykumu çok fazla uzattım ben.

"Ah!" dediğinizi duyabiliyorum, "demek bütün bu gevezeliği, vırvırıyla kafamızı ütülemesi, buraya getirmek içinmiş bizi. Abuk sabuk konuşmasını dinlememizi istemiş meğer!" Ama tamamen doğru değil bu: Görülmez biriyken, maddesizken, bedensiz bir sesten başka bir şey değilken, ne yapabilirdim ben? Gözleriniz beni görmeden benim içimden benim öteme bakıp dururken, gerçekte neler olduğunu size anlatmaya çalışmaktan başka ne yapabilirdim? Ve beni korkutan da bu.

Ama kim bilir, düşük frekanslarda, sizin adınıza konuşuyorumdur belki de?